MATTHIAS FRINGS
EIN MAKELLOSER ABSTIEG

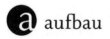 aufbau

MATTHIAS FRINGS

EIN MAKELLOSER ABSTIEG

Roman

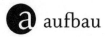 aufbau

ISBN 978-3-351-03340-8

Aufbau ist eine Marke der Aufbau Verlag GmbH & Co. KG

1. Auflage 2011
© Aufbau Verlag GmbH & Co. KG, Berlin 2011
Einbandgestaltung hißmann, heilmann, hamburg
Typografie Renate Stefan, Berlin
Gesetzt aus der Aldus durch psb, Berlin
Druck und Binden CPI – Clausen & Bosse, Leck
Printed in Germany

www.aufbau-verlag.de

Alles Unglück der Welt rührt daher, dass die Menschen nicht in ihren Wohnungen bleiben.

Blaise Pascal

Wenn ich nicht verliere, kann der andere nicht gewinnen.

Boris Becker

ERSTES BUCH

ERSTES BUCH

1 Dabei hatte es so gut angefangen. Mit dem letzten Flugzeug war er schon am Mittwochabend aus Köln eingeflogen, weil tags drauf Christi Himmelfahrt war und er den Freitag zum Moderationsschreiben benötigte. Also schwänzte. Keine Konferenzen, keine Studioproduktion. Keine Interviews, Auftritte, Fotosessions. Vier Tage Freiheit. Über so viel Planlosigkeit hatte er lange nicht verfügt.

In Unterhemd und Shorts, zufrieden wie ein Dreijähriger, saß er vor dem, was Vivian einen »Haufen bunter Knete« nannte: einer Schüssellandschaft vorwiegend orientalischer Speisen, bestehend aus mariniertem Gemüse, Couscous, Oliven, dünn geschnittenem Schinken, Dips und Pasten, dazu warmes Oreganobrot. Zur Feier des Feiertags hatte sie einen Sauvignon Blanc aus Südafrika geöffnet. »Zum Niederknien gut«, bemerkte sie mit theatralischer Ironie.

Simon aß und träumte. Er liebte diese gelenkschwere Müdigkeit, die jede Schweigsamkeit entschuldigte. Sie saßen nebeneinander, tunkten ihr Brot in Auberginen- und Sesampaste, tauschten spärlich Neuigkeiten aus: In einem ihrer Cafés hatte die Spülmaschine einen Stromausfall im gesamten Parterre ausgelöst, und ihm war eine Großmoderation in Feindesland angetragen worden.

Der Abend hatte flauschig geendet. Zwar hatten sie nicht miteinander geschlafen, aber seit langer Zeit mal wieder geschmust wie ein junges Pärchen. Er war es sogar gewesen, dem zuerst die Augen zufielen. »Geh ins Bett«, hatte sie gesagt und ihm zärtlich auf den Hintern geklopft. »Du bist ja todmüde.«

Im Bett – sie verfügten über getrennte Schlafzimmer –

schaffte er es nicht einmal, das Licht zu löschen. Er registrierte es, als er mitten in der Nacht aufwachte. Sein Herz raste. Er stemmte sich hoch, versuchte noch einen Zipfel des Traums zu fangen. Es war um Füße gegangen, formvollendete Füße, so makellos olivfarben, dass man sie für Hände halten konnte. Dabei hatten sie ihre Form verändert, waren zu Greifgliedern gewuchert, zu Klauen.

Er schlug das Laken beiseite und setzte sich auf. Die Schlafzimmerluft war verbraucht. Verdrossen erhob er sich und öffnete ein Fenster. Draußen war die Luft kaum besser, klebrig, Ergebnis staubiger Frühsommertage. Von fern hörte er den Klatschrhythmus eines Schlagers. Irgendwer nahm das Wort Feiertag wörtlich und grölte alkoholbefeuert.

Simon, der nicht vollends aufwachen wollte, stand mit geschlossenen Augen am Fenster. Kurz breitete er die Arme aus, um Abkühlung herbeizuzwingen, aber kein Lüftchen wollte sich für ihn regen. Was hatte ihn so bang gemacht, dass sein Blut immer noch im Habacht-Modus pulste? Er versuchte ruhig zu atmen, war aber zu ungeduldig und müde, um es lange durchzuhalten. Seufzend legte er sich wieder ins Bett, doch nicht wie üblich auf den Bauch, sondern halbhoch gebettet auf den Rücken.

Dann passierte es.

Ein Klingeln an der Wohnungstür, gefolgt von ungeduldigem Klopfen. Blitzschnell saß er aufrecht. Während er vergeblich nach seinen Hausschuhen tastete, warf er sich den grauen Bademantel über und sah zur Uhr: halb vier – eine Zeit für Wasserrohrbruch, Diebstahl oder Feuer. Barfuß riss er die Wohnungstür auf, blinzelte in die Flurbeleuchtung und wollte seinen Augen nicht trauen: Eine attraktive dunkelhaarige Frau im fadenscheinigen Kleidchen schubberte sich am Treppengeländer: »Hallo, ich bin die Carmen! Ich glaube, ich kann dir noch eine Menge beibringen!«

Fassungslos starrte er die Frau an, deren Lächeln leicht in Schieflage geraten war. Dann blickte er auf seine nackten Füße, in ihrer Verletzbarkeit fast obszön zur Schau gestellt. Eindeutige Angebote von weiblichen Fans waren an der Tagesordnung. Von männlichen auch. Sogar parfümierte Höschen hatte man in seiner Post gefunden, aber eine so eindeutige Akquise war ihm noch nie untergekommen. Später würde er die Geschichte als Anekdote zum Besten geben, aber was wäre gewesen, hätte die rassige Carmen andere als die Waffen der Frau zum Einsatz gebracht? Panisch knallte er die Tür zu.

Vor einigen Wochen erst waren in der Redaktion Morddrohungen eingetroffen. Nicht zum ersten Mal. »Du linke Sau, dir werden wir die dreckige Zunge rausreißen oder abschneiden!!!« Zum wiederholten Mal hatte ihn ein geschulter Polizist aufgesucht, ihm die Broschüre für gefährdete Personen des öffentlichen Lebens überreicht und gute Ratschläge erteilt. Immer auf verschiedenen Wegen das Haus verlassen beispielsweise. Na super, hatte Simon gedacht. Wenn ich aus der Haustür trete, kann ich mir also überlegen, ob ich linksrum oder rechtsrum gehe. Das wird helfen!

»Vier Tage sind viel zu wenig! Ich will da nicht wieder hin!« Simon fröstelte. Am Wetter konnte es nicht liegen, das Thermometer zeigte selbst nach Mitternacht noch zwanzig Grad an. In Berlin war Mitte Mai der Sommer ausgebrochen, aber ihm saß noch der nächtliche Besuch von Carmen in den Knochen.

»Köln ist doch eine gute Stadt, und die Rheinländer sind nett!«, versuchte Vivian ihn aufzumuntern.

»Nett!« Simon ließ das Wort mit Abscheu von der Zunge rollen. »Die Hauptstadt der blonden Strähnchen und originellen Socken. Zwangshumoristen in Schnellfickerschühchen!«

»Ich weiß nicht, ich finde Köln toll.«

»Die einzige Stadt der Welt, wo man *Versace* für einen angesagten Designer hält!«

Sie waren an den innerstädtischen Lietzensee gefahren und hatten in einem nicht sonderlich guten, aber lauschigen Gartenlokal zu Abend gegessen. Anschließend waren sie mit der letzten U-Bahn Richtung Neukölln gefahren und kurz vorher an der Station Südstern ausgestiegen, um noch einen Gang durch den Jahnpark zu machen, den alle nur Hasenheide nannten. Simon mochte den Park, weil er auf pittoreske Art heruntergekommen war. Vivian teilte diese Sichtweise nicht unbedingt, wusste aber, dass die Nacht eine der wenigen Gelegenheiten war, wo er ungestört spazieren gehen konnte. Parks waren normalerweise tabu. Die Besucher schlenderten, ließen ihre Blicke schweifen und erkannten ihn dabei mit hundertprozentiger Sicherheit. Dann war es mit der Privatheit vorbei. Sie verlangten Autogramme, wollten ein Foto oder einfach nur mal mit jemandem vom Fernsehen quatschen, auch wenn sie nicht immer genau wussten, wer er war und was genau er moderierte. Hauptsache prominent. Heute schien es Simon besonders wichtig, sein Quäntchen Privatheit auszukosten. Ein gestohlener Spaziergang im Dunkeln. Er legte den Arm um ihre Schulter, aber sie duckte sich weg. »Zu warm«, sagte sie. Sowieso erstaunlich, dass er sich nach dem Vorfall so schnell wieder im Griff hatte.

Wie in jedem Restaurant war ihnen auch im Gartenlokal der beste Platz offeriert worden. Gleich am See hatten sie gesessen und waren, nachdem die übrigen Gäste lange genug geäugt und geflüstert hatten, unbehelligt geblieben. Zu Beginn von Simons Karriere hatte Vivian sich in solchen Situationen oft in den Nacken oder auf die Schulter geschlagen, weil sie dachte, ein Insekt hätte sie gestochen. In Wahrheit waren es die Blicke seiner Fans.

Sie verabscheute das: Augen, die sich widerwillig vom Promi lösten und sie ins Visier nahmen. Gefräßige Augen, besonders in Frauengesichtern: Mal gucken, mit wem der Minkoff sich so abgibt. Stolz hatte sie sich früher aufgerichtet und ihr Gesicht trotzig in die Welt gehalten. Heute versuchte sie nur noch, ihre Begutachtung zu ignorieren, so gut es ging.

Auch der Kellner am Lietzensee war keine Ausnahme. Der asymmetrischen Frisur und seiner Ungeschicklichkeit nach handelte es sich um eine studentische Aushilfe, Universität der Künste oder Architektur. Er erkannte Simon sofort, gab sich aber cool, bemüht, kein Aufhebens zu machen. Trotzdem waren seine Fragen nur an Simon gerichtet. Jeder Blick erkundete, ob es ihm schmeckte und er sich wohlfühlte.

Trotz der sommerlichen Temperaturen hatte Simon Kalbshaxe bestellt. »Gibt's ja kaum noch!« Vivian nahm nur einen Salat mit Putenbruststreifen, gönnte sich dazu aber eine Flasche 98er Pouilly-Fumé.

Ein Rentnerehepaar trat an ihren Tisch. Besonders die Frau – zu braun, zu viele klirrende Armreifen – konnte sich der unausgesprochenen Übereinkunft, Simon in Ruhe zu lassen, nicht beugen. Mit offenem Mund hatte sie gestarrt und ihrem Mann hinter vorgehaltener Hand die Ergebnisse ihrer Observation mitgeteilt. »Wir wollen nicht stören«, setzte der alte Herr unsicher an, »aber könnten wir vielleicht ein Autogramm bekommen?«

Vivian wollte bitten, wenigstens bis nach dem Essen zu warten, doch Simon kam ihr zuvor: »Ich habe leider keine Autogrammkarten dabei!«

»Eine Serviette tut's auch«, versicherte die Frau schnell und schubste ihren Mann nach vorn.

Es fiel Simon immer noch schwer, Autogrammwünsche abzulehnen. Außerdem hatte er gelernt, dass ein Autogramm schneller gegeben als seine Verweigerung erklärt ist. Doch weder Simon noch der Mann hatten einen Stift dabei. Also wurde der Kellner herangewinkt.

»Na, dann gibt's wenigstens ein Autogramm auf ein Blöckchen und nicht nur auf eine schnöde Serviette«, lächelte Simon gezwungen und setzte seinen Namenszug unter *Bitte ein Bit!*

»Vielleicht noch ein Foto?«, drängelte die Frau.

»Bitte!«, sagte Simon zweideutig.

Die Frau nahm dies als Aufforderung. Während sie ihre Digitalkamera aus der Handtasche zog, setzte er sich mit Fotolächeln schon einmal in Position.

»Unser Essen wird kalt«, konnte Vivian sich nicht verkneifen.

»Na los!« Die Frau stieß erneut ihren Gatten an. Brav stellte er sich neben Simon auf, griff nach dessen rechtem Handgelenk, hob es in die Kamera und sagte: »Guck mal, Mutti, jetzt winkt es!«

Simon saß starr. Sein gefrorenes Lächeln drückte solche Fassungslosigkeit aus, dass der Rentner das Handgelenk erschrocken fallen ließ: »Komm jetzt!« Eilig zog er seine Frau fort.

»Hast du das gehört? Es! Es winkt!«

Vivian bestellte zwei Cognac, dann noch mal zwei, aber auch als Simon wieder über Belanglosigkeiten plauderte, merkte sie ihm die Bemühung an. Es war keine tiefschürfende Erkenntnis, seinen Beruf als Rolle zu begreifen, er hatte das längst akzeptiert. Seine Bildschirmfigur war Montage, somit sächlich. Was aber, wenn die elektronische Erscheinung Minkoff den privaten Simon längst gefressen hatte?

»Die Leute sind einfach nur dumm und taktlos!«, tröstete Vivian ihn.

Er zündete sich eine Zigarette an und blickte dem Rauch nach, der sich im Licht bunter Lampions kräuselte. Vergebens versuchte er sich daran zu erinnern, wann er noch ganz er selbst gewesen war, der, für den er sich hielt: begabt für Freundschaft und Liebe, kein Statushengst, aber ehrgeizig, Spuren zu hinterlassen, auf eine erfrischende Art oberflächlich und Gott sei Dank zu feige, seinen wahren Beweggründen stets auf den Grund zu gehen. Doch ihm fiel keine Gelegenheit ein, wo man ihm nicht durch den Filter seines Mediums begegnet wäre. Sri Lanka, Denver, Kapstadt – überall gab es diese entsetzlich reiselustigen Deutschen, die ihn sekundenschnell aus seiner privaten Haut zurück in den Apparat jagten. »Oh, I didn't know you're a tv-star!«, staunte dann die nette Malerin in Oslo, mit der er sich so angenehm unterhalten hatte, und es flirrte in ihren Augen.

Simons Vorschlag, noch einen Gang durch die Hasenheide zu machen, war aus einem Fluchtimpuls erwachsen, vor allem aber aus dem Wunsch nach Trost und Nähe. Der Himmel war so dunkel, als hätte jemand eine Decke über die Welt geworfen. »Wer weiß, vielleicht lässt mich der Sender ja zurück nach Berlin ziehen?«, sinnierte er und legte Vivian einen Arm um die Taille. Diesmal protestierte sie nicht.

»Tolle Idee! Dann klingelt von morgens bis abends das Telefon: die Redaktion, die Presse, Veranstalter von Benefizgalas. Nicht zu vergessen die durchgeknallten Fans an der Wohnungstür!«

»Willst du mich loswerden?«

»Quatsch!« Vivian gab ihm einen Kuss auf die Wange. »Aber die Sache mit dieser Carmen ist schon beängstigend, oder?«

»Wahrscheinlich hätte ich auf ihr Angebot eingehen sollen!«

»Finde ich auch!« Vivian lief ein paar Schritte vor, wohl wissend, dass er sie kneifen oder knuffen würde.

»Was, glaubst du, hätte Carmen mir noch beibringen

können?«, rief er und verfolgte die quietschende Vivian über eine Wiese.

»Oh, eine ganze Menge!«, giggelte sie und ließ sich bereitwillig einfangen.

Er umschlang sie und biss in ihr Ohrläppchen. »Ich dachte, du hättest mir alles beigebracht, was man über geheime Obsessionen von Frauen wissen muss?«

»Es heißt nicht ohne Grund *geheime* Obsessionen!«

Simons linke Hand rutschte unter ihren leichten Leinenrock und fand mit traumwandlerischer Sicherheit sein Ziel. »Wenn du es mir sagst, werde ich dein willenloser Sexsklave!«

»Simon!«, kicherte sie und machte sich los. »Zwei Schnäpse, und schon wirst du zum Lustmolch.«

»Wir könnten zu dem kleinen See gehen und es im Wasser treiben!« Simon schnappte nach ihr, bekam aber nur ihren Ellenbogen zu fassen. Er zog sie an sich, küsste ihre Augen und ließ seine Hand über ihre Brüste fahren, bis die Nippel hart wurden. Sie hatte Lust, das spürte er. Sie würden sich lieben heute Nacht, lange und bissfest.

»Ich weiß, es klingt spießig, aber Sex in freier Natur ist unbequem. Nichts als Insekten und Sand im Getriebe. In Wirklichkeit geht nichts über das gute alte Bett!«

Vivian nahm seine Hände von ihren Brüsten, trat hinter ihn und schob ihn wie ein Kleinkind Richtung Parkausgang. Ihr Lachen war eine Geschenkverpackung.

Hätte er unnachgiebiger sein sollen, drängender? Nach elf Jahren Zweisamkeit waren sie nicht mehr neu füreinander, Gewinn und Niete zugleich. Ihre Gefühle lagen wohlgeordnet. Simon stützte sich auf die bewährte Grammatik ihrer Liebe. Diese Liebe fühlte sich echt an, und er hatte in den letzten Jahren ein Gespür für das Nicht-Künstliche entwickelt. Vielleicht empfand Vivian ihre Liebe aber als zu lasch? Träumte sie davon, weggeschwemmt zu werden?

Andererseits war sie in Wesen und Verhalten so ausgeglichen, wie das nur bei Frauen der Fall war. Sah er sie über ihren Rezeptbüchern brüten oder am Herd Geschmacksnuancen ausprobieren, konnte er nicht umhin, die Abgemessenheit ihrer Bewegungen zu bewundern. Eine zierliche Bestimmtheit ging von ihr aus, wenn sie kochte, Einkaufslisten ins Telefon diktierte oder Anweisungen zu Garzeiten und Temperaturen gab.

Sicher, stiller war sie geworden in der letzten Zeit. Aber war das nicht der nötige Schritt ins Erwachsenenleben? Nicht Hinnahme der Gegebenheiten, sondern ein Stand in festen Schuhen, und dennoch Lust und Tauglichkeit nicht verloren zu springen. Simon vergrub die Hände in den Hosentaschen und machte ein paar hüpfende Schritte. Wäre es hell gewesen, hätte sie auf seinem Gesicht ein Lächeln gesehen.

Vielleicht war er eine Ausnahme, aber immer noch konnte er sich an Vivian begeistern, an ihren kühlen Augen, die in Momenten der Ekstase gefährlich ins Dunkle changierten, der Schmunzelfalte nur um den rechten Mundwinkel, der Art, wie sie im Weggehen mit nichts als einem winzigen Hüftschwung eine Begegnung kommentieren konnte. Flüchtig und fest empfand er sie, liebte ihre zupackenden Hände, geschickt an Messer und Mann, das versunkene Innehalten, bevor sie einen wichtigen Entschluss fasste, die Tatsache, dass sie Parfüm weder benutzte noch brauchte. Simons Talent, aus Intuition in Bruchteilen einer Sekunde die eine, die richtige Frage zu formulieren, machte ihn zum Sklaven. Intuition war unberechenbar und konnte mit keinem Trick der Welt herbeibefohlen werden. Deshalb beneidete er Vivian. Sie gründete auf einem Wurzelwerk, das ihr Halt gab. Und damit ihm.

Viele Paare, die sie kannten, führten eine Beziehung wie die Wetterkarte: eine turbulente Abfolge von Hochs und Tiefs, Kampf der Fronten. Bei ihnen war von Anfang an vieles stabil gewesen. Beide wollten nicht heiraten, sie verabscheuten das Pulen des Staates in ihrer Privatheit. Überrascht hatten sie festgestellt, auch keine Kinder zu wollen. Besonders Vivian hatte sich schwer getan, das zuzugeben. Frauen ohne Kinderwunsch galten als herzlos oder karrieregeil. Sie war nichts von beidem, nur überzeugt davon, die nährende Seite ihrer Persönlichkeit in ihrem Beruf als Köchin genügend zur Geltung zu bringen. Bei Simon lag die Sache anders: Nie hatte er das Bedürfnis verspürt, Vater zu werden. Kinder waren ihm gleichgültig. Früher hatten sie geglaubt, ihre Bekannten behandelten sie deswegen wie Gefühlskrüppel, jedoch nach und nach entdeckt, wieviel Neid da mitschwang. Die emotionale, körperliche und finanzielle Überforderung vieler Jungeltern brauchte ein Ventil und fand es in ihnen, dem erfolgreichen, kinderlosen Paar.

Wenn Simon nach seiner Beziehung gefragt wurde, sagte er: »Es geht uns sehr gut!« Er meinte es so. Natürlich war ihr Leben nicht nur Mai. Er neigte zu Panikhandlungen und Jähzorn, sie zu klösterlicher Verschlossenheit. Vielleicht lag hierin der Grund, warum ihr Sexleben zu wünschen übrig ließ. In den ersten Monaten hatten sie selten einen anderen Platz aufgesucht als das Bett. Meist lebten sie bei Vivian, die eine kleine, aber niedliche Zweizimmerwohnung im Berliner Westen ergattert hatte. Neben dem französisch tuenden Balkon war die offene Küche, die gleichzeitig Schlafzimmer war, der Clou gewesen. Rund um ein Himmelbett befanden sich Regale mit Lebensmitteln und Küchenutensilien, dazu zwei Kochplatten und ein viriler Kühlschrank in Schwarz. Manchmal hatten sie tagelang das Bett nicht verlassen, und wenn der berühmte Hunger danach kam, war es nicht weit. Ob Stulle, Pudding oder ein Omelett – alles konnte im Sitzen, Knien oder Liegen zubereitet werden. Manchmal warteten sie nicht einmal bis nach dem Sex. Bis dahin hatte Simon das ganze Getue ums Kochen verlacht, doch seit er Vivian kannte, buchstabierte auch er Essen und Sex auf die gleiche Weise. Ab sofort waren Spaghetti al arrabiata etwas, das schlanke Frauenbeine hinablief, Eiskrem gehörte in die beiden Kuhlen gleich oberhalb ihres Hinterns, und eine Zucchini – wer hätte das gedacht – fand in ihm ein winselndes Futteral.

Damals konnte Simon nicht aufhören, sie anzufassen. Ihre Fragilität trieb ihn zur Weißglut. Er verflüssigte sich fast bei dem Versuch, ihren Porzellankörper so ungezähmt wie möglich zu jonglieren, stets mit ihrem Bersten kokettierend. Alles nur Spiel, denn unter ihrer Blässe pulsierte sehr rotes Blut. »Jetzt fick ich dich durch!«, konnte sie aus heiterem Himmel rufen und sich mit Händen und Schenkeln, Zähnen und Klauen nehmen, worauf sie Lust hatte. Sie sagte ihm, wie sehr sie seinen Körper begehrte, die Brust, deren dunkle Behaarung vom Bauchnabel wie der Rauch eines Lagerfeuers aufstieg, besonders aber, was unterhalb des Rauchs loderte. Wortlos hatte sie ihm beigebracht, wieviel Stärke sich im Innern der Hingabe verbirgt und wie wenig es mit Unterwerfung zu tun hatte, wenn sie auf Knien seine Zehen lutschte, als besäße er zehn Penisse zusätzlich. »Sex oder Frühstück?«, hatte sie manchmal gefragt, und er antwortete mit »Ja«. Das schönste Bild der ersten Monate: beide auf dem Küchenbett, er halb liegend, ein Kissen im Rücken, rauchend, sie kaltblütig auf seinem Schwanz hockend, einen Kaffee in der einen Hand, ein Croissant in der anderen und ein bemerkenswert unschuldiges Lächeln im Gesicht.

Leidenschaft kennt keine Dauer, Simon wusste das. Er behielt diese Zeit lieber wie ein Geschenk in Erinnerung, als ihren Verlust zu betrauern. Förmlichkeit war eingekehrt im Aufeinandertreffen ihrer Körper. Es hatte Zeiten mit wenig Sex gegeben und Zeiten, wo sie mit kindlicher Verschwörermiene aus einem winzigen Funken noch einmal loderndes Feuer entfachen konnten. Doch seit drei, vier Jahren war etwas geschehen, das Simon nicht greifen konnte. Wie vorsichtig sie ihre Worte setzte, wenn sie ihn abwies. Es schien ihr wichtig, jedes Nein mit der Hoffnung auf ein nebulöses Später zu verbinden. Ihre Augen sprachen von einer Verheißung, die ihm gezwungen vorkam. Vielleicht fand sie ihn nicht mehr attraktiv? Er hatte ein paar Kilo mehr auf den Rippen als zu ihrer Schlafzimmerküchenzeit, sie ein paar weniger. Er beschloss, mit ihr zu reden, und versuchte bis dahin, seinem Vorhaben keine Überschrift zu geben. Sie liebten sich doch. Sie liebten sich, und sie würden eine Lösung finden.

2 »Hier! Nur einmal noch! Lächeln!«
»Zu mir! So ist gut! Nochmal! Okay, und jetzt über die Schulter!«

»Hierher! Ich, ich! Krieg ich noch bisschen Bewegung?«

Männergebell, anmaßend. Scheißegal was der Fernsehhampel denkt. Hauptsache, er guckt ins Objektiv. Bloß nicht wackeln! Und Augen auf, verdammt!

»Sekunde noch! Zu mir bitte! Hierher!«

Wenn Simon Minkoff nach dem Inbild seines Berufs gefragt wurde, beschrieb er die »Fotografenwand«. In voller Pracht war sie nur bei den zwei oder drei wirklich großen Galas des Landes zu sehen. Wenn sich zu viele Zeitungen, Zeitschriften, Agenturen und Internetportale akkreditiert hatten, ließ die Eventagentur Podeste bauen und stapelte die Fotografen in die Höhe. Eine gleißende Wand entstand so, durchpulst wie ein Körperorgan. Adrenalin, Ambition, Sorge, Verzweiflung – die Wand schrie, befahl, flirtete, bat manchmal sogar um Gnade, kalkuliert nur, aber immerhin.

Die Fotografenwand war die Ouvertüre zur großen

Oper des Medienzeitalters. Angeschwollene Limousinen gehörten dazu, Licht!, Licht!, Licht!, und eine kreischende Fanlandschaft. Das Herzstück aber bildete der rote Teppich. Kein Zauber ohne ihn, keine Wandlung vom Menschen zum Star. Wer ein Glanz geworden ist, darf profanen Boden nicht mehr berühren. Der rote Teppich *liegt* nicht auf dem Asphalt, er schwebt. Man kann von ihm herunterfallen. Daher die Angst der Unerfahrenen und ewig Unsicheren. Das Herausgehobensein stellt banalste Dinge in Frage: Wie geht das Gehen? Wie setzt man einen Fuß vor den anderen? Welche Muskeln müssen stimuliert werden, damit ein telegenes Lächeln entsteht?

Simon war mit dem Taxi gekommen. Seine Agentur hatte ihm keine genauen Instruktionen gegeben, also lotste er den Fahrer zum Hintereingang des Theaters, erfahrungsgemäß waren dort die Organisatoren zu finden. Er bezahlte, gab ein Autogramm »für die kleine Verena« und stieg fünf Stufen in das schmucklose Vestibül hinab. Von der Stuckorgie der Fassade war hier nichts übrig. Ausrangierte Scheinwerfer auf Stativen versuchten müde, dem Raum etwas Nostalgie einzuhauchen. In der Mitte aufgereihte Stehtische, dürftig mit Nessel verkleidet und nach Alphabet geordnet. Darauf Kartons mit Einladungslisten, Platzkarten, Einladungen zur Aftershow-Party und vielen bunten Bändchen. Die Plastikhandschellen waren die Währung des Abends, ermöglichten je nach Farbe den Zugang zu diversen geschlossenen Bereichen bis hin zur Königsklasse, der VIP-VIP-Lounge.

Galas waren weiblich, regiert von einer besonderen Spezies – der PR-Frau: blond, stimmstark, einen Knopf im Ohr und ein limonadiges Lächeln unter der Nase, das beleidigend rasant verschwinden konnte. Hungrige Assistentinnen in Schwarz beugten sich über eng bedruckte Listen, während ihre arriverierten Kolleginnen die eintreffenden Gäste bespielten. Obwohl die meisten brav anstanden, schien es im Raum zu wuseln, ein akustisches Wuseln, sich einsingende Stimmen, aus Gewohnheit ein klein wenig naserümpfend. Simon war allein gekommen und wusste nicht, wohin mit sich. Gern hätte er Bekannte begrüßt, aber die Anwesenden kannte auch er nur aus dem Fernsehen.

»Geht gleich los, winziges Sekündchen noch!« Die für ihn zuständige Blonde horchte in ihren Ohrknopf, während sie einen dicken Stapel Ausdrucke durchwühlte. »Ich bin die Lea!«

Eine Virtuosin ihres Fachs, konnte sie gleichzeitig hören, sprechen, schreiben und kunstgerecht strahlen. Simon wusste, dass sie sich selbst Mut zulächelte. Im Lauf der Jahre hatte er gelernt, die negativen Botschaften aus munter gezwitscherten Sätzen zu fischen. Das »Sekündchen« meinte, dass er noch lange auf seinen Wagen würde warten müssen.

Niemand sprach es je aus, aber die Vorfahrt der Limousinen war ein sorgfältig geplanter Krieg. Wer sich durch Talent oder chirurgisches Blendwerk eine Vorfahrt erarbeitet hatte, bemaß seinen Kurswert danach, wann er vorgefahren wurde: die größten Stars zuletzt, der Rest hatte sich einzureihen. Besonders weibliche B-Ware ohne aktuelle Erfolgssendung, aber mit neuem Vorder- oder Hinterteil legte es darauf an, auf den letzten Drücker zu erscheinen. Das brachte manch wirklichen Star dazu, für eine sehr lange Weile in der Toilette zu verschwinden: »Ich mach den Teppich doch nicht vor dieser Rummelplatzkönigin!«

Simon waren die Spielchen egal. Sowieso absurd, läppische zweihundert Meter mit einer Staatskarosse zurückzulegen. Offensichtlich sollte die Welt glauben, Stars würden mit Rädern unter den Füßen geboren. Die PR-Frauen mochten seine Unkompliziertheit. Er wusste es nicht, aber genau deshalb wurde er oft später vorgefahren, als es seinem Status entsprach. Über die Stehtische hinweg schickte

8/7/13.

Dear Astrid & Michael

Thank you so much for
organising such a wonderful
85th lunch and family get
together on Sunday – the food
was delicious & it was #A.B
to see everyone. Hope it's not
too long till the next time &

lots of love

Matilda.

er Lea das international adäquate Zeichen und ging nach draußen, um eine Zigarette zu rauchen.

Bevor er sie anzünden konnte, rannten drei Teenager auf ihn zu, zwei Mädels und ein Junge. Offensichtlich hatten sie die Absperrung durchbrochen, denn zwei sonnenbebrillte Männer mit dicken Armen waren ihnen auf den Fersen.

»Eine Unterschrift, nur eine Unterschrift!«, bettelte eins der Mädchen. Gemalte Pandaaugen und schwarze Fingernägel, sonst nicht unbedingt seine Klientel. Doch bevor sie Simon erreichte, hatten die Wächter sie schon beim Wickel.

»Schon gut«, wiegelte er ab und griff nach dem Autogrammbuch. Drei Autogramme, drei Handyfotos, dreimal herzlich lächeln.

»Echt geil«, bedankte sich das Pandamädchen, wurde aber von den Bodyguards schon hinter die Absperrung verfrachtet.

Simon versuchte nun endlich, sich im böigen Frühlingswind eine Zigarette anzuzünden.

»Mensch, Alter, du auch hier!«

Er blickte auf. Mit seinem Markenzeichengrinsen stand Sebastian Leber vor ihm, Moderator einer Spielshow im ZDF. Seine weißblonde Igelfrisur sah frisch gebaut aus. Simon war schon zwei Mal Gast in Lebers Sendung gewesen und hatte neben anderem Unsinn ein Kickerspiel mit lebendigen Figuren dirigieren müssen. Er mochte die Show, liebenswürdiges Wohnzimmerfernsehen aus der Steinzeit. Leber mochte er auch, zu jung und zu pfiffig zwar für solche Sendungen, aber abgebrüht genug, sich bei erster Gelegenheit in ein besseres Konzept abzusetzen.

Leber zog Simon an sich und beklopfte dessen Rücken. Dann breitete er die Arme aus: »Ich bedanke mich bei Jesus, Christus, dem Heiligen Geist und bei meinem Drogendealer!«

»Träum weiter, Sebastian! Nie und nimmer kriegst du eins von den goldenen Dingern. Da musst du schon Schopenhauer als großes TV-Event verfilmen oder halb Zentralafrika mit Kinderkliniken zuscheißen!«

»Ganz schön herb drauf! Aber wahrscheinlich hast du recht.« Leber piekste Simon in die Seite. »Es gibt da so Leute, denen es gleich von der Nase in den Mund läuft!«

»Bloß kein Neid! Goldene Kamera und Grimme hintereinander weg ist zwar nicht zu verachten, heißt aber auch: Das war's dann! Für die nächsten Jahre darf ich im Publikum hocken und Kamerafutter spielen.«

»Armer Kerl! Bleibt also doch nur der Drogendealer! Pass auf, erst mal muss ich meine Freundin finden. Die ist irgendwie in ihrem riesigen Abendkleid verschwunden und nie wieder aufgetaucht. Und falls ich die Preisverleihung überstehe, nehmen wir hinterher vielleicht eine kleine Erfrischung, was?« Er rieb sich die Nase wie ein Kätzchen und verschwand, verschwörerisch nach allen Seiten blickend, im Hintereingang.

Simon versuchte noch einmal seine Zigarette anzuzünden, diesmal mit Erfolg. Tief sog er den Rauch ein und hielt ihn so lange wie möglich in der Lunge. Mit einem wohligen Seufzer stieß er ihn wieder aus. Zum ersten Mal an diesem Abend berührten seine Füße den Boden. Es gab keinen Grund für den fast körperlichen Widerwillen, den ihm die Gala einflößte, im Gegenteil: Weil er für seine Talkshow *MM – Minkoff und Menschen* in der letzten Saison gleich zwei Großpreise eingeheimst hatte, blieben ihm die Strapazen eines Preisträgers erspart. Wochenlang bevor er die Goldene Kamera erhalten hatte, musste er die gesamte Buntpresse bedienen. Immerhin hatte er sämtliche Homestorys abgelehnt, was er sich als Verdienst an die Brust heftete. In Wahrheit hatte Vivian sich quergestellt: »Das ist *dein* Beruf, nicht meiner. Die Schmierlappen von der Boulevardpresse kann ich so wenig brauchen wie eine

Prostata!« War sie bei der Verleihung der Kamera noch gerne mitgekommen, hatte er beim Grimme schon sämtliche Verführungskünste und einen sündhaft teuren Escada-Fetzen aufbieten müssen, sie nach Marl zu lotsen. Marl ist leicht zu finden: Es liegt am Ende der Welt. Worte wie »Eternit« kommen einem dort in den Sinn, sein Leben lang bei C&A einkaufen müssen, Vorgärten und Vorwerk-Staubsauger. Doch wie sehr er auch über Marl herzog, er war stolz auf seinen Preis. »Gewinnen« konnte man ihn nicht, man bekam ihn verliehen und war damit in der ewig pubertierenden Welt des Fernsehens erwachsen geworden.

Der Sender war selig gewesen. Nach außen hin gab man sich gewohnt abgebrüht, bezeichnete ein Wort wie »Qualitätsfernsehen« als Widerspruch in sich, doch heimlich hatte man sich nach dieser Anerkennung gesehnt wie nach einer positiven Besprechung in der FAZ. Man hatte ihn sogar gebeten, die eher schmucklose Trophäe im Foyer aufstellen zu dürfen, und es hatte ihn mit boshaftem Entzücken erfüllt, dass die Neider unter den Kollegen nun täglich als Erstes daran vorbeidefilieren mussten.

»Simon, wenn Sie mögen, können wir!«, krähte Lea am Rand der Damenhaftigkeit. Als sie seine zerstreute Miene sah, packte sie ihn kurzerhand beim Ellenbogen und dirigierte ihn zur Straße, wo BMWs in Reih und Glied glitzerten.

»Vielen Dank für die Hilfe!«

»Dafür nicht!«, wehte es noch von Leas Lippen, während der Rest ihres Körpers sich schon auf dem Absatz umgedreht hatte.

Ein junger Fahrer stieg aus und riss mit mutmaßlich ironischem Schwung den Schlag auf. Er trug einen erstaunlich gut sitzenden schwarzen Anzug, sah aber trotzdem nach Russenmafia aus. Warum fanden eigentlich alle, es zeuge von Stil, sich unter pfundweise Gel die Haare nach hinten zu schlenzen?

Stöhnend ließ Simon sich in die cremefarbenen Leder-polster fallen: »Hätte ich doch auf meine Eltern gehört und wäre Orthopäde geworden!«

»So waren meine Eltern ganz und gar nicht«, kam es prompt vom Fahrer.

»Wie waren sie denn?«

»Totale Hippies und gegen jeden bürgerlichen Beruf. Meine Mutter ist schon ganz früh nach Nepal ausgewan-dert.«

»Hart«, murmelte Simon. »Und dann haben Sie be-schlossen, kein Bürger, sondern ein ehrbarer Proletarier zu werden?«

»Das hier ist nur ein Nebenjob. Ich habe zuerst Be-triebswirtschaft studiert, mache aber jetzt Mundstücke.«

»Mundstücke.«

»Für Holzblasinstrumente! Um genau zu sein: die Blättchen in Holzblasinstrumenten. Das beste Holz dafür gibt's in Portugal, Robinie, und da machen wir auch die Blättchen.«

»Und? Läuft es gut?«

»Nee«, lachte der junge Mann. »Dann würde ich ja nicht fahren!«

Simon grinste. Es war wie immer: Kaum stellte er eine harmlose Frage, bekam er die kuriosesten Geschichten zu hören. Wer hatte jemals über Blättchen in Mundstücken von Holzblasinstrumenten nachgedacht? Weil dies für die nächsten sechs, sieben Stunden seine letzten privaten Se-kunden waren, richtete er noch eben seinen Schwanz, kon-trollierte den Sitz der Krawatte, wischte imaginäre Schup-pen von der Schulter und gönnte sich einen entnervten Gesichtsausdruck. Dann brachte er sich für die Gala-Schicht in Stimmung: langsam ausatmen, den Atem von alleine wieder kommen lassen, Solarplexus wahrnehmen. Ge-sichtsmuskeln auch. Ganz ruhig: Es geht um nichts heute Abend, null, nada, niente. Du bist souverän, locker, freundlich. Nicht von Journalisten provozieren lassen, keine VIVA-Moderatorin anbaggern, nicht zu viel trinken.

Er hatte lange gebraucht, um zu begreifen, dass man ein Gesicht nicht »aufsetzt«. Man stellt es her, zieht es gewissermaßen von innen an. Die Maske hinter dem Gesicht stülpt sich aus und gibt den Zügen den gewünschten Ausdruck. Töricht, das Therapeutengerede von der Maske, die man nur absetzen müsse, um zum ominösen wahren Ich zu gelangen. Als gehörten Masken nicht zu unserer Persönlichkeit, spannender meist als jedes mickrige Selbst. An Abenden wie diesem war die Maske Teil der Berufskleidung. Wer ernsthaft versuchte, sein ungeschütztes Gesicht dem öffentlichen Starren auszusetzen, würde Schaden nehmen.

Immer wieder von kurzen Stopps unterbrochen, schlichen sie um den weitläufigen Platz. Zwanzig Minuten später und hundertfünfzig Meter weiter waren sie endlich am Ziel. Nachdem der Limousine vor ihnen eine junge Frau in geschlitztem Weiß und ein alter Mann mit Industriellengesicht entstiegen waren, hüpfte Simons Fahrer wie eine gut geölte Feder aus dem Sitz und riss ihm die Tür auf. Rücken durchgedrückt, Augen gerade, schien er ganz in seiner Mission aufzugehen, den prominenten Fahrgast formvollendet zu eskortieren. Doch Simon spürte genau, mit welcher Gier er die öffentliche Zurschaustellung bis ans Herz sog.

Showtime. Simon gab den Minkoff. Der Gang jugendlich frisch, doch langsam genug, damit die Fans ihre Fotos schießen konnten. Nach rechts und links geblickt, nicken hier, lächeln dort, ein »Hallo, guten Abend!« gutgelaunt in die Abendluft geschwänzelt. Der rote Teppich lief schnurgerade auf die Fotografen zu, knickte dann abrupt nach rechts ab. Die Autogrammjäger suchten die Nähe der Fotografen, weil sie wussten, dass jeder Star hier zum Stehen kommen musste. »Hallo Simon, bitte!«, flehten sie und streckten ihm ihre Stifte hin. Nicht um ein Autogramm gebeten zu werden gehörte zu den großen Demütigungen seines Geschäfts.

Wie gewöhnlich säumten die einfacheren Gemüter das Defilee. Man schaute in Gesichter, die von zu viel Bier und Chips bei stundenlangem Fernsehkonsum zeugten. Feist und rot waren sie oder von erschreckender Blässe, ein Abbild ungewollter Einsamkeit. »Sie machen das ganz toll«, rief eine ältere Frau im pfefferminzfarbenen Sommerkleid und krallte sich in seinen linken Anzugärmel. Ein dürres Mädchen bedankte sich für ihr Autogramm: »Ich hab am Dienstag deine Sendung gesehen!«, eine Bemerkung, die ständig fiel und auf die ihm nie eine gescheite Antwort einfallen wollte. Er posierte für Erinnerungsfotos, wurde umarmt, betatscht, nahm Komplimente entgegen und hatte immerhin am tuntigen Zwergpinscher eines mächtigen Hip-Hop-Türken seine Freude. »Danke, Sie sind viel zu nett zu mir!«, sagte er dann. Und: »Höre ich da jemanden aus Hessen?« Oder er fragte, was die Leute am Abend noch so vorhatten.

Während ein verschwitzter junger Mann für ein Foto den Arm um seine Schultern legte, kontrollierte Simon diskret, wie weit die Prozession hinter ihm gediehen war. Nur Kollegenschweine badeten ungebührlich lange in der Menge und verursachten so einen Rückstau. »Ich muss mal wieder«, sagte er mit entschuldigendem Lächeln, was ihm das erwartete kollektive »Ooooh!« einbrachte. Dann ging er zurück auf die Mitte des Teppichs, um sich der Fotografenwand zu stellen. »Bei den Soap-Sternchen schießen wir uns warm«, sagten die Fotografen oft. Ihrem Geschrei nach zu urteilen, waren sie inzwischen heiß.

Wie er es gelernt hatte, schickte Simon seinen Blick im Zeitlupentempo von links nach rechts. Er achtete penibel darauf, jedes Objektiv zu bedienen. Die untere Reihe zuerst, arbeitete sein Lächelgesicht sich Reihe für Reihe nach oben vor. Durch das hysterische Gebrüll (»Simon, hierher!«, »Mal zu mir, bitte!«) durfte man sich nicht irritieren lassen. Bei seinem ersten roten Teppich hatte er sich wie ein Tanzbär gefühlt, der vor kreischendem Pöbel Kunststückchen vorführen soll. Mit unbequemer Miene hatte er sich halbherzig verweigert, die »Lächeln bitte!«-Rufe ignoriert und schnell Reißaus genommen. Wie der letzte Aufrechte war er sich vorgekommen, tapfer der Selbstvermarktung trotzend. Wie naiv und überheblich das war, hatte ihm bei nächster Gelegenheit ein Fotograf vor Augen geführt: »Die Redaktionen, die wir bedienen, kaufen uns nur Bilder von lächelnden Stars ab!«, hatte er in einem Ton gesagt, den man für Trotzkinder reserviert. »Ich kann das schönste seriöse Porträt der Welt von dir schießen, aber keiner kauft mir das ab! Cindy Müller will 'ne geile Party mit schönen Menschen sehen. Wenn du nicht lächelst, verdienen wir nichts, so einfach ist das!«

Mit einem nachdrücklichen »Dankeschön!« verabschiedete Simon sich von den Fotografen und wandte sich nach rechts. Der rote Läufer markierte die Mitte einer monumentalen Freitreppe. Vor ihm keuchte eine beliebte Volksschauspielerin in ihren Achtzigern die Treppe hoch, ständig in Gefahr, an einem Herzinfarkt dahinzuscheiden oder über ihre Schleppe zu stolpern. Simon schloss auf und bot ihr seinen Arm an.

»Hau bloß ab!«, zischte die reizende alte Dame. »Muss ja nicht unbedingt nach Altenheim aussehen!«

Bevor er reagieren konnte, hatte er ein Mikrofon im Gesicht: »Herr Minkoff, können Sie uns mal vormachen, wie ein Partylöwe brüllt?«

»Wie bitte?«

Die Society-Reporterin, ein spätes Mädchen im Look einer minderjährigen Prostituierten, ließ ihre Augen himmelwärts rollen. Sie beugte sich strategisch vor, um Simon einen Blick in ihren Ausschnitt zu erlauben: »Wir haben uns was Originelles überlegt: Jeder soll mal brüllen wie ein Partylöwe! Daraus schnippeln wir dann eine witzige Collage zusammen!« Perlendes Lachen.

»Ein andermal gern«, sagte Simon und ging weiter.

Auf die oberen Stufen hatte die Eventagentur je fünf Statisten in Preußenuniformen platziert, irgendwo zwischen Friedrich II. und Wilhelm II. Blick voran, hielten sie rußende Fackeln in den Händen. Wieso Soldaten, dachte er? Was eigentlich ist so festlich an einem Spalier von Männern, deren Handwerk das Töten ist? Er spürte einen heftigen Anfall von Verdruss und bedauerte, Vivian nicht an seiner Seite zu haben. Weil ihr jede öffentliche Inszenierung gleichgültig war, fiel es ihr leicht, Auftritte wie diesen als Spiel zu nehmen, harmlos und auf eine nette Art kindisch. In letzter Zeit allerdings hatte sie nur verächtlich »Ach, das Getue« gemurmelt, wenn von seinem Beruf die Rede war. Doch selbst wenn sie ihn heute hätte begleiten wollen, wäre es nicht möglich gewesen. Der Andrang war so groß, dass der Veranstalter nur für die ganz großen Stars zwei Karten rausgerückt hatte.

»Du lachst noch nicht mal, wenn 'ne Kuh im Korsett vorbeigeflogen kommt!« Das war unverkennbar Helma, seine Redaktionsleiterin.

»Sehe ich so muffelig aus? Ich dachte gerade, wie öde es ist, mutterseelenallein hier vorzutanzen.«

»Wer ist hier allein?«, lachte sie und hakte sich bei ihm ein. »Pass auf, bevor ich es vergesse: Jauch fragt an, ob du noch mal bei der Promiausgabe von *Wer wird Millionär* mitmachst. Sie fänden dich toll, aber das muss ganz schnell entschieden werden. Dann will die *HÖR ZU* ein Statement zu Krimiserien im Allgemeinen und Henning Mankell im Besonderen. Dein Management hat zwei Anfragen für Galamoderationen, einmal *Telekom*, das andere … *Jenaer Glas*? Ich weiß es nicht mehr, mach dich schlau. Und deine

Agentur bittet um dringenden Rückruf, weil dein Ghostwriter für die Kolumne in *tv movie* krank ist. Ob du das ausnahmsweise selber schreiben könntest?«

»Kleine Frau, große Klappe«, pflegte sie sich vorzustellen. Manchmal sagte sie auch »Kleiner Arsch, großer Ehrgeiz«, aber das nur unter Freunden. Tatsächlich kaum größer als anderthalb Meter, war es gut möglich, dass sie es bis ganz oben schaffen würde. Sie hasste nichts und niemanden außer ihrem Vornamen, wusste jeden nach seiner Bauart zu nehmen, war loyal und feuerfest. Zur Feier des Tages steckte sie in einem weißen Hosenanzug. Die Hosen hatten so viel Schlag, dass die Pumps, die sie zehn Prozent größer machten, diskret darunter verschwanden. In ihre kurz gehaltenen blonden Locken hatte sie eine weiße Blüte gesteckt.

»Blumenarrangement geplündert?«, feixte Simon

»Woher weißt du das?«

Simon lachte und legte ihr einen Arm um die Taille: »Ich kenne doch meine Redaktionsvorsteherin. Und deshalb weiß ich auch, dass du jetzt liebend gern ein Bier zischen würdest!«

»Vorsicht, er fährt die Charmeur-Tour«, konstatierte sie und lotste ihn schnurstracks zur nächsten und gewiss auch besten Bar. Simon orderte für Helma ein Pils und schnappte sich ein Glas Champagner von einem gut gefüllten Silbertablett. »Wie bist du überhaupt an die Einladung gekommen? Hier herrscht strengstes Kastenwesen.«

»Och, war noch eine über.« Sie hatte das so auffällig beiläufig gesagt, dass er lachen musste, als er vom Barmann das Bier für sie entgegennahm.

»Dann trinken wir auf die Resterampe!« Er brauchte nicht viel , um sich vorzustellen, wie Helma an ihre Einladung gekommen war. Sie vereinte zwei Wesenszüge, die in Kombination äußerst selten vorkamen: Sie liebte Sex und war diskret. Als »Doppelfenster«, wie sie sich bezeichnete, hatte sie freie Auswahl, und da ihre ästhetischen Kriterien so großzügig bemessen waren wie ihr Herz, war das Reservoir potentieller Eroberungen unermesslich. Helma konnte von abstehenden Ohren oder einem dicken Hintern schwärmen wie andere von internationalen Schönheiten. Auch Simons mehr als ausgeprägte Kiefer – er selbst nannte sich »Nussknackerfresse« – fand sie wunderschön. Sollte sie ein Auge auf ihn geworfen haben, verstellte sie sich gut. Simon war bekannt dafür, Affären am Arbeitsplatz zu verabscheuen. Der tiefere Grund dafür war frappant: Er war treu, ohne ein Dogma daraus zu machen. Die verschwiemelte Heimlichkeit von Seitensprüngen fand er eher unbequem als unmoralisch. Außerdem kam die Journaille früher oder später jedem Ehebrecher auf die Schliche. Es gab immer einen Hotelportier, Vermieter oder Tankwart, der für dreißig Silberlinge Schmutzwäsche feilbot. Dennoch ging es nicht nur um die Angst vor Entdeckung, er war schlicht der Überzeugung, dass man einander nicht betrügt. Lieben und ehren – diese Formel traf exakt sein Empfinden. Dabei war er kein unterleibsloser Heiliger. Viel unterwegs, gab es genügend attraktive Frauen, die rasend gern einen Fernsehstar in ihre Trophäensammlung aufgenommen hätten. Simon war mehr als einmal in Versuchung gewesen, doch er hatte stets nein gesagt. Mit einer Ausnahme.

»Noch ein Glas Champagner?«, riss Helma ihn aus seinen Gedanken.

»Würde ich gern, aber dann muss ich die ganze Zeit pinkeln!«

Eine belastbare Blase zählt unabdingbar zur beruflichen Qualifikation eines Fernsehgesichts. Für die Ausstrahlung wurde die Gala zwar auf zweieinhalb Stunden geschnitten, vor Ort aber dauerte sie mindestens doppelt so lange. Der Sender sah es ungern, wenn in den Sitzreihen hässliche Lücken klafften, weil jemand eine schwache Blase hatte.

Langsam wurde es Zeit, die Plätze einzunehmen. Beide waren sie im Parkett gelandet, Helma allerdings außer Kamerareichweite. Er saß in Reihe zehn, eine unverhofft gute Platzierung. An der Sitzordnung ließ sich peinlich genau der aktuelle Marktwert ablesen. Entwürdigend, wenn man Jahr für Jahr weiter hinten landete. Viele Kollegen kamen lieber gar nicht, als vor den Augen der gesamten Branche degradiert zu werden. Vor ein paar Jahren noch hatte Simon im Rang gesessen und sich naiv über den guten Blick gefreut.

»Falls wir uns nie mehr wiedersehen!« Helma stellte sich auf die Zehenspitzen und drückte ihm einen Kuss aufs Kinn.

»Vielleicht ziehen sie's ja flott durch!?«

»Hat 'ne Kuh drei Beine?«, seufzte Helma.

Er versuchte zu seiner Sitzreihe zu gelangen, kam aber nur langsam voran. Küsschen hier, Handschlag dort. Manchmal war sogar jemand dabei, den er nett fand. Das Schauspielhaus prunkte mit Klassizismus in Bleu und Lindgrün, Wandmalereien, Stuck und Gipsbüsten von den Humboldts bis Schinkel. In Wahrheit stammte die Preußenpracht aus den Fünfzigern und war Made in DDR, aber das wusste hier niemand. Als Simon Platz genommen hatte, inspizierte er die umliegenden Reihen: vor ihm die Preisträger des Abends, außerdem die Laudatoren und die Verlegerfamilie, die den Preis gestiftet hatte. Dazu kamen ein Innenminister, ein Ministerpräsident, ein Bürgermeister, die ganz großen Schauspielstars und Publikumslieblinge, ein Fußballgott und eine Eislauflegende. Garniert war der Auflauf mit ausgesuchtem Frischfleisch. Es musste nicht extra ausgesprochen werden, doch wenn Nachwuchsschauspielerinnen für ihren Bekanntheitsgrad viel zu nah an der Bühne saßen, wurde im Gegenzug eine gehörige Portion Brust erwartet.

Allenthalben reckten sich Hälse in anatomisch fragwürdige Höhen. Besonders Schauspieler haben die Fähigkeit, gleichzeitig leise und unglaublich schnell zu sprechen, was in der Summe fast einen Windstoß erzeugt. Zwischen den beiden angeblich erotischsten Frauen der Republik wurde ein Blickkrieg ausgetragen. Ein krachlederner Sportmoderator zückte blitzschnell einen goldenen Taschenspiegel und legte mit geübtem Griff etwas Puder nach.

Freundlich nach links und rechts grüßend, fühlte Simon sich verpflichtet, pro forma mit seinen Sitznachbarinnen zu flirten. Leider hatte er zwei Nieten gezogen. Links saß das Gesicht einer beliebten Einrichtungsshow, die das Genre der dreist-untalentierten Moderatorinnen mitbegründet hatte. Erkennungszeichen war ihre überkandidelte Garderobe. Heute hatte sie sich in eine Art tragbaren Vogelkäfig geworfen, aus dem an strategischen Stellen steife Stoffblumen wucherten. Die Frau zu seiner Rechten moderierte die Spätnachrichten eines Privatsenders. Sie hielt sich für die Erfinderin des Intelligenzquotienten, war aber bestenfalls als Konsumentin von Speed rekordverdächtig. In Windeseile beglückte sie ihn mit einem Symposion zum Thema Transatlantiker in der CDU, die auch immer spärlicher gesät seien. Mehrmals warnte sie davor, auf diese Weise die »Indentifikation« mit der jüngeren Geschichte zu beschädigen. Simon überlegte kurz, wie er sie dazu bringen könnte, sich am schönen Wort »Authentizität« zu versuchen, aber eine bombastische Synthesizer-Fanfare vereitelte seinen Plan.

In einem normalen Schauspielhaus würden nun die Lichter ausgehen, hier wurden sie hochgefahren. Kameras brauchen sehr viel Licht. Die gleißende Helligkeit brachte außerdem schweißtreibende Temperaturen mit sich. Hier waren die Damen im Vorteil: Einerseits gezwungen, so viel Fleisch zu zeigen, wie es ihr offizielles Alter erlaubte, waren die luftigen Roben immerhin dem Tropenklima angemessen. Simon und seine Geschlechtsgenossen hingegen schmolzen in ihren Smokings auf Normalformat. Im Laufe des Abends würde man diverse Herren bei dem Versuch beobachten können, salzige Rinnsale aufzuhalten, die von den Schläfen die Ohren entlang suppten, um ekzemfördernd im Hemdkragen zu versickern. Simon war nicht der einzige Mann, der den Moment fürchtete, wenn er daheim sein Jackett auszog und riesige Schweißflecken unter den Armen und Gott weiß wo entdeckte. Glamour sah anders aus. Er roch auch anders.

Zu üppiger Auftrittsmusik kämpfte sich eine hinreißende Frau in schulterfreiem Rot durch eine Nebelwand. Ohne Blick nach unten schritt sie die Showtreppe hinab. Simon klatschte frenetisch. Er wusste nur zu gut, wie halsbrecherisch die paar Stufen sein können. Der starre Lächelblick nach vorn erfordert Übung wie Gottvertrauen. Es ist wie mit der Tasse Kaffee, die man durch den Raum trägt: Nur solange man nicht draufschaut, schwappt nichts über. Selbstsicher und elegant eine Showtreppe hinabzuschreiten, ist eine enorm unterschätzte Kunst.

Die Besten der Besten! / Show! Emotion! Musik! Entertainment! / Die Frage aller Fragen: Wer sind die Preisträger am glanzvollsten Abend des Jahres? / große Gefühle / Und nun: Ein deutscher Weltstar! / Freue mich, dass ich den ersten Preis des Abends / Mutige, großartige Künstlerin! / Vielen, vielen Dank, eine große Ehre! / Musik / Applaus / Fernsehunterhaltung vom Feinsten / Bedanke mich bei meiner Familie, meinem Team, meinem Sender, meinem Intendanten, bei allen, die an mich geglaubt haben, bei meinem Vater/ kranken Vater/ Mutter/ toten Mutter.

Simon war auf Autopilot gegangen. Der hatte vier Einstellungen: aufmerksam schauen, begeistert schauen, lachen, herzlich applaudieren. Das Schlachthauslicht ließ niemanden vergessen, stets im Bild sein zu können. Scheußlich, stundenlang zu dieser Hab-Acht-Stellung verdonnert zu sein. Je länger die Veranstaltung dauerte, desto infantiler kam er sich vor: Ich muss mal! Ich hab Hunger! Ich hab Durst! – Das waren die Klagen des kleinen »Simi« auf Urlaubsfahrt in den Süden gewesen.

Bedanke mich zuallererst bei meinen Fans! /neuer Film / standing ovations / grazie a tutti / always a great pleasure to be in your beautiful city /Engagement / gerechte Welt / Armut und Unterdrückung / neues Buch / standing ovations / profound honour / overwhelmed / Nachwuchspreis / Lachen / Schluchzen / Weinen / Mann, ist das geil!

Der Drang, sich von der Masse zu entfernen, indem man vor sie tritt, zeigte sich besonders in einer obskuren Fähigkeit: An den Saalkameras befindet sich neben dem Objektiv ein rotes Signalfeld. Wird auf eine Kamera geschnitten, gibt sie Rotlicht. Obwohl es winzig ist, weiß jeder im Saal sofort, wann er im Bild ist. Große Kunst, wie Medienmenschen intensiv mit ihren Sitznachbarn tuscheln, dann urplötzlich den Kopf Richtung Kamera reißen und ein Strahlelächeln absetzen.

Charakterschauspieler / großer Dreiteiler / Riesenquote / lauer Applaus / Ballett / Bossa Nova / neue CD / beste Talkshow / nichts ohne mein Team / Fanfare / Lebenswerk / Ministerpräsident / lebende Legende / Meister seines Fachs / Vorbild / Geschichte geschrieben / Messlatte / standing ovations / Tränen / Danke.

Simon checkte kurz die Position der Kameras und gönnte sich einen Sehnsuchtsblick auf die Armbanduhr. Halbzeit erst. Seine Blase meldete sich, vor Augen das kontraproduktive Bild eines kühlen Bieres. Um sich von beiden Bedürfnissen abzulenken, studierte er die Großbildleinwände links und rechts der Bühne. Bei den Publikumsschüssen sahen einige Kollegen nicht mehr taufrisch aus: glänzende Nasen, verrutschte Dekolletees, abgestürzte Frisuren. Er versuchte herauszufinden, welchen der unvorteilhaft aussehenden Stars der Bildregisseur aus purer Bosheit ausgewählt hatte. In dieser Hinsicht konnte er beruhigt sein: Er kannte den Regisseur, eine Muskelschwuchtel, mochte ihn und hatte sicherheitshalber ein klein wenig mit ihm geflirtet, um bei Galas wie dieser auf der sicheren Seite zu sein.

Sobald die Abspannmusik erklang, war niemand mehr zu halten. Schluss mit Contenance. Unter den Rolltiteln lagen zwar noch Saalbilder, aber das große Nesteln hatte schon begonnen. Schuhe wurden diskret wieder angezogen, Kleider gerichtet, Hosen zugeknöpft, Gürtel enger geschnallt. Alte Damen schossen gazellengeschwind Richtung Toilette. Trinker peilten auf kürzestem Weg die nächste Bar an.

Simon wartete unter einer Brahmsbüste auf Helma. Sehnsuchtsvoll träumte er sich in sein Wohnzimmer: Beine hochgelegt, ein Glas Rotwein in der Hand oder etwas zu rauchen. Was für ein unbezahlbarer Luxus, sich fläzen zu können, vulgär zu reden oder schlicht zu schweigen.

»Hochinteressanter Abend!«, rief Helma schon von weitem, ihr Codewort für langweilige Veranstaltung. Selbst sie, die immer noch aus einem versteckten Kniff ihrer Persönlichkeit ein Strahlen hervorkramen konnte, sah geschafft aus.

»Ich fand's besser als erwartet.« Simon sagte die Wahrheit und wunderte sich, warum es so verlogen klang.

Helma hakte sich bei ihm ein. »Harndrang? Hunger? Durst?«

»Alles drei! Und genau in der Reihenfolge!«

Rauchen hatte Helma erst gar nicht erwähnt, weil Simon schon mit gierigen Fingern eine Filterzigarette aus seiner Schachtel klopfte. Während sie nur mit Trippelschritten vorankamen, zerriss man sich rechts und links schon das Maul. Es gehörte sich nicht, die Giftspritzen gleich vor Ort zu setzen, das hob man sich für Drinks an der Bar und den Telefonmarathon des folgenden Tages auf, aber einige Gäste konnten die Wörter nicht bei sich halten. Fetzen drangen an ihr Ohr – »... abgesaugt und aufgespritzt ...«, »... saß doch wirklich frech neben seinem Stecher ...«, »... die Laudatio war so romantisch wie ein verstopftes Pissoir!« Helma ließ einen Stoßseufzer hören, als sie die entmutigende Schlange vor der Damentoilette sah, die kollektiv von einem Bein aufs andere trat.

»Kommst halt mit zu den Männern!«, lud Simon sie ein.

»Spinnst du?«

»Kannst dir auch in die Hose machen! Außerdem traut sich sowieso niemand, was zu sagen, wenn ich bei dir bin. Ich pass schon auf!«

Als er die Toilettentür öffnete und Helma das Geräusch laufenden Wassers hörte, kapitulierte sie. Bei den Pissoirs schirmte er sie galant mit dem Körper ab und fand im nächsten Raum eine freie Kabine für sie. »Ich warte auf dich«, versprach er und suchte auch für sich selbst eine. Was für ein Hochgenuss, nach stundenlangem Sitzzwang alle Schleusen zu öffnen! Der perfekte Moment, dachte er, einen Mann auf der Höhe seiner Arglosigkeit zu ermorden. Am liebsten hätte er sich auf den Boden gelegt, Arme und Beine weit von sich gestreckt und laut gesungen. Aber er durfte sich nicht gehenlassen. Es war wie beim Marathonlauf: Stand die Körpermaschine erst einmal still, spürte man den Schmerz und konnte sich nicht wieder aufraffen. Er schloss seinen Hosenstall, klappte den Deckel nach unten und setzte sich hin. Ein winziger Moment Privatheit nur noch. Das Gesicht in den Händen vergraben, kroch Übelkeit in ihm hoch. Dann schoss ihm durch den Kopf, dass er gerade dabei war, seine Frisur zu ruinieren. Er atmete tief durch, betätigte die Spülung und verließ die Kabine.

»Wo bleibst du denn?« Helma stand mit verschränkten Armen vor der Kabine.

»Gott, ihr Weiber legt es wirklich drauf an, noch schneller zu pinkeln als wir«, nölte Simon. Er hielt ihr die gläserne Schwingtür auf, und sie mussten wieder an den Urinalen vorbei.

»Scheiß aufs Händewaschen, nix wie raus hier!«, wisperte Helma und deutete mit diskreter Kopfbewegung zur Seite. Simon folgte ihrem Blick und hätte fast laut losgeprustet: Alle Männer starrten sie an, drehten dann wie auf Kommando den Kopf wieder zur Kachelwand. Ertappte Sextaner. »Fabelhaft! Da hätten wir ja das Klatschthema des Abends: Minkoff und Frau Schneider treiben es auf dem Herrenklo!«

»Was ist denn los? Bist doch sonst nicht so eine Spaßbremse!«

»Entschuldige, ich … ach, weiß auch nicht. Wir kippen uns jetzt einen hinter die Binde und … und …«

»Und ewig singen die Wälder!«, sagte Helma.

Simon prüfte langhalsig, ob die Luft rein war, und zog sie blitzschnell aus der Toilette. Nach der Pinkelruhe schlug ein Ozean von Satzfetzen über ihnen zusammen. Hart erarbeitete Laune perlte eisern durch die Säle, forciertes Lachen und Wortkaskaden mit vielen Ausrufezeichen.

»Keine Feigheit vor dem Feind!«, rief Helma, als habe sie es mit einem Schwerhörigen zu tun. »Komm, wir machen eine Runde Schaulaufen! Dazu sind wir schließlich da.«

Zur Aftershow-Party hatte man die repräsentativen Salons des Hauses gemietet. Weil aber noch weitere tausend Gäste nur zur Party geladen waren, reichte der Platz bei weitem nicht. Durch einen mit weißer Plane überdachten Gang erreichte man eine glasglitzernde Ladenpassage, die für die Party aufgemotzt worden war. Schilder, Auslagen, Papierkörbe – alles, was auf den Alltagszweck hindeutete, war hinter weißen und goldenen Stoffbahnen verschwunden. Dazu hatte man einen Londoner Stylisten

eingeflogen, der ausschließlich auf Faltenwürfe spezialisiert war. Zwei Tage lang hatte er nichts anderes getan, als
Kilometer von Stoff zu drapieren. Nichts mehr erinnerte
an eine schnöde Passage, das Dekoteam hatte die Realität
erfolgreich dahingemetzelt.

»Bevor meine Interviews losgehen, sollten wir schnell
noch was essen und trinken!«, drängelte Simon.

»Okay: Du bist heikel mit dem Essen, also hole ich uns
was zu trinken!« Helga sah aus wie eine Stewardess, die
die Lage der Notausgänge erläutert. »Das beste Büffet findest du da hinten neben dem Blumengedöns – Kirsch-
blüten am Fudschijama oder so! Für mich bitte alles, was
fett und matschig ist. Für dich keine Zwiebeln, keinen
Knoblauch und nichts was tropft!«

Simon salutierte. »Jawoll!«

Im Weggehen drehte sie sich noch einmal um. »Ach,
und keinen Käse. Der bleibt in den Zähnen stecken. Sieht
auf Fotos scheiße aus!«

Simon nickte und ließ sich ergeben Richtung Büffet
schieben. Weit kam er nicht.

»Wunderbar, dass man sich mal wieder trifft!« Die einzige Unterhaltungschefin einer öffentlich-rechtlichen An-
stalt verpasste ihm zwei schlabberige Wangenküsse. Lange
schon versuchte sie ihn abzuwerben.

Simon war nicht interessiert, aber geschmeichelt: »Wie
schön, Sie zu sehen! Wir sprechen uns später noch, ja!?«
Wie immer war er heilfroh wenn sein Gegenüber die Art
der Begrüßung vorgab. Häufig vergaß er, auf welcher Inti-
mitätsstufe man sich letztes Mal getrennt hatte: Hän-
deschütteln und »Sie« oder die Hamburger Variante:
Handschlag und »Sie«, aber mit Vornamen? Es gab den
unverbindlichen Klaps auf die Schulter und die kurze Umarmung, die moderate Umarmung inklusive Schulterklopfen sowie die Umarmung mit pferdestehlendem Kuss, den
Kuss pur auf eine Wange (oder beide) und schlussendlich –

selten, aber wirkungsvoll – den Handkuss. Aus Unsicherheit geriet Simon die jeweilige Herzlichkeitsbezeugung oft zu einem linkischen Gehampel, bei dem ein Schulterklopfen oder ein Kuss merkwürdig vage in der Luft kleben blieben.

»Oh, du auch hier!«, tönte eine tuntige Stimme aus Frauenmund. Bei Anlässen wie diesem arbeitete die überschminkte Matrone mit extrem grellen Outfits, an denen keine Kamera vorbeikam. Heute hatte sie sich für ein Dirndl in den Ausmaßen Baden-Württembergs entschieden. Ihre untergewichtige Karriere als Komikerin polsterte sie mit Skandalen auf. Letztes Jahr hatte sie eine Tumoroperation an ihren Haussender verkauft. Gnädig hielt sie ihm eine Wange hin, begrüßte aber gleichzeitig schon einen neuen Bekannten: »Oh, du auch hier!«

Endlich am Büffet, wurde Simons Magen zum Raubtier. Es gab Lazy Lobster in der Karkasse, Jakobsmuscheln auf einer Estragon-Granatapfelvelouté und Kalbsfiletspitzen in Bananenblättern. Er nahm von allem etwas und fügte noch ein paar Austern sowie ein Sorbet vom belgischen Klosterbier hinzu. Seine Ausbeute behutsam balancierend, machte er sich auf den Rückweg. »Für den kleinen Hunger zwischendurch?«, rief jemand ironisch. Ohne die vollen Teller aus den Augen zu lassen, lugte er zur Seite. Sebastian Leber winkte von Ferne mit etwas, das wie ein Zwerghuhn aussah, eine Wachtel vielleicht. Seine Freundin stand neben ihm. Die hatte er also wiedergefunden, dafür aber seine Frisur verloren. Das Haargel hatte seinen Dienst aufgekündigt und die blondierten Spitzen gefällt.

»Warst schwimmen?«, feixte Simon.

Leber knabberte einen letzten Rest vom Wachtelbein, steckte es sich grinsend in die fettigen Strähnen und rollte kannibalenhaft mit den Augen. Genau deswegen mochte Simon ihn: Er war ein Kind. Ein ambitioniertes Kind zwar, aber ein Kind.

»Schnell, schnell, ich habe einen Tisch für uns klar gemacht!«, zischte Helma, die wie aus dem Nichts aufgetaucht war. Sie schnappte sich die Teller und führte ihn
zu einem Stehtisch. Neben ihrem Pils prickelte müde ein
blasses Getränk.

»Schorle? Das ist nicht dein Ernst!?!«

»Wenn du auf nüchternen Magen Alkohol kippst,
kannst du die Interviews gleich vergessen!«, befand sie
knapp.

Wie aufs Stichwort näherte sich ein Fernsehteam der
ARD. »Können wir eben?«, fragte der Reporter, ein Mann
Mitte fünfzig mit schulterlangen grauen Locken. Simon
kannte ihn seit Jahren. Er hatte eine legendäre Konstitution und war auf jeder größeren Gesellschaft zu finden,
häufig an fünf, sechs Abenden die Woche, manchmal auf
zwei oder drei Partys pro Abend. Auf eine verquere Art
bewunderte Simon ihn: Wie konnte man einen Beruf ertragen, der aus Lawinen von Smalltalk, Alkohol, Neid und
Hybris bestand? Abend für Abend adoptierte Vulgäradelige,
kamerageile Pipimädchen, bräsige Friseure. Ein Königreich
für meine Jakobsmuscheln, dachte er sehnsüchtig, ließ sich
aber nichts anmerken. Der Reporter gab dem Kameramann ein Zeichen, und schon erstrahlte das Kameralicht.
Obwohl klein und mit Gaze abgedeckt, tauchte es die Szenerie in brutales Weiß. Diese Kühle sollte in den kommenden Stunden sämtliche Anwesenden verfolgen. Helma
hatte schon eine Puderdose gezückt und betupfte fach-
männisch Simons Gesicht: »Okay, ihr könnt!«

Der Graukopf hatte seinen schwachen Tag und fragte
Simon nach den Highlights des Abends. So flau starteten
sonst nur Anfänger. Seit auch die Öffentlich-Rechtlichen
auf dem Boulevard anschaffen gingen, musste man sich
schon etwas Pfiffigeres ausdenken. Simon hatte jede Variante von »originellen« Gala-Interviews erlebt. Mal sollte
er seine Antworten singen, dann sie pantomimisch dar-

stellen. Man hatte ihm Stoffpuppen und Zeichenstifte in die Hand gedrückt, ihn zu tanzen aufgefordert, einen Zauberer gebeten, ihm während des Interviews die Brieftasche zu stehlen, und ihn genötigt, die Körbchengröße anwesender Schauspielerinnen zu erraten. Ein Reporter hatte sich nicht gescheut, ihn nach der erotischen Komponente von Beerdigungen zu fragen. Um den Interviewmarathon durchzustehen, verpflichtete er Helma, zwischen den Interviews Rotwein zu besorgen. Als sie gegangen war, dröhnte eine vertraute Stimme: »Von einem gewissen Niveau an kann man nicht besser sein als andere, nur anders!« Die Sentenz kam von einem schwergewichtigen Großschauspieler, den Simon ins Herz geschlossen hatte, seitdem sie nach einer Talkshow gemeinsam die Hotelbar dezimiert hatten. Simon nahm noch einen Schluck tote Schorle, trat dann unbemerkt hinter den Schauspieler und kniff ihn in den Hintern.

»Oh, wer fasst mir gerade an den Po?«, fragte der mit Buster-Keaton-Miene in die Kamera. Dieser Satz würde es gewiss in den Beitrag schaffen!

Im Akkord Interviews zu geben war Schwerstarbeit. Schlimmer war nur, keine zu geben. Wenn Simon sich auf die Zehenspitzen stellte, konnte er in den VIP-Bereich lugen. So zahlreich waren dort die Kamerateams, dass die anheimelnde Lichtstimmung eines Schlachthauses herrschte. Die Ausgezeichneten hatten ohne Unterlass stolz und dennoch bescheiden zu strahlen. Ihn schauderte, als er das vor falscher Dankbarkeit verzerrte Gesicht eines Showmasters sah. Dessen Image als Mann des Volks saß so fest wie seine Haut. In der Arbeit allerdings entpuppte er sich als cholerischer Despot, der alle Frauen des Stabs entweder betatschte oder als »Trockenfotzen« bezeichnete. Talent und Charakter, das hatte er in sechs Jahren Fernseharbeit gelernt, fanden sich selten im selben Körper.

Simon plauderte mit sämtlichen öffentlich-rechtlichen

Sendern inklusive der Dritten, mit allen Privaten, diversen Zeitungen, Radiostationen, Internetradios und Online-Diensten. Er wurde ernst für eine saarländische Schwulenpostille und war lustig bei einer Schülerzeitung aus Norderstedt. Als sich ein Team von *n-tv* näherte, gab er Helma ein nicht sonderlich diskretes Zeichen, für Rotweinnachschub zu sorgen. Die schoss ihm einen Warnblick, trottete aber ergeben zur Bar. Simon war zwar Profi, aber manchmal schien seine private Person die öffentliche Hülle sprengen zu wollen. »Kack die Wand an!«, empörte er sich dann. »Was ist mit *mir*? Was ist mit *meinen* Wünschen?« Wenn er »Kack die Wand an!« rief, herrschte Alarm. Dann musste man ihn außer Hörweite schaffen, bevor sein Mundwerk Schaden anrichten konnte. Schweren Herzens nahm sie ein Glas Rotwein vom Tablett einer türkischen Servicekraft, blickte ihr einmal tief in die Augen und ging zurück zu Simon.

»Jetzt reicht's aber!«, erklärte der gerade mit kaum unterdrücktem Zorn einer jungen Reporterin. Das Mädel zuckte zusammen. Um reifer zu erscheinen, hatte sie sich in ein kleines Schwarzes mit weißem Pelzkragen geschmissen. »Ja, gut«, hauchte sie und zog mit ihrem Kameramann geknickt ab.

»Was ist passiert?«, fragte Helma, aber Simon brummte nur ungnädig »Praktikantenstadl«.

Solange jeder zweite Schulabgänger in die Medien wollte, war der Nachschub an Praktikanten unendlich. Sie arbeiteten viel, kosteten wenig oder nichts und waren für ihre Ausbeutung noch dankbar. Die Privatsender wären auf der Stelle zusammengebrochen, hätte man ihnen die preiswerten Allzweckwaffen gestrichen. Doch ob das Pelzmädel wirklich Praktikantin war oder nicht, machte letztlich keinen Unterschied. Auch Reporter wurden neuerdings so schlecht bezahlt, dass sie sich kaum noch Mühe gaben. Stattdessen versuchten sie mit einem Trick auf ihr

Geld zu kommen: An Abenden wie diesem sammelte man so viele Promistatements zu so vielen Themen wie möglich. Die Antworten konnte man dann zu immer neuen Umfragen zusammenschneiden und verkaufen. Fragen nach seinem Lieblingsbuch, dem Ziel des Sommerurlaubs und der »kultigsten« Automarke hatte Simon noch geduldig beantwortet, aber im Frühjahr zu erzählen, wie er den Heiligen Abend begehe, war zuviel gewesen. »Weißte was, Helma? Schluss für heute!«, sagte er gereizt.

Sie widersprach nicht. Besser ein Moderator, der kein Interview gibt, als einer, der die Wahrheit sagt. Doch er schien sich schon wieder im Griff zu haben, jedenfalls grinste er plötzlich breit: »Siehst du den Taschenmann?«

Neben einer der Preisträgerinnen, der vielleicht besten Schauspielerin des Landes, stand ein junger Mann, der mit versteinertem Gesicht eine federbestickte Damenhandtasche hielt. Für Simon war es *das* Sinnbild einer Gala, dekadent vielleicht, aber bewundernswert mitgedacht: Wenn eine Gewinnerin ihre schwere Statue in die Kameras halten sollte, stellte sich unweigerlich die Frage: Wohin mit der Handtasche? Also stand im Auftrag der Agentur den ganzen Abend ein unauffälliger Begleiter bereit, bei Bedarf die Handtasche zu hüten.

»Herrlich überzüchtet, nicht?« Simon schürzte die Lippen. »Eigentlich schade, dass wir Männer keine Handtaschen brauchen, dann hätten wir eine eigene Taschenfrau!«

»Nur ausgleichende Gerechtigkeit«, sagte Helma. »Wenn wir schon schlechter bezahlt werden als ihr und als Dank dafür Cellulite kriegen, soll uns wenigstens ein Schnucki die Tasche tragen!«

»Hör ich hier was von Schnucki?« Günter König umarmte zuerst Simon, dann Helma. Die Etikette der Medienwelt richtete sich nach Status, nicht nach Konvention. Der Regisseur des Abends war wie immer bester Laune.

Dabei hatte er noch lange nicht frei. Vor Günni, wie er von allen genannt wurde, lag eine lange Nacht im Schnitt, um die Sendung für die morgige Ausstrahlung auf die ausgedruckte Länge zu trimmen.

»Helma, meine Moosrose! Bevor du fragst: Ja, ich habe ein paar schöne Zwischenschnitte von deinem Schützling gemacht. Großaufnahme! Und er sieht wie immer zuckersüß aus!«

»Danke, Schatz«, sagte Helma.

Verlegen stieß Simon seinen Zeigefinger in Günnis Seite. »Und wie ist es für dich gelaufen?«

»Och, geschmeidig. Ich mach das ja nicht zum ersten Mal.«

Helma, die genau wusste, wie diskret Günni sein konnte, gab das Kätzchen und lehnte ihren Kopf verspielt an seine Fitnessbrust: »Und die Mussolini?« Der Star des Abends, eine auch in Hollywood erfolgreiche italienische Filmschönheit, wurde wegen ihrer Launen nur »die Mussolini« genannt.

»Geh mir von den Titten, Weib! Normalerweise stimmt es ja wirklich, dass die berühmtesten Stars auch die nettesten sind. Aber *die* Kuh ist wirklich eine Ausnahme!«

»Komm Günni, erzähl schon!«, schnurrte Simon.

»Schau an: Eine echte Hete, braver Ehemann, aber wenn er was will, kann er richtig nuttig sein!«

»Einfühlungsvermögen gehört eben zu meinem Beruf«, tat Simon empört. »Außerdem kennst du doch den Spruch: Beim Klatsch kommt es nicht auf die Wahrheit, sondern auf Einzelheiten an!«

»Ich kann mit beidem dienen!«, hauchte Günni mit Verschwörermiene. Die Mussolini war mit komplettem Hofstaat angereist. Dreiundsechzig Personen inklusive Ernährungsberater, Pilatestrainerin und Osteopath. Ein siebzigseitiger Vertrag legte unter vielem anderen fest, in welchem Stoff (Satin) und welcher Farbe (abgepudertes

Altrosa) die Garderobenräume der Künstlerin auszuklei-
den seien. Das Futter für ihre Weimaraner hatte man am
Morgen aus einem makrobiotischen Hundeimbiss in Los
Angeles einfliegen lassen. Am Übertragungsort war sie
mit fünfstündiger Verspätung erschienen, verbarrikadierte
sich aber sofort in ihrer Garderobe. Die Produktionsleite-
rin musste eine halbe Stunde lang an ihre Tür klopfen, bis
die zweite Assistentin öffnete. Preisübergabe, Dankes-
worte, kurzes Interview – mehr war nicht zu bereden.
Doch flugs schloss sich die Tür wieder. Eine Stunde später
erklärte die erste Assistentin, der Star wolle die Couch testen, auf der das Interview geplant sei.

»Wann immer sie will!«, hatte Günni versichert. »Wir
unterbrechen die Proben jederzeit!«

»Sie verstehen nicht: Sie probt nicht auf der Bühne!
Sie will die Couch in ihrer Garderobe testen.«

Selbst Günni war einen Moment lang sprachlos. »Äh …
die Couch ist fünf Meter lang, weil unter andrem die Scor-
pions darauf Platz finden müssen! Sie würde gar nicht in
die Garderobe passen!«

»Ihr Problem«, sagte die Assistentin.

Entsetzen, Panik, Weltuntergang. Nach einer Krisen-
sitzung hatte man beschlossen, ein Stück von der Couch
abzusägen. Wie ein Tortenstück wurde das ein Meter breite
Sitzrudiment in die Garderobe befördert, damit die Diva
unbeobachtet vom Produktionsstab ihren kostbaren Hintern darin versenken konnte. Die Mussolini war von dem
mentalen Zuschnitt, aus dem Legenden gemacht wurden.

»Madonna ist eine christliche Märtyrerin dagegen«,
lachte Günni. »Okay Kids, ich muss!« Er küsste die Luft
und war so schnell verschwunden, wie er aufgetaucht war.

»Ab sofort bewege ich mich auch nicht mehr«, verkündete Simon »Bring mir doch mal eben eine Toilette!«

»Träum weiter, Sextanerblase!«

Mit gespielt jammervollem Gesichtsausdruck verabschiedete er sich Richtung »Herren«. Auf dem Weg zur Toilette war sein Gang reichlich beschwingt. Der Rotwein war vom Feinsten. Obwohl schon nach Mitternacht, traten ihm drei Kamerateams mit Interviewwünschen in den Weg, aber er schüttelte nur den Kopf. Bis vor wenigen Jahren hatte man den Bildberichterstattern eine, höchstens zwei Stunden Drehzeit zugestanden, dann durften auch die Stars privat sein. Doch wie im Rest des Landes die Leute bis auf den letzten Tropfen Arbeitskraft gemolken wurden, ging es auch den Glitzermenschen: Man verlangte von ihnen jede Menge unbezahlte Überstunden.

In der Herrentoilette war es kaum leerer als auf der Party. Vor den Pissbecken gab es eine Schlange. Ihm fiel siedendheiß ein, dass er noch kein Wort mit seinem Geschäftsführer und dem Unterhaltungschef gewechselt hatte. Beides musste sein und war so erfreulich wie eine Magenspiegelung. Als eine Hand wie aus dem Nichts heftig um seinen Kopf wedelte, fuhr er erschrocken hoch und sah Sebastian Leber, dessen Jungsgrinsen einem bestürzten Gesichtausdruck wich: »Shit, tut mir furchtbar leid! Ich wollte dich nicht erschrecken!«

Simon brauchte einen Moment, bis eine Aufwallung jähen Zorns abebbte. »Was soll das?«, fragte er mit mühsam gezügelter Stimme.

»Du hattest eine so dunkle Wolke um die Stirn, dass man sie echt sehen konnte. Ich wollte sie nur vertreiben. Sorry, war blöd!«

Leber schaute so zerknirscht, dass Simon geschwind einlenkte: »Schon gut. Ich war in Gedanken und hab mich nur ein bisschen erschreckt!«

»Als Entschuldigung eine kleine Erfrischung gefällig?«

Simon tat, als müsse er überlegen. Eine Nase würde ihm bei den letzten Pflichten des Abends helfen, vielleicht auch seinen immer wieder aufflackernden Unmut im Zaum halten. »Warum eigentlich nicht?«, tat er gnädig.

Sie gingen in den Nachbarraum und schlossen sich in eine Kabine ein. Leber nestelte ein Plastikröhrchen aus der Innentasche seines Jacketts und häufte eine großzügige Portion Marschierpulver auf den Toilettenkasten. Simon war etwas besorgt, wie geübt er die Kristalle mit seiner Kreditkarte zerhackte und zwei perfekte Lines präparierte. Er drückte Simon einen Zweihunderteuroschein in die Hand: »Ziemlich rein, das Zeug.«

»Oh, vornehm geht die Welt zugrunde!«

Simon rollte den Schein, beugte sich vor und sniefte. Kurz befand er sich im Nirgendwo, dann spürte er einen Schub und wurde in einen vierdimensionalen Raum katapultiert. Während Leber sich bediente, genoss er den minzigen Schleimball, der aufregend langsam von der Nase in den Rachen glitschte.

»Aah!« Leber richtete sich auf und wartete bis die Droge ihre Wirkung entfaltete. »Tut mir echt leid!«, sagte er noch einmal.

»Quatsch, ich hab einen komischen Tag heute. Bin einfach schräg drauf. Macht mich kirre, dass ich noch nicht mal einen Grund dafür habe!« Lautstark zog er die Nase hoch.

»Wenn ich mit mir auf einem hässlichen Herrenklo eingesperrt wäre, hätte ich auch eine Sinnkrise!«, gackerte Leber. Er fuhr mit dem Zeigefinger über den Toilettenkasten und massierte sich die aufgesammelten Reste ins Zahnfleisch. Simon beobachtete ihn. Er fühlte sich wie ein Ethnologe, der einen ihm fremden, aber faszinierenden Stamm erforscht. Das ist es, dachte er: Wenn man wahrnehmen, verstehen, erkennen will, muss man einige Schritte zurücktreten und ohne Psychologenscheißdenke einfach nur präzise registrieren. Dann die Befunde ordnen, nicht hierarchisch, sondern horizontal, Seit an Seit. Und schließlich sezieren und auswerten.

»Hallo! Erde an Raumstation!«

Simon ging nicht darauf ein. »Komm, gehen wir!« Ohne

auf Antwort zu warten, öffnete er die Kabinentür. Im Vorraum ließ er kaltes Wasser über seine Handgelenke laufen. Es war ihm egal, dass seine Manschetten dabei nass wurden.

»Alles entspannt?«, fragte Leber, während er vor dem Spiegel versuchte, aus seinen Halbmasthaaren doch noch eine Frisur zu machen.

»Bestens! Ich hole einen Gin Tonic. Soll ich dir was mitbringen?«

»Nee, ab jetzt ist Wasser angesagt. Außerdem muss ich mal nach meiner Liebsten gucken.« Er umarmte ihn kurz. »Also, mach keinen Scheiß, Alter!«

»Ich doch nicht!«

Simon warf einen Blick in den Spiegel und fand sich umwerfend. Dann fädelte er sich wieder ins Getümmel ein. Wie sie dastanden, Hunderte von aufgerüschten, atmenden Entitäten, jederzeit bereit, sich zu neuen organischen Konstellationen zu formen – ließ sich dafür nicht eine mathematische Formel finden? Oder ein Programm schreiben? Möglicherweise waren die Gesetze von Anziehung und Abstoßung nicht psychologischer, sondern mathematisch-ästhetischer Natur. Zähne, so sah es aus, spielten dabei eine besondere Rolle. Je stärker Abneigung oder Begehrlichkeit, desto größer der Zahnzeigfaktor. Das musste sich doch berechnen lassen. Simon hatte sich einem der edelsten Stände der Party genähert. Dort wurden nur Jahrgangschampagner und ein modischer finnischer Gin ausgeschenkt. Die Menschen standen in Fünferreihen vor dem Tresen, gesittet, wie es auf den ersten Blick schien. Doch Simon sah, wie die Aussicht auf teure Freigetränke ihren Augen gierigen Glanz verlieh. Immer wenn einer der drei Barkeeper eine Bestellung fertig hatte, ging eine Welle der Erregung durch die Wartenden. Frauen warfen ihre Haare nach hinten, Männer standen auf Zehenspitzen, blähten ihren Oberkörper oder riefen herrisch »Drei Champagner«. Wie Bedürftige in einer Suppenküche, nur dass hier die Satten um Gratisportionen buhlten. Simon hatte keine Lust, sich einzureihen. Ohne groß zu überlegen, trat er hinter den Tresen. Als wäre es das Normalste der Welt, nahm er ein schlankes Glas und füllte es mit Eis. Dann goss er eine großzügige Portion Gin hinein, füllte mit Soda auf, halbierte eine Limonenscheibe und komplettierte den Drink mit einem Strohhalm. Alles war so schnell gegangen, dass die Barkeeper nicht wussten, wie ihnen geschah.

»Der ist für mich!«, erklärte ein alter Mann mit Hakennase. Und weil er wie selbstverständlich die Hand ausstreckte, servierte Simon ihm den Drink. Den Barkeepern war die Situation sichtlich unangenehm. »Was machen wir denn jetzt?«, flüsterte der Jüngste des Trios aufgeregt. »Wir können den doch nicht fortjagen!«

»Zwei Champagner!«, dröhnte die dralle Gattin eines Erfolgsproduzenten.

Seelenruhig füllte Simon zwei Champagnerkelche und stellte sie auf den Tresen. »Sechzig Euro«, sagte er. Die Dame lachte versuchsweise, doch Simon zog die Gläser sofort wieder zurück. »Die Einnahmen sind heute für die hiesige Suppenküche. Keine Kohle, kein Schampus!«

»Unverschämtheit!«, zischte die Matrone und funkelte die Barkeeper auffordernd an. Doch bevor die etwas unternehmen konnten, knallte ein Gewerkschaftsboss kommentarlos einen Hunderter auf den Tresen, nahm die Gläser an sich und verschwand.

»Der Nächste bitte!« Simon begann die Sache Spaß zu machen.

»Aber Sie können doch nicht …«, hob der älteste Barkeeper tapfer an, doch Simon schnitt ihm das Wort ab: »Champagner vom Feinsten, Herrschaften! Unser heutiges Motto: Gepflegt saufen und Gutes tun! Die Hälfte davon beherzigen Sie ja sowieso!« Einige Gäste wandten sich peinlich berührt ab, andere tuschelten und fragten sich, wer dem Spiel ein Ende machen würde und wie. »Fünf Champagner für zweihundert Euro!«, bot ein bekannter Profiboxer, der gerade auf Actionheld umschulte. »Und was von den Drogen, auf denen du bist!« Hämisches Lachen. Der ältere Barmann witterte seine Chance und versuchte Simon wegzulotsen.

In diesem Moment erschien Helma auf der Bildfläche. Im Bruchteil einer Sekunde überblickte sie die Lage. Sie benötigte nur ein Wort.

»Schluss!«

Sie sagte es in einem Ton, der Simon zum dreijährigen Hosenscheißer schrumpfen ließ. Ohne Widerstand zu leisten, ließ er sich abführen.

3 Vivian putzte die roten und gelben Paprika für Peperoni alle mandorle. Wann Simon wohl nach Hause gekommen war? Seit sie getrennte Schlafzimmer hatten – sein Schnarchen war der offizielle Grund –, wachte sie kaum noch auf, wenn er von seinen Begängnissen heimkehrte. In seiner Branche wurde es immer spät, Arbeitsessen, Allianzen, Verschwörungen. Nach Simons Flugmantel in der Küche und den durchs Wohnzimmer gepfefferten Schuhen zu urteilen, war er nicht nüchtern gewesen. Diese Leute kriegten den Hals nie voll vom Quasseln und Saufen. Jeder sein eigenes achtes Weltwunder. Er mokierte sich zwar darüber, aber wenn er freitagabends aus Köln einflog, dauerte es ewig, bis er wieder auf Normaltemperatur kam und nicht zwanghaft über Marketingchefs, Studioregisseure und Quotenverläufe palavern musste. In einem jähen Richtungswechsel ihrer Gefühle tat er ihr leid. Es war doch nachvollziehbar, dass man nach einer Hochdruckwoche die Luft nur langsam ablassen konnte. Diese abschätzige Art zu denken, das war doch gar nicht sie.

Schon als sie morgens mit nassem Gesicht in den Badezimmerspiegel geschaut hatte, war sie zusammengezuckt:
Wie abweisend sie aussah, erschlagen und auf eine bestür-
zende Art hoffnungslos. Sie hatte versucht, ihr Gesicht
wie das einer Fremden zu betrachten: Die obere Hälfte mit
den hellgrauen Augen zeigte einen Ausdruck vorsichtigen
Abwartens. Die schmale Nase, die helle Haut und die asch-
blonden Haare trugen zur Aura skeptischer Zartheit bei.
Doch dann der Mund. In der Pubertät hatte sie sich dafür
geschämt. Schmolllippen, Knutschlippen, unten ein wenig
voluminöser. »Die kann den Spargel quer fressen«, hatten
die Schulkameraden sie getriezt. Jetzt hingen die Mundwinkel und erinnerten sie an Lefzen.

»Sonn-tag!«, hatte sie ihrem Spiegelbild aufmunternd
zugeflüstert, die Haare straff nach hinten genommen und
mit einem Band zusammengezurrt. Trotzdem war etwas
Angegorenes in ihrem Gesicht hängen geblieben. Siehst
fast nach deinen achtunddreißig Jahren aus, hatte sie gedacht, sich gestrafft und war ein paar Schritte zurückge-
treten. Keine Panik, alles noch dran: groß, gertenschlank,
kleine feste Brust. Das galt auch für ihren Hintern, zumindest, wenn er angespannt war.

In einer schweren Pfanne erhitzte sie Olivenöl, briet
Paprika an, gab eine Hand gehackte Mandeln dazu. Dann
rührte sie Tomatenstücke, Rosinen, Essig und Zucker ein.
Simon liebte die sizilianische Küche, süßsauer und scharf.
Nachmittags, wenn die Paprika gerade noch lauwarm waren, würde er sie mit etwas Brot verputzen und dabei
schmatzen. Sie ließ die Mischung andünsten und schaute
blicklos aus dem Fenster. Zum tausendsten Mal stellte sie
fest, wie Kochen sie immer noch in ruhiges Fahrwasser
bringen konnte. Wenn sie Messer oder Kochlöffel zur
Hand nahm, wenn sie schnetzelte, anbriet, abseihte, mon-
tierte oder pochierte, hatte die Welt für sie kein Geheimnis
mehr. Müsste sie sich zwischen Sex und Kochen entschei-

den, würde ihr die Wahl nicht schwerfallen. Im Akt des Kochens ließ sich alles meistern. Hinterher stand etwas auf dem Tisch, das gut roch, gut aussah und meistens auch so schmeckte. Von Simons Sperma, das hinterher kalt aus ihr herauslief, konnte man das nicht gerade behaupten. Grundgütiger, wo waren ihre Gedanken jetzt gelandet?

Sie nahm das Gemüse von der Flamme, füllte es in einen ovalen Steinguttopf und stellte ihn zum Abkühlen ans offene Fenster. Dann benetzte sie ein Ciabatta und schob es in den vorgewärmten Ofen. Erst jetzt konnte sie sich aufraffen, seinen teuren Mantel aufzuhängen, der wie eine aristokratische Wasserleiche über dem Küchenhocker hing. Er hatte ihn von einem französischen Modelabel geschenkt bekommen, das wieder auf den deutschen Markt wollte. *Relaunch* hieß das, und Simon war als Multiplikator wichtig. Komische Zeiten, wo Männer *Lanvin* oder *Balmain* trugen, während sie mit *Peek & Cloppenburg* zufrieden war. Komische Zeiten sowieso, seit sie mit ihrem Mann das Haus nicht mehr verlassen konnte, ohne dass er angequatscht, fotografiert und um Autogramme gebeten wurde.

Sie hatten es geschafft. Nicht nur Simon, sie auch. War nicht abzusehen gewesen, dass sie einmal drei erfolgreiche Läden managen würde. Mit einem Job in den Semesterferien hatte es angefangen: Das Café, in dem sie einen Sommer lang aushalf, bot auch Snacks an, Käsetoast, serbische Bohnensuppe, Salate, Fruchtcocktails. Vor der Suppe hatte sie sich richtig geekelt und manchem Gast hinter vorgehaltener Hand abgeraten: »Steht schon den ganzen Tag rum und schmeckt wie alte Frau unterm Arm.« Das hatte sie fast den Job gekostet. Doch als sie im Gespräch mit der Chefin ein paar Ideen für leckere Kleinigkeiten entwickelte, schwenkte die um: Man könne ja mal auf einer Schiefertafel eine kleine Tageskarte ausprobieren. Vivian, die immer schon Freude an leckeren Schweinereien gehabt hatte, bot einen guten Caesar Salad an und ein *Clubsandwich*, machte spuckeziehende Tramezzini und belgische Waffeln. Niemand fragte mehr nach Bohnensuppe. Als die Semesterferien zu Ende waren, wollte die Chefin wissen, ob sie sich vorstellen könne, die Küche ganz zu übernehmen und auszubauen. Vivian war verzweifelt, sie hasste Entscheidungen. Ihre übliche Strategie bestand darin, die Wendungen des Lebens so zu arrangieren, dass ihr keine Wahl blieb. Wie Wasser suchte sie den Weg des geringsten Widerstands. Und jetzt sollte sie eine so wichtige Entscheidung fällen? Wollte sie über eine Speisekarte herrschen? Machte ihr das Studium Spaß? Sie hatte sich noch nicht einmal gefragt, warum sie überhaupt studierte. Zuerst hatte sie Anglistik und Philosophie belegt, dann Pädagogik und Deutsch. Doch beide Studiengänge waren nichts für sie. Um keiner dieser ewigen Studenten zu werden, überlegte sie, was ihr in der Schule am meisten Spaß gemacht hatte: Sport. Also hatte sie Sport belegt und Geographie, ein Kleinbürgerstudium, wie Simon fand.

Nach zahllosen schlaflosen Nächten hatte sie sich für das Kochen entschieden. Es war die richtige Entscheidung gewesen. Nun war sie abends auf eine mütterliche Art müde und nahm die Komplimente der Gäste gern mit ins Bett: wie köstlich man ihre Lunchportion Sauerbraten in Lebkuchensoße fand, die Mini-Involtini mit dreierlei Bohnen oder einfach nur ihr selbstgebackenes dunkles Brot.

Fast zehn Jahre waren vergangen, und ihre polnische Chefin Danuta, die dem Café auch ihren Namen vermacht hatte, war erst zur Freundin, dann zur Geschäftspartnerin geworden. Ihnen gehörten nun drei Läden: *Danuta, Scharlachrot* und *Kurzwaren*, ein ehemaliges Handarbeitsgeschäft, dessen Bezeichnung sie nach der gegenwärtigen Mode beibehalten hatten. Die in Gelddingen recht akrobatische Danuta hatte dafür gesorgt, dass durch Frühstück, Lunch, Kaffee, Abendessen und spätabendliche Cocktails die Kasse rund um die Uhr klingelte. Vivian nahm das nur am Rande wahr, durchaus nicht unzufrieden, aber Geld als Selbstzweck hatte sie noch nie interessiert.

»Das war's! Aus und vorbei!«, polterte Simon in die Küche, bleich und nur in Boxershorts. Er ließ sich auf den nächstbesten Stuhl fallen.

Vivian zuckte zusammen. Wie lange hatte sie aus dem Fenster gestarrt? »Guten Morgen, oder besser: Guten Tag!« Kommentarlos griff sie nach der Packung Alka Seltzer gleich neben den Teedosen und ließ Wasser in ein Glas laufen.

»Die Sache ist verkackt!«, setzte Simon nach, als sie nicht reagierte. Jetzt würde das übliche Medienblabla kommen, irgendwas mit Marktanteilen, Outsourcing oder Rufmord. Sie würde versuchen, an der richtigen Stelle »ach« zu sagen, und er wäre froh, wie gut sie miteinander reden konnten. Aber als sie ihm die sprudelnde Plörre reichte, merkte sie, dass er verzweifelt war. In seinen Augen stand blanke Angst.

»Kann gut sein, dass ich mir einen neuen Job suchen muss!« Er trank nicht, seine Hände waren fest um das Glas gepresst.

Sie ging in die Hocke und fuhr ihm durch die verklebten Haare. »Was ist denn passiert?«

»Ich hab mich wie der letzte Arsch benommen! Vor versammelter Mannschaft, total pubertär! Es war so peinlich!«

Sie nahm ihn in die Arme und stammelte vorsorglich ein paar Trostworte. Dann setzte sie sich ihm gegenüber. Mit gesenktem Blick berichtete Simon von seinem Aussetzer.

»Wie kannst du auf so einem Fest nur koksen?«, rief sie ärgerlich, riss sich aber sofort zusammen, als sie Tränen in seinen Augen sah. »Na komm, wird dich schon nicht gleich die Sendung kosten.«

»Vielleicht ist es ein Zeichen. Vielleicht soll es ja so sein!?«

»Nun halt mal den Ball flach. Du musst erst was essen, und dann sehen wir weiter, hörst du? Ich habe Peperoni mit Mandeln gemacht. Magst du doch, und frisch aufgebackenes Brot.«

»Hm.«

Mit den flinken Händen eines Profis deckte sie ein, richtete das süßsaure Gemüse an, holte das Brot aus dem Ofen, schnitt es auf und entkorkte eine Flasche Vinho Verde. »Auch ein Glas Wein? Es stimmt wirklich: Man soll mit dem anfangen, womit man aufgehört hat!«

»Wie kannst du mittags schon Wein trinken?«

»Ist belebend«, sagte Vivian.

Simon hing über dem Tisch, Kopf in der linken Hand, und tunkte mit der rechten immer wieder ein Stück Brot in den Sud. »Lecker«, sagte er, ohne zu kosten, und nahm dann seine Suada wieder auf: »Ich hab mich total zum Gespött gemacht! Ich kann nie wieder die Wohnung verlassen!«

In diesem Moment klingelte das Telefon.

Vivian ging ins Wohnzimmer, wo sie den Hörer nach kurzem Suchen zwischen zwei Bücherstapeln fand: »Helma, du bist es! Land unter?« Kopfnickend hörte sie zu, während Simons fahles Gesicht in der Türfüllung erschien. »Danke für den Anruf! Mach ich!« Kopfschüttelnd legte sie auf. »Okay du Held, komm mal mit!«

»Was ist passiert? Was hat sie gesagt?«

Vivian antwortete nicht. Sie ging in sein Arbeitszimmer und fuhr den Computer hoch.

Simon lief ihr hinterher. »Ich will es gar nicht wissen«, stöhnte er, rührte sich aber nicht vom Fleck.

Als die Verbindung stand, ging sie auf *Bild online*.

»Okay, ich verstehe. Das war's«, jammerte Simon, dessen Gesicht eine grünliche Tönung angenommen hatte.

Als Erstes erschien ein großes Foto: Ein zähnebleckender Simon servierte auf der Preisverleihung Champagner.

»Scheiße, da hat jemand meine idiotische Aktion fotografiert! Und ausgerechnet von der *Bild*! Au Mann, sehe ich
da krank aus!«

»Du siehst blendend aus!«, befand Vivian. Sie setzte
sich hin und las vor.

Simon und die Suppenküche

*Es passierte am Samstag nach Mitternacht: Simon
Minkoff, Moderator der beliebten Talkshow »MM –
Minkoff und Menschen« enterte auf der glamou-
rösesten Gala des Jahres die Champagnerbar, um
für Bedürftige zu sammeln. Woche für Woche
spricht er mit Menschen wie du und ich über ihr
Leben. Gegen Höchstgebot gab er Champagner für
die Berliner Suppenküche ab. Es ist offensichtlich:
Der TV-Star genoss nicht nur die heiße Nacht der
Schönen und Reichen, sondern hat auch bewiesen,
dass er das Herz am rechten Fleck hat. »MM«-
Chefin Helma Schneider zu BILD: »Wir hatten uns
diese kleine Aktion lange überlegt und würden uns
freuen, wenn andere unserem Beispiel folgen.«*

4 Es war ein Sonntag, als ich ihn zum ersten Mal sah,
ein Frühlingstag. Ich weiß es genau, weil er in kurzer
Turnhose Übungen am offenen Fenster machte (Sonnen-
gruß, sieben Tibeter, was weiß ich – mein Sport spielt sich
oberhalb der Halskrause ab). Fieser Wind fetzte, aber der
Typ stand so seelenruhig auf einem Bein und stach die
Arme in den Himmel, als wollte er ewig so bleiben. Es war
einer der Tage, an denen ich freiwillig ein paar Zigaretten
hintereinander paffte. Ich rauche nicht gern, aber wenn ich
aufgeregt bin oder schlechte Laune habe, muss es sein. Der
Turner war mir aufgefallen, als ich meine einzige Topf-
pflanze goss, eine Kamelie, die blöderweise den Umzug

überlebt hatte. Meine Wohnung liegt im vierten Stock, seine gegenüber im dritten, also hatte ich guten Einblick in die ziemlich große Wohnung: eine Couch, zwei Sessel, bauhausmäßig streng, schwarz bezogen, Leder wahrscheinlich, viele Bücher, aber umstandslos übereinandergestapelt, ein teurer Fernsehapparat. Den Typ habe ich mir damals nur flüchtig angeschaut: Ende dreißig, Anfang vierzig, groß, dunkel, längere Haare, ganz gut in Schuss, bisschen fette Schenkel vielleicht. Sofort aufgefallen ist mir die Holzbank, die man durch das linke der beiden Fenster sehen konnte. Niedrig, ziemlich abgeschrabbelt, genau wie die Bänke, die in Turnhallen stehen. So eine wollte ich immer schon haben. Auf einem Ende waren Bücher und Magazine gestapelt, auf dem anderen konnte man sitzen. Daneben eine hüfthohe Leselampe, irgendwas Avantgardistisch-Verdrehtes aus Stahl und Papier.

Na prima, dachte ich, da ziehst du in die einzige unangesagte Ecke des Prenzlauer Bergs und hast prompt ein Prachtklischee vor der Nase, irgendeinen gut verdienenden Werber oder Internet-Heini, der es hip findet, zu wohnen »wo der P-Berg noch echt ist«, igitt. Die meisten Bewohner meines Viertels hätten noch nicht mal gewusst, wie man hip schreibt, geschweige, was es bedeutet. Wer hier wohnt, dem bleibt keine Wahl oder er lebt schon immer hier. »Ich ziehe in die DDR!« – den Satz hatte ich mir für Freunde und Ex-Kollegen zurechtgelegt, zu sprechen mit ironischem Lächeln. Auch sozialer Abstieg braucht eine gute Headline.

Seit Beginn des neuen Jahrtausends ist der Prenzlauer Berg schwer im Kommen. Nur meine Ecke nicht. Das hat mit den beiden Deutschlands zu tun. Gleich hinter meinem Haus verlief nicht nur die Mauer, sondern auch eine Fernbahntrasse und noch eine für die S-Bahn. Alle Straßen endeten an dem dreifachen Hindernis wie amputiert. Viel hat sich seit dem Ende der Weltrevolution nicht getan. Die Bahn schneidet uns weiterhin vom Rest der Welt ab. Der ehemalige Todesstreifen ist zu schmal für schicke Townhouses, also riechen die Häuser mit Blick auf den ziemlich türkischen Westen immer noch nach Deutscher Desinfizierter Republik. Typisch Gründerzeit, Stuck in allen Stadien der Verrottung. Erker, Balkons, Vorderhaus, zwei Seitenflügel, ein Hinterhaus. Wegen des Todesstreifens fehlt bei den meisten der zweite Hinterhof. Die Seitenflügel sind gekappt und mit grauem Blech verkleidet. Das Verfahren hat man auch bei vielen Balkons angewandt: Einfach Blech drumrum, und schon sieht man den Schwund nicht mehr. Mogeln, das konnten sie im real existierenden Sozialismus. Am Anfang meiner Straße steht ein auffallend breites Haus. Graue Fassade, aber quietschrosa Fensterumrahnumgen wie Wundbrand. Aus unerfindlichen Gründen hat man hier die blechverkleideten Balkons in einem durchgeknallten Signalgelb gestrichen. Ich habe oft überlegt, wie das zustande gekommen ist. Ist da einer durchs Haus gegangen und hat für seine Lieblingsfarbe getrommelt? Hat die Hausversammlung sich ernsthaft für die Farbe »elektrische Pisse« entschieden? Gab es andere Farbvorschläge? Und wenn ja: welche? Man sieht, der Umzug in den Osten hat meinen Sinn fürs Skurrile gekitzelt.

Auf dem Balkongeländer eines Hauses, dessen Stuck komplett weggefressen ist, sieht man jeden Morgen eine Reihe leerer Bierflaschen, fein ausgerichtet. Saufen ist hier normal, aber der Balkonsäufer – oder die Balkonsäuferin – hat Stil: polyglotte Flaschen aus aller Herren Länder von Norwegen bis Bolivien. Meine Lieblingsmarke ist ein amerikanisches Bier namens *St. Pauli Girl*. Das Etikett beweist Landeskenntnis: Das blonde Girl aus St. Pauli stemmt vier Maßkrüge und trägt dabei ein Dirndl!

Was ich mein Viertel nenne, ist nicht besonders groß, drei Straßen längs, drei quer. Viele Häuser noch ostgrau und so kariös, dass an manchen Stellen das nackte Mauerwerk durch den Putz glotzt. Auf Schwarzweißfotos sieht das pittoresk aus, in der Realität scheiße. In unserem Vorderhaus gibt es ein Antiquariat mit den Endmoränen der leselustigen DDR: Gedichte von Majakowski, Hegels »Ästhetik« und so weiter. Auf der anderen Seite der Haustür kann man noch ganz gut »Dienstleistungskombinat« erkennen, darunter so was wie »Annahmestelle für …« – der Rest bleibt der Phantasie überlassen. Ein Blick in die Hinterhöfe, und man möchte sich E 605 in den Kaffee schütten. Schwarz und kahl. Hat sich jemand erbarmt und zwei, drei Blumentöpfe reingestellt, wird die Tristesse so richtig deutlich. Also lässt man es lieber, stellt vielleicht noch einen kaputten Wäscheständer hin, damit es stimmig aussieht. Es wird noch eine Weile dauern – leider oder hoffentlich, ich kann mich da nicht recht entscheiden –, bis das Sehnsuchtsgrün der vornehmeren Prenzlauer-Berg-Hinterhöfe rüberschwappt, die Kräutergärten, Geranienhöllen und japanischen Tümpel. In zehn Jahren ist auch hier alles Speck, aber dann sitze ich als Made mittendrin.

Freiwillig wäre ich nie auf die Idee gekommen, hier eine Zweizimmerwohnung zu mieten, pardon, Zweiraumwohnung, war schließlich mal Sprachgebiet der deutschen demokratischen. Vorher hatte ich ein paar hundert Euro weiter im Westen gewohnt, ein Haus mit Jugendstilkacheln, offenem, verschnörkeltem Aufzug der vorletzten Jahrhundertwende und flauschigen Läufern auf Marmorstufen. Dann war Zapfenstreich. Die Miete von fast vierzehnhundert Euro konnte ich nicht mehr aufbringen, wie überhaupt fast nichts von dem, was mein Leben bis dahin ausgemacht hatte. Nie hätte ich gedacht, mal einen (zugegeben guten) Mantel für zwanzig Euros bei *Humana* zu holen. Eigentlich hatte ich bis dahin noch nie ernsthaft über Geld nachgedacht. Eine gute Wohnung, ein Auto, Sommer- und Winterurlaub, das reichte. Manchmal ein Edelrestaurant, um eine Frau zu beeindrucken – fertig war mein perfektes Leben.

Und dann, von heute auf morgen, der Abstieg. Geld war mit einem Schlag Beginn und Ende aller Überlegungen. Ist es jetzt günstig, Briketts für den Winter zu kaufen? Kann ich mir den neuen Tarantino leisten, wenn ich am Spartag ins Kino gehe, oder frisst die U-Bahn die Ersparnis wieder auf? Ist wenigstens an Feiertagen eine Flasche Calvados drin, eine einigermaßen akzeptable? Halten die schwarzen Lederschuhe noch eine Weile, oder sehe ich schon nach Verlierer aus?

Glücklicherweise ist aus den besseren Tagen noch etwas Grund vorhanden: einigermaßen präsentable Klamotten, eine Wohnungseinrichtung, für die man sich nicht zu schämen braucht (auch wenn die Corbusier-Liege an *ebay* gegangen ist), und ein solides Fahrrad. Lebenswichtig aber ist der Computer. Es muss eine Eingebung gewesen sein, noch kurz vor der Katastrophe den neuen *Mac* zu kaufen. Drei Wochen später, und die Investition hätte mich gekillt. Ohne Internet geht in meinem Beruf gar nichts. Damit wir uns recht verstehen: Ich bin kein Sozialfall! Ich kann von meiner Hände Arbeit leben.

5 Der Verkehr brauste um den Hermannplatz und hüllte das öde Rechteck gnädig in eine Wolke aus Abgasen. Simon hatte die U-Bahn verlassen und sich, ohne die neugierigen Blicke der Passanten zu beachten, auf einer der wild besprayten Bänke niedergelassen, rechts ein Abfalleimer voller McDonalds-Verpackungen, links eine großzügige Kotzelache.

Seine Gedanken weilten noch bei dem erstaunlichen Termin, den er in der City West absolviert hatte. Vor zwei Wochen war er vom Tod seines Onkels Gerhard informiert worden, was ihm unvermutet zu schaffen machte. Nicht, dass sie engen Kontakt gehalten hätten, aber Simon war ins Grübeln gekommen, wie wenig er den Bruder seiner Mutter kannte. Im Job entlockte er wildfremden Menschen intimste Geständnisse, aber über seine Verwandtschaft wusste er so gut wie nichts. Dabei hatte er Onkel Gerd gut leiden mögen. Der gehörte zu den still Vergnügten, zur Sorte Mann, die sich nie beklagt und immer ein Gratislächeln in petto hat. Dichtes, auf eine altmodische Art zurückgekämmtes schwarzes Haar und lustig funkelnde Augen fielen ihm ein, wenn er an ihn dachte. Das war's aber auch schon. Gut, er war Änderungsschneider von Beruf gewesen, hatte zeitlebens in einer unscheinbaren Dreizimmerwohnung in Wilmersdorf gelebt, aber schon die Frage, warum er nie geheiratet hatte, konnte Simon nicht beantworten. Frauen? Freunde? Leidenschaften? Fehlanzeige.

Die Familie traf sich hauptsächlich auf Beerdigungen und an Geburtstagen, wobei ein Fünfundsechzigster noch nicht einmal ausreichte, es musste schon ein runder sein. Bei diesen Begängnissen war ausnahmslos die Familie mütterlicherseits anwesend, eine Sippschaft namens Schmitt. Zur väterlichen Seite war der Kontakt lange abgerissen. Das lag am frühen und tragischen Tod seines Vaters. Simon sprach nicht gern darüber, weil diesem Tod etwas Lächerliches anhaftete. Er war sieben, als sein Vater auf dem Nachhauseweg ums Leben kam. Er fuhr in falscher Richtung auf dem Radweg, als ihm kurz vor der Kreuzung eine Radfahrerin entgegenkam. Beide wollten ausweichen, Vater eierte, verlor das Gleichgewicht und stürzte auf die Fahrbahn. Ein herannahender Lieferwagen versuchte, ihm auszuweichen, geriet ins Schleudern und überrollte ihn. Was für ein peinlicher, banaler Tod, hatte Simon gedacht und sich abwechselnd für den Vater und seine niedrigen Gedanken geschämt. Möglicherweise ging es der restlichen Familie ähnlich, denn der Name des Vaters fiel nie.

Groß geworden war er bei den Schmitts, eine unverwöhnte Jugend als Halbwaise. Ein verzogenes Einzelkind soll der mal nicht werden, hatte seine Mutter sich geschworen und ihn am kurzen Zügel gehalten. Sie ackerte Vollzeit bei einer Hausverwaltung und brachte ihren kleinen Haushalt problemlos durch, wenn auch sehr bescheiden.

Erst Jahre später konnte er ermessen, wie sehr ihn die Nachwirkungen des beschämenden Unfalls an eine Leine gelegt hatten. Zum sechzehnten Geburtstag schenkte seine Mutter ihm ein Mofa. Lange hatte er darum gebettelt, jetzt endlich konnte er wie seine Freunde in die Schule düsen. So jedenfalls hatte er es sich vorgestellt. Dass er in der Nacht, bevor er zum ersten Mal sein knallrotes Gefährt präsentieren wollte, kein Auge zutat, buchte er unter Vorfreude ab. Auf dem Schulweg dann musste er mehrmals an die Seite fahren. Das Herz schlug ihm zum Hals heraus. Er konnte den Lenker kaum noch halten, die Beine wurden flüssig, und die Angst würgte ihn so, dass rote Blitze seine Sicht trübten. Immer wieder hatte er den Vater vor Augen. Er sah ihn stürzen, sah den Lastwagen in Zeitlupe, bildete sich sogar ein, das knochenknirschende Geräusch zu hören, als das Rad und der Vater zu einer blutigen Masse verquirlt wurden.

Zufall, hatte er sich gesagt, und es am nächsten Tag erneut versucht. Es war kein Zufall, es wurde schlimmer. Am Vortag hatte er sein Mofa zur Schule schieben müssen – »Kein Benzin mehr, doof wa? Grad am ersten Tag!« –, beim zweiten Anlauf musste er noch schneller aufgeben. Wieder hatte er den Vater fallen sehen, wieder das Alptraumgeräusch gehört. Kalte Wut schüttelte ihn. So selten dachte er an seinen Vater – warum saß ihm der Unfall gerade jetzt im Kopf? Sein Versagen war ihm so peinlich, dass er mit niemandem darüber sprach. Mehr als ein Jahr fuhr er nur zwei Parallelstraßen weiter, stellte das Mofa ab und erledigte den Rest mit dem Bus. »Ach, man steht mit dem Ding sowieso nur im Stau«, begründete er dann den Verkauf des so herbeigesehnten Gefährts.

Mit achtzehn unternahm er einen neuen Anlauf. In einem Auto würde er sich sicherer fühlen. Heimlich meldete er sich in einem anderen Stadtteil für den Führerschein an. Mit niederschmetterndem Ergebnis: Kreidebleich und hyperventilierend umkrapfte er das Lenkrad so fest, dass der Fahrlehrer ihn an die Seite lotsen musste. Simon gab auf.

Auf öffentliche Verkehrsmittel angewiesen zu sein, hatte ihm jahrelang nichts ausgemacht. Häufig war er sogar vor seinen Kumpels am Ziel, die erst einen Parkplatz suchen mussten. Für einen Fernsehstar aber hatte der öffentliche Nahverkehr einen Pferdefuß: Man war verfügbar.

Onkel Gerhard also tot, der Onkel, der ihm früher immer Fünfmarkstücke zugesteckt hatte. Ohne besondere Erwartungen war Simon zum Elf-Uhr-Termin beim Notar am Ku'damm erschienen. Testamentseröffnung, was sollte schon groß sein? Simons Mutter war vor vier Jahren an Nierenversagen gestorben, deswegen galt er möglicherweise juristisch als nächster Anverwandter, denn der Onkel war Junggeselle gewesen. Merkwürdige Sippe, diese Schmitts, die sich gegen Fortpflanzung gesträubt zu haben schienen. Simon hatte beim Notar ein paar halb bekannte Verwandte erwartet, aber nur eine schroffe ältere Dame mit Herrenhaarschnitt vorgefunden, die sich als Gerhards Haushälterin vorstellte. Simon erfuhr staunend, dass sie seit mehr als fünfundzwanzig Jahren täglich zwei bis drei Stunden für ihn saubergemacht, eingekauft und das Essen vorbereitet hatte. Ein Bratkartoffelverhältnis? Bei ihren protestantischen Verzichtslippen konnte man sich das kaum vorstellen. Dabei hätte er seinem Onkel eine Geliebte gegönnt. Erstaunlich nicht nur die Existenz der Haushälterin, sondern auch Domizil und Ausstattung des Notars: feinste Ku'dammlage, Eichenparkett, holzvertäfelte Wände und, wenn er sich nicht täuschte, zwei echte Pencks im Entree. Das war doch nicht die Welt seines Onkels Gerd?

Der blutjunge Notar kam gleich zur Sache. Das Testament des verehrten Verstorbenen sei von beispielhafter Klarheit und bestehe aus nur zwei Punkten: Die Eigentumswohnung gehe an Frau Eleonore Ransing, die ihn jahrelang hervorragend versorgt habe. Hier brach die so streng wirkende Frau in hemmungsloses Schluchzen aus. Sie brauchte eine Weile, um sich zu beruhigen. »Ich weiß, es klingt kitschig«, sagte sie und nestelte an ihrer Handtasche, »aber der Herr Schmitt war der gütigste Mensch, der mir je unter die Augen gekommen ist!«

»Der zweite Punkt betrifft Sie, Herr Minkoff!« Der Notar machte eine effektheischende Pause. Noch so ein Präsentator, dachte Simon. Der hier moderiert sogar den Tod. »Ihr Onkel hat sie mit seinem Privatvermögen in Höhe von 55 000 Euro bedacht.«

Simon hätte fast gelacht. »Das muss ein Irrtum sein: Mein Onkel hatte nicht soviel Geld!«

»Das Testament ist erst vor drei Monaten beglaubigt worden. Ich bin mir sicher, dass Herr Schmitt über diese Summe verfügen konnte«, ließ der Notar mit dem Lächeln eines Zauberers nach einem geglückten Trick wissen.

»Er hat doch nie was für sich verbraucht«, schniefte die Haushälterin. »Keine Miete, keine großen Lebenshaltungskosten. Urlaub hat er immer nur im Taunus gemacht, und dann auch nur zwei Wochen!«

»Aber warum gerade ich?«

»Er mochte Sie, sehr sogar. Er verpasst nie eine Sendung von Ihnen!« Sie schaute ihm in die Augen, und er nahm neben einem Funken Warmherzigkeit auch eine gehörige Portion Lebenserfahrung wahr. »Verpasste«, setzte sie trocken schluckend nach.

Regungslos saß Simon auf dem tristen Hermannplatz und starrte ins Nichts. Es war nicht Freude über die Erbschaft, die ihn beschäftigte, auch nicht Trauer über den Tod des Onkels. Er war vor allem baff, wie der bescheidene Mann so viel Geld hatten anhäufen können. Mal ein gutes Restaurant, Reisen, ein nettes Auto wären bestimmt drin gewesen, aber der Onkel hatte es vorgezogen zu sparen. Welch Anachronismus im Zeitalter der Kreditkarte. Simon wurde jäh aus den Gedanken gerissen, als sich vor seiner Nase etwas hektisch bewegte. Er stutzte und guckte in ein gezücktes Handy.

»Ey sorry, wir wollten dich nicht erschrecken!«, nuschelte ein bauchfreies Schulmädchen, das gerade ein Bild von ihm geschossen hatte. Sie zeigte den Schnappschuss ihrer türkischen Freundin, und beide kicherten um die Wette.

»Macht nix«, sagte Simon automatisch, setzte dann aber ein »Fragen hättet ihr schon können!« nach.

Aber die Teenager waren schon woanders, lästerten lauthals über seinen Gesichtsausdruck auf dem Display. Entnervt stand er auf und schlurfte zum U-Bahn-Eingang am Ende des langgestreckten Platzes. Den Erfinder von Handys mit integrierter Kamera müsste man stundenlang mit einem nassen Handtuch schlagen. Weil jetzt jedermann jederzeit an jedem Ort Fotos schießen konnte, hatte sein privates Terrain sich dramatisch verengt. Ob beim Einkaufen, im Sportstudio oder morgens um sechs beim Einchecken am Flughafen – er war zum Abschuss freigegeben. Je einfacher es wurde, jemanden zu fotografieren, desto weniger Skrupel hatten die Leute. War doch nur ein Klick, tat doch nicht weh! Musste man schon aushalten können, wenn man prominent war und Geld wie Heu verdiente! Wäre ja noch schöner – Hochglanzleben, Millionen scheffeln und sich dann auch noch beklagen! Für Simon gab es nichts Unangenehmeres, als mit morgendlich verpennter oder abendlich angeheiterter Visage abgelichtet und ins Internet gestellt zu werden. Doch am meisten ärgerte er sich über sich selbst. Neben dem Unbehagen, ständig verfügbar zu sein, ertappte er sich bei einem paradoxen Reflex: Lichtete ihn jemand auf der Straße oder in einem Laden ab, war er peinlich berührt, der Perfektion seiner Pressefotos nicht entsprechen zu können. Von dem unrasierten Mann mit Werktagsgesicht mussten die Fans enttäuscht sein.

Ganz in Gedanken war Simon die Treppe hinabgestiegen und auf dem Bahnsteig der U 7 gelandet. Verwirrt schaute er sich um. Vor nicht ganz einer Viertelstunde war er hier erst angekommen. Kopfschüttelnd kehrte er um und stieg die Stufen wieder hoch. Alles zurück auf Anfang, ohne Bank diesmal, dafür mit schützender Sonnenbrille. Die *RayBan* auf der Nase, bog er in die breite, viel befahrene Sonnenallee ein. Neben Abgasen hatte früher der Geruch von Schultheiss-Bier und Currywurst die Straße geprägt. Dann waren in jedem dritten Haus Dönerspieße aufgetaucht, deren Fettgeruch sich nun schon seit Jahren mit dem Duft von Tajine mischte. Man hätte vermutet, halb Anatolien könnte leicht nachvollziehen, was es bedeutet, in einer fremden Kultur zu landen, aber die meisten Türken behandelten die Araber, wie sie von den Deutschen behandelt wurden: vorurteilsvoll und herablassend. Anfangs hatte die knallbunte Meile ihren Reiz gehabt, doch in dem Maße, wie Deutschland ins soziale Trudeln geriet, war auch die Sonnenallee zum Geiz-istgeil-Boulevard verkommen. Überall Billigheimer, Billigfraß, Spielhöllen und als böses Omen zwei Waffenläden.

Simon bog nach links in seinen Kiez ein, neuerdings

Kreuzkölln genannt, von manchen auch Kreuztanbul. Er war arm wie Neukölln, aber angesagt wie Kreuzberg, das dabei war, seinen Ruf als Szeneviertel zurückzuerobern. An der Grenze zwischen Kreuzberg und Neukölln waren die Häuser bescheiden, aber solide, viergeschossig und wilhelminisch klobig, bürgerlich in der Anmutung, aber bei näherem Hinschauen bröckelig. Seit gut zehn Jahren wohnte er hier und hatte nie daran gedacht, in eine andere Ecke der Stadt zu ziehen. »Ey Alda, was machst du denn hier?«, hielten ihn manchmal staunende Türkenjungs an. Sagte er, dass er hier wohnte, wedelten sie aufgeregt mit den Händen und riefen: »Krass ey! Der Fernsehtyp wohnt escht hier bei uns und nischt in Grunewald!«

Kreuzkölln war nicht gepflegt, nicht charmant, noch nicht einmal originell. Keine Gegend, den Boden unter den Füßen zu verlieren. Kreuzkölln war von rotziger Unterdurchschnittlichkeit, roch und tönte nach etwas, das manche das »richtige Leben« nannten. Wie lange das so bleiben würde, war fraglich, denn ein neues Wort hatte Einzug gehalten: Quartiersmanagement. Man wollte den Bezirk der Komasäufer, Kindergeldempfänger und Kopftuchfrauen mit sozialer Klimaverbesserung beglücken. Leerstehende Ladenlokale gingen zu geringer Miete an Jungdesigner, Galeristen, Modemacher und Coffeeshop-Novizen. Die Sozialtablette blieb nicht ohne Wirkung, schnell waren die ersten Jungmenschen mit auffälligem Haarschnitt ins Viertel gezogen. Ein kleines Wunder, aber das Auftauchen der jungen Klientel schien auf die Eingeborenen einen gewissen zivilisatorischen Effekt zu haben. Simon aber war pessimistisch. Man konnte sich ausrechnen, wie die Geschichte enden würde: Erst kamen die Kreativen, dann die Szene, später die Touristen. Zum teuren Schluss dann Spekulanten , Immobilienmakler und betuchte Wohnungskäufer mit Olivenbäumchen auf der Terrasse. Gentrifizierung eben – noch so ein neues Wort. Aber was konnte man dagegen tun? Den Stadtteil kippen zu lassen war auch keine Lösung. Nicht zum ersten Mal nahm er sich vor, einen der Sozialingenieure zu fragen, wie man diese Kette durchbrechen konnte.

Auch Vivian und er könnten nun dank der Erbschaft in ihre Wohnung investieren, doch an ihrem ausgesucht diskreten italienischen Design war nichts auszusetzen. Nach einem noch teureren Home-Entertainment-System oder einer Turboküche stand ihm nicht der Sinn. Aber es gab einen langgehegten Wunsch: eine *Leica*. Als Jugendlicher hatte er die Kamera beim Fotohändler einmal ausprobieren dürfen. Er war begeistert gewesen! Oft hatte er vom leisen, eleganten Klick des Verschlusses gehört, der sogar erotisch klingen sollte. Und es stimmte: Die Kamera hatte einen wunderbar weichen Sound gehabt und perfekt in der Hand gelegen. Es hatte ihn Überwindung gekostet, den Liebling aller Fotoreporter herzugeben und mit einer *Pentax* nach Hause zu gehen, weil auch eine *Nikon* zu teuer war.

Doch auch ohne *Leica* hatte ihn das Fotografieren fasziniert. Zum Geburtstag und an Weihnachten bekam er von nun an Bildbände, mal Kitsch, mal Kunst. So hatte er seine Helden kennengelernt, die Meister der amerikanischen Straßenfotografie. Späte Vierziger bis frühe Sechziger: Lee Friedlander, William Klein, Garry Winogrand, Robert Frank, und wie sie alle hießen. Schwarzweiß, starke Kontraste. Die scheinbar belanglosen Motive und zufälligen Bildausschnitte begeisterten ihn. Stundenlang konnte er sich in deren grobkörnigen Stadtlandschaften verlieren, in dieses New York der Hochbahnen und Jazzmusiker, der wassersprühenden Hydranten, Heroinabhängigen und Poeten zog es ihn mit Macht. Im Gegensatz zu Moabit, Wilmersdorf, Charlottenburg kam es ihm vor wie das Leben.

Seit Jahren schon hatte er nicht mehr fotografiert und

nahm sich vor, nach seinen frühen Aufnahmen zu kramen, die ihre amerikanischen Vorbilder nicht verleugnen konnten. Die Kunst der Fotografie faszinierte ihn immer noch. Zum Vierzigsten hatte er sich einen lang gehegten Traum erfüllt und einen Originalabzug von William Klein ersteigert, die interessant unscharfe Aufnahme eines Wohltätigkeitsballs im *Waldorf*, ein Blick in den Rachen von Salonlöwen. Jedes Mal, wenn er durch das Wohnzimmer ging, verharrte er einen Augenblick vor dieser Arbeit und freute sich.

Eine *Leica* also. Onkel Gerd würde es recht sein. Kein repräsentatives Stehrumchen, sondern etwas, womit man was anfangen konnte. Und möglicherweise stimmte sogar, was die Fotofreaks flüsterten: Bald sollte die erste digitale *Leica* auf den Markt kommen! Die würde teuer werden, irgendwas zwischen fünf und zehntausend, aber für solche Herzensangelegenheiten waren Erbschaften schließlich da.

Vor dem Haus angekommen, schaute er automatisch zum Wohnzimmerfenster hoch, obwohl er wusste, dass Vivian in einem ihrer Cafés war. Sie würde staunen, wenn er mit seinen Neuigkeiten kam. Als er die Lederjacke an die Garderobe schmiss, hörte er aus der Küche Musik. Sie würde vergessen haben, das Radio auszuschalten. Zum ersten Mal seit langer Zeit nahm er ihren Wohnungsflur bewusst wahr. Etwas Auffrischung konnten die Wände tatsächlich vertragen. Die Türen auch. Durch das dunkle Berliner Zimmer, ihr Esszimmer, ging er in den hinteren Teil der Wohnung, wo sich die schmale Küche befand. An neue Farben für den Flur denkend – alles, bloß kein Ocker –, war er wie vom Donner gerührt, als Vivian unverhofft am Küchentisch saß: »Mann, hast du mich erschreckt! Ich hab dich nicht zu Hause erwartet!« Sie zuckte zusammen und lief rot an. Merkwürdig, saß da und schaute, als hätte man sie bei etwas ganz Furchtbarem ertappt.

»Ja!« Sie fuhr sich durch die Haare, die noch nicht frisiert waren. »Hab mir eine kleine Erkältung geholt und dachte, es ist besser, auszuschlafen und dann erst zur Arbeit zu gehen.«

»Wirst noch richtig vernünftig! Möchtest du einen Tee?«

»Lieber Kaffee.«

Simon befüllte den unteren Teil der schweren italienischen Kanne mit Wasser, setzte das Sieb mit Kaffeepulver ein und stellte sie auf die Gasflamme. Er lehnte sich an den Herd und machte ein geheimnisvolles Gesicht: »Wir werden uns die teuerste picobello superduper italienische Espressomaschine zulegen!«

»Wozu? Die Kanne ist doch gut.«

»Weil wir es können! Stell dir vor: Onkel Gerhard hat mir 55 000 Euro vermacht! Ich bin jetzt eine gute Partie!«

»Ach.«

»Freust du dich nicht?«

»Doch, sicher.« Sie stand auf und nahm zwei Espressotassen aus dem hölzernen Küchenschrank, einem Erbstück ihrer Großmutter. »Aber wir müssen jetzt nicht gleich in den Grunewald ziehen, oder?«

»Was sollen wir denn im Grunewald? Aber der Flur könnte echt mal gestrichen werden!«

Die Kaffeekanne gurgelte besorgniserregend, aber Vivian wartete, bis aus der Tülle Flüssigkeit tropfte. Geschickt füllte sie zwei Espressotassen und stellte sie mit einer silbernen Zuckerdose auf den Tisch. Anstatt sich hinzusetzen, schmiegte sie sich an Simon: »Ich mach mir nicht so viel aus Geld, weißt du doch.« Sie biss ihm spielerisch in die Nase und setzte sich neben ihn an den Küchentisch.

»Du gibst dich also damit zufrieden, wie hinreißend, charmant und intelligent ich bin?«, grinste er.

»Das mit dem intelligent muss ich mir noch überlegen!« Schon in der Mitte des Satzes war sie aufgesprungen und weggerannt. Wie erwartet, folgte Simon ihr, fing sie im Wohnzimmer ein und warf sie auf die Couch. Kreischend rangelten sie eine Runde. Dann setzte Simon sich auf: »Wir könnten auch mal richtig weit wegfahren. Malediven, Mauritius …«

»Mariendorf«, sagte sie trocken.

»Ach Vivi, wenn es nach dir ginge, würden wir die Wohnung nie verlassen.«

»Unsinn!« Sie stopfte sich ein Kissen in den Rücken und suchte nach Worten.

»Es ist nur … die Leute öden mich an. Ich habe das Gefühl, dass sie mich aussaugen! Das ganze Geschwätz, wer sie sind, was sie haben und was sie alles Tolles geleistet haben.«

»Sind doch nicht alle so.«

»Nicht?«

Simon zog ihre Füße auf seinen Schoß und massierte sie: »Ich weiß nicht, wie du das mit deinen Läden machst. Die sind doch auch von morgens bis abends voll mit Menschen.«

»Das schon, aber mit denen habe ich nicht viel zu tun. Ich bin in der Küche oder im Büro. Raus muss ich nur, wenn Stammgäste nach mir fragen. Dann geh ich eine Runde lächeln, das kennst du ja.«

»Verstehe, du findest mich nuttig.«

»Nicht dich – deine Arbeit!« Auf eine entzückende Weise hilflos, wedelte sie mit den Armen. »Du weißt genau, was ich meine! Sagst doch manchmal selbst, dass du dich jetzt prostituieren gehst.«

»Lenk nicht ab, wir sprechen von dir.«

»Ich mag es eben nicht, wenn man in meinem Inneren wühlt.«

»Du bist mir eine Fehlfarbe!« Er lächelte, aber sein Blick blieb ernst. »Es geht doch nicht ums Wühlen. Miteinander reden heißt das. Es soll Menschen geben, die das erfolgreich praktizieren, weißt du!?«

»Ich liebe dich auch«, sagte sie und verschloss seinen

Mund mit einem schnellen Kuss. Das Telefon klingelte. »Das wird Mania sein.« Erleichtert sprang sie auf und hüpfte ins Bad. »Sie hat's heute schon zwei Mal versucht.«

Simon nahm den Hörer ab. Mania war seine älteste Freundin. Oft hatte er gedacht, die Bezeichnung »Freundin« sei grundfalsch für sie. »Freund« wäre zutreffender. So wie andere Männer einen besten Freund haben, hatte er Mania. Einen Freund mit Brüsten allerdings.

»Was ist los?«, rief er vergnügt in den Hörer, »Kollaps der internationalen Finanzwelt?« Sie war Bankerin und kontrollierte – soweit er es verstand – die internationalen Kredite ihres Stammhauses.

»Hättest du wohl gern, was? Aber einem Salonsozialisten wie dir wird die Hochfinanz den Gefallen nicht tun.«

»Wart's ab, zwei Blasen werden platzen: Euer Monopoly und der Kunstmarkt. Kann ja wohl nicht sein, dass eine in Formalin eingelegte Katze genauso viel kostet wie drei Vermeers!«

»Nur gut, dass du es nicht ernst meinst«, lachte sie, »sonst würdest du nämlich an dem Ast sägen, auf dem du so bequem hockst! Die Medienkonzerne sind nämlich Global Player, wie du vielleicht bemerkt hast. Und wenn die in die Krise geraten, kannst du mit dem Rest des Prekariats stempeln gehen!«

Nachdem sie sich gegenseitig versichert hatten, dem anderen nur das Beste zu wünschen, kam Mania zum Grund ihres Anrufs: »Alles geschmeidig?«

»Wieso?«

»Hab die letzte Sendung gesehen. Du sahst nicht besonders prickelnd aus.«

»Scheiße, sieht man das?«

»Puller dir nicht ins Hemd! Hast schöne Grinsebäckchen gemacht wie immer. *Man* hat nichts gemerkt. Aber ich. Also, was ist los?«

»Nichts Besonderes.« Simon wusste, dass er so nicht

durchkommen würde. Sie kannte ihn viel zu lange und hatte einen siebten Sinn für seine Seelenzustände. Irgendwas würde er ihr anbieten müssen. »Ich bin einfach nur durch den Wind, was den Job angeht. Ergibt das alles noch Sinn, oder bin ich schon Teil des Problems?«

Mania war wie üblich nicht auszutricksen: »Was macht deine Beziehung?«

»Ich hasse dich!«

»Weißt du was: Wollen wir heute Abend einen trinken gehen? Hast du Zeit?«

»Können könnte ich schon.«

»Um zehn im *April*.« Da es keine Frage war, legte sie auf.

●

Zum Ausgehen hatte Simon seine »Ich-bin-gar-nicht-da«-Uniform angezogen: Jeans, schwarzer Pullover, dunkelbraune Lederjacke. Die Strecke bis zur Schlesischen Straße war genau auf der Kippe zwischen gerade noch fußläufig und fast zu weit. Für zwei Stationen hätte er die U-Bahn nehmen können, doch er schlug lieber den Jackenkragen hoch und machte sich auf die Socken.

Das *April* hatte einen L-förmigen Schankraum und sah auf den ersten Blick wie eine gewöhnliche Eckkneipe aus. Holztische und -stühle, weiße Wände, außer ein paar internationalen Brauereischildern keine Deko. Auf den zweiten Blick fehlten Tischblumen aus Plastik, Daddelautomaten und Bouletten. Auch das Publikum bestand nicht nur aus Kreuzberger Sozialtragödien. Wie es sich gehörte, waren ein paar vor Ort, aber Durchschnittsmenschen, Künstler und Physiotherapeuten überwogen. Besonders letztere. Simon hatte sich oft gefragt, warum es in dieser Ecke Berlins so viele Masseure, Osteopathen, Chiropraktiker und Akupunkteure gab. Fasste niemand mehr die Leute an?

War das, was jetzt Körperarbeit hieß, die neobürgerliche Variante eines Bordellbesuchs? Er nahm im intimeren Ende des Ls Platz und ließ sich von einem glatzköpfigen Minderjährigen die Cocktailkarte bringen. Mit Kenntnis und Liebe zubereitete Cocktails waren die Spezialität des Etablissements, aber man musste explizit danach fragen. Andere Kneipen hätten es rausposaunt, doch die *April*-Macher liebten zwar gute Cocktails, fanden sie aber verdammt aufwendig. Also versuchte man, ihre Bestellung so gut wie möglich zu unterbinden, Kreuzberger Schlampenlogik. Weil Mania noch nicht da war, studierte er die angeschmuddelte Karte, pro forma nur, denn seine Wahl war längst gefallen. Heute war ein Tag für den »Prince of Wales«: Cognac, Cointreau, Angostura und Champagner, stilecht im Silberbecher serviert.

Wie immer hatte er sich in eine Ecke verzogen, das Gesicht halb abgewandt, ohne die Tür aus dem Blickfeld zu verlieren. Ärgerlich, dass Mania unpünktlich war. Sie wusste doch, wie er es hasste, alleine auf jemanden zu warten. Früher hätte er darüber keine Sekunde nachgedacht, aber früher war er auch noch allein ausgegangen. Er hatte sich an den Tresen gehockt, die Gäste beobachtet und sich Geschichten zu ihnen ausgedacht. Meist war er mit jemandem ins Gespräch gekommen und wieder mal in der Überzeugung bestätigt worden, dass so etwas wie Normalität nicht existiert. Die Leute hatten Geschichten auf Lager, so unglaublich, dass sie in jedem Drehbuch als an den Haaren herbeigezogen gestrichen würden. Seine Freunde sagten oft: Wenn Simon sich irgendwo hinsetzt, kommt sofort einer an und erzählt ihm seine Lebensgeschichte. Diese Zeiten waren lange vorbei. Früher hatte er schauen können, jetzt wurde er angeschaut. Auch im *April* wurde er observiert, Blicke tasteten ihn ab, saugten Informationen aus seiner Kleidung, seinem Aussehen, seinem Auftreten. Und nun wisst ihr auch, welche Zigarettenmarke ich bevorzuge, dachte Simon und steckte sich eine *Players* an. Anfangs hatte er sich frei nach dem Berliner Spruch »jar nich erst injurieren« darum bemüht, die Gaffer zu ignorieren, ganz er selbst zu sein. Ohne Erfolg. Es gelang ihm einfach nicht, die abschätzenden Blicke nicht wahrzunehmen. Er beneidete die wenigen Kollegen, die sich im Privatleben von dieser Verkrampfung frei machen konnten. Alle anderen versuchten es mit unterschiedlichen Strategien: Die ganz Berühmten gingen meist in die Offensive. Sie stellten sich gleich vor, schüttelten Hände, denn sie hatten sowieso keine Wahl. Dann gab es die Leutseligen, die freundlich und dennoch distanziert in die Runde nickten, die Schüchternen, die sich mit dem Rücken zum Lokal hinsetzten, und die Konsequenten, die nur in Prominentenkreisen verkehrten, weil ein Promi unter Promis kein Promi ist. Doch eines war allen gleich: Sie vermieden es wenn möglich, alleine in die Öffentlichkeit zu gehen. Umgeben von Freunden, war man geschützt und vergaß leichter, unter Beobachtung zu stehen.

Angestrengt versuchte Simon, sich auf Manias Verhör vorzubereiten, das ihm zweifellos drohte. An der Uni hatten sie eine explosive Affäre gehabt, der linke Basisdemokrat und die angehende Kapitalistin. Nach ein paar Monaten war er nicht unfroh gewesen, als die Sache auseinander ging. Mania war in allem Überdosis: Temperament, Reden, Liebeswollen, Sex. Sie nahm mit Haut und Haar. Natürlich wusste sie um ihre erhöhte Grundtemperatur und war ihm kaum böse gewesen. Außerdem hatte sie sich zum ersten Mal in eine Frau verliebt. In deren Mann auch. Simon hatte immer ein Quentchen Angst vor ihr gehabt, sich aber mit ihr so flugtauglich gefühlt, dass er beschloss, sie niemals aus den Augen zu verlieren.

Als die Tür lautstark geöffnet wurde, musste er nicht hinschauen. Die Frau, die absatzklappernd in die Kneipe schoss, konnte nur Mania sein. Ihm einen Kuss verpassen,

»Kein scheiß Parkplatz weit und breit!« rufen, sich auf einen Stuhl fallen lassen und nach der Getränkekarte greifen war eins. »Dir auch einen schönen Abend«, sagte er. »Weißt du, dass du bei deinem Tempo doppelt soviel Lebenszeit zur Verfügung hast wie Normalmenschen? Deine durchschnittliche Lebenserwartung dürfte irgendwo bei 152 liegen.«

Ohne hochzuschauen erwiderte sie: »Und bei deiner Verzagtheit lebst du nur ein halbes! Ich hab's dir oft gesagt: Wer zuviel Skrupel hat, landet in der Hölle des Sowohl-als-Auch. Das ist Stillstand, Baisse, der Tod!«

»Hast du einen Kalender mit Sinnsprüchen verschluckt?«

Mania musste lachen. Wie in ihrer Freizeit üblich, trug sie Hosen. Heute waren es enge Jeans mit silbernen Nieten, dazu ihre geliebten schwarzen Stiefel. Die Strenge der unteren Hälfte wurde durch eine taubenblaue Bluse gemildert, deren kunstvolle Wickeltechnik jeden Statiker begeistert hätte. Angezogen, fand er, wirkte sie immer ein wenig verkleidet, erst wenn sie nackt war, sah sie ganz nach sich selbst aus. Die Haare hatte sie leger an den Hinterkopf gesteckt, von wo sie in komplizierten Strähnen abstanden. »Entschuldige, ich bin heute ein bisschen aufgekratzt!«

»Du doch nicht! Was ist passiert, eine wilde Lovestory?«

»Im Süden nichts Neues! Aber vielleicht im Westen …«

»Was im Klartext bedeutet?«

»Dass ich vielleicht zur Weltbank nach Washington gehe! Die suchen jemanden, der sich um Osteuropa kümmert, und da bin ich fit.«

»Gratuliere!« Simon umarmte sie, aber ihre Worte hatten ihm einen unvermuteten Stich versetzt. Mania zu verlieren würde weh tun. Während sie versuchte, den Blick des Kellners zu erhaschen, musterte er sie unauffällig. Immer noch faszinierte ihn die Differenz zwischen Erscheinung und Wesen. Wenn Mania schwieg, schien sie aus einem französischen Film gefallen zu sein: ein zuckersüßes Nymphchen, petite, zart, kastanienbraune Locken und ebensolche Augen. Ein Reh, ein bezauberndes Reh, das man vor der bösen Welt behüten wollte. Aber Mania mochte die böse Welt. Wenn sie den Mund aufmachte, entpuppte Bambi sich als Raubtier. Dieses Mädchen war ein Kumpel. Besonders schätzte Simon ihren luziden Verstand. Sie machte eine Rechnung immer mit Soll und Haben auf, hatte stets Plan B parat und meist noch einen Joker im Ärmel. Sie hasste es, Entscheidungen unter moralischen Gesichtspunkten zu fällen. »Die Moral wurde erfunden, damit wir uns die Zähne daran ausbeißen und zahnlos dastehen«, pflegte sie zu sagen. »Hüte dich vor Moralisten, sie sind die wahren Despoten!« Natürlich sah Simon das anders, sie hatten oft genug darüber gestritten. Die Aussicht, sich nicht mehr an ihr schärfen zu können und anschließend mit ihr im Rotwein zu versinken, machte ihn traurig. Und dann war da noch ihr kleines Geheimnis.

»Wie konkret ist das Ganze?«, fragte er zu enthusiastisch.

»Ein Pils bitte!«, rief Mania dem Tresenmann entnervt zu und antwortete Simon nur einen Hauch leiser: »Falls die Stehwichser in Washington davon absehen, dass ich kein Mann bin und nicht hässlich wie die Nacht, habe ich eine Chance.«

»Die ganze Kneipe dankt für die Information«, grinste er. »Aber weshalb solltest du hässlich wie die Nacht sein müssen?«

»Wenn es in meiner Branche um Frauen geht, hat alles mittel zu sein: mittleres Alter, mittelhübsch, mittelmäßig ambitioniert. Wenigstens nach außen hin. Nicht auffallen, nicht aus dem Ruder laufen. Dicke Titten sind gern gesehen, diskret unterm Kostümjäckchen verpackt, versteht sich.«

»In der Abteilung bist du ja nicht gerade überqualifiziert«, sagte er mit Pokerface.

Manias Augen verengten sich zu gefährlichen Schlitzen. »Du Ratte! Willst doch bloß von dir ablenken.«

»Das auch.« Er beugte sich zu ihr rüber und flüsterte: »Abgesehen davon weißt du genau, dass ich deine Brüste wunderschön finde.«

»Das wurde aber auch Zeit!« Manias Antwort galt dem glatzköpfigen Kellner, der ihr ein perfekt gezapftes Bier kredenzte. Formvollendet drehte er es so, dass das Logo der Brauerei zu ihr wies. Er starrte sie verzückt an und machte nicht den Eindruck, wieder gehen zu wollen.

»Ich würde dann auch gerne bestellen«, unterbrach Simon die Anbetung. In Großbuchstaben konnte er in den unruhigen Augen des Kellners lesen: Schon klar, dass du Fernsehfresse bei ihr die besseren Chancen hast. Berühmt, reich, fette Karre bestimmt, Wichser! »Einen *Prince of Wales* bitte«, orderte er mit mildem Sarkasmus. Der Kellner begnügte sich mit der üblichen Kreuzberger Höflichkeit. Er nickte ansatzweise.

Mania nahm einen großen Schluck und wischte sich mit dem Handrücken den Schaumschnurrbart weg. »Also: Was ist los? Arbeitskrise, Beziehungskrise oder beides?«

»Beides. Aber über Arbeit wollen wir nicht reden, sind eh immer nur dieselben Kamellen.«

»Ich höre?«

Simon beugte sich vor und stützte seine Ellenbogen auf die Oberschenkel. »Um uns herum gibt es haufenweise kaputte Beziehungen. Da wird gelogen und betrogen, die meisten machen Seitensprünge, die man wirklich nicht mehr so bezeichnen kann, die müssten schon Hauptsprünge heißen. Sie reden schlecht übereinander, was sage ich, es hört sich eher an, als würden sie sich abgrundtief hassen.« Er richtete sich auf und griff nach seinen Zigaretten. »Bei Vivi und mir nichts davon. Wir streiten nie, wir mögen uns. Eigentlich sind wir das glücklichste Paar, das ich kenne.«

»Und?«

»Wir sitzen im Wohnzimmer, fühlen uns wohl miteinander, reden über Musik, über Filme, über exotische Gewürze meinetwegen.«

»Aber?«

»Aber manchmal fühlt es sich an, als wären wir nur Darsteller in unserem eigenen Leben. Früher haben wir wirklich miteinander gesprochen, aber jetzt – jetzt ist mir das zu viel Drehbuch.« Er steckte sich eine Zigarette zwischen die Lippen, zündete sie aber nicht an. »Vivi redet über *Dinge*, aber nie von *sich*.«

»Bei fragilen Menschen ist das manchmal überlebensnotwendig. Das ist wie bei einer Zahnplombe: vielleicht nicht ansehnlich, aber wichtig als Schutz, damit frühere Verletzungen nicht wieder aufbrechen und das Heute vergiften.«

Simon war sich nie schlüssig, ob Mania seine Frau schätzte oder für inadäquat hielt. Wenn sie über Vivian sprach, was selten vorkam und nie ungefragt, hielt sie sich fern von jeder Wertung. Die beiden sahen sich selten, dazu waren sie zu verschieden, aber wenn, kamen sie scheinbar gut miteinander aus.

»Schön für die Plombe«, stöhnte Simon. »Für mich ist das problematisch. Wenn Vivi nichts sagt, bleibt mir nur ein Quiz: Was will sie? Mehr Nähe oder mehr Luft? Will sie, dass ich ihre Einsiedlertendenzen akzeptiere, oder soll ich ihr da raushelfen? Erwartet sie, dass ich sie durchrüttle, oder soll ich sie in Frieden lassen?«

Der Kellner trat wieder an ihren Tisch und servierte Simon wortlos seinen *Prince of Wales*.

»Für mich noch ein Bier!« Mania erntete dafür ein unerhörtes »Sehr gern!«.

Simon nahm einen Probeschluck und ließ ein befrie-

digtes »Ah!« hören. Er behielt den beschlagenen Silberbecher in der Hand. »Entschuldige mein Pathos, aber ich
weiß einfach nicht mehr, warum sie mit mir zusammen
ist.«

»Du fragst dich, ob sie dich noch liebt, kannst sie aber
nicht fragen?«

»Weil ich keine Antwort bekomme. Sie ist eine Meiste-
rin des Schweigens.«

Mania griff in seinen Cocktail, fischte ein Stück Kum-
quat heraus, steckte es in den Mund und zog eine Schnute.
»Manchmal muss man, um eine Antwort zu bekommen,
aufhören zu fragen.«

»Mania, ich hasse dich!«

»Wegen des bisschen Obst?«

»Weil du immer sagst, was ich längst gedacht habe.«

»Ach Süßer, etwas bei anderen zu sehen ist nicht
schwer, glaub mir. Das ist ein optisches Phänomen, eine
Frage des Abstands. Aber bei einem selbst ...«

»Wo wir gerade dabei sind: Wie geht es dir?«

Mania winkte ab. »Im Transit. Zwischen allen Stühlen,
allen Geschlechtern, und, wie du jetzt weißt, vielleicht sogar zwischen zwei Kontinenten.«

Simon hatte sein aufmerksames Talkshowgesicht gemacht, aber nicht zugehört. »Du kennst noch gar nicht die
Neuigkeiten: Ein Onkel hat mir 55 000 Euro vermacht!«

Mit hochgezogenen Augenbrauen prostete Mania ihm
zu. »Wow, gratuliere! Was willst du mit der Knete anstel-
len?«

»Keine Ahnung, nichts Besonderes.«

Sie verdrehte die Augen. »Was war mein letzter bril-
lanter Rat? Sei nicht so konventionell! Kauf dir ein Mo-
torrad, verdammt noch mal, gönn dir einen zweiten Frühling, geh für ein paar Wochen nach Wladiwostok, mach
nen Kurs als Tempeltänzerin, was auch immer, aber mach
was draus!«

»Tempeltänzerin in Wladiwostok könnte mich reizen«, lachte er. »Aber nur weil ich geerbt habe, muss ich nicht gleich alles ausgeben.«

»Das ist mein Simon«, stöhnte sie. »Weltmeister im Mit-sich-selbst-Ringen.«

»Es gibt gravierendere Charakterfehler.«

»Bestimmt, Lieber, und es handelt sich auch nicht wirklich um einen Charakterfehler, sondern nur um einen Charakterzug.« Sie erhob sich. »Ich geh mir mal rasch die Nase pudern.« Im Weggehen drehte sie sich noch einmal um: »Das mit dem Ringen ist so eine Sache. Sogar wenn man gegen sich selbst antritt: Einer gewinnt immer!«

Simon schaute ihr irritiert nach. Ihre Worte stießen etwas in ihm an, das er nicht greifen konnte, eine Maxime, eine Idee. Den Kopf gesenkt, die Zeigefinger an die Nasenwurzel gepresst, versuchte er, dem flüchtigen Gedanken hinterherzujagen.

»'tschuldigung, kann ich ein Autogramm kriegen?«

Simon öffnete die Augen und sah eine Göre Marke Edel-Punk, die ungeduldig von einem Bein aufs andere trat.

»Nein!« Das war ganz spontan gekommen.

»Scheiß Nazi!«, fluchte das Mädchen und schlurfte zurück an ihren Tisch.

6 Zum Glück war Simon schon im Bad, als gegen acht Uhr dreißig das Telefon klingelte. Normalerweise versuchte er an jedem zweiten Freitag so lange wie möglich zu schlafen.

Freitags wurden zwei Sendungen hintereinander aufgezeichnet, und es war wichtig, ausgeruht zu sein. Die Konzentration vor und während der Shows kostete so viel Kraft, dass er sich abends wie ausgeweidet vorkam. An solchen Tagen verlor er zwei, drei Kilo Gewicht. Wie konnte blutdurchströmtes Menschenfleisch sich einfach so in Luft auflösen? Vivi hatte ihm geraten, den Effekt als Promidiät zu vermarkten – schlank durch Moderieren! Gewöhnlich kreuzte er erst auf, wenn die Dekoration stand und das Studio eingeleuchtet war. Aber heute war alles anders. »Du musst unbedingt kommen! So-fort!«, hatte Aufnahmeleiter Zoltan gefleht. »Der Meffert ist da und tobt! Du hättest ihn ins Studio bestellt, und jetzt wärst du nicht da-ha!« Meffert war die Edelfeder einer überregionalen Tageszeitung, spezialisiert auf psychoanalytisch grundierte Interviews.

»Mir hat er gesagt, er will einen kompletten Studiotag erleben, und der fängt mit dem Aufbau an, oder?«, versuchte Simon zu handeln.

»Scheißegal, komm, so schnell du kannst! Der giftet hier alle an!«

»Aber für 'nen Kaffee reicht's noch?«

»Nei-hein!« Zoltan hörte sich an, als liege er auf Knien.

Simon hatte Katzenwäsche gemacht und sich in ein Taxi geschmissen. Redaktion und Studios lagen sechs öde Kilometer vor den Toren Kölns, preiswert für den Konzern, beschwerlich für die Angestellten. Normalerweise nahm er den Bus und nutzte die halbe Stunde Geruckel, um konstruktiv zu träumen. So fielen ihm die besten Moderationen ein. Von der Endhaltestelle musste er noch zehn Minuten gehen. Die Planer des Industriegebiets waren offensichtlich der Meinung gewesen, jeder habe ein Auto. Falls nicht, könne es sich nur um Putzfrauen handeln, und die zählten nicht.

Als das Taxi ihn vor dem Studiokomplex absetzte, fragte er sich zum tausendsten Mal, warum sämtliche Aufnahmestudios der Welt so verlässlich hässlich waren. Nicht der geringste Hauch von Magie. Man konnte nicht einmal von Architektur sprechen, das hier waren Arbeitswürfel. Sämtliche Tätigkeiten in der Bilderfabrik ließen sich auf zwei Begriffe zurückführen: billig und Profit. Nichts war übrig geblieben von den großartigen Industriekathedralen. Einmal hatte Simon einen Kanalarbeiter in der Sendung gehabt, der im Wortsinn Scheiße aus den Röhren kratzte. Fasziniert von dieser Arbeit, die man nicht anders als »dienen« bezeichnen konnte, war er mit seinem Gast hinabgestiegen und hatte über reichverzierte Spitzbögen, Bronzeplaketten, Skulpturen und sogar Büsten gestaunt.

Gegen seine Gewohnheit schoss Simon am Pförtner vorbei, ohne seinen Ausweis zu zeigen. Kaum hatte er den Vorraum des Studios betreten, flatterte ihm Zoltan entgegen: »In der Kantine! Er ist in der Kantine!«

Simon drehte sich auf dem Absatz um. Über die Schulter rief er noch: »Was trinkt der Typ?«

»Cappuccino! Ohne Zucker!«

Raumgreifend lief Simon zur Kantine, bestellte Cappuccino, eine Flasche Wasser und suchte ein paar Gebäckstücke aus, die nicht ganz so aussahen, als wären sie vor zwei Wochen aus Bulgarien importiert worden. Auch das eine Gewissheit: Das Essen in allen Studiokantinen der Welt war eine Orgie aus Fett und seinem Gegenteil, pathologischer Trockenheit. Im Gesicht das Lächeln einer Winkkatze, ging er auf den einzigen allein sitzenden Mann zu. Der konnte Mitte zwanzig wie Mitte vierzig sein und trug, Haut inklusive, grau. Mit Stoppelhaaren, Brille und enger Jacke sah er wie ein kranker Vogel aus. »Nicht, dass ich Sie bestechen möchte!«, strahlte Simon und stellte das Tablett auf den Tisch. »Guten Tag, Herr Meffert! Frühstücken kann ich ja auch hier.« Sie schüttelten sich die Hand. »Wenigstens noch ein Cappuccino für Sie! Und was zum Naschen, falls Sie möchten!« Er schob die Tasse über den Tisch und stellte den Teller mit Gebäck dazu. »Tut mir sehr leid! Ich bin davon ausgegangen, Sie wollten die Feinheiten eines kompletten Studiotags mitbekommen.«

»Es hilft außerordentlich bei einem Porträt über Sie, wenn ich sehe, wie Scheinwerfer justiert werden«, stellte Meffert mit Dominalächeln fest.

Simon überlegte eine Minute. Manchmal musste man den Spieß brutal umdrehen, um sich durchzusetzen. Nicht subtil, aber effektiv: »So wird das nichts. Wie wollen Sie einen Artikel schreiben, der, bildlich gesprochen, mit dem linken Fuß aufgestanden ist?« Er lehnte sich jovial über den Tisch. »Wissen Sie was: Wir sollten das Porträt vergessen! Und Sie machen sich einen schönen Tag in Köln!«

Meffert öffnete den Mund und schloss ihn wieder. Umständlich nahm er seine Brille von der Nase. »Nun ja … Wir könnten ja versuchen, die Geschichte wieder auf beide Beine zu stellen?!«

»Gerne«, sagte Simon nach einer gespielten Denkpause. Also beschlossen sie, mit dem Interview zu beginnen, bevor er in die Maske musste. Der Rest sollte nach der zweiten Aufzeichnung folgen. Da seine Garderobe nur aus einer roten Kunstledergarnitur, Spiegel und Deckenfluter bestand, schlug Simon vor, in der Kantine zu bleiben. Hier gab es wenigstens Kaffee. Er winkte die spindeldürre Tonfrau heran, die gerade zwei dicke Bratwürste verschlang, und bat sie, Helma zu benachrichtigen.

Anfangs hätte er es nicht für möglich gehalten, dass eine dritte Person bei Interviews nötig war. Es wäre ihm lächerlich vorgekommen, Texte gegenzulesen und zu autorisieren, Fragen schon im Vorfeld zu verweigern, kurz: sein Image zu kontrollieren. Aber sein Presseordner hatte ihn eines Besseren belehrt. In den Artikeln über ihn hatte er jede Größe, Haarfarbe, jeden Familienstand und jede Religion gehabt. Mindestens der Hälfte der Journalisten gelang es nicht mal, sein korrektes Alter aus der Vita abzuschreiben, die der Sender verteilte. Viele seiner Statements waren gekürzt, manipuliert oder schlicht gefälscht worden. Er hatte große Interviews gelesen, die er nie gegeben hatte. Selbst wenn seine Antworten korrekt waren, traf das für die Fragen noch lange nicht zu. So wurde er etwa gefragt, ob er schon einmal am Polarkreis gewesen sei. »Ich will da unbedingt hin, koste es, was es wolle!«, hatte er wahrheitsgemäß geantwortet. Der Trick der »Journalisten« bestand nun darin, diese Antwort korrekt wiederzugeben, ihr aber eine andere Frage voranzustellen. Sie lautete nun: »Sie sind als sehr engagiert bekannt. Ist es Ihr Ziel, Deutschlands erfolgreichster Moderator zu werden?«

Helma hatte sich offensichtlich schon mit der Edelfeder bekannt gemacht. Sie nickte nur freundlich, als sie sich an den Tisch setzte. Meffert fischte Kugelschreiber und Notizbuch aus der Innentasche seines Jacketts. Immerhin nicht unsympathisch, diese altmodische Journalistenausrüstung, dachte Simon. In seiner Redaktion hatten mehrere Mitarbeiter lauthals verkündet, nicht mehr mit der Hand schreiben zu können. Es hörte sich an, als seien sie stolz darauf.

»Mich interessiert Ihre Vergangenheit.« Meffert wurde gleich seinem Ruf als Psychojournalist gerecht. »Sie gibt doch die Folie ab, auf der wir unser Präsens interpretieren.«

Simon, der befürchtete, nach den Stillgewohnheiten seiner Mutter befragt zu werden, übernahm sacht das Ruder: »Um gleich auf den Punkt zu kommen, Herr Meffert: Es gibt bei mir, wie bei jedem anderen auch, Ereignisse, die den Werdegang in eine bestimmte Richtung gelenkt haben.«

Meffert grinste unbequem, ließ ihn aber gewähren.

»Bei mir waren es die Anschläge auf Asylantenheime: Hoyerswerda, Rostock, Mölln. Und dann ging es zu Kriegsgesängen wie *Hurra, hurra, ein Neger brennt* gegen Ausländer, gegen Farbige, gegen Türken, die schon in der dritten Generation hier leben.«

»Sie waren zu der Zeit in Berlin«, unterbrach Meffert. »Da ist ein Hinterwald à la Hoyerswerda doch Welten entfernt.«

»Was meinen Sie, wie der Brandanschlag von Solingen auf die Berliner Türken gewirkt hat? Sehen Sie, ich wohne im Norden von Neukölln, dort ist mehr als die Hälfte der Bevölkerung türkischer Herkunft. Plötzlich geht es nicht mehr nur um ein paar braune Idioten in der letzten Ecke des Ostens. Das war ein Schock: Im reichen Westen kommen zwei Türkinnen und drei Kinder bestialisch ums Leben! Seit dem Mauerfall schon hatte sich das Verhältnis zwischen Türken und Deutschen abgekühlt, aber nach Solingen war alles anders!«

»Die gesellschaftspolitischen Implikationen sind mir präsent. Aber was hat das mit Ihrer Karriere zu tun? Sie moderieren ja nicht gerade den *Bericht aus Berlin.*«

»Gott sei Dank!« Simon nahm erneut Anlauf. »In meinem Viertel machte sich ansteckendes Misstrauen breit. Ich wollte nicht nur auf einer Demo marschieren, sondern etwas *tun*. Voraussetzung dafür ist Verständigung. Es war sehr wichtig, auf Bürgerversammlungen beispielsweise miteinander zu reden.«

»Ja, und?«

»Es war Zufall: Eine solche Versammlung musste geleitet werden, und weil alle Schiss hatten, habe ich es eben gemacht. Dann hieß es plötzlich: Mensch, du hast ein Händchen dafür. Später haben dann auch andere angefragt, und schließlich wurde ich sogar dafür bezahlt.«

»Der Retter der Ausländer, Witwen und Waisen.«

»So heroisch bestimmt nicht! Ich habe auch Popkonzerte moderiert oder eine Talkshow zur Verhüllung des Reichstags. Darf ja auch mal Spaß machen! Meistens habe ich für die *Heinrich-Böll-Stiftung* gearbeitet. Aber ohne Parteibuch, darauf lege ich Wert.«

Mefferts Hand flog mit Eleganz über die Seiten seines

Notizblocks. Dann blickte er delikat hoch: »Das heißt, Sie haben Ihren Beruf nicht gelernt?«

»Ich bin Autodidakt«, erklärte Simon mit angezogener Bremse, »aber gelernt habe ich meinen Beruf sehr wohl.«

»Es war nur eine Frage nach Ihrem schulischen Werdegang«, ruderte Meffert zurück.

»Jura. Bis das Fernsehen anklopfte, habe ich Jura studiert. Ohne Abschluss, bevor Sie fragen. So wie ich es sehe, hat meine Generation begriffen, dass es mit Lichterketten allein nicht getan ist. Nehmen Sie *Greenpeace*, *Attac* oder *politik-digital*: Alle haben begriffen, dass Appelle allein nicht reichen. Man muss etwas *tun*, und egal ob das nun ziviler Ungehorsam ist oder ein pfiffiger Kampf gegen Konzernstrategien – in jedem Fall brauchen Sie einen Juristen!«

Meffert lächelte zum ersten Mal an diesem Morgen. Es war kein wohlmeinendes Lächeln. »*Greenpeace* und *Attac* auf einer Seite, Ihre Geständnisshow auf der anderen – dazwischen liegen, mit Verlaub, Welten.«

Simon kannte die Vorhaltungen, die nun folgen würden: Seine Talkshow sei zu privatistisch, um von Relevanz zu sein. Der subjektive Ansatz berge die Gefahr von Exhibitionismus und Voyeurismus. Außerdem sei Politik immer Plural, nie Singular. Er hätte der Edelfeder am liebsten kurz, aber herzlich gegen das Schienbein getreten. Doch Helma bot ihm wie immer mit makellosem Timing eine »Ganz ruhig«-Zigarette an. Er nahm sich Zeit beim Anzünden, fuhr seinen Puls runter und hielt seine übliche Ansprache: »Eine Fernsehsendung ist eine Fernsehsendung ist eine Fernsehsendung – kein Politseminar. Unpolitisch oder sensationsheischend sind wir deshalb noch lange nicht! Ich finde es sinnvoll, aus erster Hand zu erfahren, was es für ein türkisches Mädchen bedeutet, ein Kopftuch zu tragen! Oder eben nicht! Ich finde es wichtig, von einem Betroffenen zu hören, warum er einer braunen Jugendgruppe auf den Leim gegangen ist! Und ich bin ober-flächlich genug, mich dafür zu interessieren, wie jemand mit unverhofftem Reichtum umgeht oder mit dem Total-verlust seiner Karriere! Im Übrigen wird auch dieses Land irgendwann begreifen, dass Publikumserfolg nicht zwangsläufig bedeutet, unter Niveau zu operieren.«

Meffert sah aus, als würde er, falls er die Fähigkeit dazu besäße, laut loslachen. »Baudrillard hat schon in den Sieb-zigern in seinem *Requiem für die Medien* nachgewiesen, dass selbige die Wirklichkeit längst nicht mehr reflektie-ren, sondern nur noch simulieren. Die Medien als selbst-referentielles System.«

»Und Sie arbeiten nicht in diesem System?« Das war etwas spitz gekommen. »Davon abgesehen: Baudrillard hat das nicht nachgewiesen, er hat es behauptet. Und wieder andere behaupten, dass mit einem gesellschaftlichen Dis-kurs Veränderung möglich ist. Wenn ich wöchentlich vier Millionen Zuschauer erreiche und die Flut von Briefen und Diskussionen auf unserer Internetseite sehe – was ist das anderes als gesellschaftlicher Diskurs?«

»Ach, diese Krümel vom Frühstückstisch der Frankfur-ter Schule!«, winkte Meffert ab, wurde aber von Helma unterbrochen: »Tut mir schrecklich leid, aber der Herr Minkoff muss jetzt in die Maske!«

»Bitte schauen Sie sich überall um«, bot Simon im Aufstehen an. »Wenn Sie etwas brauchen: Frau Schneider steht Ihnen jederzeit zur Verfügung!«

Kaum waren sie außer Hörweite, legte er los: »Hast du das gehört? Geständnisshow! Und das von diesem Blei-stiftquäler! Warum geben solche Anämiker einem immer das Gefühl: Fünf, setzen!

Helma hielt ihm die Tür zur Maske auf: »Solltest dich langsam dran gewöhnt haben. Die Sendung bewegt was, und wir müssen uns nicht dafür schämen, erfolgreich zu sein.«

Simon bekaute seine Unterlippe. Sein Gesicht hellte sich erst auf, als er Nicole sah. Seine Maskenbildnerin war keine Frau, sondern eine Erscheinung. Figur einer Pornoqueen, Kleidung eines Topmodels und das Gemüt eines Labradors.

»Schätzschen, is dat schön«, sang sie in rheinischem Hochdeutsch. »Mein allerliebster Lieblingsmoderator!« Simon küsste sie auf beide Wangen und staunte wie immer über ihr perfekt gemaltes Gesicht. Es sah aus, als stamme es von einem niederländischen Meister. »Mensch, Nicole, das muss doch Stunden dauern, bis du aufgebrezelt bist!«

»Red nisch, Liebschen!« Mit graziöser Geste forderte sie ihn auf, vor dem Schminkspiegel Platz zu nehmen. »Du kannst misch mitten in der Nacht aufwecken – isch mach misch in zehn Minuten parat! Ohne Spiegel, isch schwör!« Sie legte einen Plastikumhang um seine Schultern und beförderte seinen Kopf zärtlich an das Nackenpolster.

»Die heilige Nicole«, seufzte Simon. »Wir sollten dich zum Handauflegen vermieten!«

»Hätt isch nix gegen, die Versace-Fummel werden auch nit billjer!«

»Ich dachte, du stehst auf Jil Sander?«

»Männer! Seh' ich etwa aus wie ein Kühlschrank im Klimakterium?«

»Nee, ziemlich wie das Gegenteil!« Bei Nicole fühlte man sich wie ein Fötus im Mutterleib, der von der vor ihm liegenden Plackerei noch nichts ahnt. Leider störte Helma das süße Nirwana: »Simon, hier ist die letzte Version des Ablaufplans. Der Music-Act ist auf Position drei gerutscht, und die Frau Wasserkampf machst du bitte doch zum Schluss. Alle haben Angst, dass uns die Zuschauer sonst stiften gehen.«

»Okay.« Er fand das falsch, aber jetzt war es zu spät, den Mond anzuheulen.

Während Nicole seine Augenbrauen kämmte, ging er mit geschlossenen Augen noch einmal die Positionen durch. Die Sendung begann mit *human interest*: Ein junges Elternpaar hatte Vierlinge bekommen. Beide wirkten sehr sympathisch, und Babys – besonders im Viererpack – waren Quotengold. Grund der Einladung war aber nicht der Kindersegen, sondern die Tatsache, dass die Mutter kurz nach der Geburt ihre Karriere wiederaufgenommen hatte. Sie war eine erfolgreiche Produzentin von handgearbeiteten Tapeten, und ihr Mann hatte sich entschlossen, das Quartett mindestens bis zur Einschulung als Hausmann zu versorgen. Der Redaktion hatte besonders gefallen, dass der Mann ein in Fachkreisen bekannter Triathlet war und nicht wie ein geköpftes Weichei rüberkam.

Dann kam einer der Brüche, für die seine Sendung berühmt war: Der zweite Gast, ein dreiundfünfzigjähriger Fremdenführer, litt an unheilbarer Muskelschwäche. Die Ärzte gaben ihm höchstens noch ein Jahr, dann würde er ersticken. Derzeit saß er im Rollstuhl, gelähmt bis zur Brust. Doch solange er noch sprechen konnte, kämpfte er vehement für sein Recht auf Freitod, in seinem Fall ein notwendigerweise assistierter Freitod. Wo bleibt die Menschenwürde, so seine Frage, wenn man mich im Namen von Ethik und Moral qualvoll krepieren läst? Simon würde dieses Gespräch viel abverlangen, doch ihm war bewusst, dass sein Image sich exakt darauf gründete, wie er solche Situationen meisterte. Dann folgte zum Durchatmen der Liveauftritt einer dünnen französischen Sängerin, inklusive Talk zur Doktorarbeit, die sie über ihre Musik geschrieben hatte.

Zum Ende hin hieß es, noch einmal alle Kräfte zu sammeln. Eine zauberhafte jüdische Dame jenseits der Achtzig würde darüber berichten, wie sie den Krieg überlebt hatte. Unverdächtig blond und blauäugig, war sie bis zum Kriegsende ohne Judenstern als Kurier durch München gelaufen, um Untergrundorganisationen zu unterstützen, Pässe, Unterkünfte und Nahrungsmittel für andere Juden zu besorgen. Nach dem Vorgespräch war die Redaktion von ihrem fast frivol anmutenden Lebensmut hingerissen gewesen. Dennoch war Simon klar, warum das Gespräch entgegen der Absprache die Sendung nicht eröffnen sollte: Beim Thema Holocaust war die Quote immer ein Vabanquespiel. Es konnte gut gehen, aber häufig stieg das Publikum nach den ersten zwei, drei Minuten aus. Die Platzierung als Rausschmeißer war nicht unklug. Sollten sie Zuschauer verlieren, dann nur in den letzten fünfzehn Minuten. Bei einem Quotenabsturz zu Sendebeginn wären sie nicht mehr zurückzuholen. Immerhin ließ sein Sender sich überhaupt darauf ein, mit einem solchen Thema ein Quotenrisiko einzugehen. Noch.

Simon war bestens vorbereitet. Ein Redakteur hatte die Gäste besucht und die Vorgespräche mit einer Digitalkamera dokumentiert. Zusätzlich erhielt Simon ein Dossier inklusive psychologischer Einschätzung und möglicher Fragen, die er meist ignorierte. Da er fast ausnahmslos mit medienunerfahrenen Menschen arbeitete, hatte er früher kurz vor der Sendung Einzelgespräche geführt. Doch die Interviewpartner waren dadurch unnötig nervös geworden. Seit ein paar Jahren telefonierte er nur noch mit ihnen, fragte nach ihren Wünschen und beruhigte sie. »Ich würde Sie niemals ins offene Messer rennen lassen!«, sagte er dann. Und weil er es so meinte, fassten die Menschen Zutrauen. Aus Erfahrung beschwor er sie, nicht mit auswendig gelernten Sätzen zu kommen, das funktionierte nie: »Das Studio mag zwar groß erscheinen, aber in Wirklichkeit sind darin nur drei Kameramänner und wir. Wir führen ein ganz normales Gespräch! Reden Sie mit mir! Schauen Sie mich an! Schauen Sie mir in die Augen!« Obwohl kein Esoteriker, glaubte er an eine geheimnisvolle Verbindung zwischen ihm und den Gästen, eine Art virtu-

eller Nabelschnur. »Es *kann* Ihnen gar nichts passieren –
ich bin bei Ihnen! Ich werde wie eine Mutter zu Ihnen
sein!«, lautete sein Standardscherz. Nach außen sah man
das übliche Frage-Antwort-Spiel, auf unterschwelliger
Ebene aber lief eine ganz andere Kommunikation ab. »Etwas knapper!«, teilte er etwa seinem Gegenüber wortlos
mit. Oder: »Trau dich! Sag genau das, was dir auf der Zunge
liegt!« Einmal hatte er mitten im Interview gemerkt, wie
eine junge Malerin, die sich auf Porträts von Massenmör-
dern spezialisiert hatte, jeden Moment in Ohnmacht zu
fallen drohte. »Du schaffst das! Es sind nur noch fünf Minuten! Du wirst nicht umkippen. *Du-wirst-nicht-umkip-
pen!*«, hatte er sie nur mit den Augen beschworen. Und sie
war nicht in Ohnmacht gefallen. Als er später die Aufzeichnung studierte, war er verblüfft: Die Unsicherheit der Malerin war deutlich zu sehen, ihm aber merkte man nichts
an. Seelenruhig saß er da, freundlich nickend. Er hatte sich
dafür bewundert, gleichzeitig aber auch geschämt. War das
noch Talent oder schon bedenkliche Mimikry?

Nachdem Nicole die Schminke auf Gesicht, Hals und
Händen abgepudert, seine Lippen mit Balsam versorgt und
die Haare mit einem Tornado aus Spray fixiert hatte, war
Simon ins Aufnahmestudio gegangen, in der Linken die
Anmoderationen, in der Rechten eine Flasche Orangensaft. Während er in der Maske saß, hatte ein Redaktions-
assistent für ihn das Lichtdouble gemacht. Simon selbst
stellte erst kurz vor der Aufzeichnung die Moderations-
positionen durch, damit Licht und Kameraeinstellungen
feinjustiert werden konnten.

»Noch einmal guten Morgen zusammen!«, kam die
Stimme der Regisseurin aus dem Off. Sie hatte auf ihrem
Monitor gesehen, dass Simon das Studio betreten hatte.
»Die Bauchbinde für Position eins ist noch nicht fertig. Die
machen wir später und fangen gleich mit der Drei an.
Bitte!«

Simon stellte sich auf die Markierung hinter dem gläsernen Moderationspult: »Kann ich einen Monitor haben?« Nicole zupfte noch ein paar unsichtbare Haare in die gewünschte Richtung. Immer wieder schaute sie kritisch auf den Monitor, den der zweite Aufnahmeleiter heranfuhr, und korrigierte sein öffentliches Gesicht. Noch sah es makellos aus, aber Stunden später würde es krampfen. Niemand machte sich eine Vorstellung davon, wie unangenehm ein Muskelkater im Gesicht war. »Jetzt ist aber gut«, drängelte Simon. Er konnte die Fummelei nicht ab, hatte aber gelernt, dass alles schneller vorüberging, wenn er sich so sparsam bewegte wie ein Reptil auf Beutefang.

Bei seinen ersten Sendungen hatte er sich kaum getraut, auf den Monitor zu sehen. Die Person dort war ihm schockierend fremd gewesen, schlimmer: Er hatte sie nicht gemocht. Schwer zu sagen, was genau ihm so missfiel. Stets hatte er sich für einen souveränen Mann gehalten, doch sein zweidimensionales Abbild erschütterte diese Einschätzung. Irgendetwas fehlte, Selbstliebe, Stolz, Autorität, vielleicht auch nur die zähnefletschende Bereitschaft, hochzustapeln und all das lediglich vorzugeben. Im Laufe der Jahre hatte er sich an sein elektronisches Abbild gewöhnt, sachlich die Auswirkungen von drei, vier Kilo mehr oder weniger auf den Rippen konstatiert, die Schatten einer hochprozentigen Nacht oder erste Anzeichen des Älterwerdens. Längst sprach er in die Kamera mit unhinterfragter Selbstliebe, und er hatte die Fähigkeit entwickelt, auf Knopfdruck seine Person mit einer Aura auszustatten, die fraglos akzeptiert wurde. Diesen neuen Simon hatte er im Studio ausprobiert und unwillkürlich ins Leben überführt. Wenn er privat unterwegs war und Fußvolk, Verkäufer, Kellner ihn anstarrten, wechselte er mühelos in den Modus öffentliche Person. Für die Öffentlichkeit sah er dann erst nach sich selbst aus.

Schnell hatte er gelernt, die Kamera als Lebewesen zu

betrachteten: Die Kamera liebt längeres Haar! Die Kamera braucht mehr Profil! Die Kamera mag kein Weiß! Er staunte immer noch, wie sehr sich das Abbild seiner Gäste von der Person unterschied, mit der er von Sessel zu Sessel plauderte. Dabei war die Kamera kapriziös wie eine Tunte. Manchmal konnten unzweifelhafte Schönheiten ihre Aura nicht ansatzweise über die Kameralinse retten, während ein Mauerblümchen unverhofft erblühte. Niemand hatte dieses Geheimnis bisher entschlüsseln können.

Aus den Augenwinkeln konnte er sehen, wie Meffert, betüddelt von Helma, hinten im Studio Platz genommen hatte. Sehr gut, in der sterilen Abgeschiedenheit des Studios war ein Moderator für jedes Wesen aus Fleisch und Blut dankbar. »Liebe Regie, von mir aus können wir«, raunte er in sein Ansteckmikro.

»Bitte Ruhe für eine Probe!«, kam die Antwort aus einem Lautsprecher. »Simon, wo möchtest du den Kamerawechsel?«

»Ich mache die Begrüßung, guten Abend, bla bla bla, dann kommt ein Zitat, und wenn ich die Urheberin nenne, schneidet ihr von der Eins auf die Drei!« Zur Anmoderation von Karrieremutter und virilem Hausmann hatte er einen hübschen Satz aufgetrieben: *Alle Geschlechtsrollen sind eine Nachahmung, für die es kein Original gibt.* Das musste Meffert doch gefallen.

Konzentriert probten sie das Wenige, was man bei einer Talkshow proben kann: Anmoderationen zu den Gesprächen, die Texte vor und nach den Werbepausen, Überleitungen. Eine der Anmoderationen ließ Simon sich zur Sicherheit noch einmal auf den Monitor legen. Der Einstieg in das Gespräch mit der alten jüdischen Dame musste sitzen. Er hatte beim Schreiben darauf geachtet, nur wasserfeste Begrifflichkeiten zu verwenden. Die Bundesrepublik hatte eine bemerkenswerte Meisterschaft darin entwickelt, arglosen Menschen nachzuweisen, im Grunde ihres Herzens Antisemiten zu sein. Eine Formulierung außerhalb des erprobten Kanons, ein Satz, der nicht zu hundertfünfzig Prozent die Büßer- und Mahnerrhetorik bediente, und man wurde zur Unperson für alle Zeiten. Politiker hatten so ihre Ämter verloren, Schriftsteller ihre Reputation, Moderatoren ihre Sendung. Die Öffentlichkeit war von solch politischer Korrektheit, dass sie in deren Namen, ohne mit der Wimper zu zucken, ganze Existenzen vernichtete.

Optisch wollte er in dieser Einstellung eine Atmosphäre herzklopfender Erwartung schaffen. Dazu brauchte er den ersten Kameramann, der, entgegen seinem Titel, ausschließlich mit der Justierung der Lampen beschäftigt war. Letztlich lag es an ihm, ob die Sendung billig aussah oder wie Gold. »Rainer, wo immer du auch bist«, sagte er in sein Mikro, »kannst du mir ein Augenlicht machen? Mal gucken wie das kommt.«

Kurz darauf schlurfte ein Bayer heran, um Stativ und Scheinwerfer aufzubauen. Er kaschte das Licht oben und unten so ab, dass ein schmaler Streifen Simons Augenpartie betonte. Der überprüfte die Wirkung auf dem Monitor. »Ein Tack weniger. Muss ja nicht gleich nach *Tatort* aussehen!«

Früher hatte er nie über Licht nachgedacht. Man knipst es an oder aus. Doch das Licht war die Königin. Ein talentierter lichtsetzender Kameramann konnte aus ein und derselben Person Angelina Jolie oder Hexe Wackelzahn machen. Licht von oben war tödlich, betonte Tränensäcke, Krähenfüße, Hamsterbäckchen und Kinnschwabbel. Gut gesetztes Grundlicht hingegen, dazu eine »Spitze«, ein belebender Lichttupfer im Haar, ein sanftes Seitenlicht, abgemildert durch helle Folie oder ein klug gesetztes Augenlicht – und man sah aus, als sei man unter das Messer eines fähigen Chirurgen geraten. Diese Verjüngungskur hatte allerdings eine Schattenseite: Sie war aufwändig und funktionierte nur im kleinen Bewegungsradius. Kaum trat man zwei Schritte aus dem Licht, sah man wieder aus wie sein schockierendes Selbst. Manchmal empfanden die Zuschauer Simon als besonders authentisch, wenn er scheinbar nach dem passenden Wort suchte. In Wirklichkeit überlegte er dann, wo genau sich das Lichtloch befand und welchen Schritt er bei seinem kleinen Gang keinesfalls tun durfte. Oben lächeln, unten zagen.

»Frau Wasserkampf?« Verhalten klopfte Simon an die Garderobentür und trat erst ein, als er aufgefordert wurde. Vor ein paar Wochen hatte er fast zwei Stunden mit der alten Dame telefoniert. Ihr gegenüber fühlte er sich wie ein verwöhnter Windhund.

»Ich nasche gerade die Spezereien, die man mir freundlicherweise hingestellt hat!«, lachte Galina Wasserkampf mit vollem Mund und streckte ihre Hand aus. In Achtzigerjahretürkis saß sie kerzengerade auf der Ledercouch und ließ die Beine baumeln.

»Wir bestechen unsere Talkgäste, wo immer wir können!«, sagte er und wusste nicht, ob er sich ohne Einladung hinsetzen durfte. Am Telefon hatte er sich eine kleine, breithüftige Großmutter vorgestellt. Klein war sie, aber gertenschlank und mit ihrem weißen Bubikopf so sportiv, dass sie problemlos für Mitte sechzig durchging. »Das Meiste haben wir ja schon am Telefon besprochen, ich möchte nur noch kurz den Ablauf mit Ihnen durchgehen.«

»Bitte«, sagte Galina Wasserkampf und wies auf den Sessel neben sich. Behände griff sie nach einer Packung Filterzigaretten und bot ihm eine an.

»Danke, erst wieder nach der Sendung!«

»Ich habe mir dieses Laster erst vor ein paar Jahren zugelegt. Wenn ich gewusst hätte, wie gut das schmeckt, hätte ich schon viel früher angefangen!«

Während sie kehlig lachte, das Lachen eines Menschen

jenseits aller Konvention, machte Simon sich eine mentale Notiz: *Filterzigaretten einstecken! Sollte Gespräch zu düster werden, ihr eine anbieten. Dazu bringen, diese kleine Geschichte zu erzählen! Dann nachfragen, weshalb sie so angstlos ist!*

»Wenn es Ihnen recht ist, würde ich den Talk gerne vom Ende her aufziehen, mit Ihrer Befreiung?«

»Das war die schlimmste Zeit.« Sie hielt inne, schien sich kurz zurückzuziehen. Drei Wochen vor Kriegsende hatte die SS sie erwischt, und sie wäre mit Sicherheit ermordet worden, hätten nicht russische Soldaten sie aus dem Verhör- und Folterkeller in der Prenzlauer Allee befreit. »Es sind nicht die Verhörmethoden, der Hass oder die Demütigungen, die man nie wieder los wird, es ist die Hoffnungslosigkeit. Ich war ja schon jahrelang in Lebensgefahr, doch in jedem gefälschten Pass, in jedem Medikament, in jedem Brot war Hoffnung mit enthalten. Aber plötzlich konnte ich sie nirgendwo mehr finden.«

Simon schaute diskret auf die Uhr. Die Regie würde auf heißen Kohlen sitzen. »Vielleicht«, setzte er mit einem aufmunternden Lächeln an, »sollten wir – nur zu Anfang! – Ihre filmreife Rettung in den Vordergrund stellen?«

»Machen Sie mal, junger Mann.« Sie drückte mit Nachdruck ihre Zigarette aus. »Aber so furchtbar positiv ist es nicht, wenn Sie anschließend erfahren, dass Ihre ganze Familie ausgerottet ist.«

»Entschuldigung!« Simon schluckte trocken. »Ich möchte nur verhindern, dass die Zuschauer gleich zu Anfang von der Wucht der Wahrheit verschreckt werden.«

»Sie werden schon wissen, wie das geht!«, nickte Galina Wasserkampf kühl.

»Wo wir gerade dabei sind: Ich möchte nicht nur auf das Außergewöhnliche Ihres Untergrundlebens abheben, sondern auch zeigen, dass selbst die ungesichertste Existenz so etwas wie einen Alltag hat.«

»Ich verstehe nicht?«

»Im Vorgespräch haben Sie geschildert, dass die Beziehung zu Ihren Mitstreitern, den Umständen geschuldet, auch … körperlich war.«

»Man rückt zusammen«, lächelte Galina Wasserkampf. »Das dürfen Sie wörtlich nehmen. Wenn jede Nacht die letzte sein kann, ist man nicht mehr etepetete!«

»Ich will ja nicht indiskret sein …«

»Ach, Sie können ruhig nach Sex fragen!« Täuschte er sich, oder hatte sie Freude an seinem ertappten Schuljungengesicht?

»Gut.« Simon federte aus dem Sessel. »Ich muss noch mal zum Abpudern, dann können wir! Unsere Hospitantin wird Sie abholen.«

Sobald er die Garderobentür hinter sich geschlossen hatte, lehnte er sich mit dem Rücken gegen die Flurwand. Augen geschlossen, stand er lange reglos. In einer jähen Aufwallung schlug er drei Mal hart seinen Hinterkopf gegen die dunkelblaue Wand. *Durch die Wucht der Wahrheit verschreckt?* Was, verdammt, war in ihn gefahren? *Das Positive sehen?* Das Positive bei sechs Millionen ermordeter Juden??? Ein Blender war er, eine Hohlform. Eines Tages würde ihm jemand auf die Schliche kommen. Simon rieb sich die Augen, und es war ihm egal, dass er seine Schminke verschmierte.

Zwei Tage später war keine Rede mehr davon. In der Quote sackte die Sendung zwar zum Ende hin mächtig ab, dafür hatte es eine Jubelkritik in der *FAZ* gegeben: »Über die Misere deutscher TV-Moderation und das Glück, Simon Minkoff zu haben.« Der Geschäftsführer war so stimuliert gewesen, dass er einen Karton Bordeaux in die Redaktion schickte.

Als eine Woche darauf der Artikel von Meffert erschien, war Simons Triumph perfekt. Die Überschrift »Ist Reden Silber?« ließ nichts Gutes hoffen, und auch der Einstieg trieb ihm den Angstschweiß auf die Stirn: »In der Kantine riecht es nach Linoleum. Aber wo ist Simon Minkoff? Hier wird heute die wöchentliche Talkshow *MM* aufgezeichnet. Hier bin ich mit ihm verabredet, doch er ist noch nicht da. Zwischen Wurst und Linoleum auf ihn warten? ›Rufen Sie ihn an‹, sage ich.« Dann nahm die Geschichte eine andere Wendung: »Eine Gestalt huscht durch die Kantine, beschenkt mich mit Kaffee und Kuchen, seufzt charmant lächelnd: ›Frühstücken kann ich ja auch hier.‹ Simon Minkoff, der nette Junge hat es wiedergutgemacht. Ich bin zufrieden.« Es folgen zwar pikierte Bemerkungen zu seiner »schmalbrüstigen Gutmenschenrhetorik«, doch alles in allem bleibt das Porträt im grünen Bereich. Psychoanalytisch wurde er als Idealsohn eingestuft. »Bei Zuschauerinnen kommt er offenbar uneingeschränkt an. Er ist der attraktive Sohn, aber schwer erreichbar und deshalb ungefährlich.«

7 Es war wie mit dem tropfenden Wasserhahn: Solange einen niemand darauf hinweist, nimmt man ihn nicht wahr. Sagt aber jemand: »Der tropfende Wasserhahn macht mich wahnsinnig!«, ist es mit der Seelenruhe vorbei. Plötzlich ist er nicht nur laut und nervig, man fragt sich auch, wie man ihn so lange überhören konnte.

Mein Thüringer Hauswart hatte sich keuchend die vier Etagen hochgewuchtet, um die Fensterdichtung zu erneuern. Ich hatte ihn mit zwei Pressekarten für das Handballspiel Füchse Berlin gegen TV Großwallstadt bestochen, damit er seinen fetten Arsch in Bewegung setzte. Während er den rechten Flügel des altersschwachen Fensters aushängte, fluchte er wie üblich halblaut vor sich hin. Wenn er nicht fluchte, stöhnte er und erwartete, dass man sich nach dem Grund seiner schlechten Laune erkundigte. Ich tat ihm den Gefallen nicht. Eigentlich konnte ich den Komiker mit seinem gemächlichen Dialekt gut leiden, aber ich kabbelte mich zu gern mit ihm, um ihn das merken zu lassen. Nach wiederholtem dramatischen Seufzen gab ich auf: »Was ist los, Herr Pöttzsch? Ist die Welt mal wieder schlecht zu Ihnen?«

»Die Welt ist immer schlecht. Nicht nur zu mir.« Er schaute kurz hoch, und ich hatte nicht zum ersten Mal den Verdacht, dass auch er sein Spielchen mit mir trieb.

»Da widerspreche ich Ihnen ausnahmsweise nicht.«

Pöttzsch grinste und schnitt ein Klebeband mit Dichtungsmaterial auf die passende Länge. »Wenn's nach der Erbengemeinschaft ginge, kriegen wir hier bald Sonnenkollektoren auf'm Dach!« Er sagte das in einem Ton, als stehe ihm die Kastration bevor.

»Das macht Ihnen schlechte Laune?«

»Ach, die mit ihrem Ökofimmel!« In der Welt des Hauswarts Pöttzsch bedeutete *die*: westlich, protzig, kalt. *Wir* hingegen hieß: östlich, bescheiden, pupsgemütlich.

»Ist doch vernünftig, wenn wir Energie sparen. Geht schon genug Wärme durch unsere kaputte Fassade und die Fenster, wie Sie gerade sehen.«

»Sie wissen auch nicht, was Sie wollen«, brummte er. »Entweder sind Sie kackfrech zu mir, oder Sie spielen den guten Menschen. Der ganze Quatsch mit dem geschmolzenen Nordpol! Soll mir doch keiner mit kommen! Hat's immer gegeben, dass sich das Klima mal so und mal so ändert. Als ob wir da was dran drehen könnten!« Er hängte den Flügel ein zweites Mal ein, schloss das Fenster, war mit dem Ergebnis aber noch nicht zufrieden.

»Finden Sie nicht wir sollten was tun, solange wir die Klimakatastrophe noch bremsen können?«

»Und so was will Journalist sein! Ist doch nur Erfindung, damit die uns neue Autos verkaufen können, Heizungen, Kühlschränke, Sie verstehen schon!«

»Sonnenkollektoren nicht zu vergessen!«

»Genau!«

Pöttzsch hatte noch eine zweite Lage Dichtungsmaterial aufgebracht und hängte den Fensterflügel erneut ein. Er schloss das Fenster. Theatralisch rüttelte er am Griff. Diesmal nickte er zufrieden.

»Danke«, sagte ich. »Ihre heißgeliebte DDR war zwar ein Paradies auf Erden, wie ich von Ihnen weiß, aber dichte Fenster haben sie nicht hingekriegt.« Der Dicke reagierte nicht. Mit dem Kürzel DDR konnte man ihn immer locken, aber heute schien ihn etwas anderes zu faszinieren. Ich trat neben ihn und folgte seinem Blick.

»Der Typ, der da gerade am Turnen ist, der kommt mir dermaßen bekannt vor …« Er kratzte sich am Sack. »Irgendwoher kenn ich den, aber ich habe keine Ahnung, woher!«

»Der wohnt schon eine Weile da drüben und macht immer Gymnastik.« Wie Dick und Doof standen wir nebeneinander und glotzten in die Wohnung, wo der Mann gerade die Hände über dem Kopf zusammenführte.

»Macht der dieses Jago?«, fragte Pöttzsch und verknotete die Arme.

Ich verkniff mir tapfer ein Lachen: »Yoga, das heißt Yoga. Aber das ist es nicht. Kann sein, dass es sich um Tai-Chi handelt.«

»Wegen mir.« Er wandte sich ab und sammelte sein Arbeitsmaterial ein. Doch dann trat er ans Fenster zurück und starrte wieder auf die andere Seite. »Wer das nur ist? Ein Schauspieler? Irgendein Promi auf jeden Fall. Sie kennen doch solche Leute, oder nicht?«

Als Pöttzsch sich verabschiedet hatte, war der mysteriöse Mann mein tropfender Wasserhahn. Normalerweise bin ich nicht auf die Schlüpferperspektive scharf, meinetwegen soll jeder seine kleinen schmutzigen Geheimnisse für sich behalten. People-Magazine habe ich nie bedient, könnte es auch nicht. Worüber sollte ich auch mit der blonden Adelszicke der Saison reden? Über Schuhe, deren Namen ich mir noch nicht mal merken kann? Nicht ohne Witz, dass diese Sorte Presse Menschen nicht mehr Menschen nennt, sondern People.

Aber der Mann von Gegenüber ließ mich nicht mehr los. Ich schämte mich zwar ein bisschen, war mir aber nicht zu schade, die Schuhe anzuziehen und auf die andere Straßenseite zu gehen. An der Klingel würde ja wohl rauszufinden sein, wie der Kerl hieß. Frühlingswind brauste mir um die Ohren, als ich die Straße überquerte. Das mit Graffiti beschmierte Klingeltableau war nach Vorder-, Seiten- und Hinterhaus geordnet. Also: Vorderhaus, dritter Stock, links – Fehlanzeige. Unter einem gesprungenen Glasplättchen steckte ein Papier mit Rudimenten eines Namens, der mal halb ausradiert, überschrieben und wieder ausradiert worden war. Diese Klingel war noch nicht einmal beschriftet. Amüsiert und ein bisschen frustriert stieg ich wieder hoch in mein Penthouse für Arme.

Schnurstracks trat ich ans Fenster. Die Turnübungen waren beendet, das Fenster geschlossen. Der Turner hatte sich angezogen und saß in einem schwarzen Ledersessel, ein Buch in der Hand. Seine dunklen Haare, die er zum Turnen zusammengebunden hatte, fielen ihm fast bis auf die Schultern. Auf einem hölzernen Couchtisch dampfte eine Tasse Tee oder Kaffee. Was der wohl las? Ich traute mich nicht, mein Fernglas zu holen. Abends, bei ausgeschaltetem Licht, wäre die Gefahr, entdeckt zu werden, gleich null, aber am helllichten Tag wollte ich nicht als Spanner dastehen. Auf jeden Fall war es ein gebundenes Buch, soviel war sicher. Arm war der Typ sowieso nicht, die große Wohnung und seine Klamotten sprachen Bände.

Er war in sein Buch vertieft, nahm nur manchmal, ohne hinzusehen, einen Schluck aus der Tasse. Und wieder ratterte es: Wer war der Mann? Wie er da saß, konnte er ein Intellektueller sein, Dozent oder Übersetzer, irgendwas in der Preisklasse. Andererseits wirkte er in seinem neckischen Turnhöschen nicht gerade vergeistigt. Breitbeinig saß er da, konzentriert in sein Buch schauend. Fast meinte ich, die ausgeprägten Kaumuskeln mahlen zu sehen. Plötzlich hob er den Kopf und schaute zu mir hoch. Reflexartig sprang ich zur Seite. Mein Herz raste. Ich japste nach Luft und wunderte mich über mich selbst. Wer keine Vorhänge anbringt, muss damit rechnen, dass man in seine Wohnung linst. Wahrscheinlich hatte er mich nicht mal gesehen, jedenfalls steckte er die Nase gleich wieder in sein Buch, aber ich fühlte mich ertappt. Schlimmer: Es war, als hätte ich eine verbotene Grenze überschritten.

Ich weiß nicht, wie oft ich in den folgenden Wochen Pöttzsch verflucht habe. Der schwelgte wahrscheinlich längst wieder in seiner geilen, roten Jugend unter Ulbricht, während ich den Turner nicht aus dem Kopf bekam. Ich konnte nicht mehr ans Fenster gehen, ohne zum Voyeur zu werden. Anscheinend lebte er allein, jedenfalls sah ich nie eine Frau. Unauffällig gekleidet, aber nicht unschick. Jeans und Hemd, Stoffhose und Pullover, ganz normal, aber irgendwie ausgesucht. (Marke: Den-Pelz-nach-innen-tragen.) Wer, verdammt noch mal, war der Kerl?

Ich hätte mich besser um meine eigenen Sachen kümmern sollen, da gab es genug zu tun. Die meisten machen Karriere, indem sie klein anfangen und sich mehr oder weniger schnell nach oben ackern. Bei mir war es umgekehrt. Ich hatte gleich ziemlich oben angefangen und war nun dabei, mich mit Talent in die Gosse zu arbeiten. Gosse ist übertrieben, aber wenn man mir gesagt hätte, dass ich mal Artikel für die Hauspostille der metallverarbeitenden Industrie klöppeln würde, hätte ich auf der Stelle Herpes gekriegt. Die Tatsache, dass mir die Ochsentour erspart blieb, habe ich nie als selbstverständlich genommen. Irgendeine Glücksgöttin hatte mich ausgesucht, wahrscheinlich ohne besonderen Grund, denn ich war kein besserer Mensch und erst recht kein besserer Schreiber als andere. So ist das wohl mit dem Schicksal: Entweder es ist blind oder wir.

Ich weiß nicht, ob jemand, der gut im Reden ist, automatisch auch gut schreibt, bei mir jedenfalls hat es mit dem Reden angefangen. Früh und viel. »Der Junge kann quatschen, bis einem die Ohren abfaulen«, haben meine Eltern immer gesagt und sofort den passenden Beruf gewusst: »Der wird mal Rechtsverdreher, das hört man doch!« Da hatten sie die Rechnung aber ohne mich gemacht. Auf ein Studium, das nur aus Büffeln besteht, war ich nicht scharf und erst recht nicht auf eine Fakultät, an der sich fast nur Kerle rumtreiben. Hätte ich studiert, dann Kunstgeschichte: ein ganzes Institut voller Mädels, die zum ersten Mal von zu Hause weg sind – Schlaraffenland! Sollte aber nicht sein. Schuld daran waren *De La Soul*. Die Hip-Hopper traten damals in der Dortmunder Westfalenhalle auf. Als Riesenfan wollte ich unbedingt hin, hatte aber keine müde Mark auf Tasche. Fürs Stehlen war ich zu unbegabt, also musste ich tricksen.

Als Primaner hatte ich damit begonnen, für unsere Schülerzeitung zu schreiben. Der Direktor sorgte in einigen Fällen persönlich dafür, dass Artikel von mir aus dem Blatt genommen wurden, was ich als den ultimativen Ausweis von Genie betrachtete. Wer für die Schülerzeitung kritzelt, gilt bei den Mitschülern normalerweise nicht gerade als cool, aber die Fälle von Zensur bescherten mir ein paar Gramm Rebellenglanz. Kann sein, dass ich als Primaner leicht größenwahnsinnig war, aber durch das Schreiben kam ich auf die Idee, der *Westdeutschen Allgemeinen* kackfrech einen Artikel über *De La Soul* anzubieten, um mit Pressekarte ins Konzert zu kommen. Mir war klar, dass ich mit etwas Besonderem locken musste, also schwafelte ich etwas von einem Interview mit dem Frontmann *Kelvin Mercer*. (Ich hatte keinen Kontakt zu ihm, blickte über diese Nebensächlichkeit aber gnädig hinweg. Irgendwas würde sich schon ergeben.)

Die *WAZ* biss an. Ich sah ein geiles Konzert und bekam nach fintenreicher Erstürmung des Backstagebereichs, einem Fast-Rauswurf und einer überzeugend vorgetragenen sentimentalen Geschichte tatsächlich ein klitzekleines Interview. Zwei Tage später erschien mein erster Zeitungsartikel: sechzig Zeilen, ein ziemlich verwaschenes Schwarzweißfoto und ein Interview, das ich, na ja, ein wenig aufgepolstert hatte. Zu meiner Überraschung hatte die zuständige Redakteurin, eine herbstliche Dame mit dem schönen Namen Magda Busenbender, meinen Artikel kaum redigiert. Dann war ich also gar nicht schlecht? Beim Schreiben hatte ich mir fast in die Hosen gepisst, aber nix da: Die Busenbender schickte mich von da an zu allen Terminen, die sie nicht ausstehen konnte. Davon gab es viele, denn sie deckte nur den kleinen Bereich ab, den sie gurrend »Hochkultur« nannte. Ich tummelte mich in allem, was nicht mit »big names« verbunden war, wie sie sich ausdrückte. Die Themen, die auch nur nach einem Hauch Pop rochen – Filme, Performances, Open-Air-Events – wurden an mich durchgereicht. Mit der freudigen Selbstüberschätzung des Anfängers nahm ich alles an.

Pro Woche verfasste ich jetzt ein, zwei Artikel und ging in der Redaktion ein und aus. Bald wurde ich überall nur »der Junge« gerufen. (»Eine preisgekrönte Schülertheatergruppe gibt 'nen ›Hamlet‹ ohne Worte. Müssen wir das machen?« – »Schick doch den Jungen!«) Nach und nach beauftragten mich auch Redakteure außerhalb des Feuilletons. Das Lokale schickte mich auf Vereinsjubiläen, Brückeneröffnungen, Ordensverleihungen, all den Kram, bei dem Profis sich zu Tode langweilen. Für mich war alles spannend. Richtfeste beispielsweise, die Rituale, die Verse des Poliers, das festlich zerdepperte Glas. Auch das Büffet war nicht zu verachten. Naiv, aber mit Schmackes gab ich meine Eindrücke wieder und galt in der Zeitung als »frisch«. Obwohl ein kleiner Höhenkoller nicht ausblieb, hatte ich mir für zwei Dinge einen klaren Blick bewahrt: Die Redakteure mochten es besonders, wenn ich auf die Kacke haute. Egal ob es sich um den Verriss eines Musicals oder die satirische Beschreibung einer Katzenausstellung handelte, die Profis freuten sich über mein weit aufgerissenes Maul. Dass sie dabei schulterzuckend in Kauf nahmen, mich über meinen eigenen Narzissmus stolpern zu sehen, kam mir nicht in den Sinn. Zweitens wusste ich während dieser Zeit immer, dass ich noch eine Menge zu lernen hatte. Ich studierte die Arbeit erfahrener »Kollegen«, erst in meiner Zeitung, dann ein bis zwei Etagen höher in den Erzeugnissen aus Frankfurt und München.

Weil mein Name nun öfter in der Zeitung stand, wurde ich kurz vor dem Abi noch zu so was wie einem kleinen Star. Die Schüler der unteren Klassen himmelten mich an, und sogar Lehrer begegneten mir mit unverhofftem Respekt. Die wahre Revolution aber fand in meinem Liebesleben statt. Bisher war es eher mager gewesen. Ich war nicht hässlich und nicht dumm, aber gegen die Sportlichen, die Gutaussehenden und die Reichen hatte ich nie eine Chance gehabt. Es dauerte, bis ich merkte, wie Mädchen mit einem Mal meine Nähe suchten. Und nicht nur die. Coole Jungs, die mich sonst wenig beachtet hatten, riefen plötzlich »Na, alles klar!« und hauten mir im Vorbeigehen auf die Schulter. Die Mädels waren etwas ausführlicher, sprachen mich auf diesen oder jenen Artikel an, lobten mich oder machten Themenvorschläge. Plötzlich wurde ich auf die angesagten Partys eingeladen. Alles, was ich von mir gab, schien nun automatisch cool zu sein. Manche lachten sogar über meine Witze.

Verrückt, da reiht man ein paar Wörter aneinander, und die Mädels kriegen flimmrige Augen! Geht also nicht nur mit E-Gitarre. Ich wurde auf eine Nase Speed eingeladen und hatte Knall auf Fall eine Zunge im Mund. One-Night-Stands mit lässigen Girls im Schlafzimmer ihrer Eltern – das war meine wahre Reifeprüfung. (Na ja, ich gebe zu: *So viel* Sex war es nun auch wieder nicht, aber eine Vervielfachung meiner bisherigen Erlebnisse.) Auch als ich begriff, dass die Erotik hauptsächlich durch meine »Prominenz« zustande kam, störte mich das, offen gestanden, wenig. Etwas Festes hat sich damals nicht ergeben, zu viel Alk, Dope und Eitelkeit vielleicht. Ich habe auch nicht händeringend danach gesucht, ich wollte Champagner, keinen Hagebuttentee.

Die größte Überraschung war Benji. »Der Typ ist doch aus einem amerikanischen High-School-Movie rausgefallen!«, hatte ich immer gespottet. Leichtathlet, die weißesten Zähne nördlich der Alpen und – nach Pferden – das beliebteste Lebewesen bei den Mädels. Und genau der suchte meine Nähe. Er lud mich in den leicht veralgten Swimmingpool seiner Eltern ein, besorgte mir über Connections ein billiges Notebook, interessierte sich für meine Zukunftspläne. Ich schwöre, ich hab's nicht gemerkt, bis Benji mich eines Abends so flatterig anguckte. Und selbst dann brauchte ich es ausgesprochen: »Ich bin schwul. Ich habe mich in dich verliebt.« Kein Akt, ich habe nichts gegen Schwule. War aber trotzdem ein komisches Gefühl, als er seine Hand auf meinen Unterarm legte. So sanft wie möglich hab ich sie weggeschoben und gesagt, dass ich nicht so bin. Ich habe versprochen, nichts zu verraten, und mich daran gehalten. Manchmal überlege ich, wie es gewesen wäre, wenn ich ihn hätte machen lassen. Ich meine, der Typ war schöner als alle Frauen, die ich je gesehen habe.

Diese verrückte Zeit hat mir echt zu denken gegeben. Wie konnte es sein, dass ein und derselbe Mensch, dasselbe Konglomerat aus DNS, Erfahrung und Verhalten, schlagartig so anders wahrgenommen wird? Jahrelang »der Böhm«, aber weil das bisschen Druckerschwärze mit »Gregor Böhm« gezeichnet war, hatte ich jetzt nicht nur einen Vornamen, sondern eine ganz neue Persönlichkeit. Zuerst war ich überzeugt, immer noch der alte zu sein, aber die anderen hatten mich längst neu erfunden. Ich ließ ihnen nicht nur den Glauben, sondern verhielt mich auch danach.

Interessant wurde das Phänomen, wenn man es bis ans Ende dachte. Wenn nicht nur mir so etwas passierte, mussten alle mit anderen Augen gesehen werden. Möglicherweise führte der Mann, der den Laden mit asiatischen Messern betrieb, ein Leben als Auftragskiller. War die wabbelige Frau von schräg gegenüber, tagaus, tagein mit ihren beiden Terriern unterwegs, in Wirklichkeit eine talentierte Malerin? Und handelte es sich bei der drallen Rothaarigen vom »Eissalon Zanelli« (streng genommen) wirklich um eine Frau? Mir wurde schwindelig: Wenn ganz unauffällige Menschen immense Geheimnisse und Talente in sich bergen konnten, musste auch der Umkehrschluss gelten. Woher eigentlich wusste ich, dass der vielgelobte Außenminister eine weltweit anerkannte Autorität war und nicht ein Sprücheklopper? Wer gab mir die Garantie, dass der Komiker, den ich so witzig fand, seine Pointen selbst schrieb? Und ganz zu Ende gedacht: Musste ich diese neu entdeckten Fragen nicht auch auf mich selbst anwenden?

Damals war es mir nicht bewusst, aber diese Fragezeichen sollten die Basis meines zukünftigen Berufs bilden. Menschen sind für mich immer noch ein Bündel Eventualitäten, tragen ein buntes Federkleid, selbst wenn sie auf den ersten Blick räudig aussehen. Außer bei den Artikeln für die Miete bin ich so immer an meine Arbeit rangegangen: eine Person im Zentrum, Tabula rasa im Kopf, keine

Erwartung, höchstens die, dass alles, wirklich alles, ganz anders sein könnte.

Wie bei dem Turner von gegenüber, wer immer das auch war.

8 Wie ein sprechender Berg thronte der dicke Mann in seinem *Renzo-Piano*-Chefsessel und erwartete die Stellungnahme seines Vorstands für *Merger & Acquisitions*. Normalerweise kümmerte er sich als Vorstandsvorsitzender selbst um Fusionen und Großeinkäufe, aber man musste dem Nachwuchs Chancen geben, sich zu beweisen, zumal ihm zusätzlich eine M&A-Agentur beratend zur Seite stand. In rekordverdächtiger Geschwindigkeit hatte sich im Besprechungszimmer an der Londoner Canary Wharf ein unangenehmer Schweißgeruch ausgebreitet. Die beiden Konferenzetagen, entworfen von Rem Koolhaas und wie ein Tumor am siebzehnten Stock des Medienhauses hängend, mutierten vom späten Frühjahr bis zum frühen Herbst zu Andalusien, weil sie ganz aus Glas waren, selbst der Fußboden. Die eingeladenen drei Herren vom Vorstand und ihre jeweiligen Assistenten schwitzten aber nicht deshalb. Wenn Sir Geoffrey, Milliardär und Mischling (sein Vater stammte aus Mumbai), betont langsam seinen mächtigen haarlosen Schädel wie eine Überwachungskamera rotieren ließ, bedeutete das höchste Gefahrenstufe.

»Ich hoffe, Sie nehmen es mir nicht übel«, wandte er sich an Ralph Collins, »wenn ich Sie daran erinnere, dass Sie die Deutschen daran erinnern mögen, nicht so gottverdammt effizient zu sein!«

Dr. Collins, zutiefst davon überzeugt, sein Boss habe schon als Erstklässler eine Glatze gehabt, musste sich zwingen, nicht sein edles Notebook auf den Boden zu schmeißen und vor Wut darauf herumzutrampeln. Sein »Vergehen« war sehr spezieller Natur: Er wurde zum Schlachthof geführt, weil die deutsche Senderkette, die sie vor zwei Jahren handstreichartig übernommen hatten, in den letzten drei Quartalen einen Quotenzuwachs von zwei Prozent zu verzeichnen hatte! Collins setzte seine *Cerruti*-Brille ab und fuhr sich durchs Haar. Nach seiner Theorie schätzte der auf die Siebzig zugehende Sir Geoffrey hungrige Jungwölfe, also versuchte er, seinem Dilemma mit jungenhafter Chuzpe zu entkommen: »Oh, Sie kennen doch diese Deutschen! Wenn die Anforderung lautet, die Bilanzen zu verbessern, nehmen sie das wörtlich – in sämtlichen Bereichen!«

»Die Kartoffeln sollen beim Fußball gewinnen, sonst nicht!«, zischte Sir Geoffrey. »Wenn ich mich recht entsinne, war die Gewinnprognose für Phase eins unserer deutschen Operation klar definiert: Steigerung des Gewinns um siebeneinhalb Prozentpunkte.« Er beugte sich leicht vor und erhob jetzt doch die Stimme: »Gewinnsteigerung durch erhöhte Wer-be-ein-nah-men! Was genau daran haben Sie nicht verstanden, mein Lieber?«

Der Finanzvorstand wollte Collins beispringen, doch der winkte ab: »Die eingeleiteten Restrukturierungsmaßnahmen greifen, wir werden unser Ziel mittelfristig erreichen. Die drei Sender haben deutlich an Profil gewonnen.«

»Und genau das ist unser Problem. Mich interessiert nicht, ob der Marktanteil unserer deutschen Sender zulegt! Mich interessiert nicht, was für ein Programm den Deutschen vorgesetzt wird! Mich interessiert, ob die Zuschauer *jung* sind, attraktiv für unsere Werbekunden. Ich will die Agenturen schalten sehen: Handys! Erfrischungsgetränke! Würste meinetwegen!«

»Selbstverständlich«, sagte Collins.

Sir Geoffrey lehnte den Kopf zurück und atmete hörbar aus. Collins war in Ordnung, der Junge würde es weit bringen. Und er würde aus dem Anschiss die richtigen Schlüsse ziehen. Irgendjemand hatte heute Mittag dran glauben müssen, zu groß war die Enttäuschung am Frühstückstisch gewesen, als der Herr Sohn verkündete, sich aus der Firma zurückzuziehen. Künstler wollte er werden! Künstler! Mit Kunst machte man Geschäfte, schlimmstenfalls sammelte man sie, aber man machte sich doch nicht von ihr abhängig! Der gute Adrian hingegen würde das, wie so vieles andere, wohl nie begreifen. Aber back to Business: »Ich sehe die Notwenigkeit, Ihnen noch einmal die langfristige Strategie für unser Deutschland-Engagement ins Gedächtnis zu rufen.« Er schlug nun einen versöhnlicheren Ton an, das furchtsame Gesicht von Collins hatte seine Laune erheblich verbessert. »Erstens: Gewinnmaximierung durch eiserne Kostendisziplin. Zweitens: Reduzierung des Humankapitals. Drittens: Outsourcing der Eigenproduktionen. Viertens: Nachverhandlungen der Verträge mit Fremdproduzenten. Ich will einen schlanken Konzern, nur noch Zeit- und Projektverträge, keine Formate, die nicht parallel über DVDs, Spielkonsolen, Downloads, Internet oder wenigstens Telefon Zusatzgewinne und Synergieeffekte produzieren. Dann – in einem Zeitfenster von fünf bis sieben Jahren – Veräußerung. Mit Gewinn, Dr. Collins, mit großem Gewinn!!« Sir Geoffrey lachte, bis ihm eine Schweißperle direkt von der Stirn ins Auge lief.

•

»Ah, Herr Minkoff, eine Freude, Sie zu sehen! Guten Tag auch! Wie geht es Ihnen?« Der Zwerg war auf ihn zugeschossen und drückte ihm so fest die Hand, dass sein Silberring sich schmerzhaft ins Fleisch presste.

»Mir geht es immer gut.«

Mit athletischem Lächeln setzte der Zwerg sich über

Simons ironischen Unterton hinweg und boxte ihm in den Bizeps. »Zwerg« war der unoriginelle Spitzname für den Intendanten, der inklusive Budapester Schuhe höchstens 168 Zentimeter maß. Er wurde allerdings nicht ohne Ehrfurcht benutzt, denn jeder im Haus wusste, wie angsteinflößend der Zwerg von unten auf einen herabschauen konnte. Der Mittvierziger mit den verblüffend weißen Haaren war gebürtiger Holländer und hatte von seinem Volk nicht nur den irreführend putzigen Akzent mitgebracht, sondern auch eine beeindruckende Geschäftstüchtigkeit gepaart mit Kaltschnäuzigkeit. Seit Jahrhunderten hatte das kleine Land nicht nur übermächtigen Nachbarn und einer gefräßigen See getrotzt, sondern sich mit den modernen Zaubermitteln Welthandel und Finanzen einen soliden Specknacken zugelegt. Kein Volk Europas war so findig bei neuen Geschäftsideen, so gewitzt in der Abschöpfung europäischer Fördertöpfe, so hart in der Durchsetzung von Ansprüchen. Das Erfolgsgeheimnis Hollands wie des Zwergs lag darin, die gelegentlich hemmungslose Geschäftstüchtigkeit mit einer gemütlichen Fassade zu camouflieren. Zu nett die Durchschnittsgesichter, zu locker der kumpelige Umgang! Wie leicht man mit offenem Lachen und schnellem »Du« Konkurrenten einlullen konnte!

Auch Simon hatte eine Weile gebraucht, um zu begreifen, dass der Zwerg nicht nur ein eiskalter Geschäftsmann, sondern auch ein eiskalter Mann war. Niemand hatte je herausgefunden, ob sein zur Schau getragener Enthusiasmus echt war. Es gehörte zu seinem Image, dem einen Moderator selbst nach schlimmem Misserfolg eisern die Treue zu halten, während er den anderen bei der ersten halbgaren Quote feuerte. Die Fähigkeit, Undurchsichtigkeit als Joker einzusetzen, war seine erfolgreichste Strategie. »Ich muss schnell zum Filmmarket in L. A.«, rief er laut, »aber wenn ich zurück bin, Lieber, müssen wir unbedingt mal über den Samstagabend reden!«

»Samstagabend?«, war alles, was Simon dazu einfiel.

»Ach, ich glaube die Zeit ist eben wieder reif für große Samstagabendunterhaltung! Ich rieche das! Moderner natürlich, frischer. Und Sie«, hier haute er Simon mit fast bösartigem Nachdruck auf die Schulter, »und Sie wären phan-tas-tisch für die Job!«

»Äh, ja?« Simon hätte sich in den Hintern beißen können. Nicht zum ersten Mal brachte der Zwerg ihn aus der Fassung. Doch der schwang sich schon in den Rücksitz seiner schwarzen BMW-Limousine.

Der Samstagabend war mal die Königsdisziplin gewesen, der Abend, an dem sich die ganze Familie vor dem Bildschirm versammelte. Das hatte funktioniert, bis die Privatsender die Ära des Kollektiverlebnisses TV beendeten. Doch obwohl der große Samstagabend für immer verloren war, träumten alle Programmacher davon. Simon auch. Mit kühlem Kopf wusste er: Zuschauer- und Senderstrukturen erlaubten keine Rückkehr in die Kinderstube des Fernsehens. Alle Versuche gescheitert, die Primetime am Samstagabend der perfekte Karrierekiller. Und dennoch stand Simon zwischen zwei dünnen, frisch gepflanzten Linden vor der läppischen Fassade des Senders und hörte das Blut in seinen Ohren rauschen. Warum die ganze Aufregung? Das Fernsehen suhlte sich seit geraumer Zeit in den Wonnen der Intimität. Auf den heiligen Gesetzestafeln der Programmgestalter standen die Begriffe: Emotion und Identifikation. Die Menschen, so die Diagnose, schauten nur noch aus zwei Gründen: »So bin ich!«, wollten sie sagen. Oder: »So bin ich nicht!« Der übergewichtige Alkoholiker auf dem Sofa sieht den übergewichtigen Alkoholiker auf dem Sofa, der regelmäßig seine Frau prügelt, und fühlt sich gleich besser.

Die Schlagschatten der magersüchtigen Lindenbäumchen sahen in der hoch stehenden Mittagssonne wie Speere aus. Simon zündete sich eine Zigarette an. Er saugte den

Rauch in die Lungen, stieß ihn durch die Nase wieder aus und schüttelte den Kopf. Was für ein Sozialkitsch! Als folgten gewöhnliche Progammmacher einem sinistren Generalplan, wie man die Menschheit um Geld und Seele brachte. Letztendlich machten die Zuschauer ihr Programm selbst. Der dicke, zynische Chef der Konkurrenz hatte es schon tausend Mal verkündet: »Wenn die Leute in Massen Kultur sehen wollen, senden wir ab sofort Kultursendungen rund um die Uhr!« Simon nahm noch einen Zug, starrte blicklos in die Glut, trat dann penibel die Zigarette aus. Wie peinlich er war! Fing schon Feuer für ein noch nicht einmal halbgares Angebot. Wie verführbar, wie eitel. Ein wenig Selbstgeißelung, und schon ging es ihm besser. Mit festem Schritt kehrte er in die Redaktionsräume zurück.

Nie wieder hatte der Zwerg mit ihm über den Samstagabend gesprochen. Simon war davon überzeugt, er habe nicht nur in Rennfahrermanier seine Macht demonstrieren, sondern ihm, Simon, auch mit Genuss vorführen wollen, wie geltungssüchtig er in Wahrheit sei. Munition für seine Einschätzung fand er in einer Sitzung mit der Programmleitung. Normalerweise wurde er etwa zwei Mal im Jahr vorgeladen. Man kritisierte ihn, mäkelte über Sendungsinhalte, die er maßgeblich mit beeinflusste, mahnte bessere Quoten an und größere Einsparungen. Anfänglich hatte Simon dieses Vortanzen noch ernst genommen, doch im Lauf der Jahre war ihm klar geworden, dass die höflichen Tribunale bei Saft, Keksen und Obstsalat einem anderen Zweck dienten: Erfolgreiche Moderatoren wurden schnell zu übermütig. Sie kamen mit völlig überzogenen Geldforderungen und verlangten bei allen Entscheidungen das letzte Wort. Bei einem Moderator wie Minkoff, der sich stets mit Händen und Füßen gegen langjährige Exklusivverträge gewehrt hatte, kam noch die Angst des Überlaufens hinzu. Doch irgendetwas war diesmal anders, seit der letzten »Besprechung« waren erst drei Monate vergangen.

Sorgfältig hatte er morgens darauf geachtet, keinen Anzug von *Armani* oder *Paul Smith* auszuwählen. Die Herrschaften hassten es, wenn Mitarbeiter besser gekleidet waren als sie. In die Redaktion kam er meist in Jeans und Hemd, aber bei Treffen mit Vorgesetzten hielt er es für angeraten, die allgemein akzeptierte Rüstung anzulegen, einen nicht zu billigen und nicht zu teuren Anzug von *BOSS*. In Jeans begab er sich nur nach oben, wenn ein Quotenerfolg zu feiern war. Dann sollte die Kleidung zeigen, wie hart er arbeitete.

Oben angekommen, begrüßte ihn eine muntere Empfangsdame, die wegen ihrer mandarinfarbenen Haare von allen nur Pumuckl gerufen wurde. Sie hatte sich auf eine gesunde Art mit der Tatsache arrangiert, pur aus Dekorationsgründen hier zu sitzen. Es gab nicht mehr zu tun, als die Besucher zu bezaubern und nach links zur Geschäftsführung oder rechts zur Programmleitung zu dirigieren. »Vorzimmerverkehrspolizistin« nannte sie das.

»Na, Pumuckl«, rief Simon und kniff ihr ein Auge. »Was sagt das Orakel: Geschäftsführung, Programmleitung oder beides?«

»Die gute Nachricht zuerst? Keine Geschäftsführung! Ist auf Dienstreise!«

»Och«, tat Simon enttäuscht.

»Ich war noch nicht fertig!«, drohte Pumuckl mit dem Finger. »Keine Geschäftsführung, dafür aber der Programmchef *und* der Unterhaltungschef *und* der Marketingchef!«

»Zuviel der Ehre!«

»Du weißt ja, wo's lang geht!« Sie zuckte bedauernd die Schultern und wies auf die gepolsterte Doppeltür zu ihrer Linken. »Viel Glück!«

»Ach, Herr Minkoff, die Herren warten schon!« Die Sekretärin des Programmchefs, doppelt so alt wie Pumuckl und halb so nett, brachte es fertig, Simon mit breitem Lächeln schmallippig zu begrüßen. Geschwind schlüpfte er durch die Tür, die sie ihm gerade noch aufhalten konnte.

Mit schnellem Blick prüfte er Stimmung wie Lage. Der Programmchef saß mit einer Unterschriftenmappe hinter dem Schreibtisch und setzte sein Kürzel unter Papiere. Hans Dornbracht, der durchtrainierte Unterhaltungchef, sowie Marketingleiter Marc Helsing hockten am gläsernen Konferenztisch, Dornbracht gelangweilt zurückgelehnt in einem der ledernen Freischwinger, Helsing über Papiere gebeugt, wahrscheinlich einige seiner geliebten Diagramme. »Ich hoffe, ich habe Sie nicht warten lassen«, sagte Simon leger und drückte den Dreien statusgemäß die Hand. Programmchef Guntbert Wilms schaute mit verdruckstem Lächeln hoch. Wenn Simon es recht bedachte, hatte er ihn kaum je anders als mit dieser Mischung aus Überarbeitung, Schüchternheit und Weltekel gesehen. Das Erkennungszeichen des großen, hageren Mannes waren braune und dunkelblaue Strickpullunder, die er unter dem Jackett trug. Seine Erscheinung täuschte leicht darüber hinweg, dass er ein Mann harter Entscheidungen war. Bei ihm konnte es vorkommen, dass nach drei chirurgisch präzisen Sätzen Köpfe rollten.

»Nehmen Sie doch Platz!« Er war kaum zu verstehen, als er sich mit leichtem Ächzen aus dem Chefsessel stemmte. Nicht zum ersten Mal überlegte Simon, wie der für einen Programmchef so untypische Mann an seinen Job gekommen war. Er hatte sich als politischer Journalist einen Namen gemacht, schien aber mit sechzig zu alt für seinen ersten Chefposten, in seinem Karriereverlauf zu öffentlich-rechtlich und seiner Konstitution nach zu sensibel zu sein.

»Wie haben wir bei der letzten Sendung abgeschnitten,

Herr Minkoff?«, eröffnete Wilms das Gespräch, eine Frage, die ihm die Anwesenden offensichtlich längst beantwortet hatten.

»Zwei Komma drei Millionen, elf Komma neun Prozent in der Zielgruppe«, sagte Simon neutral.

»Na ja, bei der Konkurrenz gab es einen Spielberg-Film als Free-TV-Premiere«, sprang Helsing ihm bei. Der smart frisierte Marketingleiter war von so gelungener Aerodynamik, dass Simon sich nach Treffen mit ihm schon fünf Minuten später nicht mehr an sein Gesicht erinnern konnte. Aber bisher hatte er sich als erfrischend loyal erwiesen, und sei es nur, weil *MM* zu den gut zu vermarktenden Formaten des Senders gehörte.

»Das ist von, sag ich mal, begrenzter Aussagekraft«, schnappte Dornbracht. »Der Spielberg hatte mit seinen Actionsequenzen das männliche Publikum unter dreißig im Fokus. Wir sind mit *MM* frauenaffiner, also hätte der Share ein bis zwei Prozent höher liegen müssen!« Mit imperialer Geste fuhr er sich über den rasierten Schädel, der einer Glatze zuvorkam. Er hatte es mit neunundzwanzig zum Unterhaltungschef gebracht und nie einen Zweifel daran gelassen, Minkoff für eine Lusche zu halten. Im Grunde, dachte Simon, arbeitet der nicht beim Fernsehen, er lebt es: Der Schein siegt über das Sein, oder, wie Dornbracht es formuliert hätte: »Look schlägt Content.« Auch aus diesem Grund stand Simon bei ihm auf der Abschussliste: Weil er die magische Grenze von vierzig überschritten hatte, knapp nur, aber immerhin, würde er für die Zielgruppe bald zu den alten Säcken zählen.

»Wir müssen über Zahlen reden«, fuhr Dornbracht fort. »Zahlen sind für uns das Wichtigste, nicht der Content. Content interessiert nicht! Notfalls muss man es jedem in diesem Haus eintätowieren: Programm ist nur dazu da, Werbeslots zu verkaufen. Anders gesagt: Das Programm ist die Werbung, die Werbung für die gebuchten Spots!«

»Sehr motivierend«, bemerkte Simon trocken, während eine Ader unter seinem linken Auge zu pochen begann.

Dornbracht stellte sich taub: »Also Zahlen. Mit *MM* sind wir sehr zufrieden, aber die Sendung muss zwanzig Prozent billiger werden, sag ich mal.« Er machte eine Pause, damit Simon protestieren konnte, doch der hielt sich bedeckt. »Das exakte Sparpotential wird noch zu eruieren sein, aber wir könnten schon mal damit beginnen, Ihren Talkgästen kein Honorar mehr zu zahlen.«

»Was?« Jetzt klang Simon doch alarmiert.

»Die Leute haben alle etwas zu promoten, wir verschaffen denen eine Plattform nationwide, und ich sehe nicht ein, auch noch dafür zu bezahlen.«

»Was?« Simons Ader schwoll an.

»Wir sind von London gehalten, die Produktionskosten drastisch zu reduzieren. Bei den Soaps haben wir beispielsweise die Schauspielerhonorare um vierzig Prozent gekürzt. Geht ganz gut, weil die zwar weiterhin das gleiche Geld kriegen, ihre Arbeit aber in der Hälfte der Zeit erledigen müssen.«

»Erstens«, erklärte Simon mit kleinem Beben in der Stimme, »haben meine Gäste nichts zu promoten, sie sind nicht prominent, wenn ich daran erinnern darf. Zweitens kann ich dieses mantraartige billiger, billiger, billiger nicht mehr hören! Diese Gier nach …«

»Meine Herren!«, griff Wilms widerwillig ein. »Beruhigen Sie sich. Über Sparpotentiale werden wir wohl oder übel sprechen müssen, aber nicht jetzt. Unser Focus gilt etwas anderem. Sie wissen, dass mir die inhaltliche Ausrichtung des Senders näher liegt als eine Betrachtung allein durch Quotendiagramme, aber wenn ich die Zahlen, die mir die Herren vorgetragen haben, richtig deute, hat *MM* noch ungenutztes Potential!?«

Helsing schob sich einen Keks in den Mund, Dornbracht verzog keine Miene.

»Bitte schön, für Quotensteigerungen bin ich immer zu haben!«, behauptete Simon fix.

Wilms, der sich die Finger nicht schmutzig machen wollte, erteilte seinem Unterhaltungschef mit einem kaum merklichen Nicken das Wort. »Emotionalisierung! Fokussierung! Popularisierung!« Dornbracht sprach gern im Fettdruck. »Wir haben beim letzten Relaunch nicht umsonst die Doku-Soap übers Fremdgehen vor *MM* gesetzt. Der audience flow sollte so gestärkt werden, aber dann, sag ich mal, muss Minkoff die Leute auch da abholen, wo sie sind. Wenn der aber meint, die Sendung mit einem Mongo openen zu müssen, darf er sich nicht wundern, wenn die Zuschauer flöten gehen!«

»Down-Syndrom«, bemühte Simon sich, Ruhe zu bewahren. »Die Frau leidet unter dem Down-Syndrom! Es ging uns darum, zu zeigen, dass man sich mit solchen Menschen sehr wohl unterhalten kann und dass sie sogar über eine große Portion Humor verfügen.«

»Und außerdem war die Alte hässlich wie die Nacht!«, schnappte Dornbracht.

Wilms studierte angelegentlich die Spitzen seiner Schuhe.

»Ich werde in Zukunft darauf achten«, beschied Simon kühl. »Behinderte nur noch jung, hübsch und mit großen Brüsten!«

»In der Verlaufskurve hat uns die … Behinderte keinen Quoteneinbruch gebracht«, versuchte Helsing die Wogen zu glätten. Er hatte die Einschaltkurve in Minutenschritten in die Tischmitte geschoben, aber niemand interessierte sich dafür.

»Ich weiß gar nicht, was gegen hübsche Gesichter und gute Titten zu sagen ist«, nahm Dornbracht sein Lieblingsthema wieder auf. »Ein paar mehr davon, und Sie kriegen vierzehn, fünfzehn Prozent in der Zielgruppe!«

Wilms sog Luft zwischen den Zähnen ein, als plage ihn ein stechender Schmerz.

Simon goss sich betont langsam ein Glas Orangensaft ein: »Ihr Quotenallheilmittel ist bekannt«, sagte er gedehnt, nachdem er einen Schluck genommen hatte. »Dann stopfen wir also die Sendung voll mit krakeelenden Prolls, die gegen Geld erfundene Storys zum Besten geben, heben Crime und Schicksalsschläge unter und garnieren das Ganze mit einer kräftigen Prise Porno!«

»Sie haben doch ganz gut verstanden«, parierte Dornbracht. »Ich sage mal, weniger Volkshochschule, lieber Kollege, wäre Gold für Ihre Marktanteile! Ich habe dazu eine Tischvorlage mitgebracht.« Aus seiner Umhängetasche, die an der Stuhllehne baumelte, zog er drei Dossiers hervor und reichte sie den Anwesenden.

»Wir generieren unsere Werbeerlöse in der bei uns besonders ausgeprägten jungen und konsumaffinen Zielgruppe. Hier nun deren Sehgewohnheiten, die nach unserer Evaluation so aussehen: junger Look in allen Aspekten – Set, Grafik, Musik, Moderation! Dann: Tempo! Keine Gespräche über fünf Minuten, sonst hockt unsere Zielgruppe längst vorm PC! Wir sollten auch überlegen, den Talk mit Einspielfilmen zu unterbrechen. Außerdem: Griffiger Content! Kein Sozialschmalz, sondern Themen, die auf Lifestyle plus Service zielen, ein spektakulärer Unfall beim Surfen etwa mit anschließenden Tipps für die perfekte Surfausrüstung. Und am wichtigsten: Themen, Präsentation, Gäste – alles muss sexyer werden! Also: Keine Gäste über dreißig, und wenn über dreißig, nur attraktives Material!«

Makellos ins Ziel gebracht. Es bestand kein Zweifel, dass Dornbrachts Vorstoß gut geprobt war. Währenddessen hatte Simon unbeteiligt in der Tischvorlage geblättert. Die Buchstaben tanzten vor seinen Augen. Er blätterte nur, um seine Hand davon abzuhalten, Dornbracht ins Gesicht zu schlagen. Die Überraschung, die Empörung, die Wut in dessen Augen – das musste herrlich sein! Er hatte

Lust, seinen inneren Wolf von der Kette zu lassen, sehnte sich danach loszubrüllen, die Schale mit den blöden Keksen an die Wand zu pfeffern und Dornbracht herzhaft in die Eier zu treten. Diesem Erfolgsmodell gegenüber kam er sich entsetzlich altbacken vor. Allein die Vorstellung, etwas zu wollen, eine Haltung anzustreben, galt den Dornbrachts dieser Welt als Ausweis kompletter Verblödung.

»Ich will ausnahmsweise nicht über Inhalte reden«, begann er mit beherrschter Stimme. »Lassen Sie uns ruhig bei Quoten und Werbeeinbuchungen bleiben. Geschenkt: Wir sind Teil des Marktes, und wer das nicht aushält, muss bei den Öffentlich-Rechtlichen anheuern. Aber auch die bezahlen ihre Rechnungen nicht mit schönen Worten, sondern mit Geld.«

»Ja, und?«, drängelte Dornbracht.

»Ein ökonomischer Grundsatz lautet, dass man Marktlücken ausfindig machen und besetzen muss. Genau wie Duschgel brauchen Sendungen ihr Alleinstellungsmerkmal!« Mit einem charmanten Lächeln Richtung Helsing: »*Unique Selling Point* in Ihrer Stammessprache!«

»Ich sehe noch nicht, worauf Sie hinauswollen«, mischte Wilms sich ein. Wie so oft schaute er dabei niemanden an, seine Sätze schienen vage durch den Raum zu wabern.

»Ich will darauf hinaus, dass es nichts bringt, die Konkurrenz zu kopieren, indem wir unser Niveau auf Schamhaarhöhe senken. Das können die anderen sowieso besser!«

»Werden Sie jetzt heimlich von der Konkurrenz bezahlt?«, versuchte Helsing einen Scherz, ordnete sein Gesicht aber sofort wieder, als niemand auf seinen Ton einstieg.

Dornbracht zog an seinen Fingern und ließ sie knacken. »Wir brauchen ein Formattuning und könnten mit den von mir skizzierten Maßnahmen ein Plus von drei bis vier Prozent schaffen.«

Simon gab sich ungerührt. »Wenn wir mit MM voll auf Boulevard setzen, werden wir zwar ein Zuschauersegment dazu gewinnen, die Vielseher aus der Unterschicht, aber einen Großteil unserer Stammseher verlieren. Wer garantiert uns – Betonung auf garantiert –, dass wir nicht ein anerkanntes, preisgekröntes Format runterwirtschaften, um zum Schluss eine Sendung mit bestenfalls gleicher Quote zu haben, nur leider ohne Renommee?«

»Garantie! Garantie! Wir sind doch kein Liegenschaftsamt!«, schimpfte Dornbracht. »Davon abgesehen, wollten wir nicht über Wertigkeit reden, sondern über suboptimale Marktanteile, also über eine Steigerung des Erlöses!«

»Wertigkeit, wie Sie sich ausdrücken, Wertigkeit und Steigerung des Erlöses sind keine Antipoden.« Simon fühlte, wie etwas in der Nähe seines Solarplexus' sich löste. Auch wenn er nicht genau wusste, wo seine Sätze landen würden, schlichen sich Gottvertrauen und Chuzpe in seine Worte. »Gut, dass Herr Helsing bei uns ist«, fuhr er fort und lächelte den Marketingleiter an. »Wenn ich es recht sehe, ist für das gehobene Segment ein … äh … wertiges Umfeld unabdingbar, nicht wahr?«

»Sicher!«, stimmte Helsing zu. »In unsere Boulevard-Formate sind jeweils die entsprechenden Konsumartikel eingebucht: Alkoholika, Tiefkühlkost, Klingeltöne und so weiter. Die Vermarkter gehobener Produkte bestehen natürlich auf einem gehobenen Programmumfeld. Über den Erlös sagt das erst mal nicht viel, außer wir erweitern den Blick über einzelne Werbeblöcke hinaus.«

»Das heißt?«, reagierte Wilms, der im Gegensatz zu seinem Gesicht nicht eingeschlafen war.

»Die Zeiten sind vorbei, in denen die Agenturen so viel geschaltet haben, dass wir problemlos vom unteren bis mittleren Segment leben konnten. Wir brauchen das gehobene Segment zur Komplettierung und als Puffer. Nicht zu vergessen: Hochwertige Produkte verbessern unser

Image. Kooperationen mit Luxusmarken – Stichwort: Gewinnspiele, Give-aways, Sondereditionen mit unserem Logo – sind beim Publikum heißbegehrt.«

»Summa summarum?«, fragte Wilms.

»Das heißt, dass wir für unsere First-Class-Kunden ein adäquates Programmumfeld brauchen!«

»Falls nicht?«

»Ab einem bestimmten Punkt des Niveauverlusts – zu viel Sex, zu viel Gewalt, vulgäre Sprache – werden die Einbuchungen storniert. Das gilt besonders für die konservative Autobranche. Wenn man die erst mal verloren hat, ist sie nur schwer zurückzugewinnen.«

Einen Moment lang herrschte Stille. Dornbracht machte auf entspannt und lehnte sich bequem zurück. Die Tatsache, dass er Helsing nicht in die Parade fuhr, gab Simon Hoffnung. Helsing hatte bravourös den Part gespielt, den er ihm zugedacht hatte. Er würde sich dafür revanchieren müssen. Ein paar Werbekunden bauchpinseln, sich mit Vorständen fotografieren lassen und deren Frauen beflirten. Aber das war es wert. Doch noch hatte das große, dürre Orakel nicht gesprochen. Wilms setzte sich für seine Verhältnisse aufrecht hin und legte die Fingerspitzen aneinander. »Ich gebe Herrn Dornbracht recht«, sagte er noch leiser als sonst. »Es ist zwar ein beklagenswert hässlicher Ausdruck, aber ein Formattuning könnte *MM* nicht schaden.«

Verloren auf ganzer Linie. Simon empfand weder Enttäuschung noch Entsetzen, eher Erleichterung. Erleichterung und eine kleine, wilde Freude, von der er weder Grund noch Richtung kannte. Sie war deutlich spürbar, schmeckte äußerst privat, intim fast. Auf den Medienstrich würde er nicht gehen, die Frage stellte sich nicht, eher würde er kündigen. Über Simons Gesicht zog am Ende dieser Besprechung ein unvermutet breites Grinsen, das ihn selbst am meisten überraschte. Dornbracht hob irritiert eine Braue. Auch Wilms taxierte ihn. Helsing schaute von einem zum anderen und vergaß, den Mund zu schließen.

Mit einem winzigen Seufzer hob Wilms wieder an: »Je mehr Spartensender sich entwickeln – und alle Zeichen deuten darauf hin, dass wir ein hohes Maß an Spezialisierung erleben werden –, desto gewissenhafter müssen wir an unserem Profil feilen.« Er schien zu seiner Kaffeetasse zu sprechen. »Für eine programmprägende Sendung wie *MM* heißt das, die Stellschrauben gewissermaßen neu zu justieren. *MM* bringt als inhaltsbasiertes Format Akzeptanz wie Reputation. Ich erwarte für einen Relaunch nach der Sommerpause die Zuspitzung von Themen, allerdings nicht ins Boulevardeske, sondern als Vertiefung und Erweiterung von Inhalten.«

Simons Eingeweide fuhren Achterbahn. Am liebsten wäre er aufgesprungen und wie Rumpelstilzchen mit wildem Triumphgeheul durch die Chefetage gehüpft. Wilms erhob sich. »Aber täuschen Sie sich nicht, Herr Minkoff«, sagte er und schüttelte Simon zum Abschied die Hand. »Mit neuer Studiodeko und ein paar kosmetischen Änderungen ist es nicht getan. Ich erwarte ein durchdachtes Konzept!« Simon meinte, ein bösartiges kleines Lächeln zu entdecken, als er hinzufügte: »Sollte die Quote drei Wochen in Folge unseren Erwartungen nicht entsprechen, kehren wir sofort zum althergebrachten Verfahren zurück, und unser Gespräch hat nie stattgefunden. Haben wir uns verstanden, meine Herren?«

»Selbstverständlich«, bestätigte Dornbracht, in dessen Augen ein Funke Hoffnung aufglühte.

9 »Kack die Wand an, hör mit dem Mist auf!«, schrie Simon und rüttelte an der Badezimmertür des Fünf-Sterne-Hotels. Vivian war nicht kreischend ins Bad gerannt, hatte nicht die Tür hinter sich zugeknallt und keinen Heulkrampf bekommen. Aber es fühlte sich so an. Wie sie mit madonnenbleichem Gesicht und zusammengekniffenen Lippen ins Bad geflohen war, hatte es auf ihn den gleichen Effekt. Ihre Art, ihn so zu brüskieren, dass letztendlich *er* sich schuldig fühlte, verfing diesmal allerdings nicht. Warum schloss sie sich ein? Warum schon wieder dieses Theater? Warum ausgerechnet heute? Dabei hatte er die Sache gewieft eingefädelt: Wohl wissend, wie verhasst ihr Überraschungen waren, hatte er vor Wochen schon damit begonnen, sie scheibchenweise auf den heutigen Abend vorzubereiten. Vor einer Woche hatte er ihr dann das Versprechen abgenommen, ihn zu begleiten, genauer: ihm zur Seite zu stehen. Und nun das. Am liebsten hätte er die Tür eingetreten und ihr einen Satz Ohrfeigen verpasst, aber das würde die nächsten Stunden auch nicht leichter machen.

Der Abend war wichtig für ihn, und so sehr er sich darauf freute, fürchtete er sich auch. Man hatte ihn für die Moderation des Bayrischen Fernsehpreises gebucht, nicht gerade die Oscars, aber für einen Moderator des Privatfernsehens ein kleiner Ritterschlag. Selbstverständlich war er oft in den Sendungen der Öffentlich-Rechtlichen zu Gast, das gehörte zum Job. Außer der miesen Bezahlung waren die Kontakte zu ARD und ZDF meist recht angenehm. Er verstand sich gut mit den Programmmachern, die im Durchschnitt gute fünfzehn Jahre erfahrener waren als die Coupéfahrer bei den Privaten.

Die Anfrage, den Fernsehpreis zu moderieren, war nicht nur eine unverhoffte Überraschung gewesen, sondern wohl auch ein Vortasten, ob er sich abwerben ließ. Simon hatte das Spiel um einen Wechsel nicht ohne Genuss betrieben. Allein das perplexe Gesicht von Dornbracht wäre es wert. Und *so* schlecht bezahlten die auch nicht mehr. Nachdem sie mindestens zehn Jahre verschlafen hatten, hauseigenen Nachwuchs hochzupäppeln, waren sie größtenteils auf den Pool der Privaten angewiesen. Das kostete. Strafgebühr gewissermaßen. Seit dem Großpalaver in der Chefetage war für Simon alles rund gelaufen. Er hatte sich beim Marktanteil wacker gehalten und die Sendung vor dem schlimmsten Boulevard bewahren können. Mission vollendet, bis er vor einem Monat schon wieder einbestellt wurde: »Doch, doch, ja, ja, alles super, vielen Dank, aber wäre mit etwas Öffnung ins Populärere, aber nur ein bisschen, ganz wenig, nicht doch mehr Quote zu holen? Und bestehe nicht die Gefahr, mit seinem dann doch leicht elitären Ansatz das Durchschnittsalter der Zuschauer zu sehr zu erhöhen? Ein Konflikt hier, ein Skandal dort, das erwarte die junge Zielgruppe heutzutage.«

Vielleicht hechelten die Öffentlich-Rechtlichen ja noch nicht so hemmungslos dem Mammon hinterher? Sicher, man hatte ihn vor der Beamtenmentalität gewarnt und dem Talent der dortigen Entscheidungsträger, keine Entscheidungen zu fällen. Aber die Quotenkeule sauste noch nicht so schmerzhaft nieder wie bei seinem Sender. Simons inneres Tier witterte Veränderung. Lampenfieber hatte er immer, aber heute lag seine Temperatur um einige Grad höher als normal. Genau deshalb brauchte er Vivian so sehr: nicht, weil es sich gehörte, sondern als Kraftquelle.

»Verdammte Kacke!«, zeterte er und bollerte noch einmal gegen die Badezimmertür aus Wurzelholz, die seine Schläge zu einem dünnen Pochen dämpfte. »Kannst du bitte *ein* verficktes Mal zu mir stehen? Mir ist nicht wohl, mir ist nicht wohl – was soll das denn heißen? Tut dir was weh?« Er war laut geworden, und es war ihm egal, wenn die anderen Hotelgäste ihn hören konnten. Ein letztes Mal schlug er mit der Faust gegen die Tür, aber Vivian gab keinen Mucks von sich. Wie oft hatte er dieses »Mir ist nicht wohl« schon gehört? Mit Geschrei würde er allerdings nicht weiterkommen, sie beherrschte sie zu gut, die Kunst, ihn auflaufen zu lassen. Schmerzlich hatte er gelernt, wie sie tickte: Wenn ich gleich nein sage, gibt's wochenlang Ärger. Also fahre ich lieber mit nach München und schütze kurz vor der Show Unwohlsein vor. Was will er schon machen? Ist zwar auch kein Zuckerschlecken, aber so geht der Terz schneller vorüber.

Warum brachten ihn Vivians Tricks immer noch zuverlässig zur Weißglut? Wäre es nicht erwachsener, ihr Gebaren einfach hinzunehmen? Dann allerdings stellte sich die Frage, ob Einsiedlertum und Beziehung nicht einander ausschlossen? Wozu brauchte sie ihn, wenn sie sich ständig verkroch? Als Wächter ihres Schneckenhauses? Vielleicht hatte er nicht klar genug ausgedrückt, warum ihm gerade heute ihr Beistand so wichtig war. Vorsichtig klopfte er noch einmal an die Badezimmertür: »Vivian? Sorry, wenn ich laut geworden bin, aber ich hatte mich so gefreut, dass du mitkommst. Ich habe mich auf dich verlassen.« Keine Reaktion. »Ich bin doch auch für dich da, wenn du mich brauchst!«

Aus dem Bad kam ein Schluchzen. »Tut mir so leid«, schniefte sie, »aber ich fühl mich einfach nicht wohl.«

Simon drehte sich um, ging zum Couchtisch, nahm den schweren Kristallaschenbecher zur Hand und schleuderte ihn in die gläserne Vitrine der Hausbar, deren Tür in tausend Stücke zerbarst. Dann griff er nach seinem Mantel, steckte Ablaufpläne, Moderationsunterlagen, Geld und zwei Schachteln Zigaretten in seine Umhängetasche. Als er die Juniorsuite verließ, schloss er die Tür mit äußerster Delikatesse

Schon vom Foyer aus sah er die Autogrammjäger vor der Hotelauffahrt lungern. Ein unberechenbarer Oktoberwind pfiff durch die Auffahrt, aber das schien ihnen nichts auszumachen. Er wäre lieber zum Urologen gegangen, als gut gelaunt Autogramme zu verteilen, aber er konnte seinen Arbeitstag nicht mit noch mehr Verweigerung beginnen. Für Simon waren diese Menschen, zutreffend Jäger genannt, schwer zu entziffern. Hatten die nichts Besseres vor? Mussten sie nicht arbeiten? Anders als bei Popstars waren es fast ausschließlich ältere Männer, die Autogramme von Fernsehgrößen sammelten, häufig Schwule, wie er vermutete. Im Grunde war es ihm schleierhaft, warum jemand soviel Aufheben um ein unleserliches Gekritzel machte. Vielleicht waren Autogramme ja eine moderne Variante des Reliquienkults. Oder betrachteten diese Leute seine Unterschrift als Fetisch? Fast eine halbe Stunde dauerte es, bis er sämtliche Autogrammwünsche erfüllt, für Fotos posiert und zwei Interviews gegeben hatte, eins für ein Regionalradio im Internet, eins für irgendein Katholenblatt. Dabei fiel ihm ein, dass er noch einen Fragebogen für den *Kölner Stadtanzeiger* ausfüllen musste, und er durfte nicht vergessen, seine Agentur zu bitten, dringend den Fototermin für die Kampagne gegen Rassismus zu verschieben. An diesem Tag eröffnete er schon eine Ausstellung zur ökologischen Stadtplanung. Nachdem er alle bedient hatte, winkte der Portier ihm ein Taxi heran. Es war nicht weit bis zum Veranstaltungsort, einem der üblichen Münchner Prachttheater.

Am Eingang zum Foyer stand ein glatzköpfiger Securitymann, Russe oder Ukrainer, dafür mit Schultern so breit wie sein Deutsch: »Iist geschloosen Gesellschaft!«

»Ich bin der Moderator des Abends. Ich muss da rein.«

»Niix rein. Fernseh da!«

»Toll bewachen Sie das!«, brauste Simon auf. »Aber wer schützt uns eigentlich vor Idioten wie Ihnen?« Er hatte keine Lust, lange zu diskutieren und stapfte zum größten der Übertragungswagen, die die gesamte Breite des Theaters einnahmen. Geladen stieg er die Aluminiumtreppe hoch und klopfte an die Tür der Regie. Ohne ein Herein abzuwarten, trat er ein. Auf sämtlichen Monitoren sah man den Theatersaal aus unterschiedlichen Kamerapositionen. Ein schlanker Mann gab gerade das Lichtdouble für den Ministerpräsidenten. »Ich brauche Hilfe!«, rief Simon in die Rücken der Regiemannschaft und schob gerade noch ein »Guten Tag!« nach.

»Tach.« Der Regisseur wandte sich um und gab ihm die Hand. Zum Aufstehen war es zu eng. Er war ein gehobenes Semester mit eisgrauem Knebelbart und trug die TV-Uniform von vorgestern: Rolli und schwarze Lederweste mit hundert kleinen Taschen.

»Die Bewachung des Theaters ist so effektiv, dass niemand reinkommt!« Simon versuchte witzig zu sein, aber der Regisseur verzog keine Miene. »Wären Sie so freundlich, der Redaktion Bescheid zu geben, dass mich jemand abholt.«

»Mmh.«

»Herzlichen Dank.« Simon öffnete die Tür des Übertragungswagens.

»Ist genug Zeit!«, rief ihm der Knebelbart hinterher.

»Alles in Verzug. Zuerst die Stellprobe, dann machen die Kollegen Pause.«

»Die sei Ihnen von Herzen gegönnt!« Simons Lächeln hätte es mit jedem Essig aufnehmen können. Kopfschüttelnd marschierte er zurück zum Theatereingang. Auf dem Vorplatz flog ihm schon Helma entgegen: »Da kommt ja endlich mein Lieblingsmoderator!« Bevor sie ihn in die Arme schloss, musterte sie ihn prüfend. »Ist außer dem übereifrigen Securitytyp was passiert?«

»Nichts, worüber wir jetzt reden müssten.« Simon zog eine Schnute, war aber trotzdem froh, für den Abend auf Helma als persönliche Assistentin bestanden zu haben. »Das ist nicht vorgesehen! Aus welchem Topf sollen wir die bezahlen? Wir können doch keine Festangestellten eines Privatsenders beschäftigen!«, hatte es geheißen, ein Vorgeschmack auf die berüchtigte Aktenvermerksdenke der Staatssender. Gegen ausgebufften Widerstand hatte er sie schließlich doch durchgesetzt.

»Was immer anliegt: In den nächsten Stunden wirst du es bestimmt nicht lösen.« Sie hakte sich bei ihm ein und führte ihn zur Freitreppe. »Konzentriere dich einfach auf die Tatsache, dass du der beste Moderator Deutschlands bist!«

»Und Du die schamloseste Person, die mir je untergekommen ist!« Helma brachte es immer wieder fertig, auch größeren Gewitterfronten beherzt in den Weg zu treten. »Ich habe schon gehört, dass alles in Verzug ist, weil hier offensichtlich noch das analoge Zeitalter herrscht. Also lass es uns nutzen und noch mal in Ruhe die Moderationen durchgehen?«

Am Theatereingang stand derselbe Securitymann so breitbeinig, als hätte er zwei Völkerbälle zwischen den Beinen. Simon konnte nicht anders, als ihm ausgesucht seifig »Einen schönen Tag auch!« zuzurufen.

Vor seiner Garderobe hielt Helma kurz inne: »Du musst mir versprechen, jetzt ganz, ganz tapfer zu sein, okay?«

Simon schaute ihr in die Augen. Sie meinte es ernst, sehr ernst sogar. »Großes Barschel-Ehrenwort«, versprach er. Sie öffnete die Tür, und er brach in schallendes Gelächter aus. Garderoben waren nie hübsch, aber bei den Privatsendern versuchte man wenigstens, durch Blumen, ein kleines Büffet, Getränke und im Extremfall sogar mit ein paar bunten Tüchern die Illusion von Gemütlichkeit herzustellen. Dieser Raum aber sah wie die Stube einer Russenkaserne aus: nikotinweiße Wände, ein zu Tode getrampelter Linoleumfußboden in Beamtengrün, Schminktisch, Klappstuhl, nackte Wände, nichts zu essen, nichts zu trinken. Als Simon den schmalen Spind öffnete, gab es keinen einzigen Kleiderbügel. »Bist du sicher, dass es sich nicht um eine Todeszelle handelt?« Im Moment der Betrachtung war diese Garderobe schon zur Anekdote geronnen. Das öffentlich-rechtliche Verließ war so hemmungslos hässlich, dass Simons Laune sich merklich hob, immerhin die erste gute Nachricht des Tages. »Hat sich halt nichts geändert«, stellte er lachend fest. »Die Rummelnutten sollen doch froh sein, wenn sie zwei Stunden im Licht stehen dürfen.«

»Ziemlich gut bezahlte Rummelnutte in deinem Fall.«

»Zugegeben, aber wenn Sender und Produzenten so satte Werbegelder mit uns verdienen, sollen sie uns auch entsprechend beteiligen. Schließlich halten wir unseren Kopf hin, nicht die!«

»Komm, wir gehen in die Kantine, hässlicher kann die auch nicht sein.« Helma lotste ihn durch ein elaboriertes System von Gängen. »Die meisten Kids würden dafür morden, eine Rummelnutte zu sein, wie du dich ausdrückst«, nahm sie sein Bild wieder auf. »Prominenz ist für die der Gipfel der Geilheit.«

»Weil sie keine Ahnung haben! Die glauben, ich zieh mein Hemd aus der Hose, verwuschle mir die Haare, grinse blöd, und das reicht!«

»Armer schwarzer Kater!«

»Musst *du* dir eine Sonnenbrille aufsetzen, wenn du Schrippen kaufen gehst?«, gab er gereizt zurück. »Musst *du* dich von jedem dahergelaufenen Arsch bewerten lassen? Wenn ich ein Glas Champagner trinke, sagen sie: Guck mal, wie der auf dicken Max macht! Trinke ich Mineralwasser, heißt es: Ach, jetzt tut er ganz bescheiden!«

»Quatsch!«

»Nein, alles schon passiert. Einmal hab ich sogar hinter mir in der Straßenbahn gehört: Hat der Arsch denn kein Geld für 'ne Taxe?«

»Da sind wir.« Unüberhörbar erleichtert stemmte Helma sich gegen eine schwere Eisentür. Die Theaterkantine mit ihrer niedrigen Gewölbedecke und den rustikalen Holztischen vor tiefbraunen Wänden wirkte, als hätte sie sich mit Hunderten Jahren Theatergeschichte vollgesogen. Das Catering war auf einem Tapetentisch improvisiert worden, rechts warmes Büffet, links das kalte. Helma linste in die silbernen Behältnisse, die auf Rechauds das Essen warm hielten: »Ich wusste es: *Zürcher Geschnetzeltes* und Huhn mit Reis! Warum immer exakt die zwei Gerichte?«

»Traditionspflege. Wie bei diesen herrlichen Spezereien.« Simon präsentierte die kalten Platten wie eine Stewardess die Notausgänge: »Kartoffelsalat, Nudelsalat, Eisbergsalat, Würstchen und ...« Er stutzte und wandte sich an eine grummelige Frau in Kittelschürze: »Entschuldigung, gibt es keine Bouletten?« Als die Frau verständnislos schaute, schickte Helma ein fremdsprachliches »Fleischpflanzerl« hinterher.

»Muss fragen«, sagte die Frau, rührte sich aber nicht vom Fleck. Simon zuckte die Schultern und bediente sich in einem Anfall von Nostalgie vom Nudelsalat. Helma nahm nur Kaffee. Sie ließen sich an einem der runden Holztische nieder, die mindestens acht Personen Platz boten. Kaum hatten sie sich hingesetzt, sprang Simon schon wieder auf. In einer Nische neben der Toilette hatte er einen Film- und Fernsehregisseur entdeckt, der am Abend einen Preis entgegennehmen würde. Ganz bescheiden saß er da, genau wie Simon ihn sich nach dem Anschauen seiner Filme vorgestellt hatte. Bei ihm gab es keine grundguten Putzfrauen, die große Unternehmen erbten, keine Hotelbesitzer, die sich nach schicksalhaften Verwechslungen in zauberhafte Zimmermädchen verliebten, keine depressiven Kommissare mit genau dem erlaubten Quentchen Gesellschaftskritik. Seine Filme rochen nach Zigaretten und Filterkaffee, die Charaktere arbeiteten viel für wenig Geld. Sie waren nicht heroisch, noch nicht einmal Helden des Alltags, hatten dafür aber warmes Blut in den Adern und einen galligen, realistischen Humor. »Guten Tag, ich bin Simon Minkoff, der Moderator des heutigen Abends. Ich möchte mich für Ihre Arbeit bedanken. Immer wenn ich einen Ihrer Filme sehe, denke ich: Es gibt noch Hoffnung!«

»Sie sind sehr nett, danke schön!« Der blasse Mann war bis unter die Haarspitzen rot geworden. »Sie brauchen sich nicht vorzustellen, Sie machen, glaube ich, auf Ihrem Feld so ziemlich dasselbe wie ich.«

»Schön wär's!«, seufzte Simon. »Vielleicht schaffen wir es, heute Abend nach dem ganzen Gedöns ein Bier zusammen zu trinken!?«

»Sehr gern.«

Sie gaben sich die Hand, und Simon kehrte beschwingt an ihren Tisch zurück. Manchmal war Fernsehen eben doch, wie Lieschen Müller es sich vorstellte: Man traf all die Berühmtheiten, die man immer schon kennenlernen wollte. Während er seinen mit Konservierungsstoffen gewürzten Nudelsalat verputzte, gingen sie die Positionen des Ablaufplans durch. Moderationen von Preisverleihungen waren immer heikel. Zu offiziös die Abläufe, zu bemüht die Veranstalter, bloß niemandem auf die Füße zu treten. Das galt besonders für den heutigen Abend. Die Bayern waren nicht gerade für Experimentierlust bekannt. Allein die Tatsache, dass Simon durch den Abend führte, war frivol genug, also musste der Rest wasserdicht sein. Simon hatte seinen Text bis aufs letzte Semikolon vorlegen müssen. Festlich, aber nicht steif, lautete die Vorgabe. Helmas Handy klingelte. Nachdem sie »mh« und »hm« und »sehr gern« genuschelt hatte, erhob sie sich: »Der Redaktionsleiter und die Aufnahmeleiterin. Sie sind oben auf der Bühne und würden gern ohne Kameras das Opening durchgehen.«

»Wieso ohne Kameras?«

»Weiß ich, was für Sitten in dieser Stammeskultur herrschen?«

Es waren nicht nur der leitende Redakteur und die Aufnahmeleiterin, die sie erwarteten. Der ausführende Produzent persönlich und zwei Autoren, die auf Bücher für Galas spezialisiert waren, hatten sich ebenfalls eingefunden. Simon schrieb zwar seine Moderationen selbst, aber der Sender schien nur begrenztes Vertrauen in seine Fähigkeiten zu haben. Hände wurden geschüttelt, Höflichkeiten ausgetauscht.

»Wir dachten, vielleicht macht es Sinn, einige Positionen gleich vor Ort zu besprechen«, begann der Redaktionsleiter mit halbem Lächeln. Mitte fünfzig, graue Haut, rote Nase, geplatzte Äderchen – der ganz gewöhnliche Senderalkoholiker.

»Und bei einigen Ihrer Moderationen …«, begann der Produzent flott, fing sich aber nach einem Brandblick des Redaktionsleiters. »Äh … die können wir auch später besprechen.«

»Prima«, sagte Simon.

»Beginnen wir doch mit dem Anfang.« Die Rotnase betatschte Simons Oberarm. »Wenn die Preisträger, die Ehrengäste und alle anderen sitzen, betritt der Herr Ministerpräsident mit Gattin den Saal und nimmt da in der Mitte der ersten Reihe Platz. Es wäre nett, Herr Minkoff, wenn Sie – sozusagen als Gesicht des Abends – den Herrn Ministerpräsidenten dort empfangen würden.«

Simon verzog keine Miene: »Spielen die dann auch die bayrische Hymne?«

»Nein, die läuft bei uns erst zum Sendeschluss.«

»Ich weiß.« Helma blickte ihn warnend an, aber Simon war schon im vollen Galopp. »Das sind ja richtig feudale Sitten. Ihnen ist schon bekannt, dass Deutschland seit 1918 Republik ist?!«

»Wo ist Ihr Problem?«, bellte der Produzent, ein smartes Jüngelchen in sehr teuren Sneakers.

»Mein Problem ist«, schoss Simon zurück, »dass ich den Teufel tun werde! Zur Huldigung Ihres Obermufti gebe ich bestimmt nicht den Statisten!«

»Na, na, na!« Das Nasenrot des Redaktionsleiters hatte sich übers ganze Gesicht ausgebreitet.

»Meine Herren!«, warf Helma so behutsam ein, als wolle sie eine Runde Psychopharmaka ausgeben. »Können wir uns darauf einigen, dass der Sender, der ja nun mal Hausherr ist, die Begrüßung übernimmt? Vielleicht macht das der Chefredakteur oder am allerbesten natürlich Sie als leitender Redakteur?«

Normalerweise hätte Simon Beifall geklatscht, wie gekonnt Helma die Rotnase beschleimte. Die nickte nachdrücklich und schüttelte gleich anschließend den Kopf: »Dazu bin ich leider nicht befugt. Nach der Kleiderordnung müsste das schon der Herr Intendant übernehmen. Trotzdem vielen Dank.« Er überdachte noch einmal Helmas Vorschlag. »Wenn ich selbst die Begrüßung vornähme, wäre das natürlich ein Präzedenzfall und mit dem Unterhaltungschef und den Leuten von der Politik abzusprechen.«

»Tun Sie das!«, strahlte Helma.

»Dann wäre das erledigt«, sagte Simon und turnte demonstrativ über die Bühne. »Von wo trete ich auf?«

»Nicht so schnell.« Das Produzentenjüngelchen klopfte auf einen Stapel Papier, den er wie ein Schild vor seine Brust hielt. »In Ihren Moderationen gibt es ein paar Formulierungen, die so gar nicht gehen.«

Simon schwieg.

»An einer Stelle bezeichnen Sie den Ministerpräsidenten als … Moment … *Extremblondine.*« Er machte ein Gesicht, als habe man ihm eine nachgemachte Rolex angedreht. »Das ist wirklich degoutant!«

»Ein Scherz«, erklärte Simon. »Man nennt es einen Scherz!«

»Wenn es nur das wäre«, sprang die Rotnase dem Produzenten bei. »Vor dem Preis für den besten Fernsehfilm wollen Sie doch nicht ernsthaft dieses *Simpsons*-Zitat verwenden?!«

»Darf ich?« Simon entwand dem verdutzten Produzenten die Moderationen und suchte nach der entsprechenden Stelle. »Hier: *Im deutschen Fernsehen gibt es nur noch kaputte Familien. Außer den Simpsons gibt es keine normale Familie mehr!* Das, meine Herren, ist ein Originalzitat Ihres Ministerpräsidenten.«

»Komplett aus dem Zusammenhang gerissen! Und manchmal muss man ihn auch vor sich selbst schützen! Außerdem beschmutzen Sie damit am Ende nur ihr eigenes Nest!« Rotnase bemühte sich kaum noch, seinen Ärger zu verbergen.

Simon schob das Kinn vor: »Als Anmoderation für den nominierten Film über dysfunktionale Familien finde ich seinen Spruch perfekt. Seien Sie froh, dass ich nicht ein anderes seiner berüchtigten Zitate genommen habe!«

»Welches denn?«, rief einer der Autoren vorwitzig, biss sich aber gleich auf die Lippen.

Simon lächelte bös: »Nationalsozialisten waren in erster Linie Sozialisten!«

»Jetzt reicht's aber!«, fauchte der Produzent mit so viel Druck, dass über die Anwesenden ein feiner Spuckeregen niederging. »Wir produzieren nicht gerade wenig für das hiesige Fernsehen, und ich lasse mir von Ihnen nicht das Geschäft kaputtmachen, Herr Minkoff. Wenn Sie Ihren linken Quatsch loswerden wollen, schreiben Sie ein Flugblatt, aber keine Moderationen!«

»Wenn ich einen Vorschlag machen dürfte?« Selbst Helma war die Fähigkeit zu lächeln abhanden gekommen. »Wir sollten uns alle beruhigen. Wir treffen uns in, sagen wir, einer halben Stunde wieder, und jeder kann in der Zwischenzeit nachdenken. Lösungsorientiert, nicht problemorientiert. Können wir uns darauf einigen?« Nach einem Moment eisiger Stille nickten alle widerwillig. Helma zog Simon in die Kulissen: »Verdammte Schifferscheiße, was soll der Terror?«

Simon fuchtelte mit den Armen. »Ich zelebriere doch keine Krönungsmesse für die rechte Staatspartei!«

»Das verlangt auch niemand, aber hast du Arschloch es vielleicht 'ne Nummer kleiner als mit einem Nazi-Zitat?«

»Hat er aber wirklich gesagt, ich hab's persönlich recherchiert«, rechtfertigte er sich schon etwas kleinlauter.

»Selbst wenn, das hier ist Entertainment und kein Polittribunal!« Helmas Miene zeigte eine Kälte, die er noch nie bei ihr wahrgenommen hatte. Als könne sie den Mann, mit dem sie seit so vielen Jahren zusammenarbeitete, nicht sonderlich gut leiden. »Zu den Öffentlich-Rechtlichen zu wechseln kannst du nach dem Auftritt knicken!« Trotzig kam das, fast triumphierend.

Woher wusste sie von seinen Gedankenspielen? War er so leicht zu lesen? Und wer war die Frau, die so gar nichts mit »seiner« Helma gemein hatte? All die Jahre hatte er sie dafür bewundert, Freund wie Feind mit Kompetenz, Witz und Chuzpe einzuwickeln und ihnen dabei das Gefühl zu geben, Herr des Geschehens zu sein. Oft hatte er mit ihr zusammen darüber gelacht. Er durfte das, er war ja mehr als nur Kollege, er war ein Freund. Und nun musste er in Betracht ziehen, dass Helma ihn genauso berechnet hatte wie alle anderen.

Trotzdem hatte sie wohl recht: Er war pathetisch und suhlte sich in einem kostenlosen Lamento. »Früher hatte ich Feuer, aber keine Kohle, heute ist es umgekehrt«, seufzte er.

»Nun heul mal nicht!« Obwohl sie ihr Patentes-Mädel-

Gesicht aufgesetzt hatte, schaffte sie es nicht, ihren üblichen Ton wiederaufzunehmen.

»Gut, dann sind wir mal realistisch: Welche Optionen habe ich?«, riss er sich zusammen.

»Du kannst hinschmeißen, dann bist du aber überall unten durch, nicht nur bei den Öffentlich-Rechtlichen. Denk nicht, dass die bis heute Abend keinen Ersatz finden. Was deine Moderationstexte betrifft, wirst du dich damit nicht durchsetzen.«

»Womit werde ich mich durchsetzen?«

»Mit Gesichtswahrung. Die ›Extremblondine‹ ringst du ihnen ab, ansonsten schlägst du alternative Formulierungen vor.«

»Alternative Formulierung – hübsch gesagt. Also gut, ich habe von der Recherche noch ein paar Zitate in petto.« Helma hob alarmiert die Augenbrauen. »Der verehrte Herr Ministerpräsident hat zum Beispiel über sich und seine Frau gesagt: Wir beide haben Humor. Sie in der Praxis, ich in der Theorie.«

»Super!«, lachte Helma.

»Ich bin das Gefühl nie losgeworden, dass er sich das hat schreiben lassen, aber was soll's. So was in der Art?«

»Perfekt«, versicherte sie mit einem Lächeln, das nur bis zur Nase reichte. »Ich check jetzt mal, wann die Probe wirklich losgeht, und bis dahin bastelst du an den neuen Moderationen, okay?«

»Sicher.«

Das zweite Treffen mit Redakteur und Produzent hatte etwas von Versöhnungssex. Groll lag noch dicht unter der Haut, aber jeder bemühte sich, so entgegenkommend wie möglich zu sein. Wie Helma vorausgesagt hatte, durfte er seine ›Extremblondine‹ behalten, und man lachte pflichtschuldig über die neuen Zitate, die den Ministerpräsidenten in weicheres Licht hüllten. Mit Worten, die auf Zehenspitzen schlichen, versuchte der Redakteur sicherzustellen, dass Simon sich auch wirklich an die vereinbarten Texte hielt. Der hatte zwar nicht vor, aus dem Ruder zu laufen, gönnte sich aber ein vieldeutiges Lächeln, das den Redakteur bis zum Abend jede Menge Nerven kosten würde. Zurück in der Kantine, geilte er sich an der Vorstellung auf, letztlich am längeren Hebel zu sitzen: Die Sendung war live und konnte nicht mehr zensiert werden. Er wusste, wie anämisch dieser Trost war, aber er benötigte jedes Körnchen Selbstbewusstsein, um den Abend zu überstehen.

Die Preisverleihung war ein Bombenerfolg. Kurz hatte er überlegt, sich eine halbe Line Koks zu besorgen. Doch bisher hatte er nie Hilfsmittel benötigt, und bei einer Livesendung produzierte der Körper sowieso genügend Naturkoks. Leichtfüßig und mit geisterhafter Sicherheit hatte er den Abend über die Bühne gebracht, konzentriert, souverän und immer dann heftig beklatscht, wenn er seine »alternativen« Pointen zum Besten gab. Schon die Dramaturgie von Preisverleihungen, die starre Abfolge von Moderator, Laudator, Preisübergabe, Dankesrede, senkte gewöhnlich sein Lampenfieber um ein, zwei Grad, doch heute hatte er Untertemperatur. Kalt bis ans Herz, sah er sich lächeln, hörte sich scherzen, an den wenigen ernsten Stellen unfehlbar die passenden Worte finden. Zum ersten Mal auf einer Bühne raste sein Pulsschlag nicht, stand sein Körper nicht bis zur letzten Zelle in Flammen. Oft hatte er davon geträumt, sich einmal so frei und elegant vor einer Kamera bewegen zu können, seine Texte unanfechtbar wie in Stein gemeißelt aufs Parkett zu zaubern. Und nun? Nichts. Nichts außer der Empfindung, mit offenen Pupillen in ein Blitzlicht zu schauen.

Nach dem Finale war er, ohne sich abzuschminken, ins Foyer gelaufen, hatte sich ein Glas Wein geschnappt, es aber gleich wieder zurückgestellt. Nicht einmal Alkohol konnte ihn heute locken. Er ließ den Blick über den Sturzbach von Smokings und Abendkleidern schweifen, der sich aus den Logentüren ergoss, und brauchte schleunigst frische Luft. Gar nicht so leicht, einen Ausgang zu finden. Zweimal landete er in Bereichen der Caterer und Reinigungskräfte, bis eine asiatische Kaltmamsell sich erbarmte und ihn durch einen gekachelten Küchenraum in einen Innenhof führte. Erst draußen bemerkte er, wie aufdringlich sich die teuren Düfte der Gäste überlagert, mit Puder, Schweiß und Ambition gekreuzt und diesen spezifischen Galageruch produziert hatten, der ihm jetzt anhaftete: schwül, süß, fiebrig, ein Geruch, als säße eine sehr feminine Frau auf Nadeln.

Simon atmete die feuchte Abendluft ein und versuchte, Boden unter die Füße zu kriegen. Kerzengerade mit durchgedrückten Knien stand er da, nahm die Arme hoch und faltete seine Hände hinter dem Kopf. In der Mitte des Hofs waren ein paar Bruchsteine aufeinander gestapelt, drumherum Zigarettenkippen. Hier verbrachten die Bühnenarbeiter wohl ihre Zigarettenpausen. Ohne auf seinen Anzug zu achten, nahm er Platz, sprang aber gleich wieder hoch. Erschrocken betastete er die Steine. Sie waren aus Plastik, offensichtlich Überbleibsel eines Bühnenbildes.

Verdutzt setzte er sich wieder hin. Im Halbschatten bemerkte er einen unscheinbaren Blumentopf. Die Pflanze, eine Chrysantheme, war echt: Bis auf die Höhe von vierzig, fünfzig Zentimetern waren ihre Stiele braun vergammelt, eher von zu viel Wasser als von zu wenig. Aber auf jedem der scheinbar toten Stiele wuchs ein neuer Trieb, kleine, dunkelgrüne Stängel, gekrönt von Knospen, die schon einen vorsichtigen Blick auf ihr samtrotes Innenleben erlaubten. Simon studierte die Pflanze wie ein Kunstwerk und bemerkte, dass seine Augen sich mit Tränen füllten. Doch irgendetwas in ihm wehrte sich dagegen, den Abend ins Sentimentale rutschen zu lassen. Er fischte seine Zigaretten aus der Jackentasche und suchte nach Feuer. Als er es nicht gleich fand, sprang er auf, klopfte hektisch sämtliche Anzugtaschen ab, ein bizarrer Rumpelstilzchentanz. Schließlich fand sich das Feuerzeug in der Gesäßtasche, wo er es sonst nie verstaute. Er zündete sich eine Zigarette an, paffte unbefriedigt und steckte die Schachtel mitsamt Feuerzeug in die Innentasche seines Jacketts. Die Futterseide protzte mit goldenen Pantoffeltierchen. Werkskleidung, dachte er, obszön teuer und nicht mal von der Steuer absetzbar. Allein die gepunktete Krawatte hatte zweihundert Euro gekostet. Mit einem harschen Griff löste er sie vom Hals, schleuderte sie zu Boden und riss den Hemdkragen auf, um sich Luft zu verschaffen. In einer kindischen Mischung aus Aggression und Enttäuschung schnippte er die Kippe auf den edlen Stofflappen und drückte sie mit lackbeschuhtem Fuß genüsslich aus.

Doch selbst splitterfasernackt würde er die öffentliche Person nicht abstreifen können. Sie befand sich längst nicht mehr außerhalb, sondern steckte, wie bei den russischen Holzmatrjoschkas, tief in ihm drin. Das Schlimmste: Er höchstpersönlich hatte ihr das Leben eingehaucht. Die Sache lag komplizierter als bei Schauspielern. Die gaben einen Gelehrten, einen Hausmeister, einen König und waren in Maske und Kostüm für alle sichtbar nur Rolle. Simons Kostüm dagegen war nicht als solches zu erkennen, und seine Maske sollte niemand anderen annoncieren als ihn selbst. Er hatte sich den Moderator Minkoff ausgedacht, ihm Haltung, Sprache und Mienenspiel gegeben. Je geringer der Unterschied zwischen Person und Rolle, desto erfolgreicher die TV-Persönlichkeit. Wer diesen Abstand, wie klein er auch ausfiel, nicht mehr wahrnahm, war in seiner Rolle gefangen, lebte das Leben eines Hybriden.

»Hier bist du, ich such dich überall wie verrückt!« Jäh war die Tür zum Innenhof aufgeflogen, und eine aufgelöste Helma flatterte herein.

Benommen blinzelte Simon in das einfallende Neonlicht. »Mach die Tür zu.«

»Alle fragen nach dir!« Sie schien seinen abweisenden Ton nicht zu bemerken.

»Scheiß drauf!«

»Wie bitte? Sie wollen dir gratulieren, Blödmann! Du bist der Mann des Abends, alle sind total begeistert.«

Simon schüttelte den Kopf.

»Ach, komm schon.« Sie hockte sich vor ihn und streichelte seine Wange. »Es war ein harter Tag, aber jetzt ist es geschafft. Mit Bravour sogar! Lass dich ein bisschen feiern, du hast es verdient!« Sie nahm ihn bei der Hand und zog ihn hoch. Widerstrebend folgte er ihr. »Wo ist deine Krawatte?«

»Keine Ahnung.«

»Dann mach wenigstens die obersten Hemdknöpfe zu. Für so ein Dekolleté ist es noch zu früh!« Schon hatte sie flink sein Maßhemd zugeknöpft. Dann ging sie durch den gekachelten Küchenraum voran. Eine Wand aus Musik und Smalltalk schlug ihnen entgegen, als sie die Tür zum großen Festsaal öffnete. Sie waren noch nicht ganz drin, da schoss der Redaktionsleiter auf sie zu: »Herzlichen Glückwunsch! Das war ausnehmend souverän!« Simon traute seinen Ohren nicht. Auch nicht den Augen, als der Mann, der ihn vor wenigen Stunden am liebsten geviertelt hätte, einen tapsigen Versuch unternahm, ihn zu umarmen. »Wo haben Sie nur gesteckt? Wir haben Sie überall gesucht!«

»Warum?«

»Der Intendant wartet auf Sie!« Mit gerecktem Kinn wies er auf ein Grüppchen Smokingträger, von denen man nur die Kehrseite sah. »Herr Intendant!«, rief er in die Rücken, legte dabei aber trotzdem eine Serie angedeuteter

Verbeugungen hin. »Herr Intendant, der Herr Minkoff wäre nun da!«

Ein massiger Mann löste sich aus der Smokinggruppe. In seinem Gesicht mit Heldennase funkelten misstrauische Augen. Als er Simon erblickte, verzogen die Züge sich gummiartig zu einer Maske des Entzückens. Mit ausgestreckten Armen trat er auf Simon zu. »Ah, Minkoff! Das war eine außerordentlich geglückte Veranstaltung, und Sie hatten einen nicht geringen Anteil daran!« Simon rang sich ein »Dankeschön« ab, ließ sich die Hand schütteln. Der gesamte Bluthochdruck des Intendanten lag darin, und er musste an sich halten, nicht laut »Aua« zu rufen. Der Senderchef legte eine halbe Pirouette hin und verkündete mit Sonntagsstimme: »Herr Ministerpräsident, darf ich Ihnen den Präsentator des heutigen Abends vorstellen!?«

Während der Landesvater sich schneidig umdrehte, hatte Simon das Gefühl, unter Wasser getaucht zu werden. Nur verschwommen sah er den drahtigen Mann auf sich zukommen. Er war nicht blond, sondern weißhaarig. Sein Lächeln war hervorragend gemacht, nicht zu viel, nicht zu wenig, ein Könner. Simon fühlte, wie sich eine einschüchternd trockene Hand in die seine schob, während die andere seinen Unterarm tätschelte: »Ganz vorzüglich, mein Lieber! Es war ein, äh, sehr amüsanter Abend!« Der Ministerpräsident hatte eine so straffe Gesichtshaut, als sei sie hart mit einer Bürste massiert worden. Es dauerte eine Weile, bis die Worte in Simons Taucherglocke drangen. Immer noch brachte er keinen Laut heraus, was aber niemanden zu kümmern schien. Längst hatten sich auch die restlichen Herren umgewandt und betrachteten wohlwollend die Szene.

»Herr Ministerpräsident! Ein gemeinsames Foto bitte!« Urplötzlich waren sie von Fotografen belagert, die schon ihre Lichter blitzen ließen. Mechanisch nahm der Ministerpräsident noch einmal Simons Hand und schüttelte sie ausgiebig, während er die Kameras mit einem Galalächeln versorgte. Dabei zog er den linken Mundwinkel deutlich höher als den rechten. Kein Blick auf Simon, er schien anzunehmen, dass der ebenfalls das Regelwerk beherrschte. »Ich bin ein großer Fan von Ihnen«, sagte er halblaut beiseite. Fan sprach er wie »Feen« aus. »Wenn die Zeit es erlaubt, schaue ich mir *MM* – gell, so heißt es? – recht gern an und bin immer erfreut, wie nah Sie bei den Menschen sind. Vielleicht machen wir da mal was zusammen? Schließlich darf auch unsereins den Kontakt zu den Bürgern und Bürgerinnen nicht verlieren!«

Simon, dessen Hand immer noch ins Blitzlicht geschüttelt wurde, öffnete den Mund in der Hoffnung, endlich würde etwas herausfallen, aber Fehlanzeige. Ein abstruser Gedanke spukte durch seinen Kopf: Diese befremdlich trockene Hand hatte etwas Priesterseminarhaftes, Askese war darin genauso enthalten wie die Befähigung zu ekstatischer Grausamkeit. Langsam schien der Ministerpräsident sich doch über den Fisch an seiner Seite zu wundern. Er warf ihm einen prüfenden Blick zu, fing sich aber sofort wieder und schlug ihm jovial auf den Rücken. »Mein Großvater war Braumeister, wissen S'! Vielleicht setzen wir uns mal bei einem Bier zusammen und bereden alles!« Damit trat er zurück in den Kreis der Smokingträger, der sich sogleich um ihn schloss.

Wie aus der Welt gefallen, stand Simon da. Seine Schulter brannte, schlimmer: Wo dieser Mann ihn berührt hatte, klaffte ein tiefes Loch, drum herum zertrümmerte Knochen, fauliges, kontaminiertes Fleisch. Der hat mich stigmatisiert, dachte er. Eine unscheinbare, leutselige Geste, und schon bin ich ihm verschrieben. Dann fiel sein Blick auf Helma. Die stand ein wenig abseits und musterte ihn: »Was ist bloß los mit dir? Du benimmst dich wie ein Volltrottel!«

»Der hatte wirklich recht«, murmelte Simon.

»Wie?«

»Der Produzent. Er hatte recht: ›Extremblondine‹ ist vollkommen unpassend. Der Mann ist weißhaarig.« Während Helma keine Worte fand, drehte er sich um und ging fort.

»Wohin gehst du?«

»Ich gehe nur Zigaretten holen.«

Helma erstarrte. Sie kannte ihn lange genug, um zu wissen, was er damit meinte.

10 Malta. Sechs Tage später. Südwestliche Winde. Die Armbanduhr, die er aus seinem Kulturbeutel gefischt hatte, zeigte schon Mittag. Nackt stand Simon im Hotelbadezimmer und kratzte sich am Bauch. Dabei war es gar nicht so spät gewesen, oder? Sie waren auf einen Absacker an die Hotelbar gegangen und, nun ja, abgesackt. Die Bar war so ziemlich das einzig Gelungene in dem Fünf-Sterne-Muff. Die niedrigen, arabisierenden Holztische und Sitzgruppen benötigten zwar dringend eine Auffrischung, hatten dem Raum aber eine Aura von Echtheit gegeben, genau wie die zahlreichen holzgerahmten Schwarzweißfotografien, die in Petersburger Hängung gnädig die fleckigen Wände verdeckten.

Als er sich hinsetzte und pinkelte, fiel ihm die blendend gelaunte Vivian ein. Während sie mit dem blutjungen Barkeeper Cocktailrezepte austauschte, hatte Simon die sepiafarbenen Souvenirs eine Zeit betrachtet, als Frauen noch Pelze trugen und ihre Gatten weiche Hüte, Schnurrbärte und Siegermienen. Die hohen Empfangsräume und Salons, die Palmen und Glacéhandschuhe des Personals sahen danach aus, als hätte das erste Haus am Platze früher »Grand Hotel« geheißen. Es war die Sorte Hotel, wo ein altes Ehepaar sich an der Rezeption bitterlich über das südliche Bettlaken für Mann und Frau zusammen beschwerte. Manchmal berührte man sich darunter unfreiwillig. »We need two sheets«, flehte der alte Herr. »Two sheets, please!«

Weil Vivian sich vergnügte wie lange nicht, hatte auch er zu viel getrunken. Cranberrysaft mit Wodka. Gin. Spanischen Brandy. Dann war da noch etwas Fernöstliches und etwas Karibisch-Tödliches gewesen. Während Vivian erstaunlich professionell mit dem dicklippigen Keeper schäkerte, hatte er sich gefragt, ob sie ihm gegenüber häufig so reserviert war, weil sie einen Liebhaber hatte? Gelegenheiten gab es ohne Ende, schließlich war er die meiste Zeit in Köln. Doch als sie übermütig neue Cocktailkreationen vom Tresen anschleppte, sich kichernd auf seinen Schoß setzte und ihn zu probieren aufforderte, hatte sein Verdacht sich in Schönwetterwölkchen aufgelöst.

Er stand auf, zog ab und öffnete das Badezimmerfenster. Sie würden die kommenden zwei Wochen nehmen und etwas daraus machen, das die Zeit überdauerte. Sie würden eine wunderschöne Erinnerung herstellen. Valletta hatte etwas von einer auf einen warmen Stein hingegossenen rotgelben Katze, sehr würdevoll und wohlig verpennt zugleich. Zwar wusste er noch nicht genau, was vor ihm lag, aber dass es mehr sein würde als Urlaub, stand fest: Urlaub konnte nur nehmen, wer Arbeit hatte. Er aber war frei.

Seit seiner ganz persönlichen Oktoberrevolution war er nicht mehr im Sender gewesen. Nie wieder, hatte er sich geschworen, würde er eine Fernsehredaktion oder ein Studio betreten. Zwei Mal nur hatte er mit dem Haus telefoniert, einmal mit dem Programmchef, ein anderes Mal mit der Pressestelle. Beide hatte er angelogen, persönliche Gründe angegeben, familiäre Verpflichtungen und etwas von einer schweren Krankheit durchblicken lassen. Ob bei ihm, seiner Lebensgefährtin oder in der Familie ließ er in der Schwebe. Sein Kalkül war aufgegangen: Man war zwar schockiert über seinen beispiellosen Abgang, aber bei einer mutmaßlich tödlichen Krankheit gehörte es sich nicht, weiter zu bohren. Selbstredend hatte der Programmchef auf Simons Vertrag hingewiesen, der keine fristlose Kündigung vorsah, und auch durchblicken lassen, bei Gelegenheit die Hausjuristen damit zu befassen, aber auch von ihm wurde er mit Samthandschuhen angefasst. Es tue ihm außerordentlich leid, hatte Simon besorgt getan, aber nun müsse man verhindern, dass der Sender in schlechtes Licht gerate. Einen beliebten Moderator trotz dramatischer Lebensumstände zum Arbeiten zu zwingen könnte von dem Blatt mit den großen Buchstaben unangenehm ausgeschlachtet werden. Die kaum verhüllte Drohung saß, man ließ ihn gehen. Kaltblütig gelogen, doch nicht die geringste Scham wollte aufkommen. Er fühlte sich als Stratege eines Verteidigungskrieges. Er musste sich schützen, und er hätte alles getan, was dazu nötig war.

Die PR-Frauen des Senders hatte es am härtesten getroffen. Was sollten sie nach außen kommunizieren? Ein vertrautes Fernsehgesicht kann nicht einfach so verschwinden, wilde Gerüchte würden ins Kraut schießen. »Geh wenigstens in eine unserer Talkshows«, flehten sie. »Mehr ist gar nicht nötig, einfach nur erklären was passiert ist. Dann hast du deine Ruhe und wir auch!« Aber er war eisern geblieben. Die Art, wie er mit gefährlicher Ruhe am Telefon seine Wünsche präzisiert hatte, unterfütterte ihre Überzeugung, etwas Schreckliches müsse passiert sein. Rein private Gründe wurden also in der zwangsläufig knappen Pressemitteilung angeführt, das Bedauern des Senders ausgedrückt und die Hoffnung, bald wieder zusammenzuarbeiten.

»Frei«, sagte Simon halblaut in sein Spiegelgesicht. Frei –
das Wort war schon angekommen, das dazugehörige
Gefühl nicht. Kein Wunder, seit Jahren stand er unter
Erfolgsdruck, das löste sich nicht mit einem südlichen Fingerschnipsen. Behutsam öffnete er die Badezimmertür
und schlich auf Zehenspitzen zu dem Korbsessel, auf dem
seine Kleider lagen. Während er mit spitzen Fingern Zigaretten und Feuer aus der Hosentasche zog, versuchte er
möglichst leise zu sein. Verlorene Liebesmüh, denn Vivian
hatte breitbeinig das ganze Bett beschlagnahmt. Sie lag auf
dem Bauch und schnarchte. Wenn Frauen wüssten, wie
wenig damenhaft sie im Schlaf wirken. Simon huschte
zurück ins ziemlich neue Badezimmer des ziemlich alten
Hotels und beschloss nach kurzer Überlegung, sich in
die Badewanne zu legen. Mit einem glücklichen Seufzer
machte er es sich bequem, zündete seine Zigarette an und
ließ das Streichholz in die ab sofort zum Aschenbecher
umfunktionierte Seifenschale fallen. Dabei blieb sein Blick
auf seiner Körpermitte haften. Die Büffets und Arbeitsessen waren nicht spurlos an ihm vorübergegangen. Kurz
vor vierzig war ein gefährliches Alter, die Zeit, wo man
sich entscheiden musste zwischen Bequemlichkeit und
Wampe oder Anstrengung und Taille. Mit dem Zeigefinger piekte er in das Fleisch rund um seinen Bauchnabel.
Alarm musste er noch nicht schlagen, aber er würde wieder trainieren müssen, eine Abfolge von Übungen, die ein
Personal Trainer auf ihn und seine knappe Zeit zugeschnit-
ten hatte. Mit Genuss paffte er seine Zigarette. Obwohl es
zum Vorsatz der Leibesübungen nicht passte, hatte er
Lust, diese schlechte Angewohnheit beizubehalten.

Im Grunde war es eine Schande, den sonnigen Herbst-
tag im Hotel zu vertrödeln. Beherzt drückte er die Zigarette aus, stieg aus der Wanne und ließ warmes Wasser ins
Waschbecken ein. Jedes Mal, wenn er in den Spiegel blickte,
musste er sich neu justieren: Seine eckigen Kiefer waren

hinter dunklem Gestrüpp verborgen, weil er sich seit seiner Flucht nicht mehr rasiert hatte. Ohne lange zu fackeln, rasierte er die letzten Überreste seines Befreiungsbartes ab und strich zufrieden über das freigelegte Kinn. Er hatte sein Gesicht zurück.

Jetzt konnte es ihm nicht schnell genug gehen. Er spritzte sich Wasser unter die Achseln, putzte Zähne und ging, nun nicht mehr sonderlich leise, ins Schlafzimmer. Weil sie am Abend zuvor spät angereist waren, stand ihr Gepäck noch ungeöffnet auf dem Boden. Die marineblaue Hose von gestern würde gehen. Er öffnete seinen silbernen Schalenkoffer und zog irgendein kurzärmeliges Hemd heraus. Während er in die weißen Segeltuchschuhe schlüpfte, versuchte er, Vivian zu wecken: »Hey, Schlafmaus, ist schon Mittag!« Ein paar aus dem Takt geratene Schnarcher, dann richtete sie sich halb auf, nuschelte etwas wie »Lass mich schlafen!« und sackte in sich zusammen.

Vor dem Hotel überquerte er einen weitläufigen, kreisrunden Platz, Anfangs- und Endstation sämtlicher Omnibuslinien der Insel. Wie alle Südländer hegten auch die Malteser eine Vorliebe für schwarzen Kaffee und süßes Gebäck. Er überlegte, ob er eine der zahlreichen Buden aufsuchen sollte, die den Platz rahmten, entschied sich aber dagegen. Sein Restalkohol erlaubte ihm kein Frühstück im Stehen. Zuerst musste er auf einer Brücke den tiefen Festungsgraben überqueren, bevor er durch ein imposantes Tor die alte Stadt betreten konnte. Linkerhand befand sich ein schlichtes Café mit einer Handvoll Tischen in der Sonne. Ein paar alte Männer tranken Kaffee und pafften Zigarren, sonst saß nur ein braungebranntes Hippiepärchen vor einem frühen Glas Rotwein. An südlichen Schlendrian gewöhnt, ging er lieber gleich nach innen, bestellte einen doppelten Espresso, Orangensaft und ein Sandwich mit Schinken. Das Gebäck in der Vitrine sah zu speichelziehend aus, um es links liegen zu lassen. Er entschied sich für *Kannoli*, ein röhrenförmiges Gebäck, aus dem helle und dunkle Creme quoll.

Nachdem die übellaunige Bedienung draußen serviert hatte und während er Platz, Sonne, Kaffee genoss, überkam ihn die unvernünftige Lust, Rumba zu tanzen. Er wusste noch nicht einmal, wie das ging, aber wäre Vivian jetzt hier, würde er die Schritte schon für sie erfinden. Es war eine gute Idee gewesen, die Koffer zu packen. Nach seinem Abgang hatte das Telefon nicht mehr stillgestanden. Zeitungen, Zeitschriften, Radio- und Fernsehstationen schrien nach Interviews. Fax, E-Mail, Festnetz und Handy waren belegt, so dass besorgte Freunde nicht mehr durchkamen. Sein abrupter Abgang war so ungewöhnlich, dass Journalisten sogar über seine diversen Internetseiten versuchten, einen Interviewtermin zu bekommen. Kollegen wurden angerufen, Freunde bedrängt, Sendermitarbeitern Geld geboten, falls sie Informationen zu Minkoffs Verschwinden hätten. Äußerst exotisch: ein Boulevardmagazin, das es mit einem Brief probierte. Handgeschrieben! Als das alles nichts nutzte, griff man zu drastischeren Mitteln: Zum Glück war es Vivian, die auf ein Klopfen hin arglos die Wohnungstür geöffnet und sich im Blitzlichtgewitter wiedergefunden hatte. Immerhin war sie so klug gewesen, kein böses Gesicht zu machen, sondern die Tür mit einem Lächeln zu schließen. Gelernt war gelernt. Von da an lungerten Tag und Nacht zwei Fotografen und ein Kamerateam vor ihrem Haus.

Simon hatte nicht die geringste Lust nachzuschauen, wie sein Rückzug kommentiert wurde. Nächste Woche würde man eine andere Sau durchs Dorf treiben, und außerdem war er von Medien nicht mehr abhängig. Selbstverständlich wurde Vivian auf der Arbeit gelöchert. Man erzählte ihr von wilden Gerüchten über Simons Gesundheitszustand, eine ominöse Verfehlung seinerseits, munkelte auch über eine Krise ihrer Beziehung. Alles unter dem Motto »Der mysteriöse Abgang des Simon Minkoff«. Er hatte nur die Schultern gezuckt und etwas getan, wovon er lange geträumt hatte: Er nahm einen dicken Roman zur Hand und las ihn in einem Zug durch.

Die Spekulationen über sein Verschwinden konnte er ignorieren, die Reporter vor dem Haus nicht. Nachbarn hatten sich schon über die Belagerung beschwert, und nach fünf Tagen Hausarrest bekam er einen solchen Lagerkoller, dass er sich an den PC setzte und Last-Minute-Angebote aufrief. Zwei Wochen Malta? Perfekt! Dorthin war vor zehn Jahren ihre zweite gemeinsame Reise gegangen, er hatte beste Erinnerungen daran. Ihr allererstes Ziel war Amsterdam gewesen, hatte aber in der Hauptsache aus der akribischen Besichtigung des Hotelbettes bestanden. Dachte er an Malta, kamen ihm sofort Vallettas Paläste in den Sinn, lange Bootsfahrten, guter, starker Kaffee und mediterranes Laissez-faire, abgerundet durch britische Tugenden. Hand in Hand waren sie durch jede Straße der übersichtlichen Hauptstadt flaniert, hatten die Auberges der Johanniter besichtigt, vor allem aber die Zeit genutzt, sich gegenseitig ihr Leben zu erzählen. Wie alle Verliebten hatten sie sich für den Anderen neu erfunden, ihre Biografie in diese oder jene Richtung gestreckt, hier und da so viel bemäntelt, dass es einer Lüge nahe kam, aber auch – dies meist spät und beflügelt vom einheimischen Rotwein – die Wahrheit so schutzlos benannt, dass es sie ängstigte und ihre Herzen öffnete. Auf Malta war ihre Verliebtheit zur Liebe gereift.

Ausnahmsweise war es ein Kinderspiel gewesen, Vivian zu dieser Spontanflucht zu überreden. Entscheidungen fielen ihr schwer, schnelle Entscheidungen setzten sie schachmatt. Gegen ihre üblichen Abwimmelargumente – geht nicht von heute auf morgen, schon aufgestellter Schichtplan, kann doch die Mitarbeiter nicht im Stich lassen – hatte er mit nur einem Satz die Schlacht gewonnen: »So lange wir in Berlin sind, werden die Reporter sich nicht verpissen.«

Gutgelaunt verputzte er das zu trockene Sandwich und ging nach innen, um sich eine Zeitung zu schnappen. Die *BILD* ließ er links liegen und griff sicherheitshalber nach der *Herald Tribune*. Nur einmal war seine Laune gefährdet, als eine deutsche Touristengruppe durch das Stadttor schritt, um die Hauptstadt einzunehmen. Kurzentschlossen hielt er sich die Zeitung vors Gesicht, amüsiert über seine Geheimagenten-Travestie. Als die *Tribune* keinen ungelesenen Buchstaben mehr hatte, bezahlte er und machte sich zu den Ruinen des alten Opernhauses am südlichen Ende des Platzes auf. Nach ein paar Bummelschritten packte ihn jemand von hinten am Hemdzipfel. In Erwartung eines Fans drehte er sich genervt um, sah aber nur Vivians blasse Nase. Er gab ihr einen Kuss: »Na, du Murmeltier!«

»Cocktailkater«, knarzte sie und lächelte auf eine so hilflose Art, dass seine Gefühle mit den Flügeln schlugen. Wie so häufig bei verkaterten Menschen sah sie blendend aus. Sie trug ein ärmelloses Hängerchen in Blau und war dennoch die bestgekleidete Frau weit und breit. Sie hatte ihre Haare mit einem schmalen weißen Band nach hinten gestrafft und war ungeschminkt. Wohlgefällig registrierte er die bewundernden Blicke der männlichen Passanten. Er fasste sie um die Taille und gönnte sich ein wenig Besitzerstolz. In jeder Bedeutung des Wortes wollte er sie festhalten. »Du hast hoffentlich schon gefrühstückt?«, fragte er besorgt.

»Geht noch nicht, aber ich brauche dringend Kaffee. Intravenös!«

Simon wies auf das Café am Platzeingang: »Ich habe schon gefrühstückt, aber für Versehrte setze ich mich gern noch mal hin.«

»Nicht nötig. Haben die hier auch Coffee to go? Ich brauche frische Luft zum In-die-Gänge-Kommen.«

»Ganz schön optimistisch, mich auf gut Glück zu suchen«, wunderte er sich, als sie zurückgingen, um für Vivian einen doppelten Cappuccino und eine große Flasche Wasser zu bestellen.

»Ach, du mit deinen zwei Kopf größer als die Eingeborenen bist doch nicht zu übersehen!«

»Ja, sind alles Ponys, oder?«, lachte Simon. »Haupt- oder Seitenstraßen?«

»Was waren noch mal die weniger anstrengenden?«

Der Fels, auf dem Valletta thronte, ragte nicht nur lang und schmal ins Meer, er war auch merklich gekrümmt. Die schnurgerade Republic Street auf seinem Grat war eine der wenigen Straßen, auf denen man ohne große Höhenunterschiede flanieren konnte. Rechts und links fielen die Straßen zum Wasser hin steil ab, teilweise so sehr, dass die Bürgersteige sich zu Treppen wandelten.

»Oh, warte«, sagte Vivian, die wie ein Baby an ihrem Kaffee nuckelte. »Ich habe dir deine Sonnenbrille mitgebracht!« Sie wühlte in der bunten Korbtasche, die über ihrer Schulter hing.

»Du bist so gut zu mir! Aber mit ein bisschen Glück und Spucke ist sie gar nicht nötig. Soviel Touris gibt's nicht mehr um diese Jahreszeit, und wenn ich die schlechten Zähne richtig deute, handelt es sich vor allem um Engländer.«

»Es soll auch Leute geben, die eine Sonnenbrille wegen der Sonne tragen.«

»Siehst du mal, wie weltfremd ich geworden bin!«

Schweigsam bummelten sie die Paradestraße entlang. In den Auslagen wimmelte es nur so vor übersüßten Ballerinas und jammerlappigen Pierrots. Besonders hatte es ihnen ein hemdsärmeliger Bauernlümmel angetan, der feist grinsend eine Wildsau abschoss. Trotz der Souvenirläden war Valletta keine Kulissenstadt. Hier wurde gelebt, gearbeitet und Handel getrieben, was in Anbetracht der laut und schnell schnatternden Einheimischen nicht zu überhören war.

Vorbei an Kathedrale und Großmeisterpalast schlenderten sie bis zum Ende der Halbinsel, dem mächtigen Fort St. Elmo, kehrten in einen Laden für Fish and Chips ein und wagten sich mit dieser Grundlage in die anstrengenderen Seitenstraßen.

Im Großen und Ganzen ließ man Simon in Ruhe. Am Nachmittag wurde er von einer temperamentvollen Großfamilie wegen Autogrammen angegangen. Vivian und er hatten es sich gerade mit frisch gepresstem Orangensaft und Muffins vor einer winzigen Bar bequem gemacht, als die Deutschen ihn entdeckten. »Tut mir leid, ich bin privat hier«, lehnte er ab, aber es war ihm so peinlich, dass er einen hochroten Kopf bekam. Vielleicht, so hoffte er, würde das Gewese um ihn sich ja in ein paar Monaten legen. Und wenn nicht, hätte er immerhin gelernt, ohne Schuldgefühle keine Autogramme zu geben. Vivian hatte die Szenerie aufmerksam beobachtet, sich aber nicht dazu geäußert. Überhaupt hatte sie seit seinem Rückzug nicht groß nachgefragt. Die Fakten kannte sie, aber es schien sie nicht sonderlich zu interessieren, was genau vorgefallen war. Sicher, nach seiner überstürzten Rückkehr aus München war ausnahmsweise er der Schweigsame gewesen. Das bayerische Fiasko hatte ihm so tief in den Knochen gesteckt, dass er keinen klaren Satz fassen konnte. Wir reden auf Malta, hatte er sich vorgenommen, da haben wir alle Zeit der Welt. Nachdem die deutsche Familie pikiert abgezogen war, mümmelte er gedankenverloren an seinem Muffin.

Fast unmerklich hatte der Himmel sich zugezogen, und ein frischer Wind, den man im Sonnenschein kaum gespürt hatte, ließ sie frösteln. »Gehen wir zurück ins Hotel und halten Mittagsschlaf«, schlug Vivian vor, die einen leichten Pullover aus ihrer Umhängetasche nestelte.

»Später Nachmittagsschlaf eher!« Simon rieb sich die nackten Arme. »Aber du hast recht: Es wird verdammt kühl. Leg dich ruhig hin. Ich gehe in die Lobby, lese was und frage den Concierge nach einer Restaurantempfehlung.«

Am Abend hatten sie sich mit Jacken versorgt. Da dem luschigen Concierge partout nur das Hotelrestaurant einfallen wollte, beschlossen sie, es auf eigene Faust zu versuchen. Wenn die Tagestouristen fort waren, wurde Valletta zum Dorf. Vor der Kathedrale lag ein idyllischer, von Fackeln beleuchteter Platz, der nach dem heiligen Johannes benannt war. Gastronomisch wurde er von zwei Italienern beherrscht, die ihn penibel unter sich aufgeteilt hatten. »Überhaupt nicht touristisch«, stellte Vivian ironisch fest. »Aber es wäre schon ein Gewinn, jetzt draußen zu sitzen.«

»Mir recht, da kann ich rauchen. Aber beklage dich hinterher nicht, die Läden stehen bestimmt nicht in einem deiner Gourmetführer.«

»Touristenfalle, schon klar, aber der Platz ist eine so schöne Ansichtskarte. Am besten bestellen wir Pizza, da kann man nicht viel falsch machen.«

Nicken, Platz nehmen und merken, dass sie einen Fehler gemacht hatten, war eins. Zwar wurden sie durch einen Heizpilz vor der Abendkühle geschützt, aber leider nur ihre Vorderseite. Ein sehr britisches Gefühl, wie Simon fand. Die Stühle waren aus Plastik, auf dem Tisch lag ein Wachstuch mit Brandflecken, und der Kellner schien im Hauptberuf Fernsehen zu gucken. Sie hätten aufstehen und weiterziehen sollen, aber keiner wollte den ersten Schritt tun. Kurzentschlossen rief Simon die Bedienung herbei und fragte nach der Karte. Der Junge mit sehr spitz zulaufenden Koteletten zog ein Gesicht, als foltere man ihn, pfefferte dann aber gnädig zwei speckige Speisekarten auf den Tisch. »Der wäre jetzt auch lieber bei seiner Freundin«, befand Vivian.

»Das ist mir schon den ganzen Tag aufgefallen: Die Bedienungen sind hier so motzig, als hätte man sie persönlich beleidigt. Kommt mir vor, als wäre Malta die DDR des Mittelmeers!«

»Können wir nur hoffen, dass es keine Soljanka-Pizza gibt«, lachte Vivian.

Die gab es nicht, aber furchterregende Kreationen wie Pizza *Phuket*, Thai-Hühnchen mit süßsaurer Chilisoße. Sie blieben am sicheren Ufer und bestellten eine *Margherita* und eine *Capricciosa*. Vivian wählte eine Flasche vom einheimischen Syrah, der sich als bäuerlich gut erwies. Die Terrasse war nur zur Hälfte gefüllt, ausnahmslos mit Touristen, und bis auf einen Dreiertisch mit tuschelnden Deutschen (»Ist das nicht der …«) fest in britischer Hand. Vivian und Simon senkten den Altersdurchschnitt beträchtlich. Die britischen Pensionäre sahen aus, als hätte ein Karikaturist ihnen Leben eingehaucht: rotwangig und in Tweed die Gentlemen, hellhäutig im flatternden Blümchenkleid die Ladys, darüber ein rosa oder türkisfarbenes Strickjäckchen. Und laut waren sie.

»Diese Engländer sitzen so bräsig da, als würde Malta ihnen noch gehören. Hoffentlich singen die nicht gleich *Britannia rule the waves*«, sagte Vivian.

»Weltmacht sind die sowieso nur noch in der Popmusik.«

»Nix gegen Britpop, die Welt wäre ärmer ohne!«

»Soweit in Ordnung, außer Mädchenmusik wie *Coldplay*!« Simon kannte ihre Schwachstellen sehr gut.

»Oh, du Ignorant! Wenn du nur ein Zehntel vom Sexappeal des Leadsängers hättest!«

Simon war nicht amüsiert. Er zog ein Gesicht, als hätte er auf Nelken gebissen.

»Um Gottes willen, war nur ein blöder Spruch!«, versuchte Vivian einzulenken. »Bitte entschuldige, du warst wirklich nicht gemeint!«

»Offensichtlich bin ich nie gemeint. Du hast noch nicht mal gefragte, was in München überhaupt los war.« Sogar Simon erschrak über die unsympathische Angriffslust in seiner Stimme.

»Ich dachte, du brauchst Zeit, du würdest schon noch von allein kommen!«

Vivian hatte buchstäblich den Kopf eingezogen, doch er war zu sehr mit sich selbst beschäftigt, das zu bemerken: »Trotzdem hätte ich nichts gegen ein bisschen Interesse an meiner Person!«, schnauzte er.

Sie wollte protestieren, fand aber keine Worte. Dafür hatte sie ihn immer beneidet: Stets fiel ihm die passende Formulierung ein, und wenn einmal nicht, redete er einfach so lange, bis seine Sätze auf Realität trafen. Sie dagegen ging in einem Strudel aus Emotion und Sprachlosigkeit verloren. Je aufrichtiger sie versuchte, sich zu erklären, desto mehr verhedderte sich ihre Zunge. Auslachen hätte sie ihn sollen, ihn in die Seite boxen und rufen: »Sei nicht so empfindlich, du Mädchen!« Sie hatte es wirklich nicht so gemeint. Und doch, wenn sie darüber nachdachte, hatte er nicht mal unrecht. Vielleicht war sie zu banal, zu schwerfällig, um die Gefühlsachterbahnen eines schöpferischen Menschen zu teilen? Vielleicht fehlte ihr auch das Interesse. Sie waren anstrengend, diese ewig elektrisierten Medienleute mit ihren blanken Nerven, die sich schlussendlich doch als stählern erwiesen, belastbarer als ihre jedenfalls.

Während sie versuchte, ihr Gefühlspuzzle in Worte zu fassen, sah er nur eine Frau, die mal wieder verstummte. Um irgendetwas zu tun, zündete er sich umständlich eine Zigarette an und blies den Rauch in die stickige Wärme des Heizpilzes. Es war wieder soweit: Sprachlos saßen sie voreinander, sie verdruckst, er frustriert.

Simon hätte sich fast bedankt, als der übellaunige Kellner ihre Pizza mit beleidigendem Desinteresse auf den Tisch knallte. Vivians Margherita hatte den Käse nur von weitem gesehen, dafür war seine *Capricciosa* unter zu viel Belag schwimmen gegangen. »Bei Pizza kann man eigentlich nichts falsch machen«, sagte er mit berechnetem Humor. Vivian lachte pflichtschuldig. Er nahm einen Schluck Wein und legte eine Hand auf ihren Arm: »Bitte entschuldige, ich sollte nicht so dünnhäutig sein!«

»Nein, mir tut es leid«, kam es wie aus der Pistole geschossen. Und nach einer Pause: »Natürlich interessiere ich mich dafür, wie es dir geht und was mit dir los ist!«

Warum nicht, dachte er, einen Versuch ist es wert: »Weißt du, es ging einfach nicht mehr. Ich habe mich schon lange gefühlt wie ein Fesselballon, dem man nur das Seil kappen muss, und schon ist er verschwunden!« Er machte eine Pause, um ihr Gelegenheit zu geben nachzufragen, aber sie sah ihn nur einen Hauch furchtsam an. »Die verachten das Programm, das sie machen, und sie verachten die Zuschauer«, fuhr er fort. »Nenn es naiv, aber ich möchte schon etwas, pardon, bewirken.«

Du hast doch etwas bewirkt, wollte sie protestieren. Viele seiner Themen hatten Diskussionen ausgelöst, privat und öffentlich. Untragbare Zustände in psychiatrischen Einrichtungen beispielsweise waren ans Licht gekommen, weil er eine legendäre Sendung mit geistig Behinderten hingelegt hatte. »Niemand schmeißt so einen Job hin«, sagte sie schließlich. »Andere Leute ackern ihr ganzes Leben, um in so eine Position zu gelangen!«

»Kinderkram!«

»Was ist denn nun in München passiert?«, versuchte sie es noch einmal.

»Ach, die Öffentlich-Rechtlichen.« Gereizt schob er die Pizzareste beiseite. »Ich war so doof, die immer als eine Art Zuflucht zu sehen, so wie manche Leute sagen: ›Irgendwann wandere ich nach Italien aus.‹ In Wirklichkeit sind sie phantasielos, obrigkeitshörig und hinterfotzig. Als wollte ich nach Italien gehen und wäre in Bottrop gelandet!«

»Na, dann gehst du halt nicht zu denen.«

»Das ist doch nicht der Punkt!«

Vivian senkte den Blick. Hoffentlich steigerte er sich nicht in eine seiner Verzweiflungsreden hinein, sie hasste das.

»Es ist schon noch etwas mehr passiert«, setzte er mit mühsam beherrschter Stimme nach. »Beim Empfang schleimt mich ihre Heiligkeit, der Ministerpräsident, an, schmiert mir Honig ums Maul. Dann packt der mich auch noch an, haut mir auf die Schulter, als wäre ich sein Spezi! Ich hätte dermaßen kotzen können!«

»Man kann's auch mit Humor nehmen!«

»Eben nicht! Ich habe mich gefühlt, als hätte mich jemand mit Jauche getauft. Ich bin ins Hotel und hab den Rest der Nacht unter der Dusche verbracht.«

Vivian fand, dass der Ministerpräsident viel zu unwichtig war, um sich von ihm aus dem Job kegeln zu lassen, aber sie hatte Angst, ihn noch mehr zu reizen. Also fragte sie nur: »Und was nun?«

Enttäuscht pickte er eine Peperoni von seiner kalten Pizza. Früher hätte sie eine Meinung gehabt, mit ihm gestritten oder ihn unterstützt, je nachdem. »Kack die Wand an!« Ohne es zu wollen haute er auf den Tisch, dass die Gläser hüpften. »Mit dem Fernsehkasper ist jedenfalls Schluss!«

Vivian hatte von ihrer Pizza nur gepickt, nun gab sie es ganz auf. »Was willst du denn ohne Job machen? Willst du in ein paar Jahren vorm Brandenburger Tor stehen, und man kann dir für zehn Euro ins Gesicht spucken?«

»*Du* hast ja Sorgen!«

»Nein, ich …«

»Ich werde eine Auszeit nehmen, ein Jahr. Oder zwei. Und wenn es sein muss, auch mehr. Basta!«

Vivian teilte den letzten Rest Rotwein auf, während er die Feinheiten der Tischdecke studierte. Sie leerte ihr Glas in einem Zug und ließ den Blick schweifen, um der lastenden Spannung zu entkommen. Ein paar Tische weiter fiel ihr eine Engländerin auf, die mit durchgedrücktem Rücken einen Salat zu sich nahm. Irgendwie brachte sie es fertig, dabei jeden einzelnen Finger abzuspreizen. Mit langsamen, abgezirkelten Bewegungen verschwand Blatt für Blatt in ihrem Mund, als sei er das präzis berechnete Ziel einer anspruchsvollen Operation. Da war kein Appetit, keine Sinnlichkeit, nur die Befriedigung, einen leider notwendigen Vorgang zwischen Hunger und Kloake tadellos zu exekutieren.

»Ich will hier weg«, rief Vivian ungewohnt heftig. »Ich will hier sofort weg!«

Er hätte wissen müssen, dass man verliebte Wochen auf einer Mittelmeerinsel nicht einfach in Serie spielen kann. Zwei Tage waren nötig, Vivian die sofortige Abreise auszureden. »Ich fühle mich nicht wohl, mir geht es nicht so gut« – mehr als die üblichen Nicht-Gründe waren aus ihr nicht herauszubekommen. Es war die Tatsache, dass ihr Flug nicht umbuchbar war, die sie zum Bleiben bewog. Falls man das Bleiben nennen konnte. Von Tag zu Tag verließ sie das Hotel seltener, bis er gegen Ende der beiden Wochen wie ein Junggeselle reiste. Anfangs hatte er sie noch zu locken versucht – der Wind war schwächer geworden, und die Sonne hatte sich noch einmal ins Zeug gelegt –, aber Vivian sprach nur davon, dass sie jetzt erst merke, wie überfordert sie sich auf der Arbeit fühle. »Ich brauche Frieden. Geh doch ein bisschen allein.«

Als Solo hatte er sich ihre romantische Flucht nicht vorgestellt, aber ihm blieb keine Wahl. Also erwarb er einen Panamahut, setzte seine größte Sonnenbrille auf und machte einen Tagesausflug zur Insel Gozo. Tags drauf tuckerte er mit einem nostalgischen Bus in die alte Kapitale Mdina. Als er durch die leeren Straßen des Städtchens schlenderte, waren die Palazzi und Kirchen aus dem 16. und 17. Jahrhundert von solcher Erhabenheit, dass er Vivian sicher vorgeschlagen hätte, die Nacht hier zu verbringen. In einem Tagtraum phantasierte er, wie sie abends durch die pittoresk beleuchteten Gassen spazierten, auf der Stadtmauer die Beine baumeln ließen und sich anschließend zu einem Sherry unter bunten Markisen aufmachten. So sehr wünschte er sich ihren Geruch, dass ihm schwarz vor Augen wurde.

Wenn er von diesen einsamen Ausflügen heimkehrte, bemühten sie sich um Normalität. Dann aßen sie im Grand Restaurant des Hotels zu Abend, einer hohen Halle, die auf Fotos gut aussah, und gaben vor, sich darüber zu amüsieren, wie jeder einzelne der damastgedeckten Tische wackelte. Er berichtete von seinen Touren, und sie tat, als interessiere sie sich dafür. Tag für Tag schienen die durchgedrückten Rücken der britischen Touristinnen mehr auf sie abzufärben. Sie agierten wie zwei abgehalfterte Provinzschauspieler, die mühsam durch eine elegant verlogene Gesellschaftskomödie von Feydeau schlurfen. Auf dem Heimflug waren sie von einem normalen Ehepaar nicht zu unterscheiden: Sie schwiegen sich an.

11 Ein ganz gewöhnlicher Dienstagmorgen war es gewesen.

Simon wollte gerade die Wohnung verlassen, um sich seiner jährlichen Routineuntersuchung zu unterziehen, als das Telefon klingelte. Danuta, Vivians Geschäftspartnerin, war dran, uncharakteristisch aufgelöst: »Wo bleibt die

Vivi? Alle warten auf sie. Sie soll den letzten Tag unserer Fortbildung leiten, und später kommen noch ein paar Leute von der Innung. Wo bleibt sie denn?«

»Ich glaube, sie schläft noch«, sagte Simon.

»Bitte, bitte! Schnell aufwecken!«

Er ging in den hinteren Teil der Wohnung und pochte an ihre Schlafzimmertür. Keine Reaktion. Erst als er nachdrücklicher wurde, hörte er Geräusche, etwas war umgefallen. »Vivi, alles okay?«, rief er und drückte gleichzeitig die Klinke. Die Tür war verschlossen.

»Was ist?«, leierte sie.

»Hast du verpennt? Danuta ist am Telefon und fragt, wo du bleibst?« Eine Weile kein Laut. Dann war sie offensichtlich aufgestanden, ihre Stimme klang jedenfalls näher und wacher: »Scheiße, sag ihr, ich bin gleich da!«

Zurück am Telefon, konnte er sich ein triumphierendes Grinsen nicht verkneifen. Endlich versemmelte auch sie mal einen Termin. Wie oft hatte sie ihm mit ihrer Überpünktlichkeit ein schlechtes Gewissen gemacht? Am Abend, wenn sie von der Arbeit kam, würde er ihr das mit Freuden aufs Brot schmieren.

Als er nachmittags aus der Stadt zurückkehrte, war er bester Dinge. Eine blendende Konstitution war ihm vom Arzt bescheinigt worden, vor allem aber hatte er das ziellose Herumschlendern danach genossen. Mantelkragen hochgeschlagen, eine Wollmütze tief ins Gesicht gezogen, war er weitgehend anonym geblieben. »Wo sind *Sie* denn abgeblieben?«, hatten nur wenige Fans gefragt, worauf er mit seinem neuen Standardsatz antwortete: »Ach, ich nehme nur eine Auszeit.« Wann war er das letzte Mal durch Berlin gestrolcht, einfach so? Er hatte eine Rostbratwurst verputzt, belgische Pralinen für Vivian gekauft und sich mit einem Riesenstapel internationaler Presse eingedeckt. Ihm war nicht bewusst gewesen, wie sehr ihm diese kleinen Freiheiten fehlten und dass sie so klein nicht waren. Doch kaum hatte er die Wohnung betreten, schlug etwas in ihm Alarm. Eigenartig, Vivians Wintermantel und ihr gestreifter Wollschal hingen immer noch an der Garderobe. Ohne abzulegen, ging er zu ihrem Schlafzimmer. Wie am späten Vormittag war es verschlossen. Er klopfte, dieses Mal nicht mehr dezent: »Vivi, du kannst doch nicht immer noch schlafen!?« Nichts. Mit Nachdruck bollerte er gegen die Tür. Was, wenn ihr etwas zugestoßen war, eine Ohnmacht, irgendwas? »Vivian, hörst du mich? Mach sofort auf, ich bitte dich!«

Dann eine vergrätzte Stimme: »Hör auf, was soll das?«

Erleichtert lehnte Simon seine Stirn an die Türfüllung: »Was das soll? Das frage ich dich!«

»Alles in Ordnung.«

Er richtete sich wieder auf und schüttelte den Kopf: »Nein, ich will wissen, was da los ist! Du machst jetzt die Tür auf!« Als sie nicht reagierte, begann er heftig gegen das Holz zu treten. Dann hörte er, wie der Schlüssel umgedreht wurde. Ein Bein noch in der Luft, sah er, wie Vivian die Tür einen Spaltbreit öffnete und, immer noch im Pyjama, sich sofort wieder ins Bett fallen ließ. Ihr Zimmer sah schlimm aus: Auf dem Sessel, auf dem Beistelltisch, auf dem Boden, überall lag schmutzige Kleidung verstreut. Es roch schal, süßlich, säuerlich und abgestanden zugleich. Das war doch nicht Vivian. Wann hatte sie zuletzt gelüftet? Wie tot lag sie im Bett, Steppdecke bis an die Nase gezogen, Augen geschlossen.

»Was ist passiert?«, wisperte er. Sie reagierte nicht. Sein Blick fiel auf zwei leere Weinflaschen neben dem Kleiderschrank. Ob sie gestern Abend einen gepichelt hatte? Das sah aber nicht nach einem gewöhnlichen Kater aus. »Bitte rede mit mir!« Immer noch im Mantel, setzte er sich auf die Bettkante und schüttelte sie vorsichtig. Notgedrungen öffnete sie die Augen. Ihr Gesicht war verquollen, die Augen hatten einen Gelbstich. Sie schaute hoch, sah aber durch ihn hindurch. Das war nicht seine Frau. Hinfällig, dachte er, so muss Hinfälligkeit aussehen.

Simon war so bestürzt, dass er kopflos aufsprang und ins Wohnzimmer rannte. Dort hielt er inne und versuchte, einen klaren Gedanken zu fassen. Ihr Gesichtsausdruck – irgendwo hatte er den schon mal gesehen. Ruhe bewahren, sagte er sich. Er warf seinen Wintermantel über einen Sessel und ging in die Küche, um sich ein Glas Leitungswasser einzugießen. Während er in kleinen Schlucken trank, kam die Erinnerung wieder: Depression! Vor Jahren hatte er einen Benefizabend für eine psychiatrische Einrichtung moderiert und als Vorbereitung zwei Krankenstationen besucht. Nicht die murmelnden oder schreienden oder aggressiven Patienten hatten ihn verstört, es war die Apathie bei den schwer depressiven gewesen, eine schwer zu ertragende Hoffnungslosigkeit. Wie Vivian hatten sie gestarrt, einer Existenz ohne Sinn so schutzlos preisgegeben, dass nicht die kleinste Regung zu lohnen schien. Depression, schwere Depression, klinische Depression. Merkwürdigerweise erleichterte ihn der Gedanke. Wenigstens konnte er nun etwas unternehmen. Sie brauchte professionelle Hilfe, und zum Glück hatte er alle Zeit der Welt, die notwendigen Dinge in die Wege zu leiten.

Es war schwerer, als er dachte. Kurz vor Weihnachten einen Therapeuten aufzutreiben erwies sich als fast unlösbare Aufgabe. Die Sprechstunden waren überfüllt, weil das Friedensgebimmel, das Liebesgetue, vor allem aber das Familiengesäusel die Patienten schon Wochen vorher verzweifeln ließen. Selten hatte er seine Prominenz zum eigenen Vorteil genutzt, aber jetzt plagten ihn keine Skrupel. Vivian brauchte dringend Hilfe. Sie verließ das Bett nicht, und mehr als »ja« oder »nein« war aus ihr nicht herauszukriegen. Stundenlang telefonierte er mit Sprechstundenhilfen. Er bat, bettelte, flehte. Er versuchte es sogar mit Geld. Ohne Erfolg. Nirgendwo ein freier Termin. Er telefonierte sämtliche Bekannte durch und bat um Rat. Ausgerechnet Sebastian Leber konnte helfen: Der ewig gutgelaunte Springteufel hatte in wenigen Tagen einen regulären Termin bei seiner Therapeutin.

»Du und Therapie?«, staunte Simon. »Entschuldige, das geht mich eigentlich gar nichts an.«

»Hast es bestimmt längst gemerkt«, meinte Leber cool. »Hab ein Problemchen mit dem kolumbianischen Marschierpulver.«

»Ach nee!«

»Na ja, immerhin krieg ich jetzt eine Nasenscheidewand aus Platin! Das machen die in der Waldklinik in Baden-Baden. Sehr edel! Bis dahin gibt es kostenlos Therapie auf Krankenschein.«

Simon war nicht nach Lachen zumute: »Pass auf dich auf! Hauptsache, du bekommst professionelle Hilfe.«

»Doch, die Frau ist echt gut. Wenn sie damit einverstanden ist, hab ich kein Problem, für Vivian zu verzichten!«

»Au Mann, das ist so ...« Simon geriet vor Dankbarkeit ins Stammeln. Nie würde er ihm das vergessen, die Großzügigkeit, aber auch den Mut, ganz nebenbei zu offenbaren, ein Drogenproblem zu haben.

Glücklicherweise war die Ärztin einverstanden, mehr noch: Leber sollte seinen Termin ruhig wahrnehmen, sie würde Vivian zusätzlich vormerken, allerdings nur am kommenden Freitag und erst gegen einundzwanzig Uhr.

Für Simon wurden es die längsten vier Tage seines Lebens. Aus Hilflosigkeit begann er Hühnerbrühe zu kochen, von der sie sogar etwas nahm. Ihre Kommunikation fand ohne Worte statt. Immer wenn er versuchte, sie nach dem Grund ihrer Schwermut zu fragen, drehte sie brüsk den

Kopf zur Wand. Er bot all seine Kraft auf, Zuversicht aus-
zustrahlen. Nur einmal, er räumte gerade ein unberührtes
Tablett mit Schnittchen und Obst ab, gelang es ihm nicht.
Wie sie da lag und mit verzweifeltem Blick Krater in die
Wand starrte, konnte er seine Tränen nicht mehr zurückhalten. »Es bricht mir das Herz, dich so zu sehen«,
schluchzte er. »Es bricht mir einfach das Herz!«

Am Freitag versanken die Stunden bis zum Abend in Blei.
Tausend Mal schaute er auf die Uhr, tausend Mal fragte er
sich, ob sie wirklich mitkommen werde. »Du brauchst Hilfe,
das weißt du selbst«, hatte er auf sie eingeredet. »Ich glaube,
ich habe eine Frau gefunden, die dir guttun wird.« Vivian
widersprach nicht, was er als gutes Zeichen nahm. Als er
am frühen Abend hörte, wie sie sich ein Bad einließ, hätte
er Choräle anstimmen mögen. Sie wollte mitkommen!
Und war es nicht ermutigend, dass sie sich schämte, stin-
kend und mit fettigen Haaren aus dem Haus zu gehen? In
diesem ersten Lebenszeichen lag etwas von der alten Vivian,
das ihm Hoffnung gab.
   In der Praxis sah es aus wie bei allen Ärzten: Ocker-
farbene Wände, schlechte Kunstdrucke und ein Ficus Ben-
jamini. Der Arzthelfer bläute Simon ein, dass »die Frau
Dokter« wirklich nur eine halbe Stunde Zeit habe, und
fragte Vivian, ob sie etwas trinken wolle, Kaffee, Tee, Wasser? Die schüttelte nicht einmal den Kopf, ging ins Wartezimmer und starrte auf den orangefarbenen Linoleum-
boden. Simon trat ans Fenster, versuchte es zu öffnen,
ohne Erfolg. Es erinnerte ihn an die Psychiatrie, wo die
Fenster auch nur vom Personal geöffnet werden konnten,
damit sich niemand in die Tiefe stürzte. Was immer bei
Vivian diagnostiziert würde, alles wäre besser als die Hilflosigkeit der letzten Tage. Mit viertelstündiger Verspätung
betrat die Ärztin das Wartezimmer, nickte Simon kurz zu
und bat Vivian herein. Vertrauenserweckende Erschei-

nung, eine Frau um die vierzig, charaktervolles Gesicht, dunkles Haar mit ersten grauen Strähnen.

Simon nahm eine Illustrierte zur Hand, konnte sich aber nicht einmal auf die Bilder einlassen. Stillsitzen auch nicht. Wie ein neurotisches Tier lief er die neun Schritte zwischen Fenster und gläserner Wartezimmertür immer wieder ab. Dabei beobachtete er den Arzthelfer mit angedeutetem Irokesenschnitt, der lethargisch seinen Schreibtisch aufräumte. Offensichtlich waren sie die Letzten für heute. Als sich die Tür des Sprechzimmers öffnete, hatte Simon das Gefühl, höchstens eine Viertelstunde sei vergangen. Mit ausdrucksloser Miene öffnete Vivian die Glastür und nahm wieder auf einem der Freischwinger Platz. Täuschte er sich, oder hatte sie ein wenig Farbe im Gesicht?

»Was ist los? Was hat sie gesagt?«

Still und verloren saß sie da. Keine Regung, nur Augen, als halte ihr jemand ein Messer an die Kehle. Dann stand sie langsam auf, griff nach ihrem Schal, legte ihn sich um den Hals. Zögerlich fasste sie ihren grauen Wintermantel. Sie wollte mit dem rechten Arm in den Ärmel fahren, überlegte es sich aber anders. Stand still, ließ die Arme hängen, so dass der Mantel auf den Boden sank: »Ich bin Alkoholikerin.«

»So ein Quatsch, du bist doch keine Alkoholikerin. Das hätte ich doch gemerkt!«

»Ich bin Alkoholikerin.« Zum ersten Mal seit ihrem Zusammenbruch hörte sie sich nach sich selbst an. Ihre Stimme klang fast friedvoll.

Da musste ein Irrtum vorliegen. Alkoholikerin, das war nicht akzeptabel. In diesem Moment verließ die Ärztin ihr Zimmer. »Bin gleich wieder da«, flüsterte Simon und lief ihr entgegen. »Entschuldigung, könnte ich Sie einen Moment sprechen?« Sie nickte, machte aber keine Anstalten, ihn hereinzubitten. »Meine Frau behauptet, sie sei Alkoholikerin. Das kann doch nicht sein!«

»Wann war der letzte Abend, an dem sie keinen Alkohol getrunken hat? Denken Sie ernsthaft nach.« Ihr Spezialistenblick ruhte auf ihm, während sie ihren weißen Kittel aufknöpfte.

Simon überlegte verzweifelt: »Fällt mir im Moment nicht ein. Aber sie ist doch keine Säuferin, sie trinkt vielleicht zwei Gläser Wein am Abend, auch mal drei, aber das ist alles.«

»Sehen Sie, Herr Minkoff, das ist eine gängige Fehleinschätzung«, seufzte sie erschöpft. »Es ist nicht die Menge, die eine Alkoholkrankheit ausmacht, sondern die Regelmäßigkeit.«

Er gab nicht auf: »Aber ich dachte, es sei so etwas wie eine Depression, unter der sie leidet.«

»Da haben Sie ganz recht. Alkohol wird häufig als Vermeidungsstrategie eingesetzt. Aufkommende psychische Probleme sollen so unterdrückt werden. Das funktioniert auch eine Weile, bis die Psyche mit Macht zuschlägt.«

Simon ließ jeden Widerstand fahren: »Und was nun?«

»Ihre Frau braucht eine Therapie und einen Entzug.« Freundlich lächelnd, aber ohne Widerspruch zu dulden, streckte sie ihm die Hand entgegen. »Ich muss jetzt wirklich! Ich bin seit heute früh um sieben hier, und morgen erwartet mich der erste Patient zur gleichen Zeit.«

Auf dem Weg zum Taxistand schwieg Vivian, ohne abweisend zu wirken. »Du wehrst dich gar nicht gegen die Diagnose«, brach Simon das Schweigen.

»Komisch, die Frau hat nur drei, vier Fragen gestellt, dann war alles klar.«

»Du hast es gewusst?«

»Ja. Aber was heißt wissen? Man ahnt etwas und will es auf keinen Fall wahrhaben.«

»Ich jedenfalls kann es nicht fassen.« Er hakte sich bei ihr ein. »Unter Alkoholikern habe ich mir immer verkommene Schnapsleichen vorgestellt, dich habe ich noch nicht einmal torkeln sehen.«

»Du bist die meiste Zeit in Köln.«

»Was soll das heißen?« Simon schaute ihr alarmiert in die Augen.

Sie hielt seinem Blick nicht stand, wandte schnell den Kopf ab: »Erinnerst du dich an letzten Juli, wo ich mit einer Sommergrippe im Bett lag, als du am Wochenende nach Hause kamst?«

»Ja, warum?«

»Das war keine Grippe. Ich hatte in der Woche so viel getrunken, dass ich den Krankenwagen rufen musste.«

»Nein!« Simon blieb stehen und schloss sie in die Arme. Sie war ein Stück Holz in seiner Umarmung. »Was haben die im Krankenhaus unternommen?«

»Eigentlich nur eine Infusion mit Aufbaustoffen und so. Ich war total dehydriert.«

»Warum hast du mir nichts erzählt?«

»Ich dachte, das passiert mir nie wieder, es wäre ein einmaliger Ausrutscher.«

Zu Hause gestand sie ihm, dass es bei einem »Ausrutscher« nicht geblieben war. Drei Mal musste sie sich einliefern lassen. War das alles, oder würden noch weitere Geständnisse auf ihn warten?

Obwohl ihn die Diagnose und Vivians Beichte zutiefst bestürzten, war eine Last von ihm gefallen: Alkoholismus ist eine Krankheit, somit heilbar. Froh, etwas Greifbares zu haben, konnte er nun tätig werden und die Dinge ins Lot bringen. »Gleich morgen wird recherchiert und die beste Entzugsklinik gesucht«, versprach er. »Ich werde dich unterstützen, wo immer ich kann. Und dann brauchst du einen Therapeuten, aber den finde ich dir auch!«

12 Recherchieren konnte man das nicht nennen, es war Zeitvertreib. Wie es aussah, wollte die Schnapsleiche neben mir nie wieder zurück ins Reich der Lebenden, also schnappte ich mir meinen nagelneuen Laptop und surfte ein bisschen. Ich hatte mir das Teil erst vor ein paar Wochen aus steuerlichen Gründen zugelegt und war immer noch ganz verliebt. Design ist sonst meine Sache nicht (man sieht es an meinen Klamotten). Einer von den Technikfeaks, die in Elektronikmärkten multiple Orgasmen kriegen (und wahrscheinlich nur da) bin ich auch nicht. Doch so ein Wunder wie mein dünnes, dünnes Notebook macht mich schon an, auch wenn es für meine finanziellen Verhältnisse reichlich extravagant ist. Aber dafür habe ich es ja sonst nicht mit Unterhaltungselektronik. Ich höre Musik immer noch auf CDs, und mein Fernseher ist ein Röhrengerät aus der Frühgeschichte der Television. Freunde mit superflachen Riesenbildschirmen ziehen mich auf damit, aber ich gucke so selten Glotze, dass ich sogar mit reinem Gewissen die GEZ betrüge. Mein Hauptwerkzeug ist der PC, und auch wenn ich mich nur ablenken möchte, hat das Netz tausendfach mehr zu bieten als Fernsehen, wo nur noch gekocht, gequizt und geprollt wird.

Ich war angenehm verkatert aufgewacht, hatte mit erst mal nur einem funktionsfähigen Auge gesehen, dass es schon nach elf war, und beschlossen, den Tag zu vertrödeln. Die Trapeznummer als Freiberufler ist zwar anstrengend, hat aber einen großen Vorteil: Nicht immer, aber meistens kann ich mir die Zeit selbst einteilen. Heute malochen, morgen sumpfen – mit ein paar Gramm Organisationstalent und Disziplin kein Problem. Meistens. Manchmal.

Es dauerte, bis ich mich erinnerte, dass neben mir jemand lag, verpackt wie eine Mumie und genauso bewegungslos: Charleen – der Süßstoffname fiel mir viel zu schnell wieder ein.

Ich hatte sie im *Schwarzen Hering* kennengelernt, einer sympathischen Absturzkneipe. Abgesehen davon, befanden sich keine weiteren Daten mehr auf meiner Diskette. Als ich sie musterte – zu schwarzes Haar, zu braune Haut, viel zu jung –, kam mir ein Ausdruck in den Sinn, den ein paar Fans beim letzten Basketballheimspiel von *Alba* den blutjungen Cheerleader-Mädels hinterhergerufen hatten: »Ey, ihr Moppelelfen!« Traf ziemlich genau auf Charleen zu. Momentan sah man zwar nur ihr Kindergesicht, aber langsam kam mir die Erinnerung an ihren im Sonnenstudio angebratenen Teeniespeck wieder hoch. Teenie ist übertrieben, aber sie war höchstens Anfang zwanzig. Deutlich zu jung, fand ich. Nicht ohne Grund gehören gleichaltrige Partnerinnen zu meinen Neujahrsvorsätzen. Von vor drei Jahren. In diesem Fall lag das Störende nicht mal am Alter. Ihre Fingernägel fielen mir wieder ein, fiese Kunstschaufeln aus dem Nagelstudio. Denken Frauen wirklich, Männer finden so was geil? Mir jedenfalls zieht sich alles zusammen, wenn überschminkte Lutschmundas sich mit spitzen Pornokrallen an Eiern zu schaffen machen. Nicht, dass ich mich über Prollmädels erheben will – Charleen war witzig und nicht dumm. Wenn ich mich recht erinnerte. Leider wusste ich auch nicht mehr, ob wir gefickt hatten.

Bei diesen Gedanken regte sich mein Südpol. Ich schaute bei *megarotic.com* vorbei, um mich inspirieren zu lassen. Kommerzporno hat mich noch nie gereizt. Seit meinen ersten Ausflügen ins Web bin ich von den sexuellen Heimwerkern fasziniert. Wie tief man in die Privatheit wildfremder Leute eindringen kann! Im übertragenen und wörtlichen Sinn. Wie bei jeder Kulturtechnik verfeinert sich nach einiger Zeit auch hier der Geschmack. Ich bin auf verbale Äußerungen und Inneneinrichtungen spezialisiert. Bei Wohnungseinrichtungen gibt es die schrillsten Fälle für die Stilpolizei: extreme Mischungen aus Neobarock und Wildem Westen, Futon mit Batikbezug zwischen schweren Gründerzeitmöbeln, Schrankwände in »echt Antik«, vollgestopft mit Death-Metal-Gadgets. Was die Kopulationskonversation betrifft, bleiben die Männer meist beim Klassiker: Neunzig Prozent grunzen. Wenn überhaupt. Dem Rest fällt selten mehr als das Übliche ein: »Fuck yeah! You're hot! Fuck yeah!«, auf gut Deutsch: »Ah, du geile Sau!« Wie im richtigen Leben sind Frauen sprachbegabter. Am besten scheint ihnen die Böse-Mädchen-Nummer zu gefallen: »Ich weiß, ich war ganz, ganz böse! Zur Strafe darfst du mit mir machen, was du willst!«

Ich klickte auf »Random«, wo ein Zufallsgenerator die Clips auswählt. Ein »dirty housewife« beschäftigte sich auf ihrem Küchentisch mit dem Blockabsatz eines silbernen Plateauschuhs. Der aufkommende Phantomschmerz war zu viel für meinen Zustand. Schnell das nächste Video. Angeblich handelte es sich um eine Hochzeitsnacht. Ein Latinotyp liegt bräsig auf dem Rücken und glotzt besitzerstolz in die Kamera. Die Braut hockt zwischen seinen Beinen und lutscht ihm einen. Manchmal richtet sie sich auf, um den Kerl zu küssen, wobei man ihre aufgesprungenen Lippen sieht. Plötzlich verschwindet sie aus dem Bild, aber dank eines Wandspiegels kann man sehen, was sie treibt: Sie cremt sich die Lippen mit einem Pflegestift ein! So etwas trifft exakt mein Humorzentrum: Die Frau geniert sich nicht, ihre Hochzeitsnacht (oder so) vor der ganzen Welt ins Netz zu stellen, aber das Eincremen ihrer Lippen ist so intim, dass sie sich dabei verstecken muss. Hatte ich was verpasst? Waren neuerdings Lippen obszön und Schamlippen das Normalste der Welt? Wer weiß, wenn amerikanische Teenager Oralsex nicht mehr als Sex ansehen, ist alles möglich. Aber was, um Himmels willen, *ist* dann Oralsex für sie? Sprecherziehung?

Eigentlich hätte ich im Bundesanzeiger einem Tipp nachgehen und recherchieren sollen: Eine Klingeltonfirma und eine Jugendzeitschrift schienen sich auf dubiose Weise gegenseitig Kundschaft zuzuschaufeln. Vielleicht war hier eine Story drin. Egal ob AG oder GmbH, sämtliche Gesellschaftsbekanntmachungen waren im Netz frei zugänglich, inklusive Jahresabschluss, Kassenbestand, Bankguthaben, Umlaufvermögen und Eigenkapital. Mich interessierten aber weniger die Gewinne der Firmen, sondern ob und wie sie mit ihren Gesellschafterstrukturen verzahnt waren. Manchmal waren solche Recherchen gar nicht unspannend, dann gönnte ich mir etwas investigative Reporter-Romantik. Aber an diesem späten Vormittag hätten mich nur Firmen gefesselt, die ihr Geld mit Kopfschmerztabletten machten.

Apropos Gefühle: Ich tippte *englishwomaninsanfrancisco* ein, um nachzuschauen, was meine spezielle Freundin an der Westküste so trieb. Seit gut zwei Jahren verbrachte ich täglich ein Viertelstündchen mit ihr. (Meine realen Freunde sah ich seltener.) Außer *englishwomans* Namen wusste ich alles von ihr. Sie war ambitioniert, schrieb fast täglich an ihrem Blog, lud aber zusätzlich noch selbstgemachte Fotoserien und Videos hoch, dazu Artwork und Musik. So war ich jederzeit auf dem Laufenden, wo und woran sie gerade arbeitete (Systemadministratorin, normalerweise in S. F., momentan aushilfsweise nach Denver geschickt), was sie beschäftigte (Irak, Iran, Angorapullover), ob sie verliebt war (nein), guten Sex hatte (jein), was sie las (Fishing the Sloe-Black River) und auf welchem Geburtstag sie zuletzt gewesen war (Jamie, 32, Makler, Vegetarier). Aufgefallen war sie mir nicht nur, weil sie mit ihren langen Haaren und den Katzenaugen hinreißend aussah, sondern weil sie so unverhohlen über ihre Firma schrieb. Sie berichtete über ihre Versagensängste und Fehler, beschrieb detailliert Kollegen, die sie mobbten oder mochten, je nachdem, und lästerte sogar über ihren Chef. Ich war fasziniert. Ich meine, die Frau arbeitete tagtäglich mit Computern – kam es ihr nie in den Sinn, dass, mal abgesehen von der ganzen Welt, ihre Kollegen mitlesen konnten? Absurd, aber nicht ohne Grandezza: Diese Frau plauderte sogar aus, wenn sie blau machte.

Meine angloamerikanische Katzenfrau hatte außerdem eine sehr spezielle Neigung: Sie liebte Spiele mit ihrem Geschirrspüler! Heute gab es wieder mal ein aktuelles Video, und ich bekam schon aus Vorfreude einen Halbständer. Im Grunde war der Ablauf immer gleich: Sie trat nackt ins Bild und stellte die Maschine aus. Das liebte ich an ihr, sich nicht in abgeguckten Posen lächerlich zu machen. Gertenschlank und sexy wie immer, öffnete sie die Maschine, beugte sich vornüber und entnahm dem Spülkorb eine Tasse, die bewusst mit der Öffnung nach oben stand. Laaangsaaaam goss sie das warme Wasser über ihre Brust, im Gesicht nicht Ekstase, sondern so etwas wie schnurrendes Behagen. Ein zweiter Becher folgte, diesmal über Unterleib und gestutzte Schamhaare gegossen. Plötzlich – sie wollte sich wieder zum Geschirrspüler drehen – rutschte sie aus und schlug lang hin. Sie hätte sich bös verletzen können, aber man sah sie auf dem Boden liegen und Tränen lachen. Coole Lady!

Neben mir rührte sich was. Die Moppelelfe war durch mein Lachen wach geworden und schälte sich aus ihrer Verpuppung. Leider kam kein Schmetterling zum Vorschein, nur ein geröstetes, aber irgendwie trotzdem grün verquollenes Mädchen. Winzige Schlitze musterten mich ohne ein Zeichen des Wiedererkennens, suchten den Wecker und wurden groß. Gar nicht charleenhaft sprang sie aus dem Bett, murmelte »Scheiße, scheiße, scheiße« und lieferte sich einen Zweikampf mit ihrer dunkelblauen Cordhose. »Guten Morgen«, sagte ich, aber sie würdigte mich keines Blickes. Über die Hose zog sie einen Rock im Siebziger-Jahre-Look. Komisch, der war mir komplett entfallen. Während sie in ein pinkes T-Shirt schlüpfte, nuschelte sie etwas, dass nach holländischem Dialekt klang.

»Großbuchstaben zuerst«, sagte ich.

»Spät, Berufsschule, leid.« So oder ähnlich. Und schon blieb von ihr nur noch eine Duftnote zwischen altem Gin und jungem Gouda zurück. Ich war nicht unfroh. Nun würde ich allerdings nie erfahren, ob wir es letzte Nacht getrieben hatten. Ich tauchte unter die Bettdecke und nahm eine Nase. Autsch, wir hatten. Und wie es roch, nicht nur einmal.

Mühsam richtete ich mich auf und suchte nach etwas Trinkbarem. Wenigstens hatten wir nicht auch noch das ganze Mineralwasser weggesoffen. Ich schüttete mir einen halben Liter in den Hals und ließ mich auf die Matratze zurückfallen. Im Grunde ist es peinlich, dachte ich zufrieden: In meinem Alter sollte man keinen Absturzsex mehr haben. Auf jeden Fall nicht immer. Wie wäre es zur Abwechslung mit etwas Reife? Obwohl, hatte ich das nicht längst erledigt? Während sich meine Freunde beim Studium vergnügten, das zum Großteil aus Vögeln, Alk und Drogen bestand, arbeitete ich schon fleißig als fester Freier bei der »Westdeutschen«. Dann mit fünfundzwanzig ab nach Hamburg, ein Titel: Redakteur, Job, Verantwortung, Stress, Konkurrenz. Auch hier war ich wieder junges Gemüse, und die meisten Kollegen behandelten mich wie nässenden Ausschlag. »Frisch« galt dort als Beleidigung. Die versoffenen Edelfedern verfassten zwar Artikel voller Ethik und Etikette, aber gegen mich kämpften sie nicht mit dem Florett, sondern mit der Kettensäge. Doch wie sehr sie auch über den »verbal inkontinenten Nachwuchs« die Nase rümpften, im Grunde war ihnen bewusst, dass ich ihre Ablösung war.

Immerhin wurde ich nicht geschasst. Das erledigte die Zeitungskrise. Nicht verheiratet, keine Kinder: Und wünschen Ihnen viel Erfolg auf Ihrem weiteren Lebensweg!

Was hätte ich machen sollen, mir ins Knie schießen? Die Abfindung war nach einem Jahr futsch, das Renommee nach einem halben. Soviel zum Thema juvenile Sorglosigkeit. Von da an klang der Begriff »Freiberufler« nur noch zynisch in meinen Ohren. Paradoxerweise *fühlte* ich mich trotzdem freier. Ich hatte eine Schlangengrube gegen einen Bolzplatz eingetauscht. Und war ich nicht im Recht, jetzt etwas von der Krankheit der Jugend, die mir nie vergönnt war, nachzuholen? Anders ausgedrückt: Morgen war auch noch ein Tag!

Ich drehte mich auf den Bauch und zog mein Notebook heran. Zuerst mal bei den grunddummen Hooligans vorbeigeschaut, wo die hübsche Geschichte erzählt wurde, wie ein Stürmer von Carl Zeiss Jena den Schiedsrichter mit einer Auswechseltafel verprügelt hatte. Alle regten sich mächtig darüber auf, nicht, weil der Schiedsrichter ins Krankenhaus musste, sondern, wie ein Hool schrieb, »weil wir Mann gegen Mann kämpfen und nicht mit so was Schwulem wie Auswechseltafeln«.

Schön ging's auch weiter, besonders schön sogar, das musste ich zugeben: Ich landete im Forum »Fuck J. D.«. Hier versammelten sich *hot ladies who would fuck Johnny Depp*. Frauen schwärmten von seinen langen Haaren (*so sweet!*), seinen Lippen (*awesome!*), seiner Figur (*oh my god!*). In den Promi-Blogs und -Foren posten hauptsächlich Mädels. Wer sonst kann darüber Kriege entfachen, ob George Clooneys sommerlicher Schnäuzer nun »ultracool« ist oder »krass proll«? Erst wenn Technik ins Spiel kommt, fühlen sich auch Männer angesprochen. Als geborene Sammler und Jäger sind sie stolz darauf, mit ihren Fotohandys eine Nulpe wie Prinzessin Dis Bruder dabei zu ertappen, wie er einen Einkaufswagen berghoch mit Alkoholika belädt. Die nächste Stufe sind heimlich gefilmte Videos. Ich schaute einen Clip, wo Paris Hilton von einem Hund gebissen wurde. Die Schadenfreude war ja noch nachvollziehbar, aber warum sollte ein Mensch sich ansehen, wie eine komplett vermummte Kylie Minogue das Haus verließ und in ihren Wagen stieg?

Die Promiforen im Land der Dichter und Denker waren auch nicht gerade Hochkultur. »Der sieht ja gar nicht wie ein richtiger Star aus!«, maulte jemand über einen Schnappschuss des »Ärzte«-Sängers. »Was trägt denn der für 'ne komische Jacke?« Mal abgesehen vom komischen Deutsch fand ich die Jacke ganz normal. Der Nöler hatte sogar noch eine feine Denunziation parat: »Der Typ hat mal in Spanien meine Mutter angemacht, urrgh!« Ich klickte mich durch weitere Promiseiten, bis ich plötzlich sehr nüchtern wurde: Da war er! Endlich! Der Turner von gegenüber!

SucheSimon hieß die Page und drehte sich ausschließlich um den Kerl, der mich so kirre gemacht hatte. Simon Minkoff war sein Name. Ich studierte das geschönte PR-Foto, klickte mich zur Sicherheit noch durch die Galerie. Kein Zweifel: Volltreffer. Eine Fernsehnase, deshalb hatte es bei mir nicht gleich Klick gemacht! Gesehen hatte ich ihn bestimmt mal, aber nicht abgespeichert. Seine Haare waren jetzt deutlich länger als auf den Fotos, und er sah mehr nach menschlichem Wesen als nach Anziehpuppe aus. Aber die eckigen Kiefer waren unverkennbar. Schlagartig wach, nahm ich die Seite genauer unter die Lupe. Offensichtlich war er seit gut drei Jahren weder in der Glotze noch sonstwo aufgetaucht. Trotzdem hatte er jede Menge »bekennende Verehrer«, die meisten davon Frauen. Einige sprachen vom »Kreis unserer Fanfamilie« oder bezeichneten sich als »Minkoff-Junkie«. Merkwürdiges Hobby, sich an eine Medienfigur zu klammern, jeden Satz, jedes Jackett, jeden Haarschnitt zu bequatschen, als handle es sich um die Offenbarung. Auch der übliche Laberheini fehlte nicht (»Spaghettisoße eignet sich nicht zur Lymphknotenfärbung!«), und ich entdeckte das schönste Deppenapostroph seit Menschengedenken: »Unter diesem Topic könnt ihr alles reinschreiben, was nicht's mit Simon zu tun hat.« Immerhin gab es neben dem Forum haufenweise Links zu Sendungsinhalten, ziemlich in die Tiefe gehend sogar, wie es beim kurzen Durchklicken aussah. Natürlich waren auch haufenweise Clips, Interviews und Talkshowauftritte reingestellt.

Aber vor allem wurde über Minkoffs Verschwinden gerätselt. Man raunte von einer Verschwörung (»Simons engagierte Art war den Bossen ein Dorn im Auge.«), und es war die Rede von einer schweren Krankheit bei ihm oder seiner Freundin (»Hat man ja gehört, die soll eine Säuferin sein …«). Ein paar Frauen waren in Sorge, er könne sich Hals über Kopf verliebt haben, und ein *BooMan* behauptete steif und fest, Minkoff sei bei einem Verkehrsunfall so grässlich entstellt worden, dass er das Land verlassen habe. Beweise gab es keine, aber seit wann braucht das Internet Beweise? Ein paar unscharfe Schnappschüsse tun's auch. Bei fast allen konnte ein Blinder sehen, dass es nicht der Turner war. Dann gab es ein paar Pics, wo die betreffende Person Sonnenbrille oder Schirmmütze trug und Minkoff hätte sein können. Doch alles blieb nebulös, es fehlten Fakten.

Bis jetzt, denn ich brauchte nur aus dem Fenster zu schauen.

Tja, liebe »bekennende Minkoff-Junkies«, dachte ich, ihr könnt ruhig weiter spekulieren, ob euer Star an Silvester von einem Grünkohl erschlagen wurde oder nicht. Gregor Böhm weiß es besser. Er weiß, dass Minkoff lebt, wo er wohnt und wie er jetzt aussieht. Gregor Böhm muss sich nur noch überlegen, was er mit seinem Wissen anfängt.

13 Simon war ein General ohne Truppen. Am liebsten hätte er auf der Stelle ein komplettes Rundumprogramm erstellt – Therapie, Entzug, Beratung, Nachsorge –, aber Weihnachten und die Zeit zwischen den Jahren bremsten ihn aus. Immerhin hatte er so genügend Zeit, im Internet zu recherchieren, sich die Selbstdarstellungen diverser Entzugskliniken in und um Berlin vorzunehmen und Betroffenenberichte zu lesen. Verblüfft stellte er fest, dass im Netz nicht nur Kinderwagen, Prostituierte und Hotels bewertet wurden, auch Krankenhäuser mussten sich wie in einer Castingshow dem Voting des Publikums stellen. Nach schwieriger Abwägung – woran misst man die Güte eines Entzugs? – entschied er sich für *SeaLife* am Wannsee. Was für Harald Juhnke gut genug war, sollte für Vivian reichen. Das Haus lag idyllisch. Es würde ihr gut tun, sie liebte Wasser. Einen Treffpunkt der Anonymen Alkoholiker in ihrem Kiez hatte er ebenfalls ausfindig gemacht, nur mit einem Psychotherapeuten kam er nicht weiter. Ging man zuerst zur Therapie und dann in den Entzug oder umgekehrt? Sollte ein Therapeut nicht in einem ersten Schritt den Willen zum Entzug stärken? Wie auch immer, zuallererst brauchte er eine Praxis mit Vakanzen, und die war nicht leicht zu finden. Immerhin hatte er eine Beratungsstelle in Charlottenburg entdeckt, die professionell über sämtliche Methoden der Suchttherapie informierte. Und für den Fall der Fälle hatte er sich eine Notaufnahme in ihrer Nähe notiert. Mehrfach gefaltet hatte er den Zettel zwischen Rechnungen ganz hinten im Portemonnaie versteckt.

Seit Tagen schon verbarrikadierte Vivian sich in ihrem Zimmer. Nur zum Essen erschien sie, wenn überhaupt. Wortlos hatte ein Rollentausch stattgefunden: Er erledigte alle Arbeiten, die sonst sie übernahm. Es machte ihm fast Spaß, denn die Rituale des Einkaufens, Kochens und Saubermachens lenkten ihn ab. Fürs Einkaufen hatte er eine passable Lösung gefunden: Lebensmittel erstand er in einem Bioladen, in den sich hauptsächlich Späthippies verirrten. Zwar roch der Laden unangenehm nach vergorenem Obst, hatte aber den Vorteil, dass die madonnen- bis matronenhaften Frauen, die dort ein- und verkauften, gewiss keinen Fernsehapparat besaßen, ihn also in Ruhe ließen und nur manchmal seine Lederjacke misstrauisch beäugten. Erschien Vivian ausnahmsweise am Küchentisch – oft im Pyjama oder im Nachthemd –, vermied er jeden Kommentar über ihr schlampiges Äußeres. Er akzeptierte sogar ihre Verschlossenheit, aber nur, weil er keine andere Wahl hatte. In den letzten Jahren hatte er lernen müssen, dass sie mehr Zeit als andere brauchte, sich zu sortieren. Mit möglichst freundlicher, aber nicht bedrängender Miene stellte er dann einen appetitlich bunten Salat vor sie hin, dazu eine marinierte Putenbrust. Am liebsten jedoch hätte er sie geschüttelt, ihr tief in den Schlund gegriffen und ihm Wörter entrissen, Erklärungen, Entschuldigungen, Versprechungen. Nach außen hin gelassen, konnte er es nicht abwarten, zusammen mit ihr in den Krieg gegen den Alkohol zu ziehen. Doch zuerst war noch ein Scharmützel zu bestehen.

•

Simon hatte sich bei Danuta im *Danuta* angekündigt. Bisher hatte er sie am Telefon erfolgreich mit Vivians dubiosem »Unwohlsein« einlullen können. Sie kannte den Terminus nur zu gut, hatte sich aber angewöhnt, nicht weiter zu bohren. Solange das Geschäft lief, bevorzugte sie die lange Leine. Langsam aber wurde die Sache brenzlig. Wegen ihrer immer alarmierter klingenden Anrufe hatte er Vivian aufgefordert, endlich selbst ans Telefon zu gehen, aber sie schaute ihn nur mit aufgerissenen Augen so flehend an, dass er seufzend den Hörer nahm, um Danuta zu verarzten: Nein, nichts wirklich Ernstes, ja, ist bald wieder auf dem Posten, sicher doch, schluckt Aufbaupräparate, deren Namen ihm gerade entfallen sind. Lange würde das nicht gutgehen, allein deshalb, weil Danuta trotz heilloser Überlastung einen Krankenbesuch angekündigt hatte.

An einem Dienstagmorgen machte Simon Maske wie für die Kamera. Er wusch und striegelte seine Haare, rasierte sich messerscharf, benutzte ein Body Scrub und legte sogar eine von Vivians Gesichtsmasken auf. Danuta, vier, fünf Jahre älter als er, ließ ihren Blick gern etwas länger auf ihm ruhen, das musste er nutzen. Wenn Vivian eine Zukunft haben wollte, durfte sie unter keinen Umständen die Partnerschaft mit Danuta aufs Spiel setzen. Der Job gab Selbstvertrauen und war ihr Wechsel auf die Zeit nach dem Entzug.

In tief sitzenden Jeans und engem Pullover, der seinen Brustkorb betonte, betrat er das *Danuta*, ganz der Fernsehstar, der sich unübersehbar bescheiden im Hintergrund hält. Wenn er hier ein Glas trank oder eine Quiche aß, war er immer auch Werbeträger für das Haus. Brav achtete er darauf, geschäftsfördernd seinem öffentlichen Bild zu entsprechen und alle paar Monate ein paar Fernsehkollegen mitzubringen. Das Publikum von Szeneläden war wetterwendisch, und nichts zog mehr als die Vermutung, hier sei die Promidichte besonders hoch. In der Sekunde, wo er den schweren grünen Luftfang beiseiteschob, hatte eine bauchfreie Bedienung ihn erkannt und war mit vollem Tablett rückwärts in die Küche gestolpert. Zwei Sekunden später erschien Danuta.

»Du siehst großartig aus!«, rief Simon. Es stimmte. Sie erfüllte sämtliche Klischees der aparten Polin: zierlich von Wuchs, ansprechend proportioniert, lange, mittelgescheitelte Madonnenhaare und ein helles Mädchengesicht, in das sich nur bei Anspannung die Enttäuschungen einer alleinlebenden Geschäftsfrau stahlen.

»Ach Simon, hab dich zu lange nicht gesehen!« Sie zog ihn heran und hauchte Küsse neben seine Ohren.

»Riechst du gut! Wie Apfelstrudel, kurz bevor Sahne draufkommt!«

»Der Strudel heißt *Jil Sander*, Ganove«, lachte sie und führte ihn in den kleineren der beiden Nebenräume. Den Hauptraum dominierte ein mächtiger Tresen, der an einen Goldbarren erinnerte. Die weißen Wände und die weiße Bestuhlung wurden nur sparsam von Goldornamenten in Barrenform durchbrochen, die sich mal auf einer Tischecke oder Stuhllehne, mal an einer Wand befanden. Die Nebenräume im Lounge-Stil waren mit ihren weißen kunstledernen Hockern und Sofas besonders am Abend beliebt.

»Kaffee?« Danuta ließ sich mit einem Seufzer ins Polster sinken.

»Gern. Ein doppelter Espresso, bitte.« Simon setzte sich breitbeinig auf einen Hocker. »Wie geht es dir und dem Laden? Kommst du klar?«

Danuta gab der jungen Kellnerin ein Zeichen, sich um die Getränke zu kümmern. Die hatte Simon wie hypnotisiert angestarrt und riss sich nur widerwillig los.

»Alles in Ordnung, Danuta?«

»Na, gibt Probleme, du weißt, mit Küche und Organisation. Aber …«, sie legte ihre Hand auf die seine, »… viel wichtiger: Wie geht es Vivian?«

»Das ist ein bisschen problematisch.« Dekorativ die Stirn gekräuselt, sanft ihre Hand getätschelt. »Vivi hat sich endlich mal gründlich durchchecken lassen. Es ist ernst und auch wieder nicht.«

»*Wielki boze!*«, rief Danuta.

»Nein, keine Panik.« Nun tief in die Augen geblickt, kein Flackern, keine Unsicherheit, ernst wie ein tapferer kleiner Junge. »Es handelt sich um eine *Colitis Ulcerosa*. Das ist eine Magen-Darm-Erkrankung, die chronisch werden kann, muss aber nicht.«

»Macht Schmerz?«

»So was wie ein anhaltendes schmerzhaftes Sodbrennen. Man fühlt sich sehr schwach.« Er hatte im Netz lange nach einer Krankheit gesucht, die ohne äußerliche Anzeichen auskam und Schonung verlangte.

»Was kann man tun? Hat sie Tabletten?«

»Eigentlich gibt es dafür nur ein Medikament: Salofalk.« Uff, das war knapp. Wie gut, dass er sich nicht nur über Symptome, sondern auch über die Therapie kundig gemacht hatte.

Eine junge Frau mit Filzkappe stand plötzlich an ihrem Tisch, in der linken Hand Papier und Kuli, in der rechten ein Telefon: »Nee, du musst einfach was mehr Gespür für die Triggerpunkte entwickeln«, empfahl sie dem anderen Ende. Dann fiel ihr wieder ein, warum sie hier war. Ohne das Handy vom Ohr zu nehmen, schob sie den Zettel über den Tisch: »Ein Autogramm!« Danuta wollte eingreifen, aber Simon lächelte zuckersüß und unterschrieb. »Ist nicht für mich, ist für meine Mama«, stellte die Kappe noch klar. Als sie fortging, wäre sie fast mit der bauchfreien Bedienung zusammengestoßen, die ihre Getränke brachte.

»Tut mir leid. Ich meine das mit Vivian«, sagte Danuta und fügte lächelnd hinzu: »Das mit dem Pipimädchen auch!«

»Ach, das ist eine leichte Übung.«

Sie griff nach dem braunen Zucker und schüttelte versonnen das Tütchen. »Viel Arbeit hier mit Organisation, und kriege kaum Luft. Aber du machst auch neue Sendung, Simon, oder was hab ich gelesen?«

»So ungefähr. Mach dir um mich keine Gedanken. Kommst du mit den Läden noch eine Weile allein klar? Kann ich dir irgendwie helfen?« Es war aufrichtig gemeint, klang aber schief: Hatte man sich entschlossen, eine einwandfreie Lügennummer hinzulegen, klangen die ehrlichen Momente stets geheuchelt.

»Wir setzen dich ins Schaufenster. Hilft bestimmt!«, lachte Danuta. »Ich schaff das schon. Wir haben ja Vivians Rezepte, hat sie alles aufgeschrieben. Aber irgendwann müssen wir neue. Du weißt ja, Berliner brauchen immer Neues zum Spielen.« Sie rührte den Zucker in ihre Latte und nahm einen Schluck. Als sie das Glas absetzte, hatte sie einen Milchbart auf der Oberlippe.

»Hast da 'nen Damenbart«, feixte Simon und wischte sacht mit dem Zeigefinger über ihre Lippe. Danuta lächelte ihn an, und da wusste er es: Mission erfüllt! Jetzt musste er nur noch den angedrohten Krankenbesuch verhindern. »Toll, dass du so viel Geduld hast! Aber ich habe noch eine Bitte.« Gesenkter Kopf, Blick von unten. »Vivi spricht zwar nicht drüber, aber eine Colitis ist fast immer psychisch. Was sie jetzt vor allem braucht, ist viel Ruhe und wenig Druck.«

»Du meinst, keine Geschichten von Arbeit und so?«

»Genau. Ich denke, das Beste ist, sie in Frieden wieder auf die Beine kommen zu lassen. Du weißt ja, wie empfindlich sie sein kann.«

»Ach, das Mädchen ist ein Rätsel auf Beinen! Kann kochen wie Gott, macht aus Kartoffeln, Gurke und Speck Galadiner, und manchmal stellt sich an, als kann nicht sagen piep. Was ist das bloß?«

»Gute Frage«, seufzte Simon.

•

Weihnachten verbrachten sie traditionell bei Vivians Eltern. Doch in diesem Jahr war alles anders. »Ich ertrage das Gewünsche nicht!«, hatte sie kategorisch abgelehnt. Also gaben sie vor, die Feiertage in Ägypten zu verbringen. »Dann machen wir es ganz heimlich, aber schön«, schlug Simon vor. Kaum hörbar, doch nicht zu überhören, sagte sie: »Aber kein Baum!« An Heiligabend besorgte er einen prächtigen Strauß weißer Lilien für den Esstisch. »Mensch, Herr Minkoff, wohl verliebt, wa?!«, hatte die Verkäuferin gekichert. »Aber sagen Sie ma, warum sind Sie denn ...? Moment, Sie kriegen doch noch Rückgeld ... Herr ...!«

Tapfer versuchte er sich an Lachs in Kressesahne. Ihm schmeckte es sogar, obwohl er furchtbar gern ein Glas Wein dazu getrunken hätte. Weihnachten mit Mineralwasser, ein Fischgericht ohne einen Chablis oder Muscadet – er würde sich wohl daran gewöhnen müssen. Früher hatte er nie einen Gedanken daran verschwendet, aber nun registrierte er genau, wie sehr Alkohol zu gutem Essen gehörte. Schrecklich: Nie wieder würde Vivian einen Schluck zu sich nehmen dürfen. Kein Gin Tonic zum südlichen Sonnenuntergang, kein festlicher Champagner, kein satter Brandy zum Kaffee. Allein schon, um sich diese Freude zu erhalten, würde er penibel darauf achten, nicht mal in die Nähe eines Alkoholproblems zu geraten.

Ob Vivian ähnlichen Gedanken nachhing, wusste er nicht, wagte auch nicht, danach zu fragen. Sie stocherte in ihrem Fischfilet herum. »Ist wirklich gut«, sagte sie und berührte seinen Arm wie ein verwirrtes Insekt. »Aber ich habe nicht so viel Hunger, weißt du!« Nach dem Essen war Bescherung. Sie hatten verabredet, sich auf ein Geschenk zu beschränken. Simon schleppte ein extravagantes Buch heran. Einen Meter hoch und fast tausend Seiten stark, versammelte es sämtliche Rezepte von Paul Bocuse. Sie freute sich, auch wenn sie unter dem Gewicht des Mammutwerks fast kollabierte. Mit verschämtem Lächeln überreichte sie ihm ein unscheinbares, in weißes Seidenpapier eingeschlagenes federleichtes Etwas. Neugierig riss er das Papier auf und konnte sich nicht dagegen wehren, dass ihm Tränen in die Augen schossen: Er hielt sein Lieblingshemd in Händen, rötlich braun mit feinen weißen und grauen Streifen. Eine Unmöglichkeit, denn vor ein paar Monaten hatte er es wegwerfen müssen, weil der Stoff zu brüchig geworden war. Weiß der Teufel, warum er dieses Hemd so abgöttisch liebte, irgendwie erinnerte es ihn an britische Kricketspieler der dreißiger Jahre. Doch es war immer fadenscheiniger geworden. Selbst als es gar nicht mehr ging, konnte er es nicht schnöde in die Mülltonne stopfen. In der Vorratskammer, wo Vivian neues und noch brauchbares Geschenkpapier aufbewahrte, suchte er das schönste aus, schlug sein Hemd darin ein und legte es behutsam in die Tonne, eine Hemdenbeerdigung. Und nun war es wieder in der Welt. Ein Wunder! Das gleiche Rostrot, die gleichen Streifen, sogar die perlmuttartigen Knöpfe schienen identisch zu sein. »Ich kann es nicht glauben«, stammelte er. »Wie hast du das gemacht?«

Vivian freute sich über ihren Volltreffer: »Ich hab das Hemd wieder aus der Mülltonne gefischt, eine Stoffprobe genommen und die Knöpfe abgetrennt. Die sind nämlich original.«

»Aber der Stoff?«

»Gar nicht so schwer, man braucht nur Geduld. Das ist ja industriell gefertigter Stoff, also bin ich immer wieder mal in Läden, die Second-Hand-Kleidung aus den Fünfzigern führen. In dem Fall war der Stoff zu einem Nachthemd verarbeitet worden, ein Glück, so konnte ich es problemlos umschneidern lassen.«

»Wahnsinn«, staunte Simon und hielt sich das Hemd vor die Brust. »Das ist die zweitgrößte Weihnachtsüberraschung meines Lebens!«

»Was war die größte?«

»Als ich von meinen Eltern das versprochene Fahrrad *nicht* bekam!«

Er bettete das Hemd vorsichtig auf den Esstisch, drehte sich um und schloss sie in die Arme. Eine Weile standen sie reglos. Vivian entzog sich nicht. Augen geschlossen, ruhiger Atem. Konnte er sie bitte zurückhaben, seine tüchtige, lebensfrohe Frau? Jetzt sofort! Er wollte ihr Lachen zurück, ihren festen Schritt. Er vermisste die Freude daran, wie sehr sie einander brauchten, sich abzurunden. Das wäre sein Weihnachtswunder: die Gewissheit eines guten Ausgangs. Am liebsten hätte er ihr das Versprechen abgepresst, sich ab sofort mit aller Macht gegen die Sucht zu stemmen, heiliger Eid! Er wollte bitten, betteln, beschwören – egal. Jedes Zugeständnis würde er machen. Doch es war nutzlos, sie unter Druck zu setzen, er wusste es nur zu gut. Also löste er sich aus ihrer Umarmung, strich noch einmal versonnen über das Hemd und sagte so leichthin wie möglich: »Na, noch ein schönes Glas Wasser?«

»Bist du mir böse, wenn ich mich ein wenig hinlege, ich bin ganz erschlagen!« Eine Antwort wartete sie nicht ab, sie küsste ihn und verschwand in ihrem Zimmer.

In den folgenden Wochen lernte Simon dieses Zimmer zu fürchten, die Gruft, wie er es bei sich nannte. Er klopfte, keine Antwort. Er rief ihren Namen, keine Antwort. Die Kölner Wohnung war gekündigt, sie lebten wieder ganz zusammen, und doch sah er sie nie. Als Mann mit Mission wollte er den Schlachtplan besprechen, aber tagelang igelte sie sich ein. Nach drei Tagen hörte er, wie sie unter die Dusche stieg. Flink sprang er in die Küche und setzte Kaffee auf. Dann schnappte er sich einen Besen und begann den Flur zu fegen. Er würde ihn so lange kehren, ihn ablecken, falls nötig, bis sie das Bad verließ. Als sie endlich in Bademantel und mit Handtuchturban die Tür öffnete, machte er ein möglichst harmloses Gesicht. Überrumpelt blieb sie stehen.

»Wir müssen reden.« Er stützte sich mit dem rechten Unterarm auf den Besenstil und las in ihrem Gesicht eine fast beleidigende Resignation: Mist, den werd' ich jetzt nicht mehr los. »Komm ins Wohnzimmer, ich habe Kaffee gemacht, ja?«, fügte er sanft hinzu. Seinen einfachen Filterkaffee mochte sie nicht besonders, aber das spielte jetzt keine Rolle. Er goss ein, ließ sie aber nicht aus den Augen. Diesmal würde sie ihm nicht entkommen. »Was willst du jetzt unternehmen?«, fragte er und schob ihr eine Tasse über den Tisch. Sie griff nicht danach. Kurz schaute sie hoch, scheu, um Verzeihung bittend. Dann starrte sie wieder auf den Boden und schwieg. Er nahm Zucker, rührte um, trank. Er lehnte sich zurück, schlug die Beine übereinander, wartete ab. »Aber so kann das doch nicht weitergehen!«, explodierte er und knallte die Tasse auf den Tisch. »Sprich doch mit mir! Bitte!« Flackernd schaute sie hoch, aber schon glitt ihr Blick wieder ab. »Okay, pass auf: Ich habe die letzten Tage recherchiert: Ich glaube, die mit Abstand beste Entzugsklinik ist eine Klinik am Wannsee. Die haben sehr gute Beurteilungen, und es liegt wunderschön, mitten im Park, gleich am Wasser.«

»Ich brauche keinen Entzug«, erklärte Vivian.

Mit allem hatte er gerechnet, damit nicht. »Du bist Alkoholikerin, das hast du selbst gesagt. Trocken werden, das geht nicht ohne Entzug.«

»Doch.«

Er war aus dem Gleis, suchte nach Worten. »Aber du kannst doch nicht so tun, als wäre nichts passiert!«, brachte er nur heraus. Schwach.

»Mach ich ja nicht. Ich schaff das auch so.«

Da also lief der Hase lang. Die Sucht zuzugeben war das Eine, sich ihr zu stellen etwas Anderes. Sie log sich in die Tasche, wenn sie glaubte, mit gutem Willen und einem Fingerschnipsen trocken zu werden. »Du bekommst von mir jede Unterstützung.« Er versuchte, seiner Stimme Festigkeit zu geben. »Aber du musst was unternehmen, du musst tätig werden.«

»Werd ich ja.«

Simon öffnete den Mund und schloss ihn wieder. Tat er ihr unrecht? Offensichtlich war sie nüchtern, wirkte jedenfalls so. Die Augen nicht umnebelt, keine Fahne. Seit mehr als zwei Wochen war sie nicht aus dem Haus gegangen, und er hatte nach dem Arztbesuch sofort sämtliche Alkoholvorräte ins Klo gekippt. Aber ihr Plan stank nach Selbstbetrug. »Seit wann bist du Superwoman?«, versuchte er es mit einem Scherz, aber sie lächelte nicht einmal müd. Er ließ ihr Zeit zu antworten, aber wie so oft hatte sie den Stecker aus ihrer Existenz gezogen.

Waren die letzten Wochen nervenaufreibend gewesen, sollten die kommenden zur Heimsuchung werden. Für immer längere Intervalle verschwand sie in der Gruft, drei Tage, vier Tage. Simon traute sich nicht, das Haus zu verlassen, aus Angst, sie könne sich etwas antun. Wenn er trotzdem einen kurzen Spaziergang machte, sträubte sich alles in ihm heimzukehren. Es sollte schlimmer kommen.

Was genau es gewesen war, wusste er später nicht zu sagen. Ein Schatten, ein Geräusch hatte ihn veranlasst, kaum dass er die Wohnung betrat, in die Küche zu eilen. Vivian stand dort und starrte ihn mit aufgerissenen Augen an.

»Vivi!«, äußerte er wenig intelligent. Erstaunt registrierte er, dass sie mit Rollkragenpullover, Jeans und in Schuhen zum ersten Mal seit Wochen vollständig angezogen war. Angst stand in ihren Augen, er konnte sie greifen: »Was ist hier los?«

»Was soll los sein?«

»Entschuldige mal, ich bin doch nicht …« Und dann sah er den Leinenbeutel, den sie lässig neben ihren Schenkel hielt. »Was versteckst du da?«

»Nichts.«

»Schau mich bitte an!«

»Nichts«, sagte sie und blickte ihm in die Augen.

»Nichts, ja!?« Mit harter Hand entriss er ihr den Einkaufsbeutel. Es wäre nicht nötig gewesen, ihn zu öffnen, das Aneinanderschlagen von Glas war Annonce genug. Doch Simon konnte nicht mehr haltmachen. Er musste es genau wissen: drei Flaschen Weißwein, zwei Flaschen Wodka. Scheiße. Das macht doch Kopfschmerzen, schoss es ihm absurderweise durch den Kopf. Er hielt den Beutel an beiden Henkeln vor ihre Nase. »Was ist das?« Vivian fixierte den Brotkasten. »So sieht das also aus, wenn du nicht mehr trinkst! Kaum kehre ich den Rücken, schleichst du dich aus dem Haus und holst neuen Stoff, ja!?« Selbst ihm war klar, dass er die Travestie eines Oberlehrers gab. Sie nahm ihm mit königlicher Geste den Leinenbeutel aus der Hand und verschwand auf ihrem Zimmer.

Simon hätte gerne geweint. Er stolperte ins Wohnzimmer, setzte sich auf die Couch, sprang wieder auf. Hastig zündete er sich eine Zigarette an und ging auf den Balkon. Die Zigarette im Mundwinkel, stützte er sich mit beiden Händen auf der Brüstung ab. Was für ein leichtgläubiges Arschloch er doch war! Eiskalt belogen. Fein die Gruft hinter sich verschließen, und hoch die Tassen! Ja, sie war krank, und ja, Vorwürfe brachten nichts. Sie war nur eine von vielen Süchtigen, die den Entzug fürchteten und alles unternahmen, ihm zu entkommen. Gierig nahm er zwei letzte Züge und schnippte die Zigarette auf den Bürgersteig, in der Hoffnung, jemanden zu treffen.

14 Es war, als hätten die klirrenden Flaschen im Einkaufsbeutel die Büchse der Pandora geöffnet. Endlich konnte sie das sein, was sie war, eine Säuferin. Morgens begann sie nun schon mit der Schwerstarbeit des Trinkens, schaffte sich über Erleichterung und Euphorie, Phlegma und Verzweiflung in den Zustand schwebenden Nicht-Fühlens. Trotz allem wahrte sie eine manische Diskretion, sorgte dafür, dass er sie nie wieder mit Nachschub ertappte und verschloss stets ihr Zimmer. Ob sie dort in ein Gefäß pinkelte oder die Gänge zur Toilette so plante, dass er abwesend war, fand er nie heraus. Längst war jede Heuchelei über Bord geworfen, und dennoch schien ihre Scham so groß, dass sie sich nie betrunken zeigte. Also bekam er sie tagelang nicht zu Gesicht.

Es waren schon vier Tage vergangen, an denen sie sich weggesperrt hatte. Nachdem er den Müll runtergebracht und die Spülmaschine ausgeräumt hatte, tigerte er im Wohnzimmer auf und ab. Immer wieder schlich er auf Zehenspitzen zu Vivians Zimmertür. Ein Husten, ein Dielenknarren, vielleicht sogar Musik – für den kleinsten Laut wäre er dankbar gewesen. Aber nichts. Beim Frühstück hatte er sich vorgenommen, solange in der Wohnung auszuharren, bis er ein Lebenszeichen hörte. Er starrte auf den Druck eines Fotos von *Irving Penn*, das einen Schamanen aus der Südsee zeigte, dessen grotesk heraustretende Augen ihn zu persiflieren schienen. Er konnte doch nicht schon wieder ins Kino rennen. Bleiben ging aber auch nicht. Also trottete er mit hängendem Kopf in die Küche, fischte die Tageszeitung aus dem Altpapier und suchte die Kinos heraus, deren Programm schon am frühen Nachmittag begann. Außer amerikanischen Blockbustern gab es kaum Auswahl. Auch egal. Er entschied sich für einen Genrefilm, eine Komödie über Mutter und Teenagertochter, die für einen Tag ihre Körper tauschen.

Im Flur warf er einen Prüfblick in den Spiegel. Seine dunkelgrüne Cordhose ging durch, der knallrote Pullover nicht. Seit seinem Ausstieg versuchte er sich in der Kunst, unsichtbar zu werden. Ziel war, sich so in die Straßen- und Menschenlandschaft einzupassen, dass sämtliche Blicke von ihm abglitten. Schlammfarben spielten dabei eine wichtige Rolle. Also wählte er einen verwaschenen Rollkragenpullover und die grünbraune Winterjacke. Bis zur Halskrause war er nun ein Herbst auf Beinen. Der kurze

Bart sollte seine auffälligen Kiefer verbergen, was leidlich klappte. Waren die Kopfhaare erst mal länger, würde sein Gesicht weicher und damit verändert aussehen. Bis dahin musste er sich mit Mützen und Kappen behelfen. Menschen erkennt man am Gang, an Kopf und Augen. Wie er sich bewegte, daran ließ sich nicht viel ändern, aber die Kontur seines Kopfes konnte er beeinflussen. Inka- oder Pudelmützen schieden aus, sie lagen zu eng an. Weit mussten die Mützen sein, besser noch waren geräumige Kappen, wie Rastas sie trugen, gern mit Schirm. Der half beim Hauptproblem: den Augen. Im Sommer waren Sonnenbrillen unschlagbar, im Winter verräterisch. Simon hatte sich eine dieser halbgetönten Brillen zugelegt, die nicht wie Sonnenbrillen wirken, die Augen aber trotzdem effektiv verbergen. Meistens jedenfalls. Als er mal am frühen Abend bei *McDonalds* um einen Cheeseburger anstand, hatte ein Mann in der Schlange neugierig seinen Kopf vorgeschoben und gefragt: »Na, Herr Minkoff, heute mit Brille?« Er trat einen Schritt zurück und kontrollierte sein Spiegelbild. Vom Gesicht war außer Mund und Nase nicht mehr viel zu sehen. Der Rest wirkte so unscheinbar, dass er sich selbst kaum erkannt hätte.

Als er aus der Haustür trat, schlug ihm kalter Wind ins Gesicht. Nasskalt der Tag und ein Himmel wie Blech. Erst jetzt wurde ihm bewusst, dass er in seinem Bestreben zu fliehen die Wohnung viel zu früh verlassen hatte. Bis zum Filmbeginn waren es noch gut anderthalb Stunden. Im Kopf legte er sich eine Route zurecht, die ihn durch wenig belebte Straßen führte. Hätte Vivian ihre Krankheit nicht im Sommer nehmen können? Dann wären seine Fluchten angenehmer gewesen. Wie trübsinnig Deutschland im Winter war. Wenn die Sonne nicht schien, wenn das Grün der Bäume der funktionalen Tristesse keine weicheren Konturen gab, wirkte dieses Land, als hätte es sämtliche Farben verborgt.

»Mensch, kiek ma, det is doch der Minkoff!«, hielt ihn ein Mann mit heiserer Stimme an.

»Tag«, sagte Simon knapp, zog die Kappe tiefer ins Gesicht und legte einen Schritt zu.

»Wat denn, wat denn?«, rief der Mann ihm hinterher. »Is sich wohl zu fein, um stehn zu bleiben, der Herr, wa?!«

Solche Szenen erlebte er jeden Tag fünf, sechs Mal, doch im Großen und Ganzen ließ man ihn in Frieden. Sein bester Verbündeter dabei war der Winter. Außer siebzehnjährigen Türkenlümmeln hatten sich alle wollig vermummt, hasteten mit hochgezogenen Schultern und gesenktem Kopf durch die Straßen. Jeder wollte so schnell wie möglich an sein Ziel gelangen, und niemand hatte Muße, seine Umgebung nach einem Fernsehstar abzusuchen. Im Sommer, das war gewiss, wäre es nicht so leicht. Anfangs war er noch der Illusion nachgehangen, im Tosen der Medien würde man ihn bis zum Sommer vergessen haben, aber da hatte Kollege Leber nur den Kopf geschüttelt: »Normalerweise rechnet man so mit zwei Jahren. Aber du musstest ja total auffällig unauffällig verschwinden, mein Lieber. So wird das bei dir ein bisschen länger dauern!«

Vielleicht war die Entscheidung, abgelegene Straßen zu bevorzugen, ja ein Fehler? Möglicherweise tauchte man im Gewimmel der Magistralen besser unter. Zeit für einen Feldversuch hatte er allemal. Also schlug er ein paar Haken und fädelte sich eine Viertelstunde später ins Heer der konsumierenden Massen ein. Den Einkaufstüten nach, bestand Deutschland nur noch aus einem unteren Drittel – *Aldi, Schlecker, MediaMarkt, Lidl, Blume 2000*. An den Schaufenstern die wahre Nationalhymne: preiswert, billig, Sonderangebot, Sparpreis, Geiz, Prozente, Ausverkauf, Rabatt. Die Menschen schienen sich nicht darüber zu freuen. Sie schlurften mit nach innen gekehrten Gesichtern durch die Straße, als erwarteten sie sehnsüchtig den Konsumierschluss. Immerhin schien seine Theorie zu stimmen, zumindest hier und heute. Niemand kümmerte sich um ihn, die Leute waren im negativen Sinn ganz bei sich.

Noch zwanzig Minuten bis Filmbeginn. Er lief eine Schleife und bog in eine Straße ein, die sich als Siedlung mit Niveau verstand. Townhouses nannte man die schmalen Häuser mit winziger Veranda und kleinem Garten. In Wahrheit hatten sie mit städtischem Wohnen nichts gemein, denn hier blieb man unter sich. Anfang und Ende der Straße bildete ein breites Eisentor, weit geöffnet zwar, aber wozu gab es Tore, wenn niemand die Absicht hatte, sie bei Bedarf zu schließen? Obwohl die Straße frei zugänglich war, fühlte man sich als Eindringling. Er ließ sich nicht abhalten, bedauerte seine Entscheidung aber sofort. Eine junge Mutter mit Zwillingskinderwagen glotzte hemmungslos. Auch ein Mann im dunkelblauen Mantel, der gerade sein Garagentor hochfuhr, hielt mitten in der Bewegung inne und starrte ihn an. Simon brauchte einen Moment, bis er begriff, dass sie ihn nicht erkannt, sondern als Eindringling ausgemacht hatten. Diese Hybridautohalter bauten sich ein idyllisches Gefängnis mitten hinein ins Leben. Kopfschüttelnd kehrte er naturbelassenen Korbmöbeln, geschmackvollen Blumenkränzen an der Haustür und Buchsbaumhecken den Rücken und eilte Richtung Kino.

Vor fünfzig Jahren hätte man es Filmtheater genannt. Die großzügige Freitreppe und der neoklassizistische Portikus wären problemlos als Entree einer Sprechbühne durchgegangen. Die Kassenhäuschen rechts und links erzählten von Zeiten, als das Fernsehen dem Kino noch nicht die Zuschauer entführt hatte. Nun befand sich die Kasse dort, wo Kinos ihr Geschäft machten, am Tresen mit Popkorn und Nachos, Kaffee, Bier, Wein, Sekt, Süßkram aller Art, Hotdogs und Trendlimonaden für jede politische Einstellung.

Seit Simon mindestens drei Mal pro Woche ins Kino rannte, entdeckte er gewisse Muster, etwa die scheinbar ewiggleiche Studentin am Verkaufstresen – mausblondes Haar, motzige Schnute –, die sich ärgerte, weil die langweilige Nachmittagsschicht an ihr hängengeblieben war. Simon nannte den Filmtitel und erhielt sein Ticket ohne Anflug eines Lächelns. Kaffee? Aber der ölig simmernde Rest in der bauchigen Kanne eines Filterkaffeemultis sah nach Sodbrennen aus. Außer ihm war im sehr großen, sehr hohen Foyer nur noch ein einziger Besucher zu sehen. Der ältere Mann hatte den Kopf einer Wasserleiche und wühlte manisch in einem Stoffbeutel mit Apothekenaufdruck. Was Vivian wohl gerade trieb? Ob sie die Gruft verlassen hatte und durch die Wohnung strich, während er seine einsamen Stunden streckte?

Das Kino bespielte zwar noch seinen Prachtsaal, war aber an mehreren, später hinzugefügten kleineren Sälen nicht vorbeigekommen. Seine Komödie lief immerhin im zweitgrößten. Dummerweise hatte die Werbung noch nicht begonnen. Er fürchtete den Auftritt bei aufgedrehtem Saallicht, hasste es, von den Anwesenden neugierig gemustert zu werden. Viele waren es nicht, fünf einsame Seelen ohne ihn. Mit der Wasserleiche sieben, falls Wasserleichen auf Bodyswitcherfilme standen. Simon huschte ins vordere Drittel und rutschte tief in seinen Sitz. Er würde bis nach der Werbung warten, um in sicherer Dunkelheit Kappe und Brille abzunehmen. Je später die Vorstellung, desto jünger das Publikum. Die Besucher der ersten Vorstellung des Tages waren immer Menschen jenseits der Vierzig. Man kam allein, machte auf durchsichtig. Nur alte Frauen waren fast immer zu zweit, Witwen offensichtlich, was man ihren zufriedenen Gesichtern ansah.

Endlich wurde das Licht runtergefahren, und der Vorhang öffnete sich für die Werbung. Simon schlüpfte aus seinen Sachen und konnte es kaum erwarten. Seine Sehnsucht richtete sich auf den Moment, wo das schon halb gedimmte Licht vollends erlosch. Dann eroberten die Logos der Verleihfirmen mit ihren Bombastfanfaren und fliegenden Sternen den Raum, und er glitt in ein samtig schwarzes Nirwana, darauf vertrauend, die kommenden neunzig Minuten unbehelligt vom Leben zu überstehen. Was geboten wurde war ihm gleich. Drama, Action, Dokumentarfilme, sogar Pennälerstreifen mit feuchten Fürzen und Sperma im Haar, egal, Hauptsache, die Bilder standen nicht still.

So ähnlich mussten mothers little helper wirken, Feuchtigkeitscreme fürs Hirn, ein Wegrutschen ohne die rechten oder sonstigen Winkel der Wirklichkeit. Oft hatte er versucht, diesen Zustand durch Meditation zu erreichen, erfolglos: Stille schmerzte. Er brauchte die Stimmen, das Deklamieren, Flüstern und Schreien, das An- und Abschwellen der Filmmusik. Simon schaute nicht Filme, er ging ins Kino.

Die Dunkelheit der Kinosäle war nicht nur Gefühlshöhle: Hier musste er auch nicht kommunizieren. Niemand redete, jedenfalls nicht in der Nachmittagsvorstellung, niemand telefonierte, und ein Notebook würde auch keiner aufklappen, jedenfalls noch nicht.

Im Schwarzen Loch saß Simon still, doch zu Hause entkam er dank der wundersamen Vermehrung von Kommunikationskanälen deren Fesseln nicht. Eines musste man der Journaille lassen: Sie blieb am Ball. Per Mailbox und Mail, über Sender, Agentur und Management wollten diverse Zeitungs- und Fernsehjournalisten ihn immer noch dringend sprechen. Manche redeten Klartext, andere versuchten es mit einem Trick, luden ihn ganz unverfänglich zu einer Galaveranstaltung oder zum Abendessen in Berlins teuerstem Gourmetrestaurant ein, auf Kosten des Hauses verstand sich. Doch es waren nicht nur die Journalisten, die ihn treffen wollten. Ob aus Sorge oder Neugierde, auch Freunde und Bekannte belagerten ihn elektronisch. Es klingelte sogar verdächtig oft an der Haustür. So wie er von der Türklingel keine Notiz nahm (stets fürchtete er Fotografen, die ihn für ein möglichst expressives Foto zu provozieren versuchten, ein alter Trick), ignorierte er die meisten Nachrichten. Nicht alle, denn ihm war bewusst, dass seine Freunde sich Sorgen machten. Viele davon hatte er nicht. Es waren fünf, sechs vielleicht.

Mania natürlich, dann Benedikt und Carl, die er noch vom Gymnasium her kannte, beide Jungs für Bier und Lachen, die verrückte Fotografin Marisa, mit der er sich lustvoll über Kunst streiten konnte, und schließlich Konstantin, genannt Tatin und ausgesprochen wie die Tarte, ein bleicher Über-Intellektueller, Kurator eines Museums für Gegenwartskunst in Barcelona, Simons kritischster wie wohlwollendster Berater. Bisher hatte er nur Mania reinen Wein eingeschenkt, bei den anderen war er noch nicht so weit. Über Vivians kleines Problem konnte er ebenfalls nicht sprechen, weil er ihr Stillschweigen zugesagt hatte. Also musste er sich mit Ausflüchten und Notlügen behelfen. Besonders bei Tatin fiel ihm die Scharade schwer. Obwohl sie nur am Telefon miteinander sprachen, hatte er das Gefühl, von ihm wie in einem MRT durchleuchtet zu werden: »Ich vernehme selbst in meiner spanischen Enklave, dass du für gehörigen Wirbel sorgst. Um nicht zu sagen: Ich las es an prominenter Stelle in der Zeitung«, lockte der ihn. »Natürlich bin ich entzückt, du kennst mein unseliges Interesse an Naturkatastrophen wie Erdbeben, Vulkanausbrüchen und Fernsehskandalen.«

»Eher Skandälchen«, entzog Simon sich der unausgesprochenen Frage. »Ich bin nur eine gewöhnliche Nudel, eine Skandalnudel!«

»Al dente?«

»Nein, eher ein bisschen zu weich, kennst mich doch. Im Ernst: Es war eine aufregende Zeit beim Fernsehen, aber das ist meine letzte Chance, die öffentliche Person Minkoff loszuwerden.«

»Du weißt, dass ich ein Buch jeder Satellitenschüssel vorziehe, aber musst du ins andere Extrem fallen und dich gleich so radikal – entschuldige mein Französisch – verpissen?«

»Ich mag dein Französisch«, lachte Simon, »auch wenn es die Sache nicht ganz trifft. Ich brauch nur etwas Zeit und Muße, das ist alles.«

»Steht ansonsten alles zum Besten mit dem Prinzen und der Prinzessin von Berlin?«, bohrte Tatin ungewöhnlich direkt.

»Mir geht es gut! Und Vivian sagt, sie lässt schön grüßen!« Sogar am Telefon lief er puterrot an. Wenn alles überstanden war, würde er nicht nur verbale Abbitte leisten müssen, sondern Tatin als Entschuldigung eines der sündhaft teuren Besteckteile schenken, die er mit so viel Leidenschaft sammelte. Ein schlechtes Gewissen hat seinen Preis.

15 Der dicke alte Penner mit dem beeindruckenden Schock weißer Haare hockte, wie schon den Sommer und Herbst über, dank überraschend gestiegener Temperaturen immer noch auf seiner Hausbank an der Hobrechtbrücke. Für den Oberkörper hatte er sich aus zwei übereinander gezogenen fadenscheinigen Joppen eine einigermaßen taugliche Winterjacke gebastelt. Um die Beine war er wie fast immer in eine ausgebleichte ziegelrote Decke gehüllt, die möglicherweise nur ein abgetretener Teppich oder der Bezug einer aus der Mode gekommenen Couch war. Seinen Alkoholnachschub sah man fast nie. Diskret war er in einer der vielen Plastiktüten verborgen, die zu seinen Füßen standen. Der imposante Greis schien die

Einsamkeit zu suchen. Ging man an seiner Bank vorbei, grüßte er zwar mit knappem Nicken, und das nicht einmal unfreundlich, aber dann stellte er mit einer abrupten Kinnbewegung klar, keinen weiteren Kontakt zu wünschen. Stets ging von ihm Zufriedenheit aus. Er roch kaum, und wie man es von seinem mächtigen Körper ablesen konnte, gab es Anwohner, die ihn nicht nur mit flüssigen Lebensmitteln versorgten.

Vier Straßen weiter hatte der Alk ein anderes Gesicht. Hier saßen die Männer, die sich um Winterkleidung kaum noch scherten. Um sich zu wärmen, rückten sie einfach zusammen. Je nach Windrichtung verschlug es den Passanten, die aus den Tiefen der U-Bahn drängten, schon von weitem den Atem. Der Schmutz der Männer hatte sich mit Schnaps und Körperausdünstungen vermischt, mit Schweiß, Rotze, Urin, Blut, der Nässe offener Stellen, und eine Art elastischen Körperpanzer gebildet. Es war eine bekannte Tatsache: Ab einem bestimmten Punkt konnte man nicht schmutziger werden. Auch nicht betrunkener. Wenn sie sich ihren Korn oder Wermut zusammengebettelt hatten, ließen sie den Schatz keine Sekunde aus den Augen. Man sah es ihren roten Totenköpfen an: Ohne Stoff hielt das Leben für sie nichts mehr bereit. Ohne Stoff – und das geschah hier zwei oder drei Mal jeden Winter – blieben sie sitzen und erfroren. Ein Suizid, für den man nicht den kleinsten Finger krümmen musste.

•

Als Simon durch den sonnenlosen Winter schritt, stand ihm immer wieder ein grässliches Bild vor Augen: Vivian tot, zerschellt auf dem Bürgersteig vor ihrem Haus, um ihren Kopf eine Lache, die wie Blut aussah, aber nach Alkohol stank. Er war auf dem Weg zum Wassersportmuseum in Grünau, und eine seiner Strategien, solche

Angstbilder zu bannen, bestand darin, zur Kamera zu mutieren. Sämtliche Erscheinungsformen der Großstadt zerlegte er in Einstellungen, zoomte heran oder ging in die Totale, schnitt von einem Close-Up auf eine Halbnahe. Mit etwas Glück verlor er sich dabei so, dass er Filmmusik zu hören meinte.

Sein Kopffilm begann mit dem S-Bahnhof als establishing shot, Ransprung an den Bahnsteig, Fahrtziel auf der Anzeigentafel: Köpenick. Dann er selbst als Protagonist, von einem Fuß auf den anderen tretend. Fast anderthalb Stunden würde er bis Grünau brauchen, das am südöstlichen Rand Berlins lag. Zum hunderttausendsten Mal wünschte er sich einen Führerschein, ein so langer Aufenthalt in öffentlichen Verkehrsmitteln barg die Gefahr, gleich von mehreren Fans belästigt zu werden. Langsamer Schwenk auf den einfahrenden Zug, dann Minkoff, wie er sich den strategisch günstigsten Platz sucht: letzter Vierersitz ganz am Ende des Waggons, Rücken zum Gros der Fahrgäste, vier Personen nur, die ihm im schlimmsten Fall ins Gesicht schauen können. Langsam wurde er gut in der Choreografie des Versteckens.

Impressionen aus dem fahrenden Zug: Umsteigebahnhof Ostkreuz, Rummelsburg, erst Wohnsilos, dann Einfamilienhäuser, schließlich Datschen. In Köpenick umsteigen in die Tram nach Alt-Schmöckwitz, schlimmer Name, riecht nach Schmalzbrot und Altberliner Posse mit Musike. Ransprung auf Investorenarchitektur, polierte Grossistentristesse. Ein Plakat: *Bestattungen für nur 439,00 Euro!* McTod also, daneben Burgerbrater und Nagelstudios für die Überlebenden.

Simon suchte die Tramhalte, stand plötzlich starr. Drehte er jetzt komplett durch? Er war im Fernsehen! Stand vor diesem Elektrofachhandel und sah sich vielfach im Fernsehen! Als die Schreckstarre sich löste, bewegte sich sein elektronisches Abbild auch. Ein quälend peinlicher Moment, um zu begreifen, dass eine nicht sonderlich gute Kamera Passanten filmte und auf die achtzehn, zwanzig Monitore in der Auslage gab. Mit immer noch rasendem Herzen und schon im Weggehen, wandte er noch einmal den Kopf. Das sollte er sein, dieser zugewachsene Mann, dem man trotz Vermummung die Bedrückung schon von weitem ansah? Schnell kehrte er sich den Rücken.

Endlich die Straßenbahn, Fahrt vorbei an der zutreffend benannten Haltestelle »Betonberg«, einem Damenfriseur mit »Hochsteckberatung« (15 Euro) über Rathaus und Schloss zur Wassersportallee. Es waren Einstellungen, die nach Musik schrien, ein leichter Bach, wenn's kulturschlürfend sein sollte, oder etwas von *AIR*, wenn's nach Simon ginge. Die gesamte Anlage – Regattastrecke, Bootshäuser, Zuschauertribünen, Zielturm – war eher Fiction als Reportage. Im Nu fühlte man sich in braune Zeiten gesogen. Ob Hitler auf dieser Tribüne gesessen und den Athleten applaudiert hatte? Breitschultrige Kraftpakete im Kanadier, Arno-Breker-Territorium, dachte er. Das Museum bestand aus zwei Abteilungen, Eingang unterhalb der Tribüne, Eintritt frei. Simon hatte keine Mühe, eine abweisende Miene aufzusetzen. »Tach«, sagte er knapp und hoffte, dass die beiden Aufseher in ihren Plastiksesseln ihn in Frieden ließen. Die Alten waren noch verschlossener als er. »Ich geh dann mal ins Büro«, erklärte der Ältere der beiden und ließ im Wegschlurfen keinen Zweifel daran, wie sehr er sich gestört fühlte. Außer Simon gab es keine Besucher. Atmosphärisch eine Mischung aus 1936 und DDR, hatte sich hier eine Gaststätte befunden, der hölzerne Tresen zeugte davon. Feuchte Kälte stand im Raum, gemildert durch ein paar vorsintflutliche Elektrorippen. Der langgestreckte Schankraum mit der schrägen Decke war hervorragend für die kleine Bootssammlung geeignet, von Einer bis Achter, von Holz über Plaste bis zu Aluminium. Kanus, Kajaks, Kanadier, sogar Faltboote für Camping auf dem Wasser. Er wog ein Paddel in der Hand, befühlte Holz, aber die Fortschritte der Bootsbautechnologie waren ihm keine Herzensangelegenheit. Seine Blase meldete sich.

Die Toilette jenseits des Flurs war ein feuchter Traum für Location-Scouts: eine mehrere Meter lange, braun gekachelte Pissrinne und grobe Holzverschläge für umfassendere Bedürfnisse. Es roch, als hätten Horden von Sportlern sich hier erleichtert. Simon erledigte eilig sein Geschäft und lief mit ausgreifenden Schritten zum zweiten Teil der Ausstellung, den Aufseher in grauen Cordhosen im Nacken. Er befand sich im ehemaligen Kassenhaus. Über einen quietschenden braunen Bodenbelag führte der Rundgang, in der Luft das Aroma des allgegenwärtigen DDR-Desinfektionsmittels wie ein Nachruf. Sein Blick fiel auf eine Kaffeemaschine mit halbvoller Glaskanne. »Möchten Sie einen?«, fragte der alte Mann. Simon wollte nicht unhöflich sein und nickte.

»Zucker is nich, aber Milch.«

»Ist gut.«

Der Kaffee musste seit Ulbrichts Tod hier schmurgeln. Er war so bitter, dass er einem die Mandeln wegätzte. Simon studierte die Fotos und Medaillen, Pokale und Paddel, die Wimpel, Vereinsnachrichten und Fahnen. Während er von Akademiker-Rudervereinen las, den zwangsweise abgespaltenen jüdischen Wassersportclubs und dem ersten deutschen Frauensportverein, war er wie besessen davon, den Kaffee wieder loszuwerden, ohne den Aufseher zu beleidigen. Verzweifelt hielt er Ausschau nach einer halb vertrockneten Yucca, der er den Rest geben könnte. Keine Chance. Also nahm er mit Todesverachtung fast den ganzen Inhalt der Tasse in den Mund, nickte dem Alten knapp zu und verschwand nach draußen, wo er die Brühe im hohen Bogen ausspuckte.

Auf dem Heimweg kämpften sich tapfere Sonnenstrahlen über die grauen Wolkenränder. Unweigerlich landeten Simons Gedanken in seiner Straße, krochen die Treppe hoch, unter der Wohnungstür hindurch, schauten sich in der Wohnung um. Spontan entschied er sich, ein paar Stationen früher auszusteigen und noch das Denkmal des Hauptmanns von Köpenick vor dem Rathaus anzuschauen. Verblüffend klein, das Ding, fand er, und von plattestem Naturalismus.

Es war nicht das Ansteckmikro, das hatte er gar nicht wahrgenommen, sondern etwas an der Aura des jungen Mannes, der in der Nähe der Statue stand. Da war eine Spannung, eine Präsenz, die ihm so vertraut war, dass er sie riechen konnte. Er nahm den Mann genauer unter die Lupe: Jeans, T-Shirt, teures Jackett und aufwändig verstrubbelte Haare, ein Gesicht, in dem Rutschgefahr bestand, aber beneidenswert makellose Haut.

»Simon?!?«, kreischte eine vertraute Stimme.

»Helma?«

»Nee, Lech Wałęsa«, lachte sie, die mit einem Farbigen im Schlepptau aus der Rathauspforte trat. Eine verlegene Sekunde, dann umarmten sie sich unbeholfen. »Scipio, unser neuer lichtsetzender Kameramann, Simon Minkoff«, stellte sie die Männer einander vor.

»Den brauchst du nicht vorzustellen«, sagte der Kameramann und zu Simon gewandt: »Mit Ihnen hätte ich gern mal zusammengearbeitet!«

»Danke.«

»Ach ja«, tat Helma zwanglos, »und natürlich Thore Marquard, dein …«

»Nachfolger?«, riet Simon. In Zeitlupe streckte der junge Mann eine Hand aus und starrte ihn an, als habe er eine Marienerscheinung. Simon produzierte ein Fotografenlächeln vom Feinsten.

»Bau doch schon mal die Lampen auf, Schatz«, bat

Helma den Kameramann, hakte sich bei Simon unter und zog ihn fort. »Du willst mir jetzt nicht verklickern, du hättest die Sendung nie mehr geguckt?«

»Doch, genau das. Habt ihr den Typ gecastet, damit die Sendung weiter *MM* heißen kann? Und warum so ein Babyface? Hat der schon Haare am Sack?«

»Immer noch der alte Charmeur«, konstatierte Helma. »Das mit dem Namen war schon praktisch, aber nicht ausschlaggebend. Du kennst doch das Mantra von Dornbracht: Niemand kann zu jung für unsere Zielgruppe sein.«

»Hat der Herr Unterhaltungschef sich also durchgesetzt?« Simon nahm seine Brille ab und rieb sich die Augen.

»Nachdem du ihm durch deinen Abgang freie Bahn verschafft hast!«

Er überhörte den Vorwurf. »Läuft es gut?«

»Siehst ja, wir sind filmischer geworden. Dornbracht wollte ja immer schon diesen Pseudolive-Touch. Jetzt machen wir die Anmoderationen zu den Talks vor Ort, knackig geschnitten, einmal durch die Bildbearbeitung gejagt, Musiksoße drunter, state of the art eben.«

»Bloß kein Leerlauf«, nickte er sarkastisch. »Wie macht sich denn mein Nachfolger mit dem germanischen Heldennamen?«

»Ach, der ist ganz süß«, verteidigte Mutter Helma ihr Fohlen. »Ein lieber Junge, leider ohne Ausbildung, wie jetzt fast alle. Kosten halt weniger und murren nicht, wenn sie Aufsager machen sollen.«

»Was? Ihr müsst dem die Moderationen schreiben?!«

»Geht nicht anders. Die Marktforschung hat Thore durch die Zuschauerbefragung gejagt, und er hatte Spitzenwerte. Aber er ist nun mal dreiundzwanzig und kann keine drei Sätze schreiben, was willst du machen?«

Simon schüttelte nur den Kopf. »Und was tut ihr hier in Köpenick?«

»Es geht um einen Hochstapler, der sich als Weih-
bischof ausgibt und alte reiche Tussen ausnimmt. Wir
müssen …«

»Der Minkoff!« Eine dicke Frau im Trainingsanzug
zerrte wie wild am Anorak ihrer ebenso dicken Freundin.
Mit gefährlich ausgefahrenem Zeigefinger stach sie in
Richtung von Simons Brustbein. »Det is ja 'n Ding, der
Minkoff! Kann ich 'nen Foto?« Und schon griff sie nach
ihrem Handy, als zöge sie eine Pistole aus dem Halfter.

Wie ein Blitz drehte Simon den Kopf zur Seite, und
Helma ging auf Autopilot: »Sie können alle ein Autogramm bekommen«, verkündete sie mit dem verbindlichs-
ten Lächeln der Welt. »Zuerst brauche ich Herrn Minkoff
noch für eine Besprechung, aber dann ist er bestimmt gern
für Sie da!« Und schon bugsierte sie ihn ein paar Türen
weiter in den *Ratskeller*.

»Ich will mich aber nicht setzen«, moserte Simon.

»Klappe!« Sie blieben im Eingangsbereich stehen und
sie musterte ihn mit schiefgelegtem Kopf. »Mit dem Bart
siehst du ein bisschen aus wie Osama Bin Laden auf
Schmerzmitteln.«

»Wenn du wüsstest«, seufzte er. Beide mussten grinsen, ein schönes, breites, vertrautes Grinsen, in dem all
ihre gemeinsam geschlagenen Schlachten eingeschlossen
waren. Wehmut lag auch darin. Dieses zufällige Treffen,
sie wussten es beide, war ein Abschied für immer. »Und
sonst?«, lenkte er das Gespräch von sich ab. »Bist du zufrieden?«

Helma warf ihm einen prüfenden Blick zu. »Nein«, er-
klärte sie dann. »Nicht zufrieden. Wir drehen jetzt immer
öfter Skandal, du weißt schon: spektakulär missratene
Schönheitsoperation, Gauner, Abzocker, und natürlich
Porno rauf und runter: Mutti als Freizeitdomina, Papa mit
Überdosis Viagra.«

»Die gute alte Sex-and-crime-Nummer.«

»Wenigstens sind wir bisher am Kindesmissbrauch vorbeigekommen«, lachte sie bitter. »Aber das Niveau rutscht.«

»Und die Quote?«

»Steigt.«

Auf dem Rückweg konnte er nicht sitzen. Mantelkragen hochgeschlagen, Kappe ins Gesicht gezogen, lehnte er sich unruhig an eine Haltestange im S-Bahn-Waggon. Zum Glück war Berufsverkehr und die Leute schafften es kaum, ihre müden Gesichter zu heben. Er riskierte einen langen Blick auf seine Mitfahrer. Diese Leute kamen von einer Arbeitsstelle, wo sie jeden Morgen antraten, am Abend dann zurück zur Frau, zu den Kindern vielleicht. Eine beneidenswerte Routine, die er so nicht kannte, sich aber heilsam vorstellte. Keine Existenz in Eventualitäten, eine in größter Absehbarkeit. Was würde er dafür geben, einfach so nach Hause zu fahren zu einer Vivian, die auch gerade vom Job kam, ihre schmerzenden Füße massierte und herrlich banal über die Zumutungen des Tages schimpfte. Stattdessen erwartete ihn die sorgenschwere Luft in ihrer Wohnung. Doch zuallererst würde er, wie immer, wenn er nach Hause zurückkehrte, in den Hof gehen, um sich zu vergewissern, dass ihr Fenster geschlossen war, dass sie nicht gesprungen war.

Warum ausgerechnet die Vision eines Fenstersturzes? Er wusste es nicht. Das Maß an Kaltblütigkeit und Brutalität, das vonnöten war, aus dem Fenster zu springen, sich zu erhängen oder die Pulsadern aufzuschneiden, würde sie niemals aufbringen. Die Unversehrtheit des Körpers war ihr immer wichtig gewesen. Jede Schramme wurde ängstlich kommentiert, jeder Leberfleck untersucht. Wenn sie ihre Tage hatte, war sie persönlich gekränkt und führte sich wie jemand auf, dem man den Unterleib amputiert hatte.

Hatte er gerade gedacht, ihre Unversehrtheit sei ihr wichtig *gewesen*? Schlagartig raste sein Puls. Er legte einen Schritt zu. Immer wenn die Angst ihn packte, sie könne sich etwas antun, sagte er sich, dass sie nicht mal in der Lage wäre, einen Selbstmord zu recherchieren, geschweige ihn auszuführen. Aber wenn doch? Und schon stand ihm der Fenstersprung wieder vor Augen. Er käme ihrem Phlegma entgegen. Viel Technik braucht es nicht: Sie sitzt auf dem Fensterbrett, kippelt ein wenig vor und zurück, nimmt ein winziges bisschen Schwung und muss sich nur noch fallen lassen. Das ist fast noch Unfall. Und ja: Ein echter Unfall kann sich ebenfalls ereignen. Aufgetankt wie sie ist, genügt ein Schwanken, ein Stolpern. »Schluss!«, beschwor er sich und sah erst am Blick einer türkischen Matrone, dass er laut mit sich selbst gesprochen hatte. Hatte er nicht viel zu oft geduldig abgewartet, bis sie nach drei, vier Tagen ihr Zimmer entriegelte, um sich in der Küche mit zittrigen Händen etwas zu essen zu machen? Dieses Mal waren schon fünf Tage vergangen. Was, wenn seine schlimmsten Befürchtungen doch zutrafen? Jetzt rannte er.

Endlich im Haus, hatte er keine Geduld für den Aufzug. Er nahm zwei Stufen auf einmal. Die Wohnungstür knallte er zu; sie sollte gleich hören, dass etwas im Anmarsch war. Er hastete zu ihrer Tür und ballerte mit der flachen Hand dagegen. »Vivian? Hörst du mich?« Keine Antwort. Das wunderte ihn nicht. Er drückte die Klinke. Abgeschlossen. »Vivi, du machst jetzt die Tür auf!« Einundzwanzig, zweiundzwanzig. »Wenn du nicht sofort aufmachst, breche ich die Tür auf!« Dreiundzwanzig, vierundzwanzig, fünfundzwanzig. Mit ganzer Kraft trat er exakt neben die Klinke. Gut, dass er Winterschuhe trug. Trotzdem gab die Tür nur ein klein wenig nach. So viel Angst gemischt mit Wut lag in seinem zweiten Versuch, dass das Holz rund um das Schloss geräuschvoll splitterte und die Tür mit Schwung aufflog. Er stürzte in das Zimmer und wäre fast zu Fall gekommen.

Trotz des Krachs hatte Vivian sich kaum bewegt. Zum Embryo gekrümmt, lag sie in schmutzigem, zerwühltem Bettzeug, die Beine verdreht, als wären ihre Hüften gebrochen. Er wollte sie toben hören, schreien, ihn verfluchen. Stattdessen lag sie reglos und starrte aus wässrigen Augen. Trostlos, dachte Simon. Ohne Trost. Nicht zu trösten. Das Gesicht eines alten Äffchens. Ihre Wangenknochen traten schmerzhaft deutlich hervor, die Haut hing grau und lose, ihr Mund ein farbloser Strich. Konnten Köpfe schrumpfen, Gesichter nur noch halb vorhanden sein? Ihr Anblick war so niederschmetternd, dass er den Blick senkte. Um nicht weiter ihre leeren Augen sehen zu müssen, nahm er das Zimmer in Augenschein. Rund ums Bett stand eine Batterie leerer Flaschen, Weißwein, Rotwein, Schnaps, hauptsächlich aber Whiskey. Seit wann trank sie den? Whiskey ist was für alte Männer mit verschrumpelten Schwänzen, hatte sie immer gesagt. Der Boden war mit Kleidung und Abfall übersät, mit schmutziger Bettwäsche, Nachthemden, benutzten Handtüchern, zusammengeknüllt und achtlos fallengelassen. Darauf, darunter und daneben halbvolle Tüten mit Schokoriegeln und Studentenfutter. So also versuchte sie bei Kräften zu bleiben. Wenn er ihre Ärmchen und Beinchen betrachtete: ziemlich erfolglos. Ganz sacht setzte er sich auf die Bettkante und nahm ihre Hand. »Ich konnte nicht anders, ich habe mir Sorgen gemacht. Du musst etwas essen, sonst bringe ich dich ins Krankenhaus.« Täuschte er sich, oder war das ein Nicken? So nah bei ihr, überwältigten ihn ihre Ausdünstungen. Sauer roch ihr Atem, talgig das Haar. Aus den Ritzen und Falten ihres Körpers stieg ein erdrückender Gestank auf, grindig, aasig. Und über allem die Duftnote einer Eckkneipe morgens um neun. »In Ordnung, wenn ich mal lüfte?« Jetzt nickte sie wirklich.

Simon balancierte zwischen Müll und Klamotten zum Fenster und wäre fast ausgerutscht. Allzu genau wollte er es nicht wissen, doch aus dem Augenwinkel sah er eine Lache nicht ganz getrockneter Kotze, nur halbherzig aufgewischt. Angeekelt öffnet er einen Fensterflügel und sog gierig die Winterluft ein, die ihm nun erquickend vorkam. »Komm, wir gehen in die Küche. Ich mache dir eine Kleinigkeit zu essen«, schlug er vor. Dann das Wunder: Unendlich langsam schob sie ein Bein nach dem anderen aus dem Bett und versuchte sich zu erheben. Simon reichte ihr eine Hand, die sie sogar nahm. Doch sie war zu schwach, um aufzustehen. Kurz entschlossen hievte er sie hoch. Jeden Wirbel ihres Rückgrats konnte er spüren, ihr knochiger Hintern war kaum noch mit Fleisch bedeckt. Wie ein Opferlamm lag sie in seinen Armen, Augen geschlossen, ergeben. Nur noch Skelett, zusammengehalten von Haut, hatte er keine Mühe, sie in die Küche zu tragen. Behutsam setzte er sie auf einem Stuhl ab, eilte ins Wohnzimmer, um ihr ein Kissen zu besorgen. »So, worauf hast du Lust?«, versuchte er sie zu animieren. Keine Antwort. Er musste etwas für sie tun, ganz egal was. »Kraftbrühe!«, kam ihm die Erleuchtung. Die träufelte man im Kino den Schwerkranken ein, nicht wahr? Hektisch wühlte er im Vorratsschrank. Kraftbrühe fand er nicht, dafür ein vertrauenerweckendes Pulver in braunem Glas. »Hühnersuppe!?«, rief er ihr hoffnungsvoll zu. Dabei machte er ein so unangemessen aufmunterndes Gesicht, dass ihre Mundwinkel zuckten. Nie zuvor hatte er ein so karges Lächeln gesehen, aber er war unendlich dankbar dafür.

16 »Du trinkst jetzt was, verdammt noch mal!«
»Das bringt doch nichts.«

»Und ob das was bringt! Hast du einen Spiegel? Du siehst aus, als hättest du wochenlang in Transsylvanien gecampt! Du brauchst ein Glas Wein, damit dein Blut wieder mal kreist!« Resolut stapfte Mania in die Küche und war nach wenigen Augenblicken mit Rotwein, Gläsern und einem Profikorkenzieher zurück. »Guck mal, ein sagenhafter Saint Emilion, der hilft sogar Opa wieder aufs Rennrad.«

»Den kenn ich, Vivi liebt den auch.« Simon wusste nicht, ob er lachen oder weinen sollte.

Mania, die gerade dabei war, die Wachskappe abzuschneiden, stellte die Flasche beiseite, kniete sich vor ihn hin und nahm seine Hände in die ihren. »Tut mir wirklich leid, Simi! In so einer Situation sagt man immer das Falsche.«

Niemandem sonst gestattete er, den Kosenamen seiner Kindheit zu verwenden, nur Mania kam damit durch. Es wärmte sein Herz, wenn sie ihn so vertraut ansprach.

»Schon in Ordnung«, beruhigte er sie. »Weißt du, was ich mir wünsche? Mal so richtig losflennen können! Die Paranoia, dass Vivi sich umbringen könnte, macht meine Eingeweide hart wie Stein. Manchmal bin ich so verkrampft, dass ich zu atmen vergesse. Ich will einfach mal heulen oder losbrüllen oder wenigstens etwas mit Karacho zu Klump schlagen.«

»Bedien dich«, sagte sie mit einladender Geste. »Ich meine das ganz im Ernst.«

Simon musste lachen. Wenn es eine Wohnung gab, wo selbst ein Elefant Spitze tanzte, war es ihre. Zwar lag sie im Lehrer- und Pensionärsviertel Friedenau, war aber mit unfehlbarem Geschmack eingerichtet, kein Plakat für »trendige« Einrichtungsläden, sondern eine persönliche Auswahl ausgefallener Fundstücke. Da gab ein strenges rotes Sofa aus Italien den idealen Hintergrund für einen südafrikanischen Couchtisch aus recyceltem Holz ab, eine elaboriert gerüschte finnische Papierlampe beleuchtete das Aquarell eines Berliner Künstlers (blutende Roboter, denen jemand mit einem Samuraischwert Arme und Köpfe abschlug) und eine ehemalige Tischtennisplatte, die den Esstisch abgab. Weitläufig, sparsam bestückt und keine Sekunde »originell«, annoncierte die Wohnung eine Inhaberin mit eigenem Kopf. »Ach, lass mal«, grinste er. »Reicht schon, wenn Vivi sich zu Klump haut.«

»Was sagt sie denn? Sie muss sich doch äußern!«

»Sie hat ja noch nie viel gesprochen, aber jetzt ist es, als lebten wir in einem Trappistenkloster.«

Mania hatte die Flasche Saint Emilion wieder zur Hand genommen und mit einem eleganten Plopp entkorkt. »Die Frau braucht einen Entzug, daran wird sie nicht vorbeikommen!« Sie goss ein, überlegte eine Sekunde, zuckte mit den Achseln und füllte die Gläser fast bis zum Rand.

Simon entging die Ironie: »Nein! Das ist alles, was ich höre: Nein, ein Entzug kommt nicht in Frage! Und wenn ich sie beschwöre, dass sie so noch mehr leiden wird, schüttelt sie nur den Kopf: Nein, ich will nicht, dass fremde Leute in mich dringen, lass mich in Ruhe! Ende der Durchsage. Abmarsch, Tür zu. Gruft!«

»Und wenn ich es mal versuche?« Sie reichte ihm ein Glas und prostete ihm zu.

»Keine Chance.« Abwesend hob er das Glas, trank aber nicht. »Sie will keinen sehen, nicht mal mit jemandem am Telefon reden. Ich musste ihre Eltern ja schon mit unserer angeblichen Ägyptenreise belügen. Jetzt erfinde ich immer neue Ausreden, warum sie nicht an den Apparat kommt: Hat furchtbar viel um die Ohren, tätigt gerade einen Großeinkauf in der *Metro*, will mit Danuta noch ein weiteres Café eröffnen, bla bla bla.«

»Apropos, was ist mit den Cafés, wie steht Danuta zu der Sache?«

»Die belüge ich auch!« Simon probierte jetzt doch, zog die Augenbrauen hoch und nahm gleich noch einen Schluck. »Der ist aber nicht von *Woolworth*!«

»Sag ich doch: Like a bridge over troubled water!«

»Ich könnte kotzen bei meiner ganzen Schwindelei«, nahm er den Faden wieder auf.

»Aber wie ich dich kenne, machst du das fernsehreif!«

»Rampensau bleibt Rampensau«, stellte er bitter, aber geschmeichelt fest.

»Und Danuta glaubt dir?«

»Kein Wort, wenn du mich fragst, aber sie ist diskret genug, mich nicht bloßzustellen.«

»Du musst auf dich aufpassen.« Mania klang ungewohnt ernst. Sie ließ sich in das Polster des roten Sofas zurückfallen und zog beide Beine unter sich. »Es sind die Schwachen, die uns beherrschen, nicht die Starken.« Simon blickte verblüfft hoch, aber sie winkte ab: »Ist nicht von mir, ist von Thomas Bernhard. Aber deswegen noch lange nicht falsch!«

Er trank sein Glas leer und füllte es gleich wieder auf. Dann wurde ihm seine Unhöflichkeit bewusst: »Auch noch einen Schluck?«

Sie nickte und hielt ihm ihr Glas hin: »Du musst wirklich vorsichtig sein mit dir. Ihr braucht beide Unterstützung. Sicher muss vor allem Vivian mit ihrem … Problem ins Reine kommen, aber du brauchst auch Beistand. Ich möchte, dass du weißt: Ich bin da, immer. Also genier dich bitte nicht! Und wenn es ganz unerträglich wird oder du einfach nur Tapetenwechsel brauchst …«, sie klopfte auf das Polster, »… bei mir ist immer eine Couch für dich frei!«

»Danke«, brummte Simon und wandte den Kopf zur Seite, damit sie seine feuchten Augen nicht sah. »Aber weißt du, Vivian hat sich so oft um mich gekümmert, jetzt bin ich eben dran, das nennt man dann wohl ausgeglichene Bilanz.«

»Entschuldige, aber das sehe ich etwas illusionsfreier. Ich weiß ja, wie selbstbesoffen ihr Medienfuzzies seid. Schreit ewig nach Aufmerksamkeit, und wenn ihr sie habt, geht sie euch auf den Wecker. Als Dank dafür seid ihr dünnhäutig wie Pergamentpapier. Aber wer jede Woche vor der glotzenden Nation seinen Kopf hinhält, hat der nicht das Recht, empfindsam zu sein? Um im Bild zu bleiben: Wenn ein Kopf zu weit aus der Menge ragt, läuft er immer Gefahr, abgeschlagen zu werden.«

Simon musterte sie erstaunt. Die kleine Ansprache klang geprobt, auf jeden Fall hatte sie sich für dieses Gespräch präpariert. Auch ihre ungewohnt zurückhaltende Kleidung sprach dafür: schwarze Stoffhose, grauer Rollkragenpullover, außer einem breiten Silberring am Zeigefinger kein Schmuck. »Schön und gut«, versuchte er abzulenken. »Aber *so* ein Sensibelchen bin ich nun auch wieder nicht.«

»Falsch: Du *bist* so ein Sensibelchen! Und du hast alles Recht der Welt, für den Verlust deiner Privatheit Trost zu verlangen. Vivian ist, entschuldige bitte, eben *nicht* immer für dich da. Du redest zwar stets über sie, aber eher unter der Überschrift: Sie kommt nicht mit, sie interessiert sich nicht, sie hat zu dies und jenem keine Meinung.«

Simon war baff. Um Zeit zu gewinnen, füllte er die erst halbleeren Gläser auf. So deutliche Worte hatte sie noch nie für seine Beziehung gefunden. Aber hatte sie unrecht? Natürlich spielte Vivian eine Hauptrolle in seinem Leben, aber es war wie ein Kreisen um einen leeren Kern, eine Leerstelle, der sie ihren Namen geliehen hatte. Konnte es sein, dass er sich umso mehr nach ihr sehnte, je weniger er von ihr bekam? Als hätte sie seine Gedanken erraten, fragte Mania: »Wie ist das überhaupt für dich, ganz ohne Job?«

»Null Ahnung«, antwortete er wahrheitsgemäß. »Ich habe keine Synapsen frei, mich darum zu scheren.« Irritiert sprang er auf und wippte auf den Fußspitzen. »Der einzige Moment, wo ich darüber nachdenke, ist, wenn ich mich zum Ausgehen verkleide. Ansonsten muss diese Baustelle warten, gibt momentan Wichtigeres.« Er wollte dringend das Thema beenden. Nur um etwas zu tun, ging er zur Toilette. Da er nicht pinkeln musste, stützte er sich im sandsteinverkleideten Bad auf das Waschbecken, ließ seinen Blick über Cremes und Parfums schweifen und landete schließlich auf seinem Gesicht. Wie abgekämpft er aussah. Zwischen den Augenbrauen zwei tiefe Kerben, skeptisch, mürrisch, sorgenvoll. Er drehte den Hahn auf, beugte sich vor und schaufelte mit beiden Händen sehr kaltes Wasser gegen sein Gesicht. Manias Worte hatten etwas in ihm zum Klingen gebracht, was er nicht hören wollte. Schwungvoll trocknete er sich ab. Dann griff er nach einem Flakon mit gelbem Aufkleber.

»Ah, *Acqua di Parma*«, rief Mania schon von weitem.

»Hätte nicht gedacht, dass du das magst!«

»Wieso?«

»Bist eher *Comme des Garçons*.«

»Ach, auf Hochdeutsch heißt das *Wie alle Jungs*, oder was?«, grinste Simon, als er sich neben sie ins Sofa plumpsen ließ.

Wie es genau gekommen war, wussten sie hinterher nicht zu sagen. Eine Hauptrolle in ihrer Reprise spielte sicher der muskulöse Saint Emilion. Die erste Flasche war schnell leer, und Mania hatte »in meiner neuen, dekorativen Rolle als Krankenschwester« eine zweite verordnet. Die Musik machte in Bezug auf Genre, Entstehungszeit wie Lautstärke große Sprünge und landete beim mitgröhlfähigen *Westerland* der »Ärzte«. Mehr liegend als sitzend hatten sie sich noch einmal die Komödien ihrer Studienzeit erzählt, darüber gelacht, wie Klaas beim Versuch, aus dem Dachfenster zu pinkeln, fast fünf Stockwerke tief gestürzt wäre. Auch ihre kryptointellektuelle Kommilitonin durfte im verbalen Fotoalbum nicht fehlen, eine dicke junge Frau namens Walburga, die den großen, flachen Stein auf ihrem Schreibtisch zärtlich »Gertrude« nannte. Und dann, reichlich angeschickert schon, hatten sie ihr altes Lieblingsspiel »Katzennamen für Berufsgruppen« wieder aufgenommen, das trotz fortgeschrittenen Alkoholkonsums über »Sir Simon Cattle« für Dirigenten bei einer beachtlichen »Miez van der Rohe« für die Katze eines Architekten landete. Bald lagen sie mehr auf- als nebeneinander. »Bist du eigentlich immer noch so empfindlich an der Stelle?«, hatte Simon gefragt, ihr Lachen als Versuchsanordnung genommen und zärtlich in die Vertiefung unter ihrem Hals geatmet. Sie wand sich, er küsste sie. Ein Blick noch, und dann verweilten sie nicht länger in der Vergangenheit.

Als ob das Parkett unter ihnen flüssig sei, kullerten sie über den Boden, leckten jede Körperstelle, die sich ihnen bot, rissen blindlings, gruben, fuhren ein. Merkwürdiges Phänomen, hatte Simon gerade noch denken können: Weinseligkeit, Abstürze, Exzesse – aus irgendeinem Grund brauchen wir diese Eruptionen wie die Wunde ihren Schorf, eine Schutzschicht aus Härte, damit wir heil werden. Seine Füße in ihrem Mund, ihr Geschlecht auf seinem Gesicht, brutal ihm den Atem nehmend. Er wollte sich befreien, richtete sich auf, aber sie zog ihm roh die Beine weg. Ein Schmerzensschrei wie ein Lachen, eine unvermutete Rolle rückwärts, ihre Handgelenke zu beiden Seiten des Kopfes in seinem Griff. Für den Bruchteil einer Sekunde hatte sie seine kräftigen Hände nahe vor Augen, die schwarzen Haare auf den Handrücken, die großen gebogenen Fingernägel. Dann fühlte sie Nässe, er spuckte sie an. Sie stöhnte, rieb ihr Gesicht durch das seine, teilte den Schleim, gab zurück, nahm wieder entgegen. Längst hatte er sie losgelassen, doch provozierend lag sie jetzt still, Hände geöffnet, ließ sich das Gesicht ablecken, folgte ihm darin, bis sie wie Raubkatzen gegenseitig ihre Haare leckten. Langsam drang er in sie ein, sie schrie ungeduldig, glühte ihm entgegen, schlug zu, doch er packte wieder ihre Handgelenke, zog sich fast vollkommen zurück und schaute in ihre Augen. Er wurde immer langsamer, was sie erst wimmernd, dann hechelnd ertrug. Und erst dann, als er vollkommen gerade und wie tot auf ihr lag, als kein Follikel seiner Haut mehr den Boden berührte, nur sie, vollkommen sie, bereitete er ihr den Thron. Er gewährte Bewegungen ihres Unterleibs, spürte ihr Flehen, duldete ihre triumphale Aufschwingung, die sie beide wegfegte. Der Sessel, der Tisch, die Tür, der Holzboden, die Wand wurden Komplizen ihrer Jagd, boten Kulisse und Untergrund für ein Bild der Schönheit wie der Verzerrung. Ihre Zärtlichkeit füreinander trieben sie ins härteste Gegenteil, bis die Extreme sich im Unendlichen ringförmig berührten und Zärtlichkeit wieder in voller Pracht stand wie eine erblühende Wunde.

Später lagen sie still. Mania dösend auf dem Bauch, Simon hoch gebettet, ein feuchtes Kopfkissen im Rücken, ein nasses Laken unter sich. Manias Kopf ruhte in seiner Armbeuge. Angenehm beschämt betrachtete er sie und redete sich ein, ein kosmisches Pardon zu vernehmen. Die Schuldgefühle würden ihn früh genug einholen, aber noch fühlte er sich zu lebendig, um seinen Rausch vorschnell durch Scham zu dämpfen. Wie er es genossen hatte, das atemberaubende Gefühl, am Leben zu sein! Hatte er nicht Anspruch auf Trost und Mitgefühl? Mit niemandem außer Mania hätte er sich so verbünden können, nur sie verstand und schwieg.

In wohligem Desinteresse ließ er seinen Blick schweifen. Ihr Schlafzimmer – es war nicht zu übersehen – war eine Schatzkammer. Während die vorderen Zimmer mit ihrer unprotzigen, aber ausgesuchten Ausstattung der Repräsentation dienten, war die bunte Fülle des Schlafzimmers so Mania pur, dass sie es eifersüchtig hütete. Trotz ihres spritzigen Sexuallebens achtete sie penibel darauf, es einem Mann nicht voreilig zu offenbaren. Lieber übernachtete sie sieben, acht Mal bei ihm, versuchte aus Wohnungseinrichtung und Kühlschrankinhalt auf seinen Charakter zu schließen und bewilligte erst nach bestandener Prüfung einen Passierschein für ihr Bett.

Als es lange nach dem Ende ihrer Beziehung sexuell wieder gefunkt hatte, war selbst Simon anfangs gezwungen, mit dem Sofa vorliebzunehmen, bevor sie ihn wieder ins Allerheiligste ließ. Nicht, dass es oft vorgekommen wäre. Einmal jährlich, schätzte er, wobei manchmal zwei Jahre nichts passierte und dann wieder zwei Mal in einer halben Woche. Mit dem Durcheinander aus Tüchern, Lampen, Artefakten hatte Manias Schlafzimmer etwas von Ali Babas Höhle. Das große niedrige Bett war von einem Baldachin gekrönt, der aus Hunderten tibetanischen Gebetsfähnchen bestand. Ein gläserner Paravant, rückwärts von einem schmiedeeisernen Kerzenhalter beleuchtet, filterte Licht in allen denkbaren Gelb- und Rottönen. Die weiße Holzkommode mit arabischen Spitzbögen diente als Ablage für ein kunterbuntes Arsenal von Souvenirs und Devotionalien: internationale Speisekarten, Versteinerungen, eine zusammengeklaute Kollektion von Salzstreuern, ein Bonbonglas voller Hühnergötter, ein Autogramm von Colette. Die grotesk würdevolle Madonna aus Banneux, deren Plastikkopf als Flaschenstöpsel diente, blickte auf ein Relief von Mao. Berührte man seine Nase, erklang die Internationale. Daneben ein Tablett mit Art-Deco-Likörgläsern, echt *Wiener Werkstätten*, ein Musterbuch mit Stoffen der Achtziger, ein tanzender singender Fisch und eine üble Kristallschale mit dem eingravierten Porträt des letzten Papstes. Vor den französischen Fenstern wellten sich Wolkenstores in ironischem Mint, und in einen großen leeren weißen Rahmen waren haufenweise Fotos geklebt, gesteckt, gepinnt. Den Sinn fürs Absurde, Kitschige,

Lustige, selbst fürs Mädchenhaft-Dekorative, hatte Simon ihr zugetraut, aber als er diese Fotos zum ersten Mal in Augenschein nahm, war er verblüfft gewesen. Obwohl sie selten von ihrer Familie sprach –, und wenn, dann mit abwertenden Bezeichnungen wie »die reichen Raffkes« –, hingen hier ausnahmslos Familienfotos bis hin zur Generation ihrer Urgroßmutter. Manias Mutter war eine Femme fatale gewesen, deren Portrait im schwarzweißen *Courèges*-Mini ihn immer wieder faszinierte. An den Schnappschüssen der jungen Mania fiel auf, wie viele Jahre sie gebraucht hatte, ihren Amazonenstil zu entwickeln. Meist war sie erstaunlich mädchenhaft gekleidet, eher Laura Ashley als Sharon Stone. Genau betrachtet, wohnen hier zwei Frauen, dachte er, im vorderen Teil eine erfolgreiche, verbindliche Schneekönigin, im Boudoir ein liebes Mädchen. Warum war er damals nicht bei Mania geblieben? Aus Feigheit, einer dummen kleinen Angst vor ihrer anstrengenden Grandezza? Hätte sie seinem ewigen Schwanken Halt gegeben? Oder war nicht im Gegenteil dieses Schwanken genau er, Simon Minkoff, in Essenz? Die Vergangenheit war eine Rechnung mit zu vielen Unbekannten. Mania gab in seinen Armen Töne von sich, als forsche sie nach, wohin sie ihre Stimme verlegt habe. »Alles okay?«, krächzte sie und küsste verschlafen seinen Bizeps.

»Nee«, lachte er.

»Ich muss gleich eine Packung Tiefschlaf nehmen«, seufzte sie, rappelte sich aber halb hoch und schmiegte ihren Kopf an seinen Hals. »Hab morgen früh eine furchtbare Gremiensitzung, aber nichts dagegen, wenn du hier bleibst!«

»Gerne!«, kam es wie aus der Pistole geschossen. Er war froh, eine Nacht nicht in seiner Wohnung verbringen zu müssen. Im gleichen Moment bohrte sich das Gewissen mit scharfen Messern in seine Eingeweide: *Und wenn etwas passiert, untreues Arschloch?!* »Apropos Sitzung«, fragte er, um die innere Stimme zum Schweigen zu bringen. »Was ist eigentlich aus deiner Beförderung geworden?«

»Diese Schweine!«, grummelte Mania. »Den Job hat ein Herr *von* Lossow bekommen. Besser gesagt: ein *Herr* von Lossow! Diese Frauenfeinde! Dem Arsch sollte man in die Eier treten, bis das Gelbe spritzt!« Vollkommen perplex merkte Simon, wie heiße Tränen seine Brust nässten.

Als er am nächsten Morgen nach Hause kam, hatten sich seine Skrupel in ein furchteinflößendes Nagetier verwandelt. Normalerweise versuchte er sein Gewissen damit zu beruhigen, dass es sich bei den seltenen Ausrutschern mit Mania nicht im engeren Sinn um Sex handelte, sondern um eine zu vernachlässigende Nostalgie, eine Art Heimatbesuch. Kompletter Unsinn, aber da an seiner gedanklichen Verzierung sogar ein ganz klein wenig dran war, hatte die liebe Seele Ruh. Doch nicht jetzt. Dieses Mal schämte er sich.

17 In den folgenden zwei Monaten musste er drei Mal Vivians Tür aufbrechen. Drei Mal war sie zu ausgezehrt, sich ohne Hilfe auf den Beinen zu halten, drei Mal fütterte er sie geduldig, bis sie einigermaßen bei Kräften war. Beim zweiten Mal hatte er in der Apotheke nach speziellen Nahrungsmittelkonzentraten gefragt, auch Astronautenkost genannt. So brauchte er sie nicht zu füttern, den Inhalt der Plastikampullen konnte sie selbst schlucken. Er schaffte es kaum noch, sie anzusehen, geschweige, sie zu berühren. Ihre Haare waren lang und verfilzt, sie roch entzündet aus dem Mund, stank aus jeder Pore ihres Körpers. Auch brachte er es kaum mehr fertig, ihr abstoßend verlottertes Zimmer zu säubern. Zu unübersehbar hauste hier eine hoffnungslos verkommene Alkoholikerin.

Zwar versuchte er immer mal wieder, ihr klarzumachen, dass sie ohne Entzug zu Grunde gehen würde, doch diese Monologe stellte er bald ein, verlorene Liebesmüh. Im Grunde bezeichnete dies auch den Zustand ihrer Beziehung: verlorene Liebesmüh. Paradoxerweise hielt gerade ihre Sucht ein Fünkchen Hoffnung am Glimmen. Irgendwie schaffte sie es, sich immer wieder einen Vorrat an Schnaps und Wein aufs Zimmer zu holen; die leeren Flaschen sprachen Bände. Reste von Kraft waren noch vorhanden, ein Rest von Leben.

Was Simon aber in schwarze Verzweiflung trieb, war seine Hilflosigkeit. Zum ersten Mal begriff er, welch verzärteltes Wohlstandskind er war. Was er bisher für Krisen gehalten hatte, stellte sich als Sandkasten heraus. Für alles hatten ihm Fachleute zur Seite gestanden, Lehrer, Ärzte, Anwälte und Makler, Trainer, Handaufleger, Psychologen und Gerichtsvollzieher. Jetzt aber, wo es um sein Leben mit dieser Frau ging, wo es um das Leben seiner Frau ging, waren ihm die Hände gebunden. Er wühlte sich durch Literatur zum Thema Abhängigkeit, sprach noch einmal mit Vivians Therapeutin, löcherte Mediziner, traf sogar einen Hypnotiseur und einen Hersteller von entzugsbegleitenden Psychopharmaka. Alle sagten denselben Satz: Sie muss den Entzug wollen, wenn nicht, hat es keinen Zweck. Das Einzige, was sie wirklich will, fürchtete Simon im Stillen, ist sterben.

Seine Tage waren ein stummes Händeringen. Immer häufiger krallte sich die Vorstellung in sein Hirn, sie zu packen und in eine Isolationszelle zu schmeißen. So würde sie clean werden *müssen*, ob sie wollte oder nicht. Dann wieder sah er, wie sie kreidebleich eine Nahrungsampulle zum Mund führte, und wollte sie nur noch in seine Arme reißen. Eine Litanei klang unablässig in seinem Inneren: *Was-kann-ich-tun? Was-kann-ich-tun? Was-kann-ich-tun?* Und ein Echo rief: *Nichts. Nichts. Nichts.*

Auf kleiner Flamme, aber zunehmend gefährlicher, brodelte etwas in ihm: Zorn. Was hatte diese Frau aus ihm gemacht? Er fühlte sich wie auf Eis geschnallt, die Eingeweide felsenhart gefroren. Vor Beklommenheit taub, regte sich ein Furor gegen ihre Zumutungen. Himmelschreiend ihr Verhalten, empörend egoistisch. Sie war krank? Zu bedauern? Ein Opfer? Geschenkt! Manchmal hoffte er, sie wäre auf und davon, nichts weiter als eine Fußnote in seiner Biografie. Er schämte sich für die Engherzigkeit seiner Gedanken, konnte sie aber nicht zurückhalten. Er wollte wieder atmen können, malte sich aus, wie das Elend sich mit einem Fingerschnipsen erledigte. Er wollte sein Leben zurück.

Ob aus Sehnsucht nach rosa Zeiten oder aus Masochismus, eines Abends ging er vor dem weißen IKEA-Sideboard in die Hocke und zog die unterste Schublade auf. Nachdem sie sich ein repräsentativeres Stück aus Italien geleistet hatten, eine Designerkommode mit sparsamen, aber effektvollen Intarsien aus Ahorn, versteckten sie es hinter der meist offen stehenden Tür zum Berliner Zimmer. Seit es nicht mehr mit Tellern, Schüsseln, Tischdecken und Servietten gefüttert wurde, war es zum Friedhof all der Utensilien geworden, die man nur im Notfall benötigte: eine Teigrolle aus Holz, diverse Plastikbehältnisse mit und ohne Deckel, eine stumpfe Geflügelschere, Dosen- und Flaschenöffner, einer davon verziert mit einem kupfernen heiligen Christopherus. Die untere Schublade war für Papierkram reserviert, alte Stromabrechnungen, Überweisungen, nie benutzte Kundenkarten von Arthouse-Kinos bis hin zu den Treueherzen von *Kaiser's*. Doch was er suchte, war die mit pausbäckigen Engeln dekorierte Schatulle, die ein umfangreiches Probesortiment Nürnberger Lebkuchen enthalten hatte und nun die Fotos, die sie vom Beginn ihrer Beziehung bis zur Erfindung digitaler Fotografie gemacht hatten.

Er öffnete den Metallkasten, erstaunt, dass er immer noch entfernt nach Zimt und Kardamom duftete. Schon beim ersten Foto, nach dem er wahllos griff, stürzte er kopfüber in ein verlängertes Wochenende, das sie sich vor gut vier Jahren gestohlen hatten. Er hatte sie überredet, drei Tage am Rhein zu verbringen. Damals war so etwas mit ihr noch möglich gewesen. »Rheinromantik?«, hatte sie gefragt. »Ist das nicht was für romantische Kindsköpfe aus dem 19. Jahrhundert?« Zwischen Mainz und Köln hatten sie drei leuchtende Tage verbracht, tagsüber Burgen und Schlösser und Weinberge, nachts der erschöpft-legere Sex von Menschen, die am Tag zu viel Schönheit gesehen hatten, um damit konkurrieren zu wollen. Auf dem Bild posierten sie im Garten einer Gaststube in St. Goarshausen. Über eine Schiefermauer wucherte wilder Wein, den sie sich wie römische Faune ins Haar drapiert hatten.

Auf dem Boden sitzend, Beine breit, dazwischen die Schatulle, begriff er, wie gering sie damals ihr Glück geschätzt hatten. Einen Knoten hätten sie sich machen müssen wie zu den Zeiten, als Stofftücher noch in Gebrauch waren. Als handle es sich um ein Orakel, griff er mit geschlossenen Augen in die Standbilder ihrer Vergangenheit und fischte eine Burgszene heraus, ein hübsches Beispiel romantischer Ruinenarchitektur. An den Ort konnte er sich nicht genau erinnern, sah sich aber mit gelindem Entsetzen rittlings auf einer Kanone hocken, während Vivian ihn wie die Assistentin eines tingelnden Illusionskünstlers präsentierte. Hatte er das nicht bemerkt, das phallische Eisenrohr zwischen seinen Beinen, seine triumphierend hochgezogenen Mundwinkel? Kopfschüttelnd zog er weitere Fotografien hervor, eine Skihütte in den Schweizer Alpen, Vivian aus irgendwelchen Gründen mit Schlüpfer auf dem Kopf. Eine häusliche Szene, die Mania damals festgehalten hatte, er vertieft in die Zeitung, sie in ein Kochbuch. Schließlich ein Bild, auf dem nur der Grabstein von Klaus

Mann zu sehen war. Eine Woche hatten sie in der Provence ausgespannt, und Vivian wollte unbedingt nach Cannes, um eine Gerbera auf sein Grab zu legen. Klaus Heinrich Thomas Mann, gestorben am 21. 4. 1949, das einzige Grab, bei dem aus Kieselsteinen heraus ein Maulbeerbäumchen wuchs. Eine große Leserin war Vivian nie gewesen, doch ihn verehrte sie. »Der kann doch gar nicht schreiben«, hatte Simon behauptet und nach dem Grund ihrer Faszination gefragt. »Dem hat das Leben die Latte so hoch gehängt«, hatte sie ernst geantwortet, »dass er sich darunter nur ducken konnte.«

Behutsam legte er das Foto zurück und schob die Schachtel wieder in die Schublade. Dabei fiel ihm ein, dass er nach den Meldezetteln der *Verwertungsgesellschaft Wort* schauen konnte, eine Art GEMA für sprechende und schreibende Menschen. Er musste noch jede Menge seiner alten Sendungen auflisten, um an der jährlichen Ausschüttung teilzuhaben. Irgendwo in den Tiefen des Sideboards musste sich noch ein Stapel mit den orange bedruckten Formularen finden. Garantiezertifikate fand er, Montageanleitungen, Quittungen, uralte Depotauszüge und den dubiosen Kostenvoranschlag eines Hydraulikservice für was auch immer. Doch nirgends die *VG Wort*. Ein gelber Umschlag fiel ihm in die Hände. Er zog einen Stapel Din-A4-Blätter heraus und überflog sie. Alter Bürokratenkram von Vivian. Als er sie zurücklegen wollte, fiel ihm ein krakelig mit Filzstift geschriebener Kommentar ins Auge: »Weit unter Ihrem Niveau. Enttäuschend! Punktzahl nicht erreicht.« Neugierig blätterte er weiter und traf trotz diverser Handschriften und Stifte immer wieder auf den gleichen Inhalt. Zum Schluss dann das Fallbeil, diesmal in Rot und gestempelt: »Zwischenprüfung nicht bestanden.«

Simon rutschten die Blätter aus der Hand. Unwillkürlich lehnte er sich gegen das Sideboard. Die Schublade schloss, und ein eckiger Metallgriff bohrte sich schmerzhaft in seine Schulter. Ungläubig griff er erneut nach den Blättern. Kein Zweifel: Vivian war mit Pauken und Trompeten durch ihre Prüfungen gerasselt. Mehrfach bedauerten die Professoren, wie sehr sie unter ihren Fähigkeiten blieb. »Sie wissen das doch alles!«, hatte einer verzweifelt an den Rand ihres Tests geschrieben, der sich mit den Unterschieden zwischen Kolchosen und Sowchosen beschäftigte. Ihre Zwischenprüfung also. Sie hatte exakt in der Zeit stattgefunden, als Danuta ihr anbot, in das Café einzusteigen. Nächtelang hatte er damals mit ihr diskutiert, das Für und Wider abgewogen, die akademische Karriere gegen die anfälligere, aber befriedigendere Selbständigkeit. Und nun entpuppte sich alles als Märchenstunde, Showveranstaltung, Simonverarschung. Schlicht durchgefallen war sie. Setzen, fünf! Aus und Ende und Schluss mit Uni! Was hatte er sich reingekniet, versucht abzuwägen, welcher Weg für sie der richtige war. Und sie? Den Kopf bedenklich geschüttelt, unschlüssig geseufzt. Was sollte das Theater? Energisch hievte er sich hoch, musste sich aber gleich an der Wand abstützen. Rotglühende Sterne tanzten vor seinen Augen. Eine Weile versuchte er seinen Schwindel durch bewusstes Atmen unter Kontrolle zu bringen. Dann waren seine Gedanken wieder bei der eigenartigen Frau, die sich nur wenige Meter Luftlinie hinter einer Wand aus Rigips und Alkohol verbarrikadierte. Als talentiert und fähig hatte er sie immer gesehen, etwas zart an den Rändern, aber genau das hatte ihm gefallen. Es tat gut, sie zu stützen. Obwohl selbst nicht immer konsequent in Entscheidungen, war es ihm bei ihr leicht gefallen, Vernunft und Gefühl in Balance zu bringen. Doch wie es aussah, hatte sie ihn manipuliert, ihn geführt wie eine Handpuppe.

Und doch. Alles nur Berechnung? Sie war durch ihre Prüfungen gerauscht, hatte ihre Ausbildung vergeigt. Die

Scham, ein so saftiges Scheitern zu gestehen. Außerdem: Es war Vivi, die besiegte, abhängige Vivian, deren Handlungen er nicht mit der Raffinesse einer Beziehungsterroristin verwechseln durfte. Doch warum so wenig Zutrauen? Woher die Grandezza im Lügen? In letzter Zeit hatte er genügend Kostproben dieses unvermuteten Talents erhalten. Sie hatte ihn mit einer Abgebrühtheit eingewickelt, die er nicht für möglich gehalten hätte. Sie hatte ihn belogen, nicht geflunkert, nicht verkohlt. Es war eine dicke, hässliche Lüge gewesen, und es gab wenig Grund zur Annahme, dass sie nur im Singular vorgekommen war.

Um nicht durchzudrehen, wies er sich ein. In ein Hotel. Manias Einladung anzunehmen ließ sein Stolz nicht zu. Am liebsten wäre er in eine kleine Pension am Stadtrand geflüchtet, doch nur die Luxushotels in der City boten die nötige Diskretion. Drei Tage Juniorsuite hatte er vorerst gebucht. Er wollte versuchen, so wenig wie möglich von dem exzellenten Essen zurückgehen zu lassen, so oft wie möglich den Fitness-Bereich zu nutzen und, wenn schon nicht auf andere, dann wenigstens auf kreativere Gedanken zu kommen. Schließlich galt es, für sich ein neues Leben zu erfinden.

Im sündteuren bodenlangen Hotelbademantel versank er am frühen Abend des zweiten Tages missmutig in den chintzbezogenen Polstern eines Loungechairs. Auf einem Beistelltisch das übliche Star-Treatment: Obstschale mit exotischen saisonfernen Früchten, eine Etagere mit hausgemachter Confiserie, ein Strauß Strelitzien und eine Bouteille Champagner der Marke *Taittinger*. Dazwischen die übliche handgeschriebene Verbeugung des Hoteldirektors: »Und sollten wir irgendetwas für Sie …« Appetitlos mampfte er sein Clubsandwich für 29,80 Euro. Was, verdammt, machte er hier? First-Class-Hausarrest, Luxusknast. Der entsetzlich gute Geschmack, das ausgesuchte

Ton-in-Ton ging ihm mächtig gegen den Strich. Was hatte das balinesische Holzpferd im Bad zu suchen? Warum bevölkerten senffarbene, kaschmirbezogenen Rollen sein Bett? Mit welchem Trick bekam man die Dusche dazu, warmes Wasser zu liefern? Fahrig schob er sein Sandwich auf den *KPM*-Teller der Serie *Kurland*, stand auf und riss das Fenster auf. Für den Bruchteil einer Sekunde widerstand er der Versuchung, seinen Bademantel abzuwerfen und sich am Hotelfenster zu exhibitionieren wie ein durchgeknallter Schnulzensänger.

Dann wurde ihm übel. Ausgehend vom Sonnengeflecht, jagten fiebrige Wellen durch seinen Körper. Schweiß auf Stirn, Oberlippe, Brust. Er krallte sich in die schweren Vorhänge, um das Gleichgewicht zu halten, bekam die Wand zu fassen, dann einen Sessel. Angezählt taumelte er durchs Zimmer und erreichte das Bett. Quer lag er dort, Arme von sich gestreckt, Beine breit, Fersen noch im langfloorigen Teppich. Kalter Schweiß überzog seinen Leib, doch er war zu schwach, sich zuzudecken. Später wusste er nicht zu sagen, wie lange er so gelegen hatte. Er versuchte, sich nicht gegen die Wogen der Übelkeit zu stemmen, sondern mitzugehen, sich vollkommen zu ergeben, doch immer wieder verlor er die Orientierung. Alles in ihm raste, und er wusste nicht, ob er sich übergeben sollte oder nicht. Irgendwann beruhigte sich sein Puls. Hundeelend lag er in schweißnassen Laken, ein großer Mann, hingestreckt, als sei der Himmel auf ihn gefallen.

Sinnlos, dem Schicksal eine Pause abzuhandeln. Wo immer er sich auch versteckte, seine Probleme waren schon da. Vielleicht konnten andere sich mit Champagnertrüffeln aus Chuao-Plantagen-Schokolade kurieren, ihm blieb keine Wahl, als die Waffen zu strecken.

»Oh, Herr Minkoff, wie bedauerlich, dass Sie uns schon verlassen«, flötete die junge Concierge. »Sie müssen sich noch unbedingt in unser Gästebuch eintragen!«

»Wenn's schnell geht.«

»Ich habe schon alles vorbereitet!« Während Simon nur Namen, Datum und ein unleserliches »Herzlich« kritzelte, beobachtete sie ihn mit angehaltenem Atem. »Sie wohnen doch in der Stadt, oder nicht?«

Seine Augenbrauen schossen in die Höhe. In einem Fünf-Sterne-Plus-Haus waren solcherart Fragen Gotteslästerung. Doch dann entdeckte er an ihrer Seidenweste das Schild »Alexa Kuhlmann, Auszubildende«. »Genau«, antwortete er mit einem strahlenden Lächeln. »Ich habe die Maler in der Wohnung. Aber bei Ihnen habe ich mich wie zu Hause gefühlt, Frau Kuhlmann!« Er schnappte sich die kleine Reisetasche und verließ mit großen Schritten und einer beglückten Auszubildenden im Rücken das beste Hotel der Stadt.

Als er in seine Straße einbog und den ausgefahrenen Teleskopmast sah, wusste er sofort Bescheid. Neben dem von Auslegern stabilisierten Feuerwehrfahrzeug parkte ein Rettungswagen der Malteser. Er rannte los. Ein knapper Blick den Mast hoch genügte als Bestätigung, dass dieser in den vierten Stock zielte, auf ihren Balkon. Schon im Parterre hörte er die professionellen Kommandos der Retter. Zwei Stufen auf einmal nehmend, hastete er die Treppe hoch. Als er hechelnd durch die sperrangelweit offene Wohnungstür stürzte, trat ihm ein Sanitäter breitschultrig in den Weg. »Weg da!«, schrie Simon und versuchte, ihn beiseite zu stoßen.

»Ey Meister, nix da«, protestierte der Mann mit polnischem Akzent, was einen Sanitäter mit Irokesenkamm, einen Feuerwehrmann und eine ältere Dame in Zivil auf den Plan rief. »Ich muss da rein«, keuchte Simon. »Meine Frau!« Er versuchte noch einmal in die Wohnung zu gelangen, doch jetzt versperrten ihm gleich beide Sanitäter den Weg.

»Sind Sie Ehemann?«, fragte der Pole streng.

»Nein. Ja. Wir leben hier! Verdammte Scheiße, ich will …« Dann hielt er inne, stand einen Augenblick wie in Trance, setzte in Zeitlupe seine Sonnenbrille ab und zog die Wollmütze vom Kopf.

»Simon Minkoff!«, staunte der Irokese und trat einen Schritt zurück. Ungehindert schritt Simon durch das Spalier und rannte in Vivians Zimmer. Reglos lag sie im Bett, geschlossene Augen im Totenkopfgesicht. Ein Arzt, Japaner oder Koreaner, hatte ihre Nachtjacke geöffnet und horchte sie ab. »Kein Grund zur Aufregung«, rief er abwehrend bei Simons Anblick. »Habe Vitalfunktionen geprüft, soweit alles in Ordnung.« Er nahm das Stethoskop ab und ließ es im Nacken zusammenschnappen. Dann zog er aus seinem Koffer eine Blutdruckmanschette. »Wie vermutet foetor ex ore«, wandte er sich an die ältere Frau, die sich zu ihnen gesellt hatte. Still und mit durchgedrückten Beinen stand sie in der Tür.

»Was bedeutet das alles?« Simon blickte zwischen ihnen hin und her.

»Ihre Frau leidet an einer Alkoholkrankheit«, sagte der Arzt ohne Fragezeichen.

»Ja.« Kunststück bei der Batterie Flaschen rund ums Bett.

»Keine Alkoholhalluzinose.« Das fast zu sich selbst gesagt. Der Arzt legte die Manschette um Vivians Arm, pumpte sie auf und prüfte den Blutdruck. Zufriedenes Nicken, dann entfernte er die Manschette mit einem lauten Ratsch von ihrem Arm. »Das ist Frau Greifenhagen, sozialpsychiatrischer Dienst«, erinnerte er sich plötzlich an die ältere Dame. Inzwischen hatten auch die Sanitäter den Raum wieder betreten und warteten auf Anweisungen.

Simon ging alles viel zu schnell: »Was ist passiert? Wie geht es ihr? Reden Sie mit mir!«

»Ihre Frau hat den Notdienst gerufen. Wir haben pathologischen Rausch vermutet und vorsichtshalber gleich Frau Greifenhagen informiert. Wir haben lange geklingelt und geklopft, aber wie Sie sehen, ist sie zu schwach zum Öffnen.«

»Die Balkontür stand offen«, mischte sich der Irokese ein. »Deswegen haben wir die Kollegen von der Feuerwehr geholt und, na ja …« Er machte ein so beflissenes Gesicht, als erwarte er zur Belohnung ein Plätzchen.

Simon ignorierte ihn. »Und jetzt?«, wandte er sich an den Arzt.

»Im Notarztwagen lege ich Infusion. Sie braucht Salze und Mineralstoffe. Dann bringen wir sie zur Untersuchung ins Krankenhaus?« Diesmal hatte der Satz ein Fragezeichen. Simon nickte vage. Die Sanitäter nahmen das als Aufforderung. Sie verließen den Raum und waren nach kurzer Zeit mit einer Trage zurück. »Im Sitzen?«, fragte der Irokese den Arzt, himmelte dabei aber Simon an.

»Liegen, sehen Sie doch«, sagte der Arzt. Er verstaute seine Gerätschaften in einem Alukoffer und erhob sich. Die ganze Zeit hatte Vivian keinen Laut von sich gegeben. Flache Atmung, flackernde Augen unter geschlossenen Lidern. Synchron beugten die Sanitäter sich über sie und deckten sie auf. Simon schoss heißes Blut ins Gesicht. Außer dem schmuddeligen Pyjamaoberteil war sie nackt. Plattgedrücktes, verschwitztes Haar schützte notdürftig ihre Scham. Eng aneinandergepresst lagen ihre Beine, nur sahen sie kaum noch nach Beinen aus. Es waren von gelblicher Papierhaut überzogene Knochen. In ihrer Mitte hockten riesig die Kniegelenke. Ihre Füße, ihre zierlichen, wunderschönen Füße sahen wie aufgepumpt aus. Simon sprang nach vorn, um sie wieder zuzudecken, doch ungerührt hatten die Männer sie schon auf die Trage gehievt. »Hoffentlich kotzt die nicht«, stöhnte der Pole.

»*Die* hat einen Namen!« Simon trat zwei Schritte vor.

Die stille Frau neben der Tür packte ihn am Ellenbogen:

»Lassen Sie's gut sein, damit helfen Sie ihr nicht.« Sie hatte das in so besonnenem Ton gesagt, dass sein Zorn sofort verpuffte. »Ich bin die Moni Greifenhagen!« Sie hielt ihm die Hand hin. »Entschuldigung, ich kenne Sie leider nicht, wie wohl andere hier. Unser Dienst ist zwar in erster Linie für Akutpatienten zuständig, aber wir sind auch für Angehörige da.« Die hagere Frau Mitte fünfzig, die immer noch eine stachelige New-Wave-Frisur trug, nun aber in Grau, redete wie ein Plakat für das Gebot der Vernunft: »Ich schlage vor, Sie packen ein paar Sachen fürs Krankenhaus, und wir unterhalten uns dabei.«

Während er ins Badezimmer ging, sprach sie leise mit den Sanitätern, die mit der Trage den Raum verließen. Simon nahm Vivians Kulturbeutel aus dem Edelstahlschränkchen und warf so ziemlich alles hinein, was er auf der Ablage fand. Würde sie Make-up benötigen? Egal, das konnte sie selbst entscheiden. Die Sozialarbeiterin stand mit verschränkten Armen in der Tür und beobachtete ihn. »Sie sollten eine Bürste einstecken, Frauen brauchen so etwas!« Übergangslos fragte sie: »Seit wann ist Ihre Frau Alkoholikerin?«

»Weiß nicht. Bemerkt habe ich es erst vor knapp drei Monaten.«

»Hat sie einen Entzug versucht?«

»Nicht dran zu denken.«

»Nachthemd, Unterwäsche, Morgenmantel, Handtücher«, half sie mit einem aufmunternden Nicken weiter. »Wäre es in Ihrem Sinn, wenn ich mit ihr rede?«

»Viel Vergnügen!« Simon straffte sich, holt einen Trolley vom Kleiderschrank und bestückte ihn genau in der vorgegebenen Reihenfolge. »Ich habe auf Granit gebissen, aber vielleicht haben Sie ja Glück.« Er zuckte zusammen. »Die Typen fahren doch nicht ohne mich, oder?!«

»Keine Bange, ich habe sie gebeten, unten zu warten. Ich glaube, Sie haben jetzt das Nötigste.«

Im Treppenhaus begann sein Herz wieder zu hämmern. Moni Greifenhagen zog eine Visitenkarte aus ihrer Anoraktasche. »Rufen Sie mich jederzeit an. Ich kann Sie auch mit Infomaterial zu Entzugseinrichtungen und psychologischer Betreuung versorgen.«

»Kenne ich schon, danke.« Er legte einen Schritt zu. »Gott, ist das alles entwürdigend.«

»Ich gehe davon aus, dass zehn Prozent aller Bewohner dieser Stadt alkoholkrank sind. Mindestens.« Dies ganz sachlich. »Da sind Sie in guter Gesellschaft.«

»Gibt es irgendwas, das Sie aus der Ruhe bringt?«, staunte er.

»Die Zellophanverpackungen von CD-Hüllen. Ich krieg die Dinger einfach nicht auf!«

Vor der Haustür schüttelte Simon ihr die Hand und bedankte sich. Er schaute ihr hinterher, wie sie gemessenen Schritts zu ihrem Kombi ging. »Herr Minkoff, können wir?« Der junge Sanitäter hatte einladend die seitliche Schiebetür des Notarztwagens geöffnet. An einen Infusionsbeutel angeschlossen, lag Vivian wie tot da. Erst jetzt bemerkte er, dass auf dem Bürgersteig eine Handvoll Neugieriger lungerte. Aus dem Augenwinkel sah er ein gezücktes Handy.

18 Dann im Supermarkt, knallfall, steht er vor mir. Nase an Nase. Ich hab mich so erschreckt, dass ich eine Spontanpirouette drehe und komplett vergesse zu atmen. Nicht mal das Vergessen ist mir bewusst, ich habe es nur gemerkt, weil ich plötzlich japsen muss wie ein Hecht auf Asphalt. Im selben Moment lass ich meine Bananen fallen, was mir später noch eine Menge Kopfzerbrechen bereitet hat. Aber eins nach dem anderen.

Minkoff wohnt also auf der anderen Straßenseite, der

Minkoff, den seine Fans nicht nur vermissen, sondern verzweifelt suchen. Fan – wie zuckrig sich das anhört. Aber im Wort Fan steckt auch »fanatisch«. Man muss nur mal im Netz durch die Fanpages, Clubs, »Shrines« und Promiforen surfen, um zu sehen, dass es um viel mehr geht als um ein technisch optimiertes Poesiealbum. Die Zeit der gereimten Nettigkeiten ist vorbei. Vielleicht ist es in den USA noch ausgeprägter, aber auch bei uns liebt man einen Star erst so richtig, wenn er ein paar Mal durch Jauche geschliddert ist. Boris Becker ist der Schutzgott der gefallenen Engel, die nach einem Bad im Drachenblut der Gewöhnlichkeit strahlend wieder aufsteigen.

So ungefähr könnte das auch mit Minkoff laufen. Die Fans gieren nach Informationen, was eigentlich so Schlimmes passiert ist, dass er sich auf Zehenspitzen verpisst hat. Und auch die Boulevardzeitungen, die Promiglossies, die Klatschsendungen im Fernsehen und sogar ein Magazin wie der *stern* mit seinem »Was macht eigentlich …?« wären bestimmt interessiert. Man müsste nur rauskriegen: Wer bezahlt das höchste Infohonorar? Und: Schließt der Deal mit einer Boulevardzeitung ein Promimagazin im TV aus, oder geht auch eine Kombi von beidem, Synergieeffekt für mein Konto, gewissermaßen? Über ein paar Kollegen aus der bunteren Abteilung, mit denen ich mal ein paar Bier gezischt habe, müsste sich ein Kontakt herstellen lassen. Ich meine, wenn selbst jemand wie mein Thüringer Hauswart Pöttzsch aus dem Häuschen ist, bloß weil gegenüber eine Fernsehnase wohnt: »Sehnse, hab ich doch gleich gesagt, der Typ kommt mir bekannt vor! Nur Sie hatten mal wieder keinen Plan.«

Also: Ich gehe am Freitagnachmittag extra zur Schönhauser vor, um bei *plus* meinen Wochenendeinkauf zu machen, ärgere mich über die verzogenen Gören der hippen Prenzlauer Mediennutten, stehe unweigerlich an der Kasse mit der schlechtgelauntesten Kassiererin nördlich von Kapstadt, frag mich am Packtisch, wie ich neben all dem anderen Kram acht Rollen Klopapier in drei Einkaufstüten verstauen soll, schau hoch – und da steht er, dreiundzwanzig Zentimeter vor meiner Nase. So in etwa.

Tagelang noch ging mir die Sache mit den Bananen nach. Ohne nachzudenken, ohne auch nur den Hauch eines Willensaktes zu spüren, habe ich die Bananen fallen lassen. Ich war noch nie gut darin, Worte und Gesichtsausdruck in Einklang zu bringen. Ich hätte mich verraten, wäre rot angelaufen oder hätte blöd geguckt, eine dieser auffälligen atmosphärischen Verschiebungen, wenn ein Bann zwischen zwei Menschen entsteht. Und damit das nicht geschieht, lasse ich die Bananen fallen, zwischen Intuition, Berechnung und Tat nur ein Wimpernschlag. So weit ist es mit mir also gekommen. Die Täuschung, die kleine Schwester des Betrugs, fällt mir erschreckend leicht.

In den nächsten Tagen arbeitete ich wie besessen an einem Porträt für die *Stuttgarter Nachrichten*. Aber immer wieder bis in den Tiefschlaf kaute ich auf meiner Selbsteinschätzung herum wie auf Kutteln, die man sich weder zu schlucken noch stehen zu lassen traut. War ich wirklich ein Falschspieler? Zwei sehr unterschiedliche Strophen in ein und demselben Gedicht plagten mich: einmal Minkoff, mit dessen Hilfe ich nicht nur Geld verdienen, sondern vielleicht auch wieder einen Fuß in den Print kriegen könnte, mit Glück und Spucke sogar im Premiumsegment, andererseits habe ich ausgerechnet jetzt die Vosskamp an der Backe. Ronni, der Typ von der Wäscherei, hat mich auf sie gebracht. Wir malen uns gerade aus, wann die Bewohner der Bionaderepublik Prenzlauer Berg den letzten Hartz-IV-Empfänger in unserem Kiez verjagt haben. »Persönlich kenne ich keinen auf Stütze«, muss ich zugeben. Wäsche-Ronni kriegt sich nicht ein: »Wo lebst du denn? Hier wohnen jede Menge von denen. Ist bekloppt, weil viel zu teuer, aber die bringen die Wäsche her, weil ihre Waschmaschine krepiert ist und sie kein Geld für eine neue haben.« So kommt er auf Sylvia Vosskamp. Muss eine Ostschönheit gewesen sein, will nach der Wende die zweite Jugend erleben und taucht mit Karacho ins Nachtleben ab. Sex, Drugs and Rave. Arbeitet sich mit Alk und Drogen von den angesagten Bars bis zur Prostitution runter, zeitweilige Obdachlosigkeit kommt dazu, und jetzt lebt sie (halb vom Alk und ganz von der Hurerei runter) mit Anfang fünfzig auf Hartz IV. Meine Ohren waren bei Ronnis Erzählung spockartig spitz geworden. Eine gute Story erkenne ich immer noch von weitem, und das hier war eine. Wer von uns hat wirklich eine Vorstellung davon, wie es sich von schmalen 347 Euro im Monat lebt? Und dass es keine Sozialoperette wird, dafür sorgt die Vorgeschichte mit Schönheit, Nightlife und Prostitution. Ist nicht zynisch gemeint, bei guten Sozialreportagen müssen die Protagonisten ein bisschen schillern. Wer liest schon gern von einer armen alternden Frau auf Staatsknete, die in einem muffigen Parterrezimmer haust? Mit Speck fängt man Mäuse, und ein Artikel über Aufstieg und Fall von Berlins schönstem Callgirl ist reichlich Speck. Findet *Stuttgart* auch.

Die Vosskamp war nicht ganz so leicht zu kriegen. Ich hatte zwar eine Flasche Gin mitgenommen (Weinbrand fand ich zu asi), aber den lehnte sie misstrauisch ab. Sie taute erst auf, als sie ein Buch von T. C. Boyle aus meiner Umhängetasche lugen sah. Bingo. Ich war auf eine Hartz-IV-Empfängerin mit Bibliotheksausweis gestoßen! Dann ging es schnell: Die speckige Frau, deren ehemalige Attraktivität man gerade noch ahnen konnte, stellte sich als patente Person heraus. Sie wusste, in welcher Kirchengemeinde und Suppenküche es das schmackhafteste Essen für Bedürftige gab, und erklärte mir mit handwerklicher Finesse, wie sie mit ihren paar Kröten wirtschaftete. Immer die größten Portionen beim Discounter, immer Waren wie Nudeln, Reis, Mais, die sich ewig hielten, gut satt machten und die man mit wenigen anderen Zutaten strecken und einigermaßen abwechslungsreich zubereiten konnte. Gemüse und Obst waren fast immer zu teuer, aber kurz vor Geschäftsschluss konnte man Schnäppchen machen, ebenso auf abgelegenen Wochenmärkten. Als Getränk kam nur Sirup in Frage, der sich mit Leitungswasser kostensparend verdünnen ließ. Sogar die Flüssigkeit aus Gurkengläsern nutzte sie, um damit ihren Kartoffelsalat zu würzen. Freies Essen gab es auch bei ehrenamtlichen Tätigkeiten, als Wahlhelfer beispielsweise, wo man den Tag über verköstigt wurde und obendrauf eine Aufwandsentschädigung von vierzig Euro erhielt. »Ziemlich interessant, am Wahltag mal die Leute hier aus dem Viertel kennenzulernen«, erklärte sie. »Von Designerhuschen bis lila Leggins alles dabei! Du warst aber nicht da, oder hast du Briefwahl gemacht?«

In den nächsten Tagen hatte ich was zu knabbern, geistig, sozusagen: Wo, genau, lag der Unterschied zwischen ihr und mir? Sie musste mit deutlich weniger Knete klarkommen, aber auch bei mir kamen in schlechten Monaten nicht viel mehr als fünfhundert Euro zusammen. Immerhin konnte sie sich auf ihre monatliche Überweisung verlassen, bei mir war es Lotterie. Das griff mich vielleicht am meisten an, diese ewige Unsicherheit. Fehlende Kontinuität macht alt. Jedes Flutschen trägt das nächste Knirschen schon in sich. Keine Redaktion gibt zwölf Porträts in Auftrag, fein übers Jahr verteilt. Wenn überhaupt wollen alle alles auf einmal. Und immer zum selben Thema. Dann wieder hängst du durch, schreibst einen Artikel pro Woche, wo du vier machen könntest, fällst in das Arbeitslosenkoma, pennst dir die Wirbelsäule matschig, läufst bis drei im Schlafanzug rum, trinkst zu früh zu viel. Und obwohl du es vermeiden willst, beschimpfst du dich zur Krönung als Totalversager.

Vielleicht wäre mein Absturz weniger schmerzhaft gewesen, wenn ich nicht so mühelos hochgeschwebt wäre. Die Neunziger waren für meine Branche ein Traum, es regnete Anzeigen. Auftritt: Osama Bin Arschloch. So viel Intelligenz traue ich ihm nicht zu, aber ob geplant oder nicht, ist ihm ein Tiefschlag gegen die gesamte Weltwirtschaft gelungen. Und schon fangen die Papierkulissen der Printmedien Feuer: Das Anzeigenaufkommen bricht ein, sogar die Kleinanzeigen (dieses Kleinvieh macht verdammt viel Mist!), und obendrein macht sich mit perfektem Timing das Internet breit. Dann jagen die Verlagshäuser ihre Controller durch die Redaktionen. Als Erstes sind die Freien fällig, dann die festen Freien. Wir Redakteure müssen uns nun selber die Finger blutig schreiben. Bis es sogar uns erwischt. Wie heißt es in beschissenen Sonntagsreden so hübsch: Eine vielfältige, unabhängige Qualitätspresse ist unabdingbarer Bestandteil politischer und kultureller Hygiene eines Landes? Jau, ihr Wichser! Es hatte sich lange schon angekündigt, aber wir wollten es partout nicht wahrhaben: Es gibt keine Gesellschaft mehr, es gibt keine Politik mehr, es gibt nur noch Geld, Geld, Geld. Dabei hat die Ökonomie die Form eines religiösen Wahns angenommen. Erziehung, Gesundheit, Kunst, sogar der Strafvollzug – alles dem Saldo unterworfen, unser Leben eine Rechnung. Die kriegte nach einer Weile auch ich präsentiert. Jung, unverheiratet, keine Kinder … *und wünschen Ihnen alles Gute für Ihren weiteren Werdegang, lieber Herr Böhm!*
Sportler und die hyperfitten Typen von der GSG 9 werden nach ihren Einsätzen langsam wieder runtertrainiert. Unsereins muss schauen, wie er im freien Fall wieder Realität unter die Füße kriegt.

Die erste Zeit war ich auf Naturkoks. Sämtliche Arbeitskontakte durchtelefonieren, bei anderen Redaktionen die

Fahnen schwenken, sich mit Kollegen, vorzugsweise Ressortleitern, zum Essen, Trinken und sogar (igitt) zum Joggen verabreden. Ich habe Themen en masse ausgebrütet, Dossiers erstellt, Exposés geschrieben. Ich habe meine Kleider in die Reinigung gebracht, meine Schuhe geputzt, bin zum Friseur gegangen und habe vor dem Badezimmerspiegel lächeln geübt. Und dann bin ich in ein sehr tiefes Loch gefallen.

Das Arbeitslosengeld für ein Jahr war sicher, aber das kümmerte die Panik nicht. Abends kam sie an mein Bett und trat mir in den Bauch. Wirst du die Lage auch meistern? Kannst du dich von deiner Hände Arbeit ernähren? Eine Ausbildung hast du ja nicht, als Freiberufler musstest du dich bisher auch nicht beweisen, nicht wahr? Hast du genügend Kontakte gepflegt? Bist du diszipliniert genug, Themen zu finden, umzusetzen und vor allem: sie zu verkaufen? Verhandlungsgeschick ist ja nicht gerade deine Stärke ... Oh, und wo wir gerade dabei sind: Bist du eigentlich gut genug?

Spätestens an dieser Stelle war ich in der Senkrechten. Da rennt man hektisch an den Kühlschrank oder geht noch mal fort auf ein Glas oder drei. Alles nur, um der Frage auszuweichen, ob man ein Blender sei, der bisher einfach Glück gehabt hat. Wenn die Selbstkasteiung diesen Punkt erreicht hatte, geschah etwas Gesundes: Ich wurde bockig. Warum sollte jeder Erfolg dem Glück zu verdanken sein, während man am Misserfolg stets selbst schuld war? Ich würde schon beweisen, dass ich keine zu schnell abgebrannte Wunderkerze war. Für die Miete müsste ich allerlei literarische Stickarbeiten für Frauenzeitungen und ähnliche Blätter herstellen, aber das ließ sich mit Anstand erledigen. Darüber hinaus musste ich mir ein Feld erhalten, auf dem ich wachsen konnte. Wie eben mit Sylvia Vosskamp.

Zum Geldverdienen waren so lange Riemen allerdings

nicht geeignet. Zwar behandeln mittlere bis größere Tageszeitungen ihre Seite drei wie die Kronjuwelen (jedes Semikolon wird mit Samthandschuhen angefasst), aber adäquat blechen wollen sie dafür nicht. Zweihundertachtzig Euro für eine ganze Seite ist schon guter Schnitt. Trotzdem ist jede Seite drei Schaufenster und Eigenwerbung. Publikum wie Kollegen reagieren stark darauf.

In die Vosskamp habe ich mich regelrecht verbissen. Drei lange Interviews, drei Textfassungen. Faszinierend, ihr Geschick im Überleben. Dann ihr Witz, ihre Gewitztheit, die Gabe, trotz schwieriger Umstände nicht zu verbittern. Beim zweiten Treffen sprach sie davon, wie Männer vor ihr zurückschreckten. Ein Abend zusammen mal, eine Runde Sex vielleicht, aber dann ließ man sie fallen, als sei Armut infektiös. »Früher hatte ich viele Freunde«, sagte sie. »Jetzt taucht einer auf, hat seinen Spaß und ist wieder fort!« Dann erzählte sie von ihrem Traum: Ein einziges Mal nur wollte sie jemanden so lange um sich haben, bis sie sich langweilte. Beim dritten Interview dann wurde sie leise, malte kein Sonntagsbild mehr, sondern beschrieb ihre seelischen Blutergüsse, das lähmende Gefühl, ein Muster ohne Wert zu sein. »Wenn ich jetzt tot umfalle«, fragte sie bang, »wie lange dauert's dann, bis mich einer findet?«

In der zweiten Fassung fiel mir auf, dass sie in meinem Text so allein war wie im Leben. Also schrieb ich ihr eine Umgebung, skizzierte die jungen Webdesignmamas und Filmcutterpapas, deren Kinder Finn und Sarah hießen, ließ die fetten SUVs mit ihren grauhaarigen Pferdeschwanzträgern durch den Artikel brausen und kostete beim Szeneitaliener eine Burrata für 13,90 Euro. Sylvias abgestoßenes Mobiliar vor Augen, beschrieb ich die Läden in ihrem Viertel, die für viel Geld nagelneue Möbel auf alt trimmten, sie bewusst nachlässig strichen und mit Gebrauchsspuren versahen. *Shabby Chic* – konnte sie so etwas anschauen, ohne zu kotzen?

Noch während ich an der zweiten Fassung saß, traf ich im Spiegel einen alten Bekannten wieder: Gregor Böhm. Seine Augen glänzten wie früher. Aus Lust am Schreiben wie am Leben machte ich mich sofort an die dritte und fügte eine zusätzliche Ebene ein: Sylvias halbversteckte Bierflaschen in der Lücke zwischen Spüle und Wand, ihre vor Pilz strotzenden Zehennägel. Und ich hätte schwören können, dass ich bei meinem letzten Besuch nicht nur einen, sondern zwei Zwanzigeuroscheine in der Jackentasche hatte. Wie auch immer, ich lebte. Es ging mir gut.

Ich nahm mir vor, dieses Glücksgefühl so häufig wie möglich wieder herzustellen. Neben PR-Texten, Buchtipps für Stadtzeitungen und CD-Booklets, alles Arbeiten, die ich mit abgespreiztem Finger verfasste, wollte ich wenigstens ab und an ein paar Sätze schreiben, die ich meinte. Ist das zuviel verlangt? Zufrieden stolzierte ich im Zimmer auf und ab, um mir eine Überschrift einfallen zu lassen. *Unterm Strich eine Null? Kein Urlaub im Hartz?* Ganz schön übel. Als ich am Wohnzimmerfenster vorbeikam, fiel mein Blick auf die Wohnung gegenüber. Minkoff bügelte Hemden und hörte offensichtlich Musik. Bisschen tapsig wiegte er sich in den Hüften und sang, wie es aussah, auch mit. Okay, Turner, fürs Erste bist du sicher. Ich werde dich nicht verraten. Aber beobachten. Dann kann man immer noch sehen, wie verkäuflich du bist, oder ob ich dich vielleicht sogar vom Haken lasse.

19 Tausend Mal hatte er sich gesagt: auf keinen Fall! Doch der Teufel in seinem Ohr machte auf unschuldig. Er stellte nur eine harmlose Frage: Warum nicht? *Massive Attack* gaben ein Konzert, und Simon wollte unbedingt hin. Dort ging die Sonne auf, eine schöne elektrische Kunstsonne. Vielleicht konnte er etwas von der Euphorie seiner Jugend stehlen, auch wenn es nur für zwei Stunden war. Mit dieser Musik war er groß geworden, und wenn er Wörter wie »Groove« und »Trip-Hop« hörte, mutierte er zu einem leicht bekifften, leicht besoffenen, leicht bekleideten Jungmann.

Aber wie sollte der verschwundene Minkoff auf ein Konzert mit zweitausend Fans gehen? Masse ist von Vorteil, räsonnierte der Teufel. Wer kümmert sich bei solchem Andrang schon um dich? Außerdem ist dort Verkleidung die Norm, abstruse Wollmützen und ulkige Brillen tragen drei Viertel aller Kerle! Also schwang Simon sich vor den Computer und orderte ein Ticket.

Der Teufel behielt recht. Vorerst. Um dem Massengeschiebe zu entgehen, war er schon eine halbe Stunde vor Konzertbeginn eingetroffen. Er wusste aus Erfahrung, dass niemand die offiziellen Zeitangaben für bare Münze nahm, jeder legte mindestens eine Stunde drauf. Schon die Vorstellung eines Menschenauflaufs am Eingangstor versetzte ihn in Panik. Die Leute konnten gar nicht anders, als sich Nase an Nase gequetscht gegenseitig zu mustern. Ein einziges verblüfftes »Simon Minkoff!« hätte gereicht, ihn als Geisel zu nehmen.

Der Veranstaltungsort war ein stillgelegtes Depot der Verkehrsbetriebe, das problemlos fünf-, sechstausend Zuschauer fasste. Riesig und trotzdem ohne Stützpfeiler konzipiert, gab es eine perfekte Kulisse für die einlullenden, fast autistischen Elektroklangteppiche von *Massive Attack* ab. Im Eingangstor stutzte Simon: Die Halle war schon zur Hälfte gefüllt, die Hardcore-Fans konnten es nicht erwarten. Zum Glück hielt man das Licht schön schummerig, was zum Sound der Band passte. Die dunkle Brille musste er allerdings absetzen, sonst wäre er blind gewesen. Er überlegte, wo er sich bis zum Konzertbeginn einigermaßen geschützt aufhalten konnte. In der Mitte des Raumes standen zwei Tribünen, auf denen er gewiss nicht Platz nehmen würde. Auch während seiner Fernsehzeit hatte er Sitzreihen, wann immer möglich, gemieden. Man war dort gefangen. Er stand lieber seitlich vor der Bühne, damit er im Notfall fix abhauen konnte. Auch jetzt trat er nicht an die große Bar in der Raummitte, sondern schlich an der Wand entlang zu einer der kleineren Seitenbars. Vom Dämmerlicht gnädig ummantelt, inspizierte er das Publikum: In der Mehrzahl ab Mitte dreißig aufwärts, waren viele mit Freund oder Freundin da, die meisten aber in Grüppchen, die Neunziger waren schließlich die hohe Zeit des WIR gewesen. Vorfreude lag in der Luft, es wurde viel und sanft gelacht, was nicht unerheblich an den süßlichen Rauchschwaden lag, die durch die Halle waberten. Fans nutzten die Zeit bis zum Konzertbeginn gern, um die anderen Gäste abzuchecken, sich von ihnen abzusetzen oder mit ihnen zu flirten. Nicht hier. Erleichtert registrierte Simon, dass die Meisten miteinander beschäftigt waren.

Eine Weile noch hielt er sich an die unsichtbare Linie, die er zwischen sich und den Konzertbesuchern gezogen hatte, dann löste er sich aus dem Halbdunkel und ging an einen Tresen. Die Flaschen waren effektvoll von hinten beleuchtet, und als ein minderjähriger Barkeeper in Feinripp ihm freundlich zunickte, hatte er einen Flashback. Plötzlich sah er sie wieder vor sich, die Jungs und Mädels in ihren Sportklamotten, den *Adidas*-Trainingshosen, den zu engen, zu kurzen T-Shirts, dafür mit langen Ärmeln. Er erinnerte sich an die hysterischen Haarfarben der Marke »Directions«. Bei *Massive Attack* durfte man allerdings nie zu knallig aussehen, hier stylte man sich etwas düsterer. Als großen Pluspunkt für Berlin hatte er immer verbucht, dass fast jeder schlecht und billig angezogen war, jedenfalls noch in den Neunzigern. Labels waren verboten, Edelware sowieso. Praktisch lautete die Devise; wer zwei, drei Tage am Stück auf Piste war, der brauchte bequeme, strapazier-

fähige Klamotten, kein »Outfit«. Nur Tanzmäuse aus Ober-
schöneweide, zutreffend Oberschweineöde genannt, machten sich mit Kleidchen und Handtäschchen chic.

Ein sattes Jahrzehnt später hatte das Bild Patina angesetzt. Um die vierzig sähe der Turnschuh-Trainingshosen-
Look nur noch verzweifelt aus, auch war niemand so blind,
um wie früher mit nacktem Oberkörper zu erscheinen. Ein
paar silberne Technoshirts über Schmerbäuchen und zwei,
drei unvermeidliche Sonnenblumensonnenbrillen waren
zu sehen, doch ansonsten trug man dunkle Hosen oder
Jeans, T-Shirts, gern mit psychedelischen Mustern, und
darüber ein Jackett. Die Frauen waren bei ihren Hosen geblieben, nun aber etwas bequemer im Schnitt und Schritt,
darüber ärmellose T-Shirts mit spendablem Ausschnitt,
jetzt allerdings mit BH. Das wichtigste Accessoire von früher fehlte fast ganz: Man trug kaum noch dunkle Augen-
ringe.

Simon gönnte sich einen doppelten Gin Tonic und
trank das halbe Glas in einem Zug aus. Der Alkohol stieg
ihm sympathisch in den Kopf. Er atmete in der Hoffnung
ein, die kiffgeschwängerte Luft würde das Ihre dazu bei-
tragen, ihn von seiner Verzagtheit zu befreien. Da auch die
meisten Fans gut vorgeheizt hatten, lockerte sich der
stramme Knoten in seinen Eingeweiden zunehmend. Er
nahm die plaudernden Grüppchen genauer in Augenschein, fing sich ein paar fragende und erkennende Blicke
ein, versuchte aber, sie entspannt abzuschütteln. Eine Trip-
Hop-Nummer waberte durch die Halle, und die Fans
konnten nicht mehr stillstehen. Ärsche wackelten, Brüste
wippten, Finger schossen in die Höhe. Hatte er wirklich
mal ein Leben gehabt, das solche Kostbarkeiten wie kindische Ausgelassenheit mit sich brachte?

»Simon Minkoff?« Ganz behutsam klang die Stimme,
aber Simon hätte am liebsten aufgejault. Vor ihm stand
ein blutjunger Fotograf, Surferhaare, Berlin-Mitte-Bärt-

chen, zwei Kameras vor der Brust. Der Typ lächelte beschwichtigend: »Keine Bange, ich will Ihnen nichts!«

»Ach, und deswegen hältst du mir die Kamera vor die Nase?« Simon war stinksauer und hatte wenig Lust, das zu verbergen.

»Ich soll Ihnen nur eine Einladung überbringen.« Demonstrativ nahm der junge Mann die Hände hinter den Rücken. »Mein Chef, der Herr Miershäuser, möchte sich gern mit Ihnen treffen. Er ist der …«

»… Ressortleiter Leute«, vollendete Simon den Satz. Ihm war, als seien selbst seine Zähne mit Gänsehaut überzogen. Das »Ressort Leute« der Boulevardzeitung war eingerichtet worden, als Politik und Mord allein die Auflage nicht mehr garantierten und die Promi-Ära begann, das Zeitalter, in dem es ausreichte, berühmt dafür zu sein, berühmt zu sein. Simon konnte sich gut erinnern, wie Miershäuser am Ende seines einzigen Interviews mit dem Blatt erschienen war, um ihn formvollendet anzuschleimen: *Wollte mich Ihnen nur geschwind vorstellen … sind alle große Fans … kann Ihnen keiner das Wasser reichen … legen auf vertrauensvolles Miteinander größten Wert.* Er war noch jung, gab sich aber seriös wie ein Banker mit Hang zum Feuilleton. Natürlich hatte das Blatt, wie beim entscheidenden ersten Kontakt üblich, als Einstiegsdroge eine hübsche Blondinka geschickt; zunächst streicheln, später holzen. Der Ablauf war stets der gleiche. Erst wurden Komplimente gemacht: *Sehe Sie so gerne … mein Lieblingsmoderator … noch attraktiver als aufm Schirm … und so inhaltlich!* Dabei beugte die Sirene sich (bei tiefem Dekolleté) nach vorn oder schlug (bei kurzem Rock) talentiert die Beine übereinander. Es folgte die Beruhigungsphase: *Nur ein kleiner Talk … nichts Intimes … von Mensch zu Mensch … aber geschmackvoll!* Schließlich kam das Pendant zum Hund, der seinem Angreifer vorauseilend den Hals hinhält: *Ist nicht gerade mein Traumjob … poli-*

tisch stehe ich ganz woanders ... man muss den Rahmen akzeptieren ... irgendwann ein Buch schreiben. Nach Verabreichung verbaler Beruhigungstabletten wurde das Aufnahmegerät eingeschaltet, und erste Fragen plätscherten. Dann wurde es heikler. Sie fühlte Richtung Privatleben vor, obwohl seine Agentur ausgemacht hatte, dass Intimes tabu sei. Aber fragen konnte man ja mal, klimperklimper. Simon fühlte sich dabei, als absolviere er einen Tausendmeterlauf auf Eiern.

Aus Scheiße Gold zu machen war keine Kunst, Scheiße war immerhin ein Ausgangsmaterial. Boulevardjournalisten waren gezwungen, aus dem Nichts ihr Auflagengold herzustellen. Schon bei der scheinbar harmlosen Frage nach dem Lieblingsrestaurant konnte aus der schlichten Nachbarschaftskneipe ein »zweifelhaftes Milieu« werden, oder am anderen Ende der Preisskala: *Luxus ohne Ende – So verprasst XY seine Traumgagen!* Bei diesem Interview hatte er sämtliche Klippen leidlich umschifft, nur bei Fragen nach Liebe, Beziehung und Kinderwunsch kurz angebunden auf die Abmachung verwiesen.

Zwei Tage später erstickte er fast am Frühstücksbrötchen, als die Radiowerbung des Blattes trompetete: *Für die einen ist er einer der besten Moderatoren Deutschlands, für die anderen der König der Freaks! – Lesen Sie alles über Simon Minkoff in unserer heutigen Ausgabe!* Wie von der Tarantel gestochen war er zum nächsten Kiosk gerannt – nur um einen verblüffend sachlichen Artikel vorzufinden. Sogar Alter und Größe stimmten ausnahmsweise. Trotzdem gab er dem Blatt kein weiteres Interview, eine Entscheidung, die seine Mutter auszubaden hatte.

Als im Sommer die Gurken richtig sauer waren, erschien in der Heftmitte ein Foto seiner Mutter unter der Schlagzeile: *Traurig! So lässt Simon Minkoff seine Mutter verkommen!* Der Artikel legte nahe, er ignoriere ihre *bit-*

tere Armut. Mit der Wirklichkeit hatte das soviel zu tun wie Reality TV mit der Realität. Das Foto war vor der alten Familienlaube in Spandau geschossen worden, wo sie seit Jahren ihre Sommer verbrachte. Designerkleider und Dreihunderteurofrisuren wären hier fehl am Platz. Ihr Räuberzivil, wie sie es nannte, eine ausgebeulte Baumwollhose und eine Kittelschürze, reichten der Frau vollends. Doch der Fotograf hatte ganze Arbeit geleistet: Den Schnappschuss hatte er bewusst körnig und in Schwarzweiß gehalten. Ihre Hose über alten Arbeitsschuhen war ungleich aufgekrempelt, die Schürze nicht katalogfein, der Gesichtausdruck nicht galatauglich, die Frisur keine Frisur. Trotzdem sah sie nicht nach Stadtstreicherin aus, sondern wie eine ganz normale uneitle Rentnerin bei der Gartenarbeit. Die Verwahrlosung musste der Artikel erst herstellen, in diesem Fall durch das, was nicht geschrieben wurde. Der älteste Trick des Boulevards besteht im Weglassen. Die Dreizimmerwohnung der Mutter wurde nicht erwähnt, lieber so getan, als müsse sie in einer Bretterbude leben. Dann folgte Kniff Nr. 2: Man legte eine Deutung nahe, ohne explizit etwas zu behaupten. Heerscharen von Juristen prüften die Texte peinlich genau darauf, ob sie wasserdicht waren. Ihr größter Freund dabei: das Fragezeichen: *Traurig, traurig! Muss die Mutter des beliebten TV-Stars so erbärmlich hausen? Hat der reiche Sohn kein Herz?*

Mutter hatte sich furchtbar geschämt und sämtliche Bekannte durchtelefoniert, um die Sache geradezurücken. Trotzdem konnte sie den restlichen Sommer nicht mehr in ihre geliebte Laube, weil sie ständig von Elendstouristen belästigt wurde. Simon hatte den besten Medienanwalt der Stadt konsultiert, der von juristischen Schritten abriet. Das Blatt habe nicht gelogen, nur gefragt. Außerdem würde man durch eine Replik nur Material für Folgeartikel, schlimmstenfalls sogar für eine Kampagne liefern, und das läge sicher nicht im Interesse seiner Mutter. Schweren Herzens hatte er klein beigegeben, was ihm weitere Angriffe des Blattes erspart hatte. Kein Wunder also, dass er beim Anblick des Fotografen nicht in Jubelschreie ausbrach.

»Ich kenne Ihren Chef«, befand er kühl. »Worum geht es?«

»Herr Miershäuser ist für ein paar Tage in der Stadt und hat mich beauftragt, Sie für morgen Nachmittag ins Verlagshaus zu bitten.«

»Danke.«

»Die Kurzfristigkeit mögen Sie entschuldigen! Außerdem Grüße an Ihre Frau und ich soll ausrichten, dass er ihr eine Magnumflasche Champagner geschickt hat.«

Das unschuldige Lächeln konnte unmöglich gespielt sein. Doch so sehr Simon sich auch mühte, Fassung zu bewahren, zitterte er vor weißer Wut. »Gut, mal sehen, was sich machen lässt«, rang er sich schließlich ab.

»Prima, ich werd's ausrichten. Schönes Konzert noch!« Mit freundlichem Nicken wandte der Surferboy sich zum Gehen.

»Woher wussten Sie eigentlich, dass ich zu *Massive Attack* komme?«, folgte Simon einer Eingebung.

Der Fotograf blieb stehen und fuhr sich bedächtig durch die blonden Strähnen. »Du solltest dir mal überlegen«, sagte er mit tiefergelegter Stimme, »ob es klug ist, seine Tickets im Internet zu bestellen!« Dann tippte er grüßend an die Stirn und verschwand in der Menge.

Tags darauf näherte Simon sich dem Verlagshochhaus, zwei spastische Fäuste in der Tasche. Eine repräsentative Auffahrt führte auf die Empfangshalle zu, einen modernen Glaskubus, der dem älteren messingfarben schimmernden Gebäude vorgesetzt war. Linkerhand spielte man mit Kiefern und Lavendelbüschen Provence, rechts dagegen Frontstadt, unschwer an den aufgestellten Mauersegmenten zu erkennen. Als hätte der Verlagschef höchstpersönlich die Mauer zum Einsturz gebracht! Simon ging mit dem entschlossenem Schritt eines Heldendarstellers, im einen Moment hoffend, man werde ihn schon nicht schlachten, im nächsten, dass er nicht auf der Stelle brechen müsse. Gingen die wirklich so weit? Hatten sie ihre Informanten überall? Aber wenn brave Bürger sich schon unter dem Euphemismus »Leserreporter« als Spitzel anwerben ließen, warum nicht auch eine Internetmaus im Ticketshop? Simon hatte lange damit geliebäugelt, die Drohung zu ignorieren und der »Einladung« nicht zu folgen, aber das wäre nur die erfolglose Strategie des kleinen Simi gewesen, der beim verhassten Fotografiertwerden die Augen schloss, weil dann ja nichts auf dem Foto war. Er musste sich ein Herz fassen und herausfinden, auf welches Aas die Geier sich stürzen wollten.

Die gläserne Empfangshalle war klassische Beeindruckungsarchitektur. Links nahm ein kolossaler schwarzweißer Tresen, den man nur »Counter« nennen konnte, die gesamte Länge ein. Er gab die Bühne für vier Empfangsdamen und einen Herrn ab, alle in heiliges Schwarz gekleidet. Rechts eine lange weiße Bank mit schwarzen Lederkissen, daneben sämtliche Printerzeugnisse des Verlags. Er wandte sich nach links, um sich anzumelden, aber eine atemberaubende Rothaarige kam ihm zuvor.

»Lieber Herr Minkoff, herzlich willkommen in unserem Haus.« Jede Silbe ein Ausrufezeichen. »Unser Herr Miershäuser erwartet Sie schon.« Damit verließ sie ihr abgezirkeltes Terrain und stöckelte mit ihm zu einer weiteren Drehtür. Die Sicherheitsschleuse inklusive Durchleuchtungsgerät für Taschen ignorierte sie mit gerecktem Hals und führte ihn, eine elegante Kurve hinlegend, zu den Aufzügen. Als die Lifttür sich öffnete, drückte sie die 19, schenkte ihm ein Vanillelächeln und wünschte »einen superschönen Tag noch!«

Danke, du Muschi, dachte er.

»Herr Miershäuser erwartet Sie im Journalistenclub«, rief sie ihm noch hinterher, während die Tür sich schloss.

Irgendwas stimmte nicht. Simon brauchte eine Weile, bis er darauf kam: Trotz des überdimensionierten Empfangs hatte außer einem Fahrradkurier mit dünnen Beinen niemand seinen Weg gekreuzt. Hier wurden doch mehrere Zeitungen gemacht, es hätte wuseln und brodeln müssen! Stattdessen die Beschaulichkeit eines Hochsitzes. Als betrachteten diese Journalisten die Welt von oben herab durch ein Fernglas.

Der Journalistenclub im 19. Stock also. Eine Ehre, die nicht jedem zuteil wurde. Simon hatte für den Club, der hauptsächlich für Empfänge und Lesungen genutzt wurde, zwar mehrfach Einladungen erhalten, war ihnen aber nie gefolgt. Als kleine Unabhängigkeitserklärung klopfte er nicht an, sondern trat einfach ein. Überrascht sprang Miershäuser aus einem Ohrensessel hoch. Dabei fielen einige Unterlagen zu Boden. »Herr Minkoff! Wie schön, dass Sie gekommen sind!«

»Die Freude ist ganz auf meiner Seite«, knarzte Simon und fügte nach einem Blick durch den Raum hinzu: »Das also ist der berühmte Club.«

Er hatte die Größe eines Handballfeldes, und die Aussicht über die Stadt einen »schönen Blick« zu nennen wäre geizig gewesen. Mit seinen Rostrot-, Beige- und Brauntönen, den fülligen Sofas, tiefen Polstersesseln und kleinen Butlertischen war er nicht nur wie ein klassischer englischer Club eingerichtet, er war einer. Der Konzern hatte vor vielen Jahren die 1785 in London für die *Times* hergestellte Wandverkleidung aufgekauft und nach Berlin transplantiert. Auch der Wandschmuck hatte Geschichte. Simon erkannte einen Liebermann und einen Slevogt.

»Es gibt kaum jemanden von Bedeutung, der hier noch nicht gewesen wäre!« Miershäuser machte eine Art Kratzfuß mit den Händen. »Selbstredend hat das nichts mit unserem Haus zu tun, sondern mit unserem Haus – wenn Sie verstehen, was ich meine.« Gekonnte Kunstpause. »Der Verlag freut sich immer über Gäste, aber wir wissen natürlich, dass sie bis zum Mauerfall vor allem wegen unserer sensationellen Aussicht kamen!«

»Das Gebäude stand hart an der Grenze …«

»Ja, schauen Sie selbst!« Miershäuser trat an die Fensterfront. Um Furchtlosigkeit zu demonstrieren, rückte Simon ihm so nah auf die Pelle, dass er außer dem teuren Eau de Cologne das Ende einer Alkoholfahne roch. Abgesehen von einem bananig geschwungenen Hochhaus war die Aussicht Richtung Westen eine Katastrophe. Weil früher niemand Büros oder gar Repräsentanzen in Mauernähe wollte, hatte hier größtenteils eine Brache gelegen, wildromantisch im Vergleich zur heutigen Krankenkassenarchitektur, die sich die Straße entlangschleppte. Der Blick in den Osten aber war sensationell, man schien auf eine andere Stadt zu schauen. Das sozialistische Berlin der frühen Siebziger war ein Kosmonautentraum, modern, siegesgewiss, der Zukunft zugewandt. Die DDR hatte sich ausgerechnet hier vier mächtige Hochhausscheiben gegönnt, mindestens fünfundzwanzig Geschosse, wie Simon schätzte. Diese hatten seinerzeit in ihren Sockeln große internationale Restaurants und exquisite Läden beherbergt. Die Hochhäuser waren so geplant, dass sie mit schmaler Seite zur Mauer standen, damit der Blick von den Balkons nicht gleich über Mauer, Minenfeld und Sperranlagen in den Westen ging.

»Auf der westlichen Seite wollte damals niemand investieren«, dozierte Miershäuser. »Auch da hat unser Verleger sich als Visionär erwiesen. Er nannte dieses Haus einen ›Schrei gegen den Wind‹. Er hat es stets als Riesenposter für Freiheit und abendländische Werte gesehen.« Selbst jetzt konnte man noch eine von trockenen Büschen überwucherte schnurgerade Mauerbrache entdecken.

Miershäuser war geschmeidiger, als Simon ihn in Erinnerung hatte, in jeder Hinsicht. Mit Mitte dreißig sah er immer noch auf eine maskuline Art jugendlich aus. Braune Locken fielen ansprechend auf seine Schultern. Er trug eine schwarze Brille in ironischer Übergröße, Brogues und Jeans. Petrolfarbener Turtleneck, Jackett in Anthrazit, fertig war das Kostüm. Planmäßig ließ Simon ihn auflaufen. Schweigen, das wusste er, war eine scharfe Waffe in der Medienwelt.

»Ich habe uns eine English Teatime kommen lassen«, tat Miershäuser unbeeindruckt. Galant wies er auf einen gedeckten Beistelltisch zwischen zwei Ohrensesseln: »Sie mögen doch Tee?«

»Sehr«, log Simon.

»Ich lege Wert auf schlichten schwarzen Tee. Heutzutage bekommt man überall nur noch dieses aromatisierte Gesöff. Disgusting!«

Er schenkte ein. Simon schwieg

»Bitte bedienen Sie sich!«

Auf einer Etagere wurde die klassische Teatime geboten: Gurkensandwiches, Scones mit Clotted Cream und Johannisbeermarmelade, speichelziehende Torteletts. Weil Simon demonstrativ umständlich sein Scone bestrich und beharrlich schwieg, ließ Miershäuser sich nach einem Schluck Tee in den Sessel fallen und schlug die Beine übereinander. »Wir haben uns alle gewundert, dass ein so erfolgreicher und hochdekorierter Medienmann wie Sie einfach von der Bildfläche verschwindet?«

»Von der BILDfläche ist gut!« Ein Biss in den Scone, dazu ein Pokerface.

»Ja … äh … was hat Sie denn nun dazu bewogen?«

Simon griff nach dem Tee, hatte aber Sorge, seine Hand könne zu sehr zittern. Es ging gut. »Wissen Sie, ich hatte nie vor, bis ins Rentenalter den Fernsehkasper zu geben.«

»Da wären Sie aber der Erste! Und warum so Knall auf Fall?«

»Weil mir Knall auf Fall klar wurde, dass ich viel weiter nach oben nicht kommen würde. Warum also nicht mal konsequent sein, im Gegensatz zu den Kollegen, die am liebsten noch ihre eigene Beerdigung moderieren würden?« Gelogen, aber nicht übel.

Miershäuser griff nach einem Waldbeertörtchen und beförderte es mit gefräßigem Schwung in den Mund. »Was ist beim Bayerischen Fernsehpreis passiert?« Die Frage kam unmanierlich hart.

Simon schluckte. »Der Abend war ein großer Erfolg.«

»Gut, dann reden wir doch mal über die Gala, bei der Sie – wie drücke ich mich aus? – ein wenig neben sich standen?«

»Keine Ahnung, wovon Sie reden.«

»Wir haben Sie mit unserem Suppenküchen-Artikel aus der Schusslinie genommen, mein Lieber! Das sollten Sie nicht vergessen!« Augenaufschlag, Haifischmund. »Mehrere Celebritygäste haben sich uns gegenüber äußerst besorgt über Ihren peinlichen Aussetzer gezeigt ...«

Simon probierte einen alten Trick. Den Oberkörper zurückgelehnt, Beine übereinandergeschlagen, begab er sich in die gleiche Position wie sein Kontrahent. »Sie wollen mir doch nicht drohen?«, fragte er luftig.

»Herr Minkoff!« Miershäuser war sehr laut geworden und schnellte im Sessel nach vorn. »Wir drohen nicht! Wir wollen ein Interview mit Ihnen, nicht mehr, nicht weniger!«

Simon hätte in diesem Moment alles für eine Zigarette gegeben, aber das hätte Kapitulation bedeutet. Wer rauchen oder pinkeln muss, hat verloren. »Kein Problem, im Prinzip. Nur: Ich habe nichts zu sagen.«

»Erstens: Sie haben! Zweitens: Natürlich können wir

Sie nicht zwingen. Aber drittens: Berichterstatterpflicht, Sie verstehen?«

Vielleicht hatte er nicht viel in der Hand und versuchte nur, ihn auszuhorchen. Simon kannte solche Tricks und wollte sich nicht bluffen lassen. »Tun Sie, was Sie nicht lassen können!« Er stand auf und ging auf steifen Beinen zur Tür.

»Interessieren Sie sich für Fotos?« Miershäuser beugte sich vor und klaubte die Blätter vom Boden, die bei Simons Eintreten heruntergefallen waren. Mit ausgestrecktem Arm hielt er den Ausdruck eines Fotos hoch und lehnte sich dabei zurück. Nun war er es, der schwieg.

Simon fühlte sich, als hätte jemand die Luft aus ihm herausgeschlagen. Obwohl er dadurch seine Karten aufdeckte, kehrte er um. Er hatte keine Wahl. Mit jedem Schritt wurden seine dunkelsten Befürchtungen zur Gewissheit: Das Bild zeigte in brutaler Großaufnahme Vivians aufgedunsenes Alkoholikergesicht. Miershäuser hielt noch weitere Fotos hoch: Rettungswagen, Sanitäter mit Trage, Arzt, sensationsgeile Passanten und schließlich Simon selbst, wie er sich über die Bahre beugte. Das konnte doch nicht er sein, dieser graue Mann mit dem bösartig verkrampften Gesicht.

»Ausgezeichnete Qualität! Unsere Leser werden immer professioneller«, stellte Miershäuser fest. Und dann sehr sanft: »Nehmen Sie doch bitte wieder Platz.«

Simon setzte sich auf die äußerste Kante des Sessels: »Ich höre.«

»Die Redaktion favorisiert die Schlagzeile: *Alkoholexzess: Blau, so blau die Minkoff-Frau!* Offengestanden finde ich das abgeschmackt. Reime sind so Fünfziger.«

»Weiter.«

»Ich will diese Überschrift nicht und nicht den Artikel dazu.« Demonstrativ ließ er die Fotos wieder zu Boden gleiten. »Ich würde mich allerdings über ein intimes Interview mit Ihnen freuen, exklusiv, versteht sich. *Die Beichte des verschwundenen Fernsehstars* – so in der Art. Ob wir die Trinkgewohnheiten Ihrer Freundin dabei ›vergessen‹ können, lässt sich ja immer noch klären.« Verbindliches Lächeln, dann ein geschäftsmäßiger Nachklapp: »Titelseite in unserer Sonntagsausgabe, weitere drei Folgen Montag bis Mittwoch im Heftinnern!«

Viel Peitsche, wenig Zucker. Simon straffte seine Züge und trat an das Fensterband. Die Wahl zwischen Scheiße und Jauche war so niederschmetternd, dass Eiseskälte sich bis an sein Herz schob. Vivian konnte er das niemals antun, von dieser Bloßstellung würde sie sich nicht erholen. *Die Beichte des verschwundenen Fernsehstars* – was für ein Dreck. Spielte er aber mit, wer gab ihm die Garantie, dass man sie in Ruhe ließ? Und er selbst, tagelang vor Millionen Spannern bis auf die Unterhose ausgezogen, konnte sich den Wunsch nach Privatheit für lange Zeit abschminken. Wie auch immer er sich entschied, er konnte nur verlieren.

Sein Blick fiel auf ein imposantes Stadtpalais, unterer Teil stämmiger Historismus, darüber eine expressionistische Aufstockung aus den Zwanzigern, die wie ein dynamischer Schiffsbug über den Giebel hinausschoss. Die Teile passten nicht zusammen, schienen sogar einander abzustoßen, und doch stand das Haus fest in der Welt und war funktionstüchtig. An den Rändern nahm eine Idee Kontur an, eine grauenhafte Idee. Bedächtig wandte er sich um: »Sie könnten mich auch vom Haken lassen.« Ein nervöses Lachen flatterte dabei um seinen Mund.

Miershäuser war irritiert. »Warum sollte ich? Eine Zeitung macht Auflage mit dem, was sie berichtet, nicht mit dem, was sie für sich behält.«

»Genau«, bestätigte er. Federnd kehrte er zu seinem Sessel zurück und nahm breitbeinig Platz. »Auflage kann man so oder so steigern.«

Miershäuser machte Augen und schien zu spüren, dass hier jemand eine Entscheidung getroffen hatte.

»Was halten Sie von einer kleinen Verabredung«, fuhr Simon fort. »Ich erzähle Ihnen eine hübsche Geschichte, und Sie geben mir dafür die meinige zurück?«

ZWEITES BUCH

1 Seine Dreizimmerwohnung war als eine der wenigen im Haus frisch hergerichtet worden. Der Vermieter, ein braver, kurzbeiniger Manager aus Spandau, hatte sich von der angeblichen Widerstandskraft des Viertels ins Boxhorn jagen lassen und in vorauseilendem Gehorsam zugestimmt, nur freiwerdende Wohnungen zu sanieren. Logistisch und ökonomisch dumm, aber die brennenden Bauwagen und Rohbauten in letzter Zeit hatten Spandau Angst gemacht. Den Flur hatte Simon knallrot streichen lassen, die Küche moosgrün, ansonsten waren die Wände weiß. Farblosigkeit passte gut in seine Stimmung, und für seine Fotos waren neutrale Wände allemal besser. Nachdem er Mütze, Schal und Jacke angezogen hatte, schaute er in den Spiegel. An den blauschwarzen Fastvollbart würde er sich nie gewöhnen. Als Tarnung tat er beste Dienste, aber er freute sich schon darauf, ihn irgendwann abnehmen zu können.

Neue Wohnung, neues Viertel, das hatte ihn immer schon elektrisiert. Er mochte das Gefühl nachlassender Fremdheit und registrierte, wie sein Blick sich mit jedem Tag veränderte. Beim Einzug hatte er alles überscharf wahrgenommen: den Kühlkasten in der Küche (ein belüfteter Verschlag unterhalb des Fensters, Vorläufer des Kühlschranks), die modische Einbauküche in Bleu, die herrschaftliche Doppeltür zwischen Wohn- und Schlafzimmer, die verblüffende Schmalheit des Badezimmers. Sein Blick fuhr immer wieder über die Oberflächen, bis jede Beschaffenheit, jede Eigenschaft der neuen Umgebung abgetastet war und das Auge nichts Auffälliges mehr wahrnahm. Dann war man angekommen.

Doch soweit war es noch nicht. Seit knapp drei Monaten lebte er jetzt hier und hatte das Gefühl, noch eine Weile zu brauchen, bis er sich mit den neuen Umständen befreundet hatte. Es war ihm so wichtig gewesen, bei null zu beginnen, dass er die leere Wohnung höchstpersönlich ausgeräuchert hatte. Eine esoterische Bekannte hatte ihm indianische Kräuter besorgt, die schlechtes Karma vertreiben sollten. Das qualmende Bündel in der Hand, hatte er jede Ecke der Wohnung bewedelt und war sich dabei noch nicht einmal peinlich vorgekommen. Überhaupt schien es, als sei in letzter Zeit seine Messlatte für Peinlichkeit nach unten verrutscht. Er ließ einen letzten Blick durch das spartanische Wohnzimmer schweifen und war überzeugt davon, dass die Magie wirkte.

Eine Wollmütze tief ins Gesicht gezogen, die Augen hinter dunklen Gläsern verborgen, stieg er vom dritten Stock nach unten. Die Fassade war zwar restauriert worden – leider im üblichen Sonnengelb –, aber das Treppenhaus und die Mehrzahl der Wohnungen schrien nach lebensverlängernden Maßnahmen. Dringend, wenn er das lungenkranke Grün des Hausflurs und die Handläufe betrachtete, die so häufig braun überstrichen worden waren, dass die hölzernen Löwenköpfe an ihrem Ende jede Physiognomie verloren hatten.

Im Hinuntergehen schaute er auf die Uhr. Fast zwölf, und alles, was er bisher geschafft hatte, war Kaffeetrinken und zwei Zeitungen. Verblüfft stellte er fest, ein Langschläfer zu sein, er hatte es nur nicht gemerkt. Oder war das schon beginnende Verwahrlosung? Er würde die Stille und die Zeit organisieren müssen, durfte sie nicht als Feinde betrachten, musste sie sich im Gegenteil zu Freunden machen, damit sie ihren Reichtum mit ihm teilten.

Simon stieß die schwere Haustür auf und reckte die Nase in den Wind. Der kam von Osten, roch nach Benzin und Schnee. Er schlug den Mantelkragen hoch, nicht zum ersten Mal verwundert über das Antiquariat im Haus gegenüber. Das Schaufenster mit seiner penibel rechtwinklig präsentierten DDR-Literatur sah zwar nicht so heruntergekommen aus wie der lepröse Rest des Hauses, aber es war nie ein Mensch zu sehen, weder Käufer noch Verkäufer. Ein Dicker im Blaumann, der einen Plastiksack hinter sich her schleifte, trat aus dem Hauseingang und schaute ihn schräg von unten an. Rasch wandte er sich nach links, um im Mauerpark eine Runde zu drehen. Den grünen Streifen, in dieser Jahreszeit graubraun, Park zu nennen kam auch nur Berlinern in den Sinn. An seinem Eingang befand sich der Falkplatz, ein klassischer Stadtplatz mit Bänken und einer verblüffenden Anzahl grotesker Tierskulpturen. Der größere Teil des Parks zog sich extrem schmal den ehemaligen Mauerstreifen entlang. Ein schnurgerader Pflasterweg in seiner Mitte war mit dem Glas zerdepperter Bierflaschen dekoriert. Der Wind fegte leere Plastiktüten über die Wiese, und die Handvoll Schaukeln war in einem Zustand, dass man nur sehr unartige Kinder auf ihnen hätte spielen lassen.

Obwohl hier alles schnurgerade ausgerichtet war, wirkte das Areal wie ein Bühnenbild. Auf einer Seite des gepflasterten Weges zog sich in der gesamten Länge eine sachliche Liegewiese hin, nur an wenigen Stellen von holzigem Friedhofsgrün begleitet. Landschaftsarchitekturtristesse auf den ersten Blick, aber dann entdeckte man einen Spielplatz mit Klettergerüst aus Baumstämmen und großem Sandkasten, zwei Ausbuchtungen, die zum Boulespiel einluden, eine Art Amphitheater für Konzerte und Karaoke, einen Basketballkorb und – versteckt hinter Hecken – sogar ein lauschiges Birkenwäldchen. Im rückwärtigen, höher gelegenen Teil der Anlage befanden sich ein Taubenhaus in der Größe einer Sommerlaube, eine Jugendfarm mit Ponys, Schafen und allerlei Kleinvieh und eine blutdrucksteigernd steile Kletterwand. Außerdem lag hier der einzige Bereich, der die Bezeichnung Park wirklich verdiente: trapezförmig verzogene, von kniehohen Hecken umgebene Rabatten, dazu Sitzbänke und eine ebenfalls schräge Showtreppe aus Stahl, die in die obere Abteilung führte. Sinnlichkeit sah anders aus, aber die Leser unter den Parkbesuchern schienen diesen Teil adoptiert zu haben, bei jedem Sonnenstrahl belagerten sie die Bänke, schmökerten und rauchten Kette.

Vom nahen Flughafen Tegel stieg eine Maschine geräuschvoll in den Himmel. Simon blickte auf und konnte sogar den Schriftzug *easyjet* entziffern. Bombay, schoss es ihm grundlos durch den Kopf, mehr der Klang als die Stadt: *Bombay*.

Mit hochgezogenen Schultern steuerte er die steile Böschung an, hinter der sich ein Sportstadion duckte. Er kniete nieder, um seine Schnürsenkel neu zu binden und stieg dann die Anhöhe hinauf.

●

Showtreppe und bühnenreife Anlage – so was kann beim Anblick unseres totgeliebten Mauerparks nur einer Fernsehnase einfallen. Sieht große Kulisse und Inszenierung statt piefigem Mittwoch. Viel später erst hat er mir erklärt, warum er mit Scheuklappen rumlief und wie wichtig sie für ihn waren. Da saß mir dann kein Erfolgsmensch mehr gegenüber, nur eine arme Sau, für die das Schicksal auch keine Pantoffeln anzieht, wenn es ihm in die Eier tritt. Dass er ein guter Beobachter war, habe ich schnell begriffen, und auch, warum er mit unserem Viertel nichts zu schaffen haben wollte. Wenn man sich wie eine Burg kurz vor der Erstürmung fühlt und alle Brücken hochgezogen hat, ist man verdammt schwer erreichbar. »Nicht auch noch von der Realität kontaminiert werden«, nannte er das.

Ich gebe es zu: Der Heimatkundler unseres Viertels war ich früher auch nicht gerade, die Feinheiten seiner Geschichte und warum der Park ein so schmales Handtuch ist musste ich mir erst draufschaffen. Ich habe mal einen Text für das Prenzlauer-Berg-Buch der *edition divan* verfasst. Die ist zwar so klein wie ihre Honorare, aber Buchbeiträge sind für unsereins wie Bewerbungsschreiben, und es ist ein seltener Luxus, mehr Platz und größere Freiheiten zu haben.

Recherche also: Die ulkige Form des Mauerparks liegt (Überraschung) an der DDR. Die Steigung, die Minkoff so versunken hochstieg, hatte den Grenztruppen mächtig Kopfzerbrechen bereitet. Ausgerechnet da oben verlief nämlich die Grenze und war wegen des Gefälles nicht wie üblich zu sichern. Also machten die Sozen auf Kapitalismus und kauften sich ein paar Meter Westberlin dazu. Ein Geschäft mit dem Klassenfeind, nur damit sie auch hier einen ordnungsgemäßen Todesstreifen anlegen konnten. Wo sich jetzt der Pflasterweg befindet, stand früher die Mauer.

Ganz oben, da, wo Minkoff entlangging, steht noch eine Mauer, die so oft besprüht wird, dass sie wegen der dicken Farbschichten fast vornüber fällt. Dümmere Touris halten sie im Ernst für ein Überbleibsel von *The Wall*. Haufenweise zerdepperte Bierflaschen, Berge von Kippen und internationale Plastiktüten bedecken das niedergetrampelte Gras wie einen Stadtteppich. Selbst im Sommer wird die Wiese nicht richtig grün. Sie wechselt vom Winterbraun nahtlos niedergetrampelter Savanne. Das ist auch die Zeit, wo hier oben die Punks ihr Spielzimmer eröffnen.

•

Nachdem er die Scherben weggewischt hatte, setzte Simon sich auf eine der Bänke, neben sich ein großes verkohltes Loch. Irgendwelche Idioten hatten es sich nicht nehmen lassen, unbedingt hier ein Lagerfeuer zu entzünden. Zu seinen Füßen der Park wie ein Gedankenstrich, links eine Wohnstraße mit Häusern in Pastell, geradeaus eine Neubauzeile in den Kaninchenstallabmessungen der Siebziger, rechts sein neuer Kiez, teilweise noch hinter DDR-Grauputz. Zwischen zwei Welten saß er da, zwischen zwei Epochen. Sein neues Viertel mochte er nicht besonders. Deshalb war er hierhergezogen. Weil er sich unvertraut war, sollte auch seine Umgebung das spiegeln.

Manchmal kam es ihm vor wie ein absurder Traum. Innerhalb weniger Monate war er von einem dramatischen in einen epischen Zustand gelangt. Obwohl die letzten Monate nichts am alten Platz gelassen hatten, ging ihm immer häufiger ein Mantra durch den Kopf: *lecktmichalleamarsch, lecktmichalleamarsch, lecktmichalleamarsch.* Es klang etwas wütend, enttäuscht und trotzig, doch er sang es mit heimlicher Freude. Er war sein eigener Herr.

Eines Tages hatte er sich der Erkenntnis stellen müssen, dass Vivian und er ans Ende einer Sackgasse gelangt waren. Nichts ging mehr. Sein Hausarzt gab den entscheidenden Anstoß. Am Empfang hatte Simon nur auf ein Rezept gewartet, als der alte Dr. Räther seinen Kopf durch den Türrahmen steckte und ihn hereinbat. »Ich habe von der Problematik Ihrer Frau gehört. Ist sie in Behandlung?«, kam er noch im Stehen zur Sache und wies auf den Freischwinger vor seinem Schreibtisch. Hervorragend, dann wusste also das ganze Viertel Bescheid, der Buschfunk funktionierte.

Als Simon ihre Situation schilderte, nickte Dr. Räther müde. »Lieber Herr Minkoff, normalerweise würde ich mich nicht so unprofessionell verhalten, aber in diesem

Fall mag es von Nutzen sein.« Er setzte die braungelbe Hornbrille ab und massierte seine Nasenwurzel. »Ich weiß sehr genau, was Sie durchmachen. Sie beide! Ich habe mich in der gleichen Lage befunden: Mein Freund war alkoholabhängig, weigerte sich aber mit großem Nachdruck, einen Entzug zu versuchen.« So wie der Arzt »mein Freund« gesagt hatte, bestand kein Zweifel daran, dass es sich nicht nur um einen Freund handelte. Dr. Räther ein Homo, darauf wäre Simon nie gekommen. Er war überrascht, aber viel zu aufgewühlt, um lange darüber nachzudenken. »Sehen Sie«, fuhr der Arzt fort, »wir kennen in der Behandlung von Suchtkrankheiten ein Phänomen, das sich Co-Abhängigkeit nennt. Ich nehme an, dass momentan Sie es sind, der sich um sämtliche anfallende Dinge kümmert?«

»O ja«, bestätigte Simon. »Geht gar nicht anders. Ich versuche für sie da zu sein, kaufe ein, mache sauber. Das geht so weit, dass ich sie ständig verleugne, ihre Eltern und ihre Geschäftspartnerin abwimmle. Ich lüge, im Klartext, aber meine Frau möchte nicht, dass alle Welt sich das Maul über sie zerreißt.«

»Das dachte ich mir.« Der Arzt setzte die Brille wieder auf, was ihm gleich einen reservierteren Anstrich gab. »Sie sorgen dafür, das System der Abhängigkeit aufrechtzuerhalten. Von den basalen bis zu persönlichen und beruflichen Verpflichtungen stabilisieren Sie Ihre Frau – und damit leider ihre Sucht. Es klingt grausam, aber das Einzige, was in dieser Situation hilft, ist, Ihre Frau sich selbst zu überlassen.«

»Sie rauswerfen?«, rief Simon ungläubig.

»Ja, leider.«

»Was ist mit: in guten wie in schlechten Zeiten?«

»Ihre Maßgabe sollte sein, was das Beste für die Patientin ist. Ein Entzug zeitigt nur dann Erfolge, wenn sie Hilfe annimmt. Sie muss darum bitten. Anders geht es nicht. Dazu muss sie, auf gut Deutsch gesagt, zuerst in die Gosse.«

Simon schüttelte den Kopf. »Ich kann sie doch nicht einfach verstoßen, das überlebt sie nicht!«

»Im Gegenteil. Sehen Sie, Herr Minkoff, es geht hier nicht um Sie, es geht um das Wohl Ihrer Frau!« Er ließ ihm einen Moment Zeit zum Nachdenken. Dann fuhr er sanft fort: »Ich weiß, wie schwer das ist. Ich habe das alles selbst durchgemacht. Aber wie Sie sagten: Sämtliche Bemühungen bisher sind fehlgeschlagen, nicht wahr?«

»Keine Alternative?«, flehte Simon.

»Keine Alternative.«

Wenn er an die Viertelstunde bei Dr. Räther dachte, hielt er immer noch den Atem an. Das spitze Kreischen eines Mädchens zerriss die Stille des Parks. Sogleich stimmten weitere Kinderstimmen ein und setzten ein Höllenkonzert in Gang. Als hätte die Oskar-Matzerath-Klage den Himmel erreicht, riss der auf und entließ ein paar milchige Sonnenstrahlen. Simon spürte ein Prickeln auf der Haut und bildete sich ein, schon einen Hauch Frühling zu riechen. Kaum mehr vorstellbar, dass es außer Herbst und Winter noch andere Jahreszeiten gab. Der Gedanke an einen prächtigen Frühlingstag kam ihm geradezu liederlich vor. Irgendwann würde er Manias Ermahnung ernstnehmen müssen, dass Leben Stillstand ausschloss. Irgendwann würde er sich der Frage nach dem Glück stellen müssen. Momentan fand er solche Überlegungen nur frivol.

•

Noch mal Mails gescheckt. Wieder nichts. In welchem verfickten Loch war mein Artikel für die verfickte *Stuttgarter Zeitung* verschwunden? Das Vosskamp-Porträt war doch gut geworden. »Herausragendes Stück! Inspirierend, ohne sentimental zu werden! Informativ, ohne sozialschnulzig zu sein!« – So hatte die Redaktion leider nicht reagiert. Sie hatte überhaupt nicht reagiert. Bei Zeitungen fast normal. Ihr Geschäft ist Kommunikation, aber genau an dieser Stelle versagen sie komplett. Als Freier marschiert man mutterseelenallein, jiepert nach jedem Echo. Und die Redakteure? Scheißen drauf, besonders die, die früher selbst als Freie gestrampelt haben. Jahre später strahlt einen dann jemand an: »Also das Stück über die Vosskamp damals: Herausragend! Inspirierend …«

Sowieso die Sache mit den Mails. Früher hieß es: So praktisch! So zeitsparend! Mittlerweile ist es zum Erkennungszeichen von Chefs geworden, auf Mails nicht mehr zu reagieren. Absurd. Dabei habe ich nur nachgefragt, warum mein Artikel nicht zum vereinbarten Termin erschienen ist. Stattdessen bringen sie eine Triefstory über diesen hessischen Politiker, der immer schon gut in Tränendrüsenpolitik war: wie er seiner über alles geliebten Frau beim Unfalltod ihres über alles geliebten Adoptivkinds beisteht. Nicht in *Bild der Frau*, nicht in *BUNTE* – Seite drei in einer seriösen deutschen Tageszeitung! Als ich anrief, dann das Absehbare: »War dringend, mussten wir machen, bevor Donnerstag der *stern* damit aufmacht. Nein, nein, Ihr Porträt kommt so schnell wie möglich, versprochen.« Im Klartext: Wenn Sie noch so oft anrufen, das Stück geht in den Stehsatz, und da bleibt es wahrscheinlich auch. Nach ein paar Monaten können wir über ein Ausfallhonorar reden.

Hat man etwas moralisch Bedenkliches geschrieben, passiert so was nie, immer nur wenn einem der Text am Herzen liegt! Abgesehen davon, hätte ich das Geld gebraucht, selbst die paar Kröten Ausfallhonorar. Wenn der Inhalt meines Kühlschranks wieder mal aus *ALDI* pur besteht, wälze ich mich nachts im Bett und schwitze wie ein Schwein. Was, wenn ich mich selbst nicht durchbringen kann? Wie die Vosskamp aufs Amt und Hartz IV beantragen? Dabei bin ich nicht mal talentfrei. Das nämlich ist es, was man uns ambulanten Existenzen weismachen will: *Du* bist schuld! *Du* versagst! *Du* bist nicht tough genug! Dabei sind einfach nur Heerscharen von Journalisten auf dem Markt, und es werden stündlich mehr. Klassischer Verteilungskampf. Der geht soweit, dass selbst gestandene Journalisten sich auf eine Weise demütigen lassen, die niemand für möglich gehalten hätte. Ein Kollege (festangestellt, halleluja!) hat mir erzählt, dass nicht nur alle Räume seiner Redaktion schwarz eingerichtet sind, sondern dass bei hohem Besuch (Cameron Diaz, Veronica Ferres, Klaus Wowereit) alle Mitarbeiter in Schwarz zu erscheinen haben. Und die Medienarbeiter? Gehorchen und tragen Trauer!

Wenn ich mich in Alpträumen genügend selbst runtergemacht habe, folgt die innere Aufmuskelung. Ich bimse mir positives Denken ein, teile mich in der Mitte und werde mein eigener Antreiber: Du machst das schon! Du schaffst das schon! Du kannst das schon! Endlich mal ein kluger Spareffekt: Sklave und Sklaventreiber in einer Person. Ekelhaft amerikanisch.

Konkret sollte ich mich lieber an die Geschichte machen, die ich schon eine Weile vor mir her schiebe. Verkauft krieg ich die mit links: Im Netz bin ich auf eine Gruppe von Frauen gestoßen, die mit ziemlichem Erfolg derbste schwule Pornoromane schreiben. Keine Lesben, sondern heterosexuelle Weiber, die sich als Kerl imaginieren, der es mit geilen Kerlen treibt. Während ich mir auf die Art einen Großeinkauf bei *Kaiser's* zusammenschreibe, kann ich ja parallel versuchen, den Vosskamp-Text woanders unterzubringen. Hoffentlich fragen die Ressortleiter nicht gleich im ersten Satz, ob es auch »geile Fotos« aus ihrer Zeit als Nutte gibt.

•

Vivian gegenüberzutreten und ihr seinen Auszug mitzuteilen war die schwerste Aufgabe seines Lebens gewesen. Er handelte aus Vernunft, aber gegen seinen Willen. Auch deswegen schien ihm die altertümliche Formulierung »sich lossagen« so passend. Kaum länger als eine Woche hatte der Makler gebraucht, seine neue Wohnung aufzutreiben. Zwar hatte er sich gewundert, warum der Fernsehmann auf keinen Fall ein ausgebautes Dach wollte, sämtliche Angebote in Charlottenburg, Zehlendorf und im begehrten Teil des Prenzlauer Bergs ablehnte und nicht einmal mit Potsdam zu ködern war, aber der Kunde war nun mal König. Vielleicht hatte der Mann sich ja verspekuliert und musste kürzertreten?

Als die Wohnung am alten Mauerstreifen bezugsfertig war, nahm Simon allen Mut zusammen und klopfte an Vivians Tür: »Es ist sehr wichtig. Ich muss mit dir reden. Ein paar Sachen hab ich noch zu erledigen, aber wenn ich zurück bin, treffen wir uns im Wohnzimmer.« Der dringliche Ton würde seine Wirkung nicht verfehlen. Vivian hatte eine untrügliche Nase, was die Stunde geschlagen hatte. Als er von der Hausverwaltung zurückkehrte, wo er den Mietvertrag auf ihren Namen umschreiben ließ, saß sie angezogen auf der Couch. Sie sah nach sich selbst aus, saß sehr aufrecht da, einen Arm auf der Sofalehne. Der blau-orangefarbene Pullover mit den langen Wollhaaren fiel ihm auf. Den hütete sie wie einen Schatz, er war ihr Glücksbringer und Schutz zugleich.

Am liebsten wollte er sie in die Arme schließen, sie schützen, ihr die sanftesten Lieder singen. Seit Tagen quälte er sich damit, welche Worte sie am wenigsten treffen würden. Doch im letzten Moment zog er statt Bitterschokolade aufrichtige Schlichtheit vor: »Ich wollte dir sagen, dass ich ausziehe.«

Ob sie es geahnt hatte? Ihre Miene blieb starr. Sie

schaute ihn an, kein Erschrecken im Blick, kein Vorwurf, was ihn vollends stranden ließ. Ein Lamm, dachte er, und ich gebe den Schlächter. Er hatte sich nicht hingesetzt.

»Es gibt keinen anderen Weg«, murmelte er. »Wir haben so oft darüber gesprochen, na ja, eher wohl ich. Ich habe versucht, dir zu erklären, wie das läuft mit der Co-Abhängigkeit und dass es nur darum geht, dir zu helfen.«

»Glaubst du wirklich, ich bin so dumm?«

»Nein, um Gottes willen, Vivi, ich …«

»Bestimmt habe ich ein Problem mit dem Trinken, aber muss ich deswegen entsorgt werden?« Sie war aufgestanden, ein wenig wackelig, aber mit Würde. Sie standen sich gegenüber. Simon roch keine Alkoholfahne.

»Du bist längst entsorgt.« Er nahm ihre Hände in die seinen. »Als ob Vivian, die ich mal kannte, schon lange vermisst gemeldet wäre. Für mich ist …«

»Warum wohl?« Sanft aber bestimmt zog sie ihre Hände zurück. »Warum wohl sperre ich mich ein?«

Er antwortete nicht.

»Du hast es mich immer merken lassen, wie wenig du von mir hältst.« Sachlich, ein Posten nur auf einer Rechnung. »Dein Ego hält andere klein, damit du groß sein kannst. Ich verstehe es sogar, aber das heißt nicht, dass ich nichts zustande bringe.«

»Entschuldige, das sah in den letzten Monaten anders aus.«

»Du siehst nur, was du sehen willst, Blende, Schnitt, Abspann!« Sie stand auf und trat ans Fenster. »Bestimmte Dinge *kannst* du gar nicht sehen!«

»Was meinst du?«

»Du musst mir dabei nicht zusehen, verstehst du? Niemand muss das. Glaube bloß nicht, das wäre einfach!«

Er hob die Arme und machte eine Geste des Nichtverstehens.

Sie drehte sich um und schaute aus dem Fenster. Bedächtig sagte sie: »Ich habe seit Tagen keinen Tropfen Alkohol angerührt.«

Simon wurde weiß vor Augen. Wilde Glücksgefühle schossen in seine Eingeweide. »Das konnte ich doch nicht wissen«, stammelte er. Was erwartete sie jetzt von ihm? Sollte er sie beglückwünschen oder um Verzeihung bitten?

»Zieh du nur schön aus. Lauf wieder mal weg, hast du ja Übung drin!«

»Wenn du auf meine Kündigung anspielst …«

»Ich spiel auf dich an, Mister Einfühlsam. Immer ein Ohr für andere, solange die Kamera läuft.« Umständlich schloss sie das Fenster. »Während du packst, gehe ich mal lieber in meine Gruft, wie du so schön sagst. Kannst dir ja ausmalen, wie ich wieder an der Flasche hänge!«

Selbst in eisiger Luft gelang es Simon nicht, seine Gefühle zu ordnen. Nur in Strickjacke war er aus dem Haus gestürmt, bis er zwei Straßen weiter am Kanal strandete. Kaum hatte er sich auf dem Geländer vor der Böschung abgestützt und auf die fast geschlossene Eisdecke gestarrt, als zwei Araberjungs mit den Fingern auf ihn zeigten. »Ey cool, der Minkoff! Gib mir Autogramm, Alda!«

»Verpisst euch!«, blaffte er so derb, dass die beiden sich erschrocken trollten. Lange starrte er auf ein letztes Wasserloch, um das die Enten sich versammelten. Er hatte Vivian unrecht getan. Sie versuchte, vom Alk loszukommen, und er war nicht nur keine Hilfe gewesen, er stand im Weg. Im Grunde war es einfach: Er musste nur herausfinden, was ihren Willen stärkte, die Finger vom Suff zu lassen. Es gab bestimmt einen Schlüssel, er hatte ihn nur noch nicht gefunden. Eine Woge der Zärtlichkeit überflutete ihn. Auch er würde sich öffnen, würde bereit sein, sich helfen zu lassen, seine Zukunft mit ihr zu besprechen. So hatten sie es früher gehalten, sich ihre Ängste eingestanden, erschrocken manchmal über ihre Rückhaltlosigkeit, aber glücklich, die Dämonen so in Schach halten zu können. Sie würden das schaffen. Schon jetzt spürte er die Reinheit und Kraft ihres Neuanfangs.

Mit einem Seufzer richtete er sich auf und schaute den Uferweg entlang. Der Nachmittag war wie Asche. Ein Junge zielte lustlos mit Kieselsteinen auf die Enten. Türkenmuttis in bodenlangen Mänteln schleppten Tüten voller Gemüse. Aus der Unterwelt seines Bewusstseins löste sich ein Gedanken- oder Gefühlspartikel, trudelte langsam nach oben, zu winzig noch, ihn zu entschlüsseln, groß genug, ihn mit aller Kraft wieder in die Tiefe pressen zu wollen. »Nein«, murmelte er halblaut. Zu spät. Vivians Handgelenke waren ihm eingefallen, so fragil, als berühre man einen Vogel. Er sah ihre spitzen Knie, den ausgemergelten Körper unter dem Wollpullover, das aufgedunsene Gesicht, hörte ihre Vorwürfe, berechtigt vielleicht, aber zu genau gezielt, um …

Sie hatte ihn reingelegt! Trotz Saufen und Kotzen, trotz Depression und Elend schaffte sie es immer noch, dass er sich schuldig fühlte. Legte den Finger so präzise in seine Wunden, dass der Schmerz die Vernunft übertönte. Sie war nicht clean, nie und nimmer war sie das. Wann hatte man je von so einer Wunderheilung gehört? Nach allen Regeln der Kunst hatte sie ihn eingeseift! Großer Auftritt! Chapeau! Ihm war jetzt so kalt, dass seine Zähne aufeinanderschlugen.

Zu Hause angekommen, klopfte er an ihre Tür. Sie öffnete sofort.

»In vier Tagen kommt der Umzugswagen!«, sagte er.

In ihren Augen lag die Kapitulation eines angezählten Boxers.

•

Im Mauerpark war die spätwinterliche Sonne von den Wolken schnell wieder weggesperrt worden, doch Simon spürte sie noch auf den Wangen. Er hielt nach Mauerseglern Ausschau, aber es war wohl noch zu früh, sie kamen erst Ende April. Er kramte nach Zigaretten und zündete sich eine an. Rauch vermengte sich mit Atemluft. Ihre letzten gemeinsamen Tage – als Paar? – waren beunruhigend normal verlaufen. Vivian ließ sich häufiger als in den Wochen zuvor sehen. Obwohl sie seinen Auszug – und ihre Trennung? – mit keinem Wort erwähnte, schien sie nicht böse zu sein. Beide flüchteten sich in fast japanische Höflichkeit. Kein Zank, kein Geschrei sollten ihre letzten Tage verstümmeln. Wenn er versuchte, seine Motive noch einmal zu erklären, schnitt sie ihm das Wort ab, fragte nach dem Lieferdatum der Umzugskartons oder schenkte ihm den kleinen Couchtisch aus Teakholz, den er so liebte.

Eine eisige Brise fegte durch den Park und erinnerte daran, dass der Frühling im Süden noch Urlaub machte. Der Wind begann ein Spiel mit einer Plastiktüte, oder sie mit ihm, wer wusste das schon? Immer wieder klatschte er sie an die Pfosten der drei Schaukeln, die auf der Anhöhe standen. Die Holzpfähle schienen ihr die Luft aus dem Inneren zu boxen. Einen Moment lang faltete sie sich um die Planke schlaff zusammen, füllte sich dann wieder mit Luft, um aufs Neue zu wirbeln. Er erhob sich fröstelnd. Ob er sich in eins der hiesigen Cafés trauen konnte? Bisher hatte er außer beim Einkaufen jeden Kontakt zum neuen Kiez vermieden. Es war etwas anderes, in einen Supermarkt zu gehen, wo die Leute mit Einkaufslisten, Sonderangeboten und verheulten Gören beschäftigt waren, oder in die Räume eines Cafés, wo jeder Neuankömmling aufmerksam gemustert wurde. Mütze und längere Haare, Bart und Brille schützten ihn einigermaßen, aber er hatte noch nicht ausprobiert, ob die Verkleidung taugte, wenn er sich länger in einem geschlossenen Raum aufhielt. Auch fühlte er sich noch zu roh für Gesellschaft.

Natürlich hatte die Vernunft ihm gesagt, dass komplette Isolation gefährlich für die Psyche sei. Er konnte und wollte sich nicht ganz wegschließen, wollte in der Welt bleiben, aber versuchen, so wenig Verkehr wie möglich mit ihr zu haben. Zwei Mal hatte er bisher Anlauf genommen, unter Menschen zu gehen. Beim ersten genügte ein Blick in die Bar, um auf dem Absatz umzukehren. Proppenvoll mit vorzugsweise jüngerem Publikum, das sich an bunten Trendgetränken festhielt. Der Orkan aus alkoholbefeuertem Geschwätz und Gelächter war so mächtig gewesen, dass es ihn fast fortwehte. Das Restaurant *Vienna* aufzusuchen, hatte ihn deutlich mehr Überwindung gekostet. An einem Tisch sitzend, stand man viel stärker unter Beobachtung. Ein Blick durch die Scheiben zeigte ermutigend blicksichere Nischen, doch als er im Eingang seine getönte Brille kurz abnahm, um sich die Augen zu reiben, verließ gerade ein Ehepaar mit Hund den Gastraum. Die Frau, eine schlecht gefärbte Brünette mit Rentnerinnenlöckchen, glotzte ihm so brutal ins Gesicht, dass er sich umdrehte und forteilte.

Aber heute war die Lust auf einen guten, starken Kaffee zu groß. Scheiß drauf, sagte er sich, irgendwann muss es ja mal sein.

●

»Der Name der Rosette« – ist das zu fassen? Ein Roman für »einhändiges Lesen«, wie es so bildhaft im Englischen heißt, von Jesse Diggler. Jesse war fünfundvierzig, lebte im Taunus, war Deutscher und eine Frau. Jesse alias Marlies trug als Zeichen äußerster Verruchtheit eine asymmetrische Strähnchenfrisur und wählte DIE GRÜNEN. Marlies hatte mir das Leben gerettet, sprich: die Miete. Die Reportage über Frauen, die unter Pseudonym Schwulenpornos schreiben, war der Schlager meines kleinen Schreibwarenladens. Dreifach verkloppt! Einmal ziemlich freizügig für ein Monatsmagazin, dann abgemildert für die Wochenendbeilage einer Tageszeitung und schließlich als Radiofeature. Im geforderten kulturkritischen Epistelton, dafür aber von zwei Sendeanstalten wiederholt. Was zwei halbe Honorare zusätzlich bedeutete, ein anständiges Trostpflaster für die immer noch ungedruckte Vosskamp.

Wegen Frischgeld in der Tasche und der Anzahlung Sommer in der Luft hatte ich mir aus Übermut meine Locken raspelkurz schneiden lassen. Ich hielt mein freigelegtes Gesicht in die Welt und dachte: Ich bin noch da, ihr Stehwichser! Als Belohnung hatte ich mir ein Sixpack Bier geholt und genoss es, vor acht Uhr abends ein bisschen breit zu sein. Und geil. Bestimmt nicht wegen der Homopornos (»spermarülpsende Kerlrosette« ist reichlich gewöhnungsbedürftig), sondern wegen Nadia. Falls sie so hieß. Ich hatte sie auf *facebook* kennengelernt, wir hatten sieben gemeinsame »Friends« und uns daraufhin gegenseitig »geadded«. Im Chat lieferten wir uns einen Schmähdialog über Maria Furtwängler, die Nadia nur »hanseatische Eisente« nannte. Endgültig ins Herz schloss ich sie, als sie ein Pic von sich auf einer »Bad Taste Party« einstellte: proletarisches Engelsgesicht über einem T-Shirt mit dem Slogan *Schade, dass man Bier nicht ficken kann*. Ich schaute nach, ob sie vielleicht gerade im Chat war. Fehlanzeige. Nadia war scharf, aber leider auch erst zwanzig. Jeder geht automatisch davon aus, dass alle sich im Netz zehn Jahre jünger machen, aber sie brachte ihre zwanzig glaubwürdig rüber. Dabei wollte ich eigentlich weg vom Absturzsex mit zu jungen Mädels. Nicht echt, das alles, als ob ich mich dabei beobachtete, Souvenirs fürs Alter zu sammeln. Aber vielleicht war Nadia in Wirklichkeit ja doch neunundzwanzig. Dann würde es wieder hinhauen.

Ich öffnete die dritte Pulle Bier und hockte mich unschlüssig vors Notebook. Mein letzter Versuch, ein reifes Sexualleben zu führen, hatte in einer Katastrophe geendet. Adrienne hieß sie, gab in ihrem Chatprofil fünfundzwanzig an und war mindestens dreißig. Bei dieser Sorte Datingportal war klar, dass es früher oder später in die Kiste ging. Ich fand sie ganz nett, als wir uns beim Österreicher zum Essen trafen. Gar nicht so unattraktive Person, deren Angaben sich allerdings als, na ja, etwas optimiert herausstellten. Sie hatte nicht nur ein paar Jährchen, sondern auch gute fünf Kilo mehr drauf. Und fünf Kilo an den falschen Stellen machen verdammt viel aus. Projektleiterin in einem Kulturkontor in Potsdam wollte sie sein, doch nach Erfolgsfrau im Businesskostüm sah sie nicht gerade aus. Eher wie eine der Frauen, die sich Geheimtipps für Nagelstudios zuflüstern.

Adrienne gab sich kulturbeflissen. Als sie den einen Francis Bacon nicht kannte und die Bilder des anderen »interessant verbogen« fand, war die Sache klar. Wahrscheinlich hieß sie Andrea, arbeitete in ihrer Kulturklitsche als Assistentin (früher schlicht Sekretärin genannt) und fand, dass ein Journalist ihr gut stehen würde. Nach einer Flasche Zweigelt wusste ich nicht mehr, warum ich mich mit Gleichaltrigen so schwer tat. Eine Flasche für jeden. Ihre fünf Kilo zuviel hatten sich in Luft aufgelöst, sie lachte viel und griff sich ständig in die Haare. Wir also zu mir.

Der Abend wäre fast gekippt, als sie meine Räuberhöhle sah. Ich habe was von Boheme gefaselt, konnte sie aber erst mit dem Hinweis beruhigen, ich arbeite intensiv an einem Artikel für die *Zeit*. Gelogen, aber Volltreffer. *Die Zeit* als Aphrodisiakum, wer hätte das gedacht! Hitzig vom Wein, haben wir uns geküsst und ein bisschen gefummelt. Für mich ist das immer noch wie die Adventskalender meiner Kindheit: Tür für Tür öffnen (auch vor der Zeit), nachschauen, welche Überraschungen sich dahinter verbergen. In diesem Fall leider gräulich überzogene Bitterschokolade. Ich bin ein Mit-geschlossenen-Augen-Küsser, aber als ich vergeblich an ihrem Büstenhalter nestelte, musste ich hinschauen. Sie trug einen schönen schwarzen BH, aber ich schluckte, als unter seinen schmalen Trägern das Fleisch herausquoll. Sie war mindestens *Mitte* dreißig. Ein Rückzieher war nicht mehr drin, ich hatte allerdings Mühe, meine Lust bei Laune zu halten.

Andrea war behilflich. Mit nackter Geilheit schaute sie mir in die Augen. Ich bemühte mich. Aber da waren diese weißen Brüste, die müde baumelten, die Speckfalten am Bauch, die Cellulitedellen an ihrem Hintern. Hektisch drang ich in sie ein und schloss die Augen. Ein Fehler. Ich wollte ins Kopfkino flüchten, bevor mein Schwanz vollends aufgab, aber leider fühlt man mit geschlossenen Augen umso besser. Irgendwo musste ich sie ja anpacken, und ich begriff dabei zum ersten Mal, was das Wort mürbe meint. Es ist der Anfang vom Ende der Wollust, es ist eine Ahnung vom Tod. Während sie unmusikalisch wimmerte, machte mich der Schweißfilm auf ihrer Haut frösteln. Sie zurückzustoßen brachte ich nicht übers Herz, weitermachen ging auch nicht. Also täuschte ich zum ersten Mal in meinem Leben einen Orgasmus vor. Wenn ich den leeren Gummi schnell genug wegwarf, würde sie nichts mitbekommen. Ein paar Stöße noch schaffte ich und ein erstaunlich überzeugendes Stöhnen. Bis heute komme ich nicht drüber weg: Ist das die viel beschworene reife Sexualität? Ein Abfinden mit dem Verfall, die Hinnahme der zweiten Wahl, das mentale Schminken eines Sonderangebots?

Bevor ich mich in existentiellen Trübsinn steigerte, ging ich lieber noch mal ins Netz. Vielleicht war Nadia ja inzwischen im Chat.

•

In einer Seitenstraße, eingeklemmt zwischen einer Pantoffelmanufaktur und einem Spätkauf, war ihm ein Laden aufgefallen, der die vorhergehende Bezeichnung *Seifenhaus* beibehalten hatte. Das Geschäft war zu einem typischen Szenelokal mutiert. Frühstück bis 16 Uhr, Mittagessen ab 14, Kuchen, Klappstullen und Panini den ganzen

Tag über und bis in die Nacht die angesagten Getränke von *Bionade* bis zum *Tannenzäpfle*-Bier. Simon betrachtete den ganz normalen Wahnsinn Jungberliner Gaststättengemütlichkeit. Bis auf zwei schreiend orangefarbene Lichtelemente waren die Wände untapeziert und kahl. Zum Abhängen gab es eine hellbraune Couchgarnitur in Cord. Ansonsten stammten die Tische und Stühle eher aus Mamas praktischer Einbauküche, Stahlrohr und Plastikpolster allenthalben. Die Tische trugen Resopalplatten, die helle Kühle unter weißen Damastdecken verborgen. Er entschied sich für einen roten Plastikstuhl, dessen Polster ein Furzgeräusch machte, als er sich niederließ. Von Hellbeige bis Dunkelbraun waren sämtliche Nuancen der Farbskala-Ost zu besichtigen. Nicht nur, dass das »antifaschistische Deutschland« die Farbe Braun nicht per Parteitagsbeschluss untersagt hatte, es hatte sie innig geliebt, besonders das Senfbraun, neben dem Sozenrot *die* Farbe der DDR.

Geduldig wartete Simon darauf, dass die blonde Kellnerin ihre Festung hinter dem Tresen aufgab. Leichte Blasiertheit war in solchen Läden Standard, schließlich arbeitete man in Wahrheit als DJ oder schrieb an einem Roman. Doch dann fiel sein Blick auf die Tafel mit den Tagesangeboten (Mascarpone-Joghurt-Kuchen, Bio-Gulasch auf Semmelknödel). Ganz oben in Versalien: MANCHMAL SELBSTBEDIENUNG. Darunter: MANCHMAL IST IMMER. Grinsend ging er zum Tresen. Ob die Bedienung blasiert war oder nicht, spielte keine Rolle. Sie war schön. Offenes blondes Haar umkringelte ihr Gesicht, die Augen waren tintenblau, und sie hatte die klare Haut, mit der nur Skandinavier gesegnet sind. Der großzügige Ausschnitt im weißen Baumwollpullover wäre gar nicht nötig gewesen: Simon hatte in Windeseile eine Erektion von der bedürftigen Festigkeit eines Fünfzehnjährigen. Er gierte nach Sex. Er konnte sich an keine Periode seines Erwachsenenlebens erinnern, wo er so lange ohne gewesen wäre.

»Du musst schon etwas sagen, sonst kann ich dich nicht bedienen«, lachte die junge Frau ihn an.

»Äh«, sagte Simon. »Doppelter Espresso, bitte.«

Bei der Zubereitung des Espresso genoss er die Kellnerin noch einmal ausgiebig im Ganzkörperprofil, bevor er die Tasse an seinen Tisch balancierte. Mechanisch griff er nach der *Süddeutschen*, um sie als Paravant zu verwenden, ließ sie aber gleich wieder sinken. Als er die Kundschaft im *Seifenhaus* inspizierte, war er beruhigt. Außer ihm gab es noch sechs weitere Gäste, alles Männer, alle zwischen fünfundzwanzig und dreißig, alle vor ihrem Notebook. Sie waren nicht so aufgestylt wie die Medienarbeiter in Mitte mit ihren kostspielig vernachlässigten Frisuren, bearbeiteten ihr Gerät aber mit der gleichen Nonchalance. Eher hätten die sich ihr Handy amputieren lassen, als zuzugeben, eine Fernsehnase zu erkennen. Seltsam wirkten diese digitalen Eremiten schon, aber warum machte jeder sich reflexartig über sie lustig? War es nicht angenehmer, in einem coolen Café seine Arbeit zu erledigen als in einem Großraumbüro im Industriegebiet? Wo genau lag der Unterschied zwischen den romantischen, *Gitanes* rauchenden Literaten im Pariser Caféhaus und den IT-Jungs hier? War es kulturell bedeutender, einen Stift statt einer Tastatur zu benutzen? Erst jetzt nahm er die flüchtige Melodie wahr, die den Raum erfüllte, das elegante Tic, Tic, Tac, wenn Fingernägel auf Tasten trafen. Im Gegensatz zur Existentialistenidylle der Fünfziger saß man hier zwar vereinzelt, dafür war der Gastraum von zarter Friedfertigkeit erfüllt. Und was hieß schon vereinzelt? Kommunizierten diese Männer nicht gerade bis ans Ende der Welt?

Simon lehnte sich zurück und streckte die Beine aus. Da er nicht gezwungen war, Zeitung zu lesen, ließ er sie liegen. Während das Publikum glaubte, Fernsehgrößen wälzten sich nur so im Luxus, bestand der in Wahrheit darin, eine Zeitung *nicht* lesen zu müssen. Was er jetzt noch benötigte, war ein Plan. Nicht den Masterplan fürs Leben, dafür war die Zeit noch nicht reif, sondern die Idee für eine Passage, ein Jahr vielleicht, um wieder festen Boden unter die Füße zu bekommen. Sein Erspartes reichte für eine längere Auszeit. Die Moderationshonorare hatte seine Agentur stets gut verhandelt und mindestens doppelt soviel bei Industriejobs und Galamoderationen herausgeholt. Davon abgesehen, hatte er kaum Gelegenheit gehabt, viel auszugeben, Fernsehstars werden immer eingeladen. Trotzdem war er mit der neuen Wohnung lieber auf Nummer sicher gegangen. Sie hatte zwar großzügige hundertzehn Quadratmeter, war aber keine teure Dachwohnung, sondern lag im dritten Stock, und das neue Viertel war bei Champagnersäufern nicht angesagt. Anfänglich war er davon ausgegangen, auch für die alte Wohnung weiterzubezahlen, aber Dr. Räther hatte abgeraten. Vivian müsse lernen, Verantwortung für sich selbst zu übernehmen.

Der einzige Gast mit Kopfhörern im Ohr ging zum Tresen und bestellte prompt eine Latte. Obwohl die Tresengöttin ihm ein Speziallächeln schenkte, nickte er nur und ließ die Stöpsel stecken. Der Typ musste schwul sein. Warum standen die schönsten Frauen nur immer auf Schwule? Unglücklich in einen Homo verliebt zu sein gehörte bei erstaunlich vielen Frauen zum guten Ton. Er nahm einen letzten Schluck Espresso und beschloss, demnächst mal wieder herzukommen. Natürlich nur, weil man ihn hier so angenehm ignorierte. Im Rausgehen winkte er der Bedienung energisch-salopp zu.

2 »Mensch, Alter, wie geht's? Lange nicht gesehen.«
»Na ja, der Umzug und so.«
»Hab's gehört, besonders das *und so*. Lass uns mal wie-

der treffen, 'ne Sause machen! Hast ja jetzt sturmfreie Bude – 'tschuldigung.«

»Schon gut. Momentan ist es nicht so gut. Ich melde mich, ja?!«

»Hallo Süßer! Tut mir echt leid, das mit Vivian! Kommst du klar, brauchst du Hilfe?«

»Danke, aber es ist alles in Ordnung.«

»Wirklich? So was geht ja nicht spurlos an einem vorüber.«

»Ich bin okay.«

»Kannst es ruhig zugeben. Ist doch nichts Schlimmes dabei, Hilfe anzunehmen – bist du noch da?«

»Ja.«

»Willst du morgen mit uns schwimmen gehen? Das bringt dich auf andere Gedanken.«

»Ich bin gerade etwas verschnupft. Ein anderes Mal gern.«

»Hallo Simon, so geht's aber auch nicht!«

»Was?«

»Dass du dich so einigelst. Alle machen sich Sorgen, weil du dich nie meldest.«

»Gebt mir einfach etwas Zeit.«

»Wir wollen doch nur helfen. Was hältst du davon: Wir könnten ein schönes großes Essen machen, mal wieder alle Freunde zusammen, ja?«

»Das ist nett, aber lieber nicht.«

»Du behandelst uns ja, als hätten wir die Pest! Haben wir dir irgendwas getan?«

»Um Gottes willen, nein!«

»Warum nimmst du dann keine Hilfe an? Du bist doch nicht allein auf der Welt.«

»Ja.«

Nach einigen Monaten wurde es ruhig. In jeder Hinsicht. Das Telefon klingelte nur selten. Simon war fast beleidigt, wie bereitwillig sich die Freunde hatten abwimmeln lassen. Er genoss die Stille und fürchtete sie. Wenn er aufgeräumt, seine Übungen und vielleicht einen Spaziergang gemacht hatte, wenn er ein Buch gelesen und im Internet gesurft hatte, wusste er nichts mehr mit sich anzufangen. Als hätte man ihn vor die Tür gesetzt, obwohl er es war, der gekündigt hatte. Dann griff er nach der Fernbedienung und zappte durch die Kanäle. Stundenlang schlug er auf die Zeit ein, bis sie tot war. Wenn er sich dann zwang, das Gerät auszuschalten, tat ihm alles weh, der Rücken vom Rumlümmeln, Hals und Lunge vom Kettenrauchen. Seine Hohlheit schockierte ihn, er war weit davon entfernt, sich selbst interessiert gegenüberzutreten.

Wenn ihn hinterrücks die Einsamkeit schnappte, konnte es geschehen, dass er Fernseher und Radio gleichzeitig in unfreundlicher Lautstärke einschaltete. Früher hatte er nur zum Frühstück Radio gehört und gleich nach den Nachrichten wieder abgeschaltet. Jetzt lief das Radio von morgens bis in die Nacht. Obwohl er die Stationen mit der *Alete*-Sprache mied wie eine Krankheit, ging ihm auch die immer dünner werdende Suppe des öffentlich-rechtlichen Rundfunks auf den Geist.

Ähnlich beim Fernsehen. »Beruflich notwendige Medienbeobachtung«, hatte er früher vorgegeben. Wenn er nun tagelang mit niemandem außer Verkäuferinnen, Kassenfrauen und vielleicht noch seinem kurzbeinigen Vermieter gesprochen hatte, wenn das Telefon provozierend stumm blieb, schmiss er sich schon mittags vor den Apparat wie ein Junkie auf Entzug. Dann musste er Stimmen hören und Musik, musste Bilder fliegen sehen und nachschauen, ob die Welt sich noch drehte. Obwohl er einen naiven Blick nie wieder zurückgewinnen würde – Schnittfehler und beamtenhafte Kamerafahrten brachten ihn zuverlässig zur Weißglut –, versuchte er, sich auf Inhalte einzulassen. Kein Vergnügen. Verblüffend, wie sehr sich die Sender glichen. Drei Viertel des Programms bestanden aus nur vier Elementen: Sport, Prollshows, Tierfilmen und Kochsendungen.

Die Moderatoren und Reporter waren von Beruf hauptsächlich jung und hatten vor kerngesundem Selbstbewusstsein keinen Text mehr. Sie sprachen nicht, etwas fiel aus ihrem Mund. Als ob ein perfides Virus den Organismus Fernsehen befallen hätte, waren sogar die Kultursender durchseucht. Auch sie arbeiteten jetzt mit dem Promifaktor. Eines Tages schaute er eine Doku über Erzählstrukturen im osmanischen Märchen, als urplötzlich Iris Berben auftauchte, nur um wichtig zu vermelden, sich in dieser Region auch schon mal aufgehalten zu haben. Aha.

König Sport war zum Despoten mutiert: Von den Krampfwaden eines Stürmers zeigte das Volk sich tief erschüttert, während der finanzielle Niedergang des Landes nichts als Schulterzucken hervorrief. Als müsse man nur zur Fernbedienung greifen, um in die wirkliche Wirklichkeit zu schalten.

Talkshows konnte er gar nicht mehr ertragen. Im Grunde gab es nur eine einzige Frage, und die begann stets mit: »Wie haben Sie sich gefühlt, als …«

In einem Akt der Selbstkasteiung schnappte er sich die Fernbedienung. Nachrichten im Ersten, ein Beitrag zu Altersvorsorge und Riester-Rente. Das übliche Statement des Ministers und die Replik eines Verbandschefs, die ebenfalls ausgewogene Volksmeinung, find ich gut, find ich kacke, und dann eine überraschende Vignette, ein Teenager, begeistert vom Mikro vor seiner Nase. »Riester-Rente? Au krass, das ist ja porno!« Ja, dachte Simon, Kevin hat recht. Ist porno. Alles.

Er schaltete aus. Dann ging er in die Abstellkammer. Nach einigem Wühlen fand er in der Werkzeugkiste eine

Gartenschere, er machte kehrt und nahm den Kabelanschluss zur Hand. Er brauchte drei Versuche, bis er ihn durchgeschnitten hatte.

3 Er war nicht vorsichtig genug gewesen. Die Kappe ins Gesicht gezogen, diesmal auch aus religiösen Gründen, war er mittags losgezogen, um am anderen Ende seines Viertels, wo die Bewohner ihre benutzten Kondome aus Umweltbewusstsein oder Eitelkeit in Wertstofftonnen entsorgten, den jüdischen Friedhof zu besuchen. Er war noch nicht vertraut mit der Infrastruktur dieser Straßenzüge – und da war es passiert: *KOLLAPS NACH KOKSPARTY – Robert Downeys neuer Totalabsturz!* verkündete ein Aushänger der BILD-Zeitung vor einem Kiosk. Augenblicklich begann er zu hyperventilieren. Es ist passiert, es ist nicht zu ändern, versuchte er sich zu beruhigen, aber sein Herz schlug einen anderen Takt. Momentan schien die gesamte Film- und Fernsehwelt auf Droge zu sein, und jedes Mal, wenn er auch nur Fragmente der Überschriften und Unterzeilen wahrnahm, bevor er sich so schnell wie möglich abwandte, wurde ihm speiübel. *Saufgelage, Drogen-Exzesse, Therapie, handgreiflich, total dicht, Skandal, Strafanzeige, Entzugsklinik.* Jeder Begriff war ein auf ihn gerichteter Zeigefinger.

Anfangs hatte er seine umständlichen Wege zur Post oder in den Supermarkt gar nicht wahrgenommen. Dann war ihm ein Licht aufgegangen: Stets mied er die Straßenseiten, manchmal sogar Straßenzüge, wo sich Zeitungsläden befanden. Lieber nahm er dumme Umwege in Kauf, als sich den Tag zu vermiesen. Vergessen und Vergeben stand nicht auf seinem Programm, aber er wollte auch nicht sein eigener Henker sein. Die Erinnerung an den schwärzesten Sonntag seines Lebens reichte. Sie würde ihn für immer jagen.

Er hatte Brötchen holen wollen, optimistischerweise sogar für Vivian, doch schon durch das Schaufenster der Bäckerei sprang ihn die Schlagzeile der Sonntagszeitung an:

SEBASTIAN LEBER:
Der Sunnyboy im Schneesturm!

Die Überschrift war nicht wie üblich schwarz unterstrichen, sondern mit einer weißen Linie Kokain unterlegt. Phrasen wie *trauriges Ende einer Karriere*, *Kokainsucht* und *Exklusivfotos aus der Drogenklinik* nahm er nur noch peripher wahr, dann musste er sich an der Wand abstützen. Natürlich war er darauf gefasst gewesen, dass der Artikel an einem Sonntag erscheinen würde, Miershäuser hatte ja davon gesprochen, aber das Ergebnis seines Verrats schwarz auf weiß zu sehen traf ihn trotzdem wie Peitschenhiebe. Verdiente Peitschenhiebe, doch die schmerzten nicht weniger. Er versuchte, sich eine Zigarette anzuzünden. Seine Hände zitterten so stark, dass er sie nicht mal aus der Packung bekam. Besorgt war die griechische Verkäuferin aus dem Laden gestürzt. »Herr Minkoff, haben Sie Schmerz? Alles in Ordnung?!« Er kaufte die Zeitung nicht, brauchte kein Corpus Delicti für seine Niedertracht.

In Windeseile kam ihm zu Ohren, wie die Reporter Leber in der Klinik aufgelauert und unter Druck gesetzt hatten. Eine Woche später dann im selben Blatt: *Das Kokaingeständnis!* Lebers Medienanwalt hatte ihn wohl zur Kooperation gedrängt, ein guter Rat! Deutschland liebt gefallene Engel, und Sebastian drückte comebackwillig auf die Tube: *Nach dem Entzug endlich ein Baby, und ich möchte Junkies helfen!*

Zwar hatte Simon sich vorgenommen, die Artikelserie zu ignorieren, aber die Vorstellung, was alles dort stehen *könnte*, war peinigender als jede Gewissheit. Also ging er an seinen PC, rief die Onlineausgabe der Zeitung auf und gab die Suchwörter *Leber* und *Kokain* ein. *Es war lange schon Tuschelthema*, begann der Artikel. Er widerstand dem wilden Wunsch, die Augen zu schließen, und las weiter. *Er war nie ein Kind von Traurigkeit. Mit einem großen Glas Rotwein in der Hand sah man ihn ja öfter. Jetzt die große Beichte:* »*Ohne harte Drogen konnte ich nicht mehr leben!*« Daneben ein unvorteilhaftes Foto mit der Bildunterschrift: *Dünn sieht er aus, ausgemergelt und ganz schön alt.* Dabei hatte Sebastian trotz Koks immer ausgeschaut wie der Frühling. *Der Druck war zu groß, Kokain sollte helfen, das Leben des TV-Stars zu bewältigen:* »*Das bedrückende Gefühl, 24 Stunden am Tag unter Dauerbeobachtung zu stehen, permanent verfolgt zu werden, geht an die Substanz*«, *versucht Leber sich zu entschuldigen. Aber ob man ihn noch mal auf die Mattscheibe lässt? Der Skandal wird an ihm kleben wie ein kalter Kaugummi!*

Simon zwang sich auch, einen der Folgeartikel wenigstens anzulesen. Weitere *intime Geständnisse* wurden versprochen: *Wie er gegen die Sucht kämpft und verzweifelt versucht, wieder ein normales Leben zu führen.* Jetzt zeigten die Fotos einen Sünder auf Canossagang: Der zerknirscht, aber tapfer lächelnde Sebastian, *der Pläne hat und noch viel erleben will.* Zum Schluss dann der Silberstreif zum Happy End: *Bei Ausflügen in die schöne Umgebung der Klinik spüre ich, dass etwas passiert ist. Ich nehme das Blau des Himmels, die Blumen auf der Wiese und die Landschaft wie neu wahr. Eigentlich bin ich ein Glückspilz: Oft denke ich, dass ich die Schönheit des Lebens fast zum letzten Mal gesehen hätte.*

Wenn Simon an diese Wochen zurückdachte, konnte er sich kaum an Gefühle erinnern. Immerzu hatte er auf Vivians verbarrikadiertes Zimmer gestarrt und sich mit einer halben Überzeugung eingelullt: Ich musste es tun, sie hätte das nicht überlebt. Als er versuchte, sich seiner Tat wenigstens auf dem Papier zu stellen, eine Art Geständnis zu verfassen, stand nach zwei Stunden auf dem Blatt nur ein einziges Wort: Ich.

Zu Hause kochte er sich ausnahmsweise einen Beruhigungstee. Mittags um zwei schon musste er die japanische Stehlampe anknipsen, ein Unikat aus Stahl und Papier, angeblich speziell für ihn gefaltet. Tausendzweihundert Mark waren damals viel Geld gewesen, aber er hatte gefunden, für seine erste Fernsehmoderation müsse man sich belohnen. Seine neue Küche war am Morgen wunderbar hell, Wohn- und Schlafzimmer lagen nach Südwesten und hatten ab dem frühen Nachmittag Sonne.

Er nahm auf der niedrigen Holzbank Platz, die vom Fenster aus schräg ins Wohnzimmer ragte. »Die muss mal gestrichen werden«, hatten seine Freunde oft gemault, und auf die angestoßenen Ecken gezeigt. Für ihn kam das nicht in Frage. Er hatte sie beim Abriss seines alten Gymnasiums für zehn Mark erstanden, liebte sie, so wie sie war, und nutzte sie als Aufbewahrungsort für Zeitungen, Zeitschriften, Magazine. Er nahm ein Reisemagazin zur Hand, fand aber nicht die Ruhe, darin zu lesen.

Beim Einzug hatte ihm die Furcht zugesetzt, zum ersten Mal im Leben ganz allein zu sein. Während des Studiums hatte er zwar in einem Einzimmerapartment in Wilmersdorf gewohnt, doch allein war er selten gewesen. Ständig kamen Freunde vorbei, und wenn er nicht an der Uni war, schlug er sich mit Kommilitonen die Nächte um die Ohren. Gegen Ende des Studiums hatte er fast ausschließlich bei Mania gewohnt und war nach einer Handvoll Affären dann auch schon mit Vivian zusammengezogen. In eine leere Wohnung heimzukehren, alleine zu frühstücken, einzukaufen, sich um jeden Staubsaugerbeutel selbst kümmern zu müssen, setzte ihm zu. Nie hatte ihm ein Echo gefehlt, weder privat noch beruflich. Nun aber lebte er unversehens in einem Raum ohne Hall.

Vielleicht war ihm so mulmig, weil die Vorstellung, ein Leben neu auszumessen, Züge von Blasphemie trug. Wie ging man da vor? Sich hinsetzen und auf eine Idee warten? Meditieren? Karten legen? Oder nahm man Stift und Papier zur Hand und entwarf einen Schlachtplan? Sperrig kam ihm das vor, unangenehm bürokratisch, sogar das Meditieren. Da waren ihm seine ziellosen Spaziergänge schon lieber, auch im übertragenen Sinn: sein Gedankenflimmern. Was er brauchte, waren Ablenkung und Inspiration.

Idris! Warum hatte er nicht längst daran gedacht?

Die Sonne machte gerade Feierabend, als es klingelte. Lächelnd kam Idris die Treppe hochgetänzelt, das makellose Gebiss bis zu den Weisheitszähnen freigelegt. Er war zwar ein Dealer, stand man ihm aber gegenüber, wäre einem das hässliche Wort auf der Stelle in die Kehle zurückgerutscht. Idris entstammte den Gefilden der Höflichkeit und Schönheit. Er war gut gewachsen, ein dunkler Typ mit Locken und Augen wie Kaffeesatz. Eine Kreuzberger Pflanze mit Wurzeln im Libanon, aber woher seine agile Höflichkeit rührte, hatte Simon nie herausfinden können, dazu sahen sie sich zu selten. Als Quartalsdrogenbenutzer überkam ihn nur alle paar Monate die Lust auf etwas Kiff. Dennoch strahlte Idris ihm sein berühmtes »Ich grüße dich, mein Lieber!« entgegen, als hätten sie sich am Abend zuvor noch gesehen.

»Salve!«, rief Simon aufgedreht. »Da kommt die Inspiration, die ich mir verdient habe!«

»Und womit?«

»Mit Recht!« Simon freute sich, dass Idris den abgestandenen Scherz so pflichtschuldig aufnahm. Überhaupt gefiel es ihm, mal wieder herumalbern zu können. Aufmerksam erkundigte Idris sich nach seinem Wohlbefinden, eine Frage, die er wie üblich mit Kopfwackeln, genuschelten Beruhigungslauten und einer Gegenfrage beantwortete: »Alles in Ordnung in deiner Branche?«

»Rationalisierung und neue Technologien wie überall«, grinste Idris und knöpfte seine braune Lederweste auf. »Das Gras ist so genmanipuliert, dass es wie ein Trip knallt. Musst mit der Dosierung echt vorsichtig sein!« Dann erhob er sich und präsentierte mit ironischer Grandezza seinen berühmten Gürtel. Bei dieser Spezialanfertigung lief ein Kranz unterschiedlich großer Lederfutterale rund um die Taille, alle mit Druckknopf verschlossen, darin jede Art verbotener Substanzen. Angefangen von Marihuana und Haschisch verschiedenster Provenienz und Güte über Extasy, LSD und MDMA reichte die Palette bis zu Kokain und Sexdrogen wie GHB. Heroin, Crack und Crystal waren nicht im Angebot. Idris hasste sie und war durch kein noch so fettes Geldbündel zu bewegen, sie ins Portfolio aufzunehmen. Eine Spezialität des Hauses gab es außerdem: Er konnte jederzeit mit Blättchen, Pillendöschen, Miniaturlöffeln und kleinen Glasphiolen dienen, die Paraphernalia befanden sich ebenfalls in den Tiefen seines Ledergürtels: »Was darf's denn sein?«

»Ach, kennst mich Gewohnheitstier doch: Wie immer Gras für 'nen Fuffi. Und danke für die Warnung!«

»Immer gern, mein Lieber. Was hältst du davon, wenn ich uns was Dampf mache?« Idris zog die extralangen Blättchen hervor, Simon bot ein Glas Fendant an, und dann pafften sie entspannt einen Probejoint.

»Glaubst gar nicht, wie nötig das war!«, seufzte Simon wohlig und bildete sich ein, perfekte Rauchkringel aus beiden Ohren zu blasen.

»Was machst du jetzt eigentlich so?«, wollte Idris wissen.

»Nichts.«

»Wie originell. Und warum?«

»Ich tue nichts, weil ich es nicht muss«, erwiderte Simon, der seine Erklärung ausgesprochen philosophisch fand.

Einige Stunden später zündete er sich mit noch nassen Haaren eine weitere Tüte an. Idris hatte ihm einen seiner legendär schnittigen Joints auf Vorrat dagelassen, »leicht und entspannend, perfekt für den frühen Sommerabend«. Als er sich mit herzlicher Umarmung verabschiedete, hatte Simon Miles Davis' *Blue in Green* aufgelegt, was ihn unweigerlich zum Duschen animierte.

Den Joint mit der eleganten Pappspitze paffend, schritt er die fast fertig eingerichteten Räume ab und traute sich zum ersten Mal, tiefer in sich hineinzuhorchen. Er war begeistert! Nicht nur hatte er keine Probleme mit dem Alleinsein, er liebte es! Nackt, zufrieden und bester Laune schlenderte er durch die Wohnung. Sein Kopf, das spürte er deutlich, hing noch in schweren Wolken, aber die Füße hatten wieder Fühlung aufgenommen. Nackt standen sie fest auf dem Parkett.

Seine bosnische Matrone kam ihm in den Sinn, ein Fan, Stammgast im Studiopublikum. »Ist wie ist, kommt wie kommt«, pflegte sie zu sagen. Wie weise! Möglicherweise war es ja seine Rettung, sich nicht länger gegen sich zu empören, die Schuld, die er auf sich geladen hatte, anzunehmen. *Ist wie ist.* Sich für schuldig zu erklären, um freigesprochen zu werden, ob das möglich war? *Kommt wie kommt.* Er setzte sich an den Schreibtisch, der eigentlich ein Küchentisch war, das einzige Stück vom Nachlass seines Onkels Gerhard, das er behalten und grau gestrichen hatte, und griff nach einem Kuli. Sagte man nicht, dass es sich bekifft besser schreiben ließ? Und hieß es nicht, »sich etwas von der Seele schreiben«? Er wollte es versuchen.

4 Ich war lange zu feige, sie zu besuchen. Manche Interviewpartner fühlen sich so gebauchpinselt, dass sie Krakenarme entwickeln, aber das war bei der Vosskamp wohl nicht zu befürchten. Vielmehr genierte ich mich, ihr Porträt bisher nicht untergebracht zu haben. Meine Schuld war das nicht, aber ich hatte versprochen, mich zu melden, so oder so. Immerhin wusste ich jetzt ein Mitbringsel. Unter meinen Büchern suchte ich nach einem Exemplar, das als einigermaßen neu durchging. David Lodge müsste ihr gefallen! Ein Rest Geschenkpapier war auch noch da, das sollte reichen, eine bittere Pille zu versüßen.

Sie trug einen Hausanzug aus himmelgrauem Frottee und freute sich anscheinend, mich zu sehen »*Therapie? Komischer Romantitel*«, sagte sie skeptisch, als sie das Buch auspackte.

»Das darf man nicht wörtlich nehmen. Ein total lustiges, kluges Buch über eine Pilgerfahrt auf dem Jacobsweg zu schreiben, darauf kommt auch nur ein durchgeknallter Brite!«

»Danke dir, bin gespannt. Bierchen?«

Offensichtlich sah sie nicht mehr die Notwendigkeit, mir die sittsamste Hartz-IV-Empfängerin aller Zeiten vorzuspielen. Sie stellte für ihre Patschehändchen erstaunlich sacht zwei Bierdosen auf den Tisch, und ich erklärte ihr, warum das Porträt wahrscheinlich nie erscheinen würde. »Es ist zum Knochenkotzen: Sowas passiert immer nur mit Artikeln, an denen man hängt!«

»Nun lassen Sie mal nicht den Kopf hängen«, sagte sie und stieß mit mir an. »Wollen wir uns duzen?«

»Gregor.«

»Sylvia.«

Wir verhakten uns und tranken. Als ich noch überlegte, ob wir uns jetzt küssen mussten, hatte ich ihre feuchte Schnute schon auf der meinen. Nicht mal so übel. Überhaupt konnte ich langsam erkennen, was für eine attraktive Frau sie zwanzig Kilo früher mal gewesen war.

»Du bist also ein verkappter Romantiker«, sagte sie.

»Als Zyniker bin ich jedenfalls nicht auf die Welt gekommen.«

»Aber blass biste, Jungchen. Noch blasser als sonst. Was ist denn los?«

Sie machte Plüschaugen, und mir wurde butterweich ums Gemüt. »Das kommt manchmal hoch, so eine Panik, nichts im Leben sauber auf die Reihe zu kriegen. Ich will nicht enden wie …«

»… wie ich? Keine Bange, hast ja recht! Aber Angst ist was Gutes! Ich war immer nur auf der Flucht vor ihr, hab was eingeworfen, mir was reingezogen. Manchmal war ich so auf Speed, dass ich sechs Stunden lang nicht geblinzelt hab. Supi Schummerwelt, aber nur, bis du in der Scheiße badest. Rauchst du?«

»Ungern.« Sie griff nach ihrer Packung *Cabinet* und bot mir eine an. Ich ließ mir Feuer geben. »Aber manchmal muss es sein.«

»Beruflich kommst du doch ganz gut klar.« Sie zündete sich auch eine an. Und mit Blick auf meine weichen Hüften: »Vom Fleisch gefallen bist du jedenfalls nicht.«

»Zuviel Alk.« Merkwürdig, wie diese Frau mich knacken konnte. »Bin eher dabei, vom Glauben abzufallen.«

»Hä?«

»Es gibt vielleicht die Möglichkeit, mich finanziell zu sanieren. Mit Glück und Spucke falle ich veröffentlichungstechnisch sogar eine Etage höher.«

»Und der Haken?«

»Ich müsste jemanden verpetzen.«

»Hat er es verdient? Oder sie?« Das so aus der Pistole geschossen, dass ich lachen musste.

»Er. Und: keine Ahnung! Ich kenne ihn eigentlich nicht.«

»Ach so!« Vorsichtig drückte sie ihre Kippe zur weiteren Verwendung aus. »Du willst jemanden verraten, weißt aber nichts über ihn? Was willst du dann verraten?«

»Eben das müsste ich rausfinden. Ich weiß aber noch nicht, ob ich es will.«

»Sag ich doch, ein Romantiker!« Sie ließ auffordernd ihre Dose knacken. »Noch eins?« Ohne Antwort abzuwarten, holte sie zwei frische Bier aus dem Kühlschrank. »Musst dich schon entscheiden: ran an die Bouletten, oder nicht. Und was machst du nun?«

»Ihn beobachten, dachte ich.«

»Ist ja wie im Krimi! Nimmst mich mal mit?!«

»Nein.«

»Aber du zeigst ihn mir mal, ja?« Mit Augenaufschlag schob sie mir eine Dose hin.

»Vielleicht.«

Das Biest rückte näher und griff mir ans Knie. Wie ein Vollidiot muss ich dagesessen haben, ein Vollidiot mit krebsroter Visage. »Ist das süß! Kiek ma, wie der anläuft! War ein Scherz, Jungchen, nur ein Scherz!«, kreischte sie vor Vergnügen.

»Sehr komisch.«

»Aber mitnehmen tust du mich schon?«, stellte sie noch einmal fest.

Wo die Vosskamp recht hatte, hatte sie recht: Ich sollte schon etwas über den Mann wissen, den ich verraten wollte. Womit hängen die großen Veränderungen im Leben eines Mannes zusammen? Mit Frauen. Also lag es nah, Minkoffs Lebensgefährtin ausfindig zu machen, wo immer die sich auch aufhielt.

Der Weg dorthin war noch schön. Umständlich mit Tram, S-Bahn, Bus und kleinem Fußmarsch, aber schön. Unterwegs ein Berlin für Berliner: Laubenpieperglück mit Jägerzaun, flatternde Wimpel und Grillrauch, erst märkisch-bescheidenes Gebüsch, dann Kiefernwald mit Birkeneinsprengseln, schließlich Laubwald. Schon die Namen der Haltestellen Poesie: Grunewald! Nikolassee! Wannsee! Normalerweise ist Recherche anstrengend: stundenlanges Stöbern im Internet, um Personen, Themen oder Zusammenhänge auszukundschaften. Wenn das nicht reicht, quatscht man ewig auf Anrufbeantworter und versucht Interviewtermine auszumachen, Hintergrundgespräche per Telefon fast immer. Dagegen war diese Recherche ein Kurzurlaub. Gepflegte Villen aus den Dreißigern und billig gebaute, aber teuer vermietete Apartmenthäuser säumten die letzten paar hundert Meter, dann stand ich vor der Klinik, einer modernen Schachtel in stimmungsaufhellendem Krankenhausgelb. Im Foyer Kiefernholzsessel, bezogen mit schlammfarbenem Stoff. Immerhin kein Philodendron oder Ficus, sondern ein idyllischer Blick auf den See.

Minkoffs Lebensgefährtin auf die Spur zu kommen war gar nicht so einfach gewesen. Im Netz hatte ich noch mal alles gesichtet, wo sie aufgetaucht war. Wenn jemand mir etwas über sein geheimnisvolles Verschwinden erzählen konnte, dann sie, aber die Artikel und Fotostrecken gaben nicht viel her. Natürlich war sie hin und wieder in Erscheinung getreten, war mal Frau, mal Freundin, mal Lebensgefährtin, schien jedoch das Blitzlicht zu meiden und gab kaum etwas von sich preis. Leider auch nicht ihren Nachnamen! Meist war schlicht von »Freundin Vivian« die Rede, vereinzelt auch von Vivian Minkoff, aber das war eine Ente, von Heirat fand sich sonst keine Spur. Ohne ihren Namen allerdings brauchte ich gar nicht erst nach ihr zu suchen. Doch ich hatte Glück.

Auf einer Fotografie zu einem älteren Artikel (Promo ganz offensichtlich) stand sie stolz vor einem Café namens *Danuta*, das sie gerade eröffnet hatte. Ein, zwei Klicks – und schon hatte ich das Café. Bingo! Noch am selben Tag suchte ich den modern-gemütlichen Laden auf, machte es mir auf einem Lounge-Element bequem und lächelte die junge Bedienung an: »Einen Moccacino bitte!« Dann so lockerflockig wie möglich: »Ist Vivian denn heute da?«

»Wer?«

»Vivian.«

»Hier gibt es keine Vivian!«

Das hatte überzeugend geklungen.

»Oh, könnte ich dann die Chefin sprechen?« Einen Versuch war's wert, vielleicht war die Bedienung eine Aushilfe und kannte Vivian nur unter ihrem Nachnamen.

Noch vor dem Eintreffen des Moccacinos trat eine strenge mittelalte Frau mit schönen langen Haaren an meinen Tisch: »Ja, bitte?«

»Ich wollte meine alte Freundin Vivian besuchen. Sie ist doch noch die Inhaberin?«

»Frau Gondolf ist nicht mehr da.«

»Ach, wissen Sie vielleicht, wo ich sie erreichen kann. Ich bin ein …«

»Nein.« Ein Ton wie Schloss und Riegel.

Die Frau starrte mich so feindselig an, dass ich einen Fünfeuroschein auf den Tisch legte und mich vom Acker machte. Erst draußen wurde mir klar, dass ich keinen flüssigen Gegenwert bekommen hatte. Egal, für nur fünf Euro kannte ich endlich ihren Namen: Gondolf, Vivian Gondolf.

Glücklicherweise hatte ich mein Notebook dabei, logte mich beim erstbesten Hot Spot ein, rief das Telefonbuch auf und konnte von Minkoffs ehemaligem Status profitieren: Wie bei den meisten Fernsehstars stand zwar nicht er, aber seine Frau im Telefonbuch. Ich rief an, ohne Erfolg. Niemand ging ran, kein Anrufbeantworter. Die Adresse lag in Neukölln, das haute hin, denn ich wusste aus Interviews, dass er dort mal gewohnt hatte. Mit etwas Glück und Spucke lebte sie immer noch dort.

»Gon.« stand tatsächlich auf der Klingel des Mietshauses, Vorsichtsmaßnahme einer öffentlichen Person. Niemand öffnete. Ich versuchte die Klingel daneben, ebenfalls Fehlanzeige. Aber einen Stock höher wurde ohne zu fragen geöffnet.

Oben stand der Name Gondolf ausgeschrieben an der Wohnungstür. Ich klingelte, ich klopfte – keine Reaktion. Dann stieg ich eine Etage höher, wo eine Alte misstrauisch in der angelehnten Tür stand. Sie war groß und dick. Quer über ihre Bluse trampelte eine Elefantenherde.

»Guten Tag, die Dame«, sagte ich mit Konfirmandenlächeln. »Ich wollte Frau Gondolf besuchen. Haben Sie eine Ahnung, wann ich sie antreffen kann?«

»Nä!«

So schroff hatte sie geklungen, dass der misstrauische Blick aus Reptilienaugen überflüssig war. Die Botschaft war angekommen. Ich brauchte einen Moment, um mich zu fassen. »Ist sie denn im Lande?«, brachte ich schließlich heraus.

»Wer sind Sie überhaupt?«

Vielleicht war es der Mut der Verzweiflung, jedenfalls tat ich etwas Ungewöhnliches und sagte die Wahrheit: »Ich bin Journalist und versuche, Gesprächspartner zum Thema Simon Minkoff und Frau Vivian zu finden.«

»Ach, sind Sie vom Fernseh?«

»Ja.« Soviel zum Thema Wahrheit.

»Wo ist denn Ihre Kamera?« Das Zauberwort »Fernseh« – und schon wurde aus einem Festungswall ein weit geöffnetes Tor. Das Gesicht erstrahlte, die Augen glänzten, und so etwas wie Plastikcharme legte sich über ihre Züge.

»Das ist erst mal ein Vorgespräch«, lockte ich. »Wenn Sie etwas Relevantes … äh, Wichtiges zu erzählen haben, komme ich mit dem ganzen Team!«

Und damit hatte ich sie. Wie ein Huhn schob sie den Kopf vor, spähte nach oben, nach unten, seitwärts. Dann im Denunziantentremolo: »Also die Gondolf ist mal wieder zum Austrocknen!«

»Was meinen Sie damit?«

»Alkoholentzug! Die is 'n Schluckspecht!«

»Wie lange ist sie schon weg? Und wissen Sie, in welcher Klinik sie sich befindet?«

Die Alte trat näher: »Zum ersten Mal versucht die das nicht! Hab oft genug den Notarzt gesehen, danach war sie immer eine Zeit fort. Muss man sich mal vorstellen: Einmal ist sogar die Feuerwehr gekommen! Ich war ja selber nicht da, aber mein Mann hatte Nachtschicht und hat alles mitbekommen.«

»Welche Klinik?«

»Die hat wohl schon ziemlich viele durch.« Sie zupfte imaginäre Fussel von den Ärmeln ihrer Afrikabluse. »Die Neumann, die Nachbarin von eins drunter, kümmert sich um die drei Blumentöppe von der, und die hat was von Wannsee gesagt, aber Genaueres weiß ich nicht.«

»Danke schön, das hat mir sehr geholfen.« Endlich ein Anhaltspunkt! »Und sagen Sie mal, der Simon Minkoff – können Sie mir über den auch was erzählen?«

»Der wohnt schon lange nicht mehr da. Kennen tun wir ihn alle natürlich, sehr netter Mann, immer so höflich, aber als er mit der Gundolf zusammen war, lebten die ziemlich zurückgezogen, »Tag« und »Auf Wiedersehen!«, mehr nicht. Erst seit der Minkoff die Fliege gemacht hat, ist die komplett auf die Fresse gefallen.«

»Sehr interessant, vielen Dank nochmals!«

Ich wandte mich zum Gehen, aber sie hielt mich am Ärmel fest: »Und wann kommen Sie mit dem Fernseh?«

Stimmte es also doch, das Gerücht im Netz: Minkoffs Freundin war Alkoholikerin, big times sogar, wenn die Alte nicht schamlos übertrieben hatte. Notarzt, Feuerwehr – das war doch schon mal was! Jetzt musste ich nur noch die Klinik finden, aber so viele Entzugskliniken würde es in Wannsee nicht geben.

Da stand ich also im Klinikfoyer, in der Luft ein Hauch Mittagsessen. Täuschte ich mich, oder roch es nach Kassler? Das geht doch nicht, schoss es mir durch den Kopf, zu Kassler gehört ein kühles Bier! Ich wunderte mich, dass niemand zu sehen war, als eine Frau mit übergroßer weißer Brille und fleischrotem Schopf auf mich zuschoss.

»Wunderschön hier am Ende der Welt!«, versuchte ich es mit einem Kompliment.

»Da kann ich nichts für! Womit darf ich Ihnen sonst helfen?!« Pflegepersonallächeln, Stimme wie eine Reitgerte.

»Ich möchte Vivian Gondolf besuchen.«

»Da muss ich mich erst erkundigen, ob sie schon Besuch empfangen darf. Moment, bitte.«

Auf grünen Plastikschuhen ging sie in einen Glaskasten, telefonierte. Um mich zu beruhigen, trat ich ans Panoramafenster und starrte lange auf die glitzernden Wellen.

»Ja?«

Ganz flach hatte das geklungen, nicht unfreundlich, aber gründlich desinteressiert. Ich drehte mich um. Die dünne Frau in Jogginghosen und grauem T-Shirt hatte weder Alter noch Mimik. Ihre Augen fielen mir auf, Pupillen fast ohne Farbe. »Ich bin Gregor, der Cousin von Simon«, begann ich meine vorbereitete Rede.

»Dann sind Sie der Sohn von Onkel Gerd.« In diesem Gesicht hauste das Nichts.

Ich saß in der Falle. Ein Nein hätte mich sofort ins Abseits katapultiert, blieb nur ein wagemutiges Ja. Ich war so aufgeregt, dass ich gerade noch ein Kopfnicken hinbekam. Dann geschah etwas Merkwürdiges: Aufreizend gelassen ging Vivian Gondolf zu einem Servierwagen, auf dessen unterer Ablage diverse Blumenvasen aufbewahrt wurden. Sie bückte sich, nahm eine große Vase mit Blumendekor zur Hand (ich dachte noch: wie redundant, eine Blumenvase mit Blumenmuster), hob sie auf Hüfthöhe und ließ sie ohne Schwung auf den Boden krachen, wo sie in tausend Stücke zerbarst.

»Wo sind Ihre Kollegen? Wo ist die Kamera?«, fragte sie flach.

»Wie bitte?«

»Onkel Gerd hatte keine Kinder!« Dann, immer noch verhalten, alles auf einem Ton: »Abschaum! Ihr Hyänen seid nichts als Abschaum, stinkender, giftiger Sondermüll!«

Ohne eine Miene zu verziehen, spuckte sie mir ins Gesicht. Hastig fuhr ich mir über Mund und Nase und rieb die klebrige Hand an meiner Hose trocken. Vom Krach alarmiert, stürmte der Rotschopf wieder ins Foyer. Ein Blick zur Gondolf, einer zu mir, und schon hatte ich eine Hand im Nacken und wurde Richtung Eingang geschoben: »Raus hier, aber dalli!«

Ich rannte bis zur nächsten Straßenecke, um außer Sichtweite zu kommen, lehnte mich dort mit hochrotem Kopf an einen Baum. Ich war nicht nur zu weit gegangen (das auch), sondern konnte den Blick der Frau nicht mehr abschütteln. Wie Papier war sie mir vorgekommen, gebleichtes, unbeschriebenes Papier. Ich riss mich zusammen und versuchte, so schnell wie möglich unter Menschen zu kommen, um mich von meiner Scham abzulenken.

Trotz allem war ich einen Schritt weitergekommen. Minkoff hatte eine Katastrophe erlebt, eine Beziehungskatastrophe, die augenscheinlich mit schwerem Alkoholismus zusammenhing. Vielleicht war noch mehr passiert, aber der Zustand seiner Freundin reichte aus, seinem merkwürdigen Verhalten eine erste Erklärung zu geben.

5 Eigenartig. Die Straße sah aus wie ein dunkler Tinten-
fleck, der pulsierend auslief. Sie führte direkt auf eine
Unterführung aus den Fünfzigern zu, überspannt von
einem gläsernen Schrägdach. Terrazzotreppe in der Mitte,
geräuschlose Rolltreppen rechts und links. Weder ängstlich noch erregt betrat er die Rolltreppe. Langsam wandte
er den Kopf, kein Auto auf der Kreuzung, kein Mensch zu
sehen, alle Ampeln auf Gelb. Dann begriff er: Dies war
sein Tod. Angestrengt starrte er in die Schwärze zu seinen
Füßen. Vielleicht konnte er versuchen, etwas vom Tod zu
schmecken. Ohne Angst oder Fluchtgedanken fuhr er in
die Dunkelheit hinab. Dann wachte er auf.

Den Ellenbogen aufgestützt lag Simon da und starrte
lange ins Nichts. Diesen Traum durfte er nie gegenüber
einem Psychoanalytiker erwähnen: der Tod als dunkle Unterführung. Außerordentlich subtil! Verdrießlich schmiss
er sich noch einmal im Bett herum und versuchte einen
weiteren Traum zu starten. Neuerdings gelang ihm das
ganz gut, er hatte ja Zeit zum Üben. Dann ließ er eine
Situation oder Melodie aufsteigen und war immer wieder
erstaunt, wie weit er noch in die Traumbilder hinein deren
Richtung vorgeben konnte, bevor das Hirnkino übernahm.
Er wollte noch nicht aufstehen, warum auch? Also suchte
er nach einem wohligen Einstieg, südliche Landschaft an
tiefblauem See vielleicht. Auch nicht gerade originell, aber
sei's drum. Ein Renaissancehaus in einem Orangenhain,
die Baumkronen übersät mit Blüten und Früchten. Sein
Blick ging aufs Wasser. Der See wurde immer größer, er-
weiterte sich zum Meer! Er befand sich – auf Malta. Mist!
Vermaledeites Malta! Seit ihrem missglückten Versöh-
nungsaufenthalt war Malta ihm kein Postkartensüden
mehr. Ein riesiger Arsch sollte am Himmel erscheinen und
die Insel zuscheißen. Doch bevor er in so unappetitliche
Traumbilder einstieg, öffnete er lieber die Augen. Ein wenig.

Seufzend wälzte er sich zurück und warf durch verklebte Augen einen Blick auf den Wecker. Rechenschaft musste er niemandem ablegen, aber halb zwölf war reichlich asozial. Erschlagen fühlte er sich, obwohl er am Abend zuvor aus Langeweile schon gegen elf zu Bett gegangen war, weit vor seiner Zeit. Er schlug die Decke beiseite und setzte sich auf. Er hob die Arme und beschnüffelte sich. Roch wie altes Handtuch. Barfuß und nur in Pyjamahose schlurfte er in die Küche, um Kaffee aufzusetzen.

Während die kleine Espressokanne vor sich hin schmurgelte, ging er sein Tagespensum durch. Klappdübel besorgen, die etwas größeren Bilderrahmen waren zu schwer für die weichen Wände. Klappdübel und … nichts. Er öffnete den Kühlschrank, griff nach der Milchtüte und bekam Gänsehaut, als die kalte Luft seinen Körper streifte. Normalerweise hätte er den Schluck Milch für seinen Espresso extra erwärmt, aber es ging auch ohne. Alles ging ohne. Sogar das Leben ging ohne Leben. Von der Zukunft konnte er nicht den leisesten Schatten einfangen. Die Fragen, denen er sich stellen musste, tönten viel zu großspurig: Wo stehst du? Wer willst du sein? Was sollst du tun? Wo willst du hin? Nicht nur nach Todesträumen jagten ihm diese Fragen Angst ein. Außerdem: Wer war er denn, eine frustrierte Rechtsanwaltsgattin auf Selbstfindungstrip? Dabei drückte er sich nicht einmal. Doch wenn er in sich hineinhorchte, sagte ihm sein Gespür, dass die Zeit noch nicht reif war. Lebenspläne schön und gut, aber wie plant man eine Zukunft, wenn man keine Gegenwart hat?

Um auf andere Gedanken zu kommen schlüpfte er in die Turnschuhe und lief hinunter zum Briefkasten. Zurück mit den Tageszeitungen und dem *Spiegel*, gab er Müsli in eine Steingutschale, goss Milch auf und begann noch im Stehen zu mümmeln. Auch das musste er noch lernen, seine Mahlzeiten nicht genervt nebenher zu nehmen, als hinge er an einem Tropf. Seufzend setzte er sich an den

Küchentisch und versuchte bewusst zu kauen. Sein Blick fiel auf den *Spiegel*-Titel: »Die schamlose Gesellschaft«. Das Cover zeigte ein Art Turmbau zu Babel, mit Pornografie gefüllte Fernseh- und Computermonitore. Die Grafiker hatten sich bemüht, so viel nacktes Fleisch wie möglich unterzubringen, dazu Strapse, Handschellen, Lack und Leder. Auch die Story selbst wimmelte von Silikonbrüsten, gespreizten Schenkeln und aufgeworfenen Lippen, alles nach dem Motto: So eine Schweinerei wollen wir nie wieder sehen! Er las ein wenig, konnte die Argumentation aber mitbeten: Sex wird in unserer Gesellschaft vulgarisiert und zur Ware herabgewürdigt, der Erotik entreißt man die letzten Geheimnisse, Perversion ist kein Fremdwort mehr, Scham schon. Etwas Jugendschutz und Internetzensurproblematik untergehoben, und fertig war der Empörungsartikel, der mindestens einmal pro Jahr die Auflage verlässlich in die Höhe schnellen ließ. Doppelmoral, die sich auszahlte. Dabei hatten sie gar nicht mal so unrecht. Dass aber von der Fernsehabteilung desselben Verlagshauses eine regelmäßige Sexsendung produziert wurde, wusste kaum einer, weil die Tochterfirma unter anderem Namen firmierte. Schamlose Gesellschaft, in der Tat.

Im Job hatte er seine Irritation darüber schnell beiseite gewischt. Schließlich arbeitete er selbst mit Meinungen und hing von ihnen ab. Doch in der neuen Stille um ihn wirkte das Mediengeschrei wie das Geräusch eines Fingernagels, der über eine Schiefertafel kratzt. Plötzlich hatte er Lust, dem ganzen Geschrei den Hahn abzudrehen, um sich auf etwas sehr Gewagtes einzulassen: das Abenteuer, selbst zu denken.

Warum eigentlich nicht? Maul stopfen war machbar. Also beschloss er mit einem großen, fiesen Grinsen im Gesicht, gleich nach dem Frühstück all seine Abos zu kündigen.

6 »Simi, hast du das gelesen?«

»Guten Tag, Mania! Wie geht es dir? Danke, mir geht es gut! Und: Nein! Was soll ich gelesen haben?«

»Du nervst! Im *Focus* das Teil!« Für ihre Verhältnisse klang sie hysterisch.

»Jetzt beruhige dich, du weißt doch, dass ich den Kram nicht mehr lese.«

»Die haben im Kulturteil ein Riesending über *MM*, also mit diesem Marquard, oder wie der heißt. Sag mal, haben die den genommen, weil die Sendung dann weiter *MM* heißen kann? Egal, Überschrift: *Der Quotenkönig!*«

»Das Unterhosenmodell?«, lachte er mit Anlauf.

»Muss für den Sender jede Woche Weihnachten sein bei den Einschaltquoten. Kein Wunder, die sollen Sachen bringen wie: *Halb Mensch, halb Baum*, oder *Die Frau, die mit ihrer Muschi Billard spielt*. Aber darum geht's nicht.«

»Wie beruhigend!«

Mania musste kichern. »Sei mal ernst, du komischer Heiliger. Im *Focus* gibt es doch immer jede Menge Kästchen, davon handelt eins von dir!«

»Scheiße.«

»Ja. *Das Minkoff-Mysterium.* Die übliche Kombi von Krebs-, AIDS- und Alkoholgerüchten. Und nichts Genaues weiß man nicht. Dazu fünf, sechs Fotos ...«

»Oberscheiße.«

»... die dich nicht zeigen! Schnappschüsse von irgendwelchen Typen. Sehen dir ein bisschen ähnlich oder auch überhaupt nicht. Hast ganz schön räudige Doppelgänger, mein Lieber!«

Simon sog scharf die Luft ein. Die Nachricht tat besonders weh, weil er mit so etwas nicht mehr gerechnet hatte.

»Simi, bist du noch dran?«

»Hm.«

»An deiner Stelle würde ich diese Woche vorsichtig sein.«

»Vorsichtig? Ich werde definitiv das Haus nicht verlassen!«

»Hast du genug zu essen da?«

»Heute ist Montag, hab noch nichts eingekauft«

»Erlaubt der heilige Mann eine Aufwartung in der Einsiedelei, um etwas Brot und Wein zu empfangen?«

Obwohl sie die Frage betont munter stellte, spürte er ihre Verletztheit. »Pass auf, Mania: Ich bin es, dein Simi! Ich habe mich vielleicht etwas zurückgezogen, aber du erhältst hiermit einen offiziellen Passierschein für alle Zeiten, comprende?«

»Gracias!«

»Und nebenbei: Du bist kein Rotkäppchen und ich nicht die Großmutter. Also bring mir lieber Brot und Kaffee.«

»Okay.« Lange Pause. »Simi? Wenn ich komme, kriegen wir es dann hin, mal nicht zu frozzeln?«

Als Mania ihm am frühen Abend »etwas Grund« brachte, war er noch guter Dinge. Sie hatte es eilig, küsste ihn nur flüchtig auf die Wange, weil sie wieder in die Bank musste. Eine Vorstandssitzung würde sich bis in die Nacht ziehen, und sie sollte bereitstehen, um Details zu Kreditvereinbarungen mit einer rumänischen Außenhandelsdelegation zu erläutern.

Die *Focus*-Einzelhaft ging über seine Talente hinaus. Am Donnerstag fühlte er sich, als hätte man ihm von Stirn bis Ferse die Haut abgezogen. Er schlich durch die Wohnung, von einem Zimmer ins nächste, Tür auf, Tür zu, Fenster auf, Fenster zu. Der Fernseher funktionierte nicht mehr, das Radio hatte er zu *Oxfam* gegeben, Zeitungen und Zeitschriften abbestellt. Das Verstummen des medialen Geschreis hatte ihm gut getan, doch ohne seine täglichen Spaziergänge, so kontaktlos sie auch vonstatten gingen, ohne Menschenhasten und Autobrausen legte die

Stille ihre Reißzähne frei. Er stemmte sich dagegen, sang laut alle Volkslieder, die ihm einfielen, dann Kinderlieder, dann Gassenhauer. Bei Popsongs kannte er fast immer nur den Refrain. Als er sich beim manischen Absingen von »Ick hab so Heimweh nach dem Kurfürstendamm« dabei ertappte, ernstlich gestört zu klingen, schlug er sich auf den Mund und verstummte.

In den folgenden Tagen weidete er seine CD-Sammlung aus. Wann waren Preziosen wie Jürgen Drews und *Scooter* in seine Sammlung geraten? Egal, Hauptsache, es machte Geräusche.

Ein Gerät immerhin konnte sein Schwarz zu einem Dunkelgrau aufhellen: der Computer. Um wenigstens knapp informiert zu sein, hatte er ihn behalten. Solitär ja, ignorant, nein. Einmal am Tag klickte er sich durch ein Newsportal, fischte gezielt nur Nachrichten heraus, mied jede Meinung. Schüttelte ihn jedoch die Einsamkeit, ließ er sich willenlos von Link zu Link schubsen, studierte eine Wetterkamera auf Madeira und gemorphte Katzenfotos, klickte sich durch Schulmädchenmangas, Hausbemalungen der Ndebele, lernte Gazellenhörnchen nach Haremsart kennen, erfuhr, was ein Cameltoe ist, hörte Madrigale und sah nicht enden wollende Zugfahrten auf den Gleisen einer Spielzeugeisenbahn. Im Netz war kein Stillstand zu fürchten, man glitt durch das lauteste Nichts, gelähmt, aber unterhalten. Nach sechs, sieben Stunden war er so lull und lall, dass nichts mehr Kontur besaß. In dieser Stimmung fand er seinen Verdacht bestätigt, das Internet sei möglicherweise eine Riesenmaschine zur Vernichtung der Wirklichkeit.

Die Beschäftigung mit gemorphten Katzenfotos war noch die kulturell hochstehende Seite seines Zeitvertreibs. Manchmal hechelte er vor lauter Berührungsentzug bis zum frühen Morgen durch die glitschigsten Seiten des Netzes. Pornoinfizierte Gesellschaft hin oder her, sein

Körper war ein Krisengebiet, in dem Aufruhr und Brandschatzung herrschten, so sehnte er sich nach fremder Haut – nicht immer, aber an Tagen wie diesen: nur. Obwohl ihm bewusst war, dass guter Geschmack und Wollust sich ausschlossen, war er erschüttert, wie sehr ihn die billigsten, dreckigsten, verkommensten Schenkelspreizerinnen erregten. Wenn er sich dann befriedigte, hastig und gefährlich wacklig auf dem Bürostuhl vor seinem Computer, empfand er kaum mehr als eine schnöde Absonderung von Flüssigkeit.

Eine Woche nach Erscheinen des *Focus*-Artikels geschah etwas Unerwartetes. Krank vor Einsamkeit, hatte er morgens um acht schon Mania angerufen und gefleht, ihn zu besuchen. Er gebe auf! Dann duschte er lange, aß nur in Boxershorts das letzte trockene Brot, machte sein Bett und öffnete das Schlafzimmerfenster. Die Sonne zauberte das schönste Orange auf die Dachpfannen, darüber ein lichtes, aber ungewöhnlich intensives Blau. Ein Schumannlied kam ihm in den Sinn, kein Schlachtengesang, um die Angst zu bannen, sondern verstohlen auf Zehenspitzen: »Es war, als hätt der Himmel die Erde still geküsst.« Aus welcher Verästelung seines Hirns Zeilen wie Melodie auch immer aufgetaucht waren, sie kamen zur rechten Zeit.

Schlagartig fühlte Simon sich tröstlich unbedeutend. Die Schöpfung umfasste Menschen, Länder, Planeten, bekannte und unbekannte Galaxien, warum sollte seine Geringfügigkeit darin eine Rolle spielen? Er war, was er war. Mehr gab es nicht zu sagen. Einstein hatte das Licht mit dem Licht erklärt, Tschechow seiner Frau mitgeteilt, der Sinn des Lebens sei das Leben, das sei alles. Staunend ließ er sich aufs Bett fallen. Er hatte das Gefühl, an die Decke zu schweben, so leicht fühlte er sich.

»Wahrscheinlich ist es eine Psychose infolge von Reizentzug«, lachte Simon. »Aber fast hätte ich dir wieder abgesagt. Plötzlich geht es mir blendend.«

Davon abgesehen, habe ich jetzt auch meinen Computer in den Keller verbannt, hätte er fast hinzugefügt, dann aber erklären müssen, warum. Noch während er sich wie ein irrer Zwangsonanist durch den versammelten Schmutz im Netz lustgequält hatte – ein Portal warb zutreffend mit dem Slogan *Tonnenweise Dreck!!!* –, funkten die wenigen unverseuchten Hirnzellen, er werde sich am nächsten Tag wie ein Putzlappen vorkommen, ausgewrungen und übersät mit Schlacken sexuellen Unrats. Er wusste es nur zu gut, doch wenn hinter dem nächsten Klick ein noch perfekterer Hintern lauerte, noch größere Brüste, manchmal sogar ein noch schöneres Lächeln, dann fand er den Absprung nicht. Nur noch ein einziges Fickfilmchen, und ein letztes … Die Session der Nacht noch im System, hatte er beschlossen, höchstpersönlich die Weltmacht Internet in die Schranken zu weisen. Es war keine Frage der Moral; er hatte nichts gegen Pornografie, nur etwas gegen Sucht.

Mania hatte ihm neben der Aufstockung seines Kühlschranks auch Weintrauben, Pasteten, Käse und Baguettes gebracht, und da er sich immer noch großartig fühlte, hatte er auf dem Wohnzimmerfußboden eine Decke ausgebreitet und ein Picknick improvisiert.

»Mir war gar nicht bewusst, wie aggressiv Einsamkeit sein kann.« Er biss eine blaue Traube von ihrem Stängel. »Sie ist eben nicht Nichts, kein Vakuum, sondern ein enorm brutaler Angriff auf die Persönlichkeit, wenn du verstehst, was ich meine.«

»Ich verstehe gar nichts!« Mania konnte sich nicht zwischen Sorge und Ärger entscheiden. »Ich weiß nicht, warum du lebst, wie du lebst, warum du dir das antust, warum du nicht endlich damit aufhörst.«

Simon zuckte die Schultern: »Ich könnte versuchen, es zu erklären, aber das wäre Quatsch. Im Grunde weiß ich es selbst nicht. Mir ist nur klar, dass ich auf keinem falschen Weg bin. Plötzlich stimmt etwas mit mir.«

»Ich! Ich! Ich!« Sie setzte ihr Wasserglas hart auf dem Boden ab. »Entschuldige, aber du bist Teil der Welt, ein soziales Wesen, ob du willst oder nicht. Mit deinem beruflichen Hintergrund müsstest du das eigentlich wissen!«

»Warum so konventionell? Es ist merkwürdig: Wenn man nicht absehbar ist, werden die Leute fies. Aus der einfachen Feststellung des Alleinseins wird sehr schnell ein Urteil. Sich Freiheiten zu nehmen – das kann ja nur himmelschreiender Egoismus sein.«

»Ist es das nicht?«

»Nein. Den Begriff unsozial kann ich vielleicht noch hinnehmen, obwohl der auch zu negativ klingt. Warum wird ein vorübergehender Rückzug wie eine Verfehlung betrachtet, über die ich Rechenschaft abzulegen habe? Was ist so schlimm daran?«

Mania, die sich auf der buntgestreiften Decke lang gemacht hatte, stützte sich auf einen Ellbogen und berührte kurz seinen Oberschenkel. »Ich wollte dich nicht bedrängen. Aber gibt es etwas Eitleres, als sich komplett der Öffentlichkeit zu entziehen, wenn man so leicht im Rampenlicht stehen könnte? Ich sehe einfach nicht, wohin das führen soll.«

»Ich auch nicht«, antwortete er aufrichtig.

Mania hatte Forellenkaviar auf ein halbes hartgekochtes Ei geschichtet, führte es vorsichtig zum Mund, hielt aber mitten in der Bewegung inne: »Warum hältst du eigentlich noch Kontakt mit mir?«

»Ich muss doch mit jemandem darüber reden, dass ich mit niemandem rede.«

Sie lachte und verstreute etwas Kaviar dabei. »Mist, hast du mal Haushaltspapier?«

»Warte, du kriegst eine Leinenserviette«, rief er im Aufspringen.

»So vornehm?«

»Ich habe schon seit einiger Zeit das Gefühl, bei mir selber zu Besuch zu sein. Ich versuche deshalb, mich einigermaßen gut zu benehmen.«

7 »Ach, Junge, wie gut, dass ich dich endlich erreiche!« Vivians Mutter Astrid brüllte wie immer zu laut in den Hörer.

Simon war nur widerwillig ans Telefon gegangen. »Klar bin ich zu Hause, bin doch brav«, versuchte er einen Scherz.

»Da hab ich wohl Pech gehabt, bei mir ist immer nur der AB dran«, sagte sie ohne Vorwurf.

Simon ließ alle im Glauben, er sei viel unterwegs, so musste er sich nicht rechtfertigen. Er ging kaum noch ans Telefon. Gespräche mit Freunden, diese Mischung aus Geplauder und Verhör, nervten. *Wie geht's dir? Was machst du? Ist dir nicht langweilig? Was willst du jetzt mit deinem Leben anfangen?* Solche Fragen konnte und wollte er nicht beantworten. Er lebte. Es ging ihm. Basta.

»Jetzt bin ich ja da, Mutter. Wie geht's?« Das Wort Mutter war ihm aus Gewohnheit über die Lippen gekommen. Er fürchtete, dass es nicht mehr zutraf.

»Ach, um mich geht es nicht, es ist wegen Vivi.«

Sofort hob sich sein Magen: »Was ist passiert?«

»Kannst du bitte vorbeikommen, Junge? Ich möchte das nicht am Telefon bereden.«

Er kannte das schon, sie telefonierte nicht gern. Als sie sich einmal beschwerte, ihn nie zu erreichen, wollte er ihr seine Handynummer geben. »Warum soll ich jemanden anrufen, der nicht zu Hause ist?«, hatte sie staunend gefragt. »Gut, dann komme ich am Wochenende«, schlug er vor.

»Nein, heute.«

Seine Alarmglocken schrillten, diesen Ton kannte er nicht an ihr: »Ich mach mich sofort auf den Weg, in Ordnung?«

Es war schwer gewesen, den »Schwiegereltern« in therapeutischen Dosen die Alkoholsucht ihrer Tochter zu verabreichen. Bei seinem Auszug vor drei Monaten hatte er kurz überlegt, sich einfach aus dem Staub zu machen, ohne die Schreckensnachricht zu überbringen, aber eine Erklärung war er ihnen schuldig. Außerdem mussten sie gewappnet sein, falls Vivian in Schwierigkeiten geriet. Besser: wenn. Natürlich folgte das große Händeringen: »Erzähl mir nichts! Doch nicht unsere Tochter!«, hatte Astrid unter Tränen gerufen. Erich brütete wie immer, blaffte dann nur: »Ruhig, Frau!« Schließlich hatte Simon versucht, ihnen das Konzept der Co-Abhängigkeit zu erklären. »Am besten für Vivi wäre es, wenn ihr euch komplett zurückzieht.«

Selbstredend hielt Astrid sich nicht daran. Sie klingelte, hämmerte an Vivians Tür, telefonierte, schickte Briefe und sogar eine Mail, aber ihre Tochter stellte sich tot. Schließlich verschaffte sie sich mit dem Generalschlüssel des Hauswarts Zutritt und verlor fast den Verstand: Vivian und die Wohnung mussten in einem erschütternden Zustand gewesen sein, doch Zureden wie Tränen blieben wirkungslos. Sie weigerte sich vehement, Hilfe anzunehmen. Seitdem war mehrfach der Notarzt gekommen, und die Sozialarbeiterin hatte die Schwiegereltern zwei Mal einbestellt, um die weitere Vorgehensweise zu besprechen. Vielleicht war in dieser Richtung etwas vorgefallen.

Simon gönnte sich ein Taxi nach Rentenhausen, wie er die Neubausiedlung in Tempelhof nannte. Die stumpfe

Biederkeit des Viertels spiegelte sich auch in der Etagen-
wohnung wieder, obwohl Astrid sie »progressiv« fand. Sie
öffnete ihm in einem afrikanisch anmutenden Kaftan. Er
gab ihr einen Kuss auf die Wange, und sie lotste ihn ins
Wohnzimmer, wo er Erich, der sich wie üblich nicht aus
dem Sessel erhob, die Hand gab.

»Tach!« Seit seiner Frühverrentung wegen kaputten
Rückens schien der ehemalige Fliesenleger auch seine
Zunge nicht mehr auf Arbeit zu schicken.

»Hallo Erich.« Zu »Vater« hatte er sich nie durchringen
können. Sein eigener war kaum einer gewesen und der
hier schon mal gar nicht.

»Kommt, wir gehen in den Wintergarten«, schlug Astrid
vor. »Vielleicht zeigt sich die Sonne ja doch noch.« Widerspruch zwecklos, dort war längst für Kaffee und Kuchen
gedeckt. Zum Ruhestand hatten sie sich noch einmal ins
Zeug gelegt, den Balkon verglast und zum Wintergarten
gemacht, mit einem Durchbruch Kochküche und Wohnzimmer vereint und bis auf das Schlafzimmer alles neu
eingerichtet. »Toskanahölle!«, hatte er Vivian damals zugeflüstert, und sie hatte geprustet: »Wenn ich noch einmal
die Wörter ›Rostrot‹ und ›Schwammtechnik‹ höre, ersticke
ich sie mit Basilikum!« Sie nahmen am Holztisch im
Country-Look Platz, Astrid höflich lächelnd, Erich mit
dem verstockten Blick, den er nur für Simon reservierte,
den »Typ aus der Quatschbude«.

»Möchtest du Kaffee?« Astrid klang beunruhigend gutgelaunt. »Wir können jetzt auch Espresso und Latte.«

»Espresso wäre prima.«

Als sie in der Küche verschwand, räusperte Simon sich:
»Und, wie geht's so?«

»Muss ja.«

»Was ist denn nun mit Vivian?«

»Warte, bis die Frau kommt.«

Derart ausgebremst, piddelte er umständlich an der

Bienenwachskerze, bis Astrid endlich mit dem Espresso und zwei Tassen Filterkaffee für sich und Erich zurückkehrte: »Kuchen? Bedien dich, ist der gute Panettone von *Plus*!«

»Später, danke. Jetzt sag doch endlich, was los ist!«

»Vielleicht brauchen wir dich!« Sie versuchte erfolglos, eine bedeutungsschwangere Pause zu machen. »Ich meine natürlich, vielleicht braucht Vivi dich!«

●

Ob es Vormittag oder Nachmittag ist, weiß sie nicht. Zählt nur, dass Wein und Schnaps alle sind. Mühsam zieht sie einen Trenchcoat über den Schlafanzug, schlüpft in ihre hohen Stiefel. Das muss reichen. Die Haare kommen unter eine Wollmütze. Bevor sie die Wohnung verlässt, gurgelt sie zwei Mal mit *Odol* und schlägt sich nachlässig ins Gesicht, um etwas Farbe zu kriegen. Sie wählt eine geräumige, blickdichte Tasche aus und wird versuchen, so viele Flaschen wie möglich zu besorgen, dann muss sie nicht so oft aus dem Haus. Die vielen leeren Flaschen müssten in den Container, aber nicht heute. Sie legt ein Ohr an die Wohnungstür, öffnet sie einen Spalt, schaut nach, ob die Luft rein ist. Die Hundeblicke der Nachbarn, seit Simon weg ist, sind nicht zu ertragen. Tasche in der Linken, rechte Hand fest am Geländer, arbeitet sie sich nach unten. Warum mussten sie ausgerechnet in ein Haus ohne Aufzug ziehen, sie hatten doch Geld? Bekloppte falsche Bescheidenheit! Während sie auf jedem Treppenabsatz eine Pause macht, überlegt sie, welchen Laden sie aufsuchen soll. Inzwischen kennt sie jeden Getränkemarkt, jedes Lebensmittelgeschäft, jeden Spätkauf im Umkreis von zwei Kilometern. Um nicht wie eine Stadtstreicherin behandelt zu werden, kauft sie mal hier, mal da. Heute geht es ihr nicht gut, sie ist wacklig auf den Beinen, *Getränke Hoffmann* muss reichen. Den hasst sie zwar, aber weiter schafft sie es nicht. Proleten alle, Kunden wie Verkäufer. Stehen zwischen den hässlichen Holzregalen unter hässlichem Licht, labern dummes Zeug, versaufen ihre letzten Kröten. Mist! Hat sie Geld eingesteckt? Noch mal rauf und wieder runter ist nicht drin. In dem Fall müsste sie eine Pizza bestellen und Wein dazu. Pizza kann man wegwerfen, oft genug gemacht. Warum ist im verpissten Deutschland ein Bringdienst für Alkohol verboten? Was geht das den Staat an? Sie tastet nach ihrem Geldbeutel, Gott sei Dank alles da. Nur dick gefüllt ist er nicht mehr. Sie bekommt zwar Krankengeld – Scheiße, da muss sie auch noch hin, sich weiter krankschreiben lassen und dabei den Sermon des Arztes über sich ergehen lassen – Krankengeld also, aber die Tage des guten Bordeaux sind lange vorbei. Auch egal. Draußen einfach nach unten geguckt, immer nur auf Stiefel und Asphalt. Das kann sie richtig gut. Jemand grüßt? Ach, nicht gesehen. Der Getränkemarkt ist ziemlich leer, gut. Einmal nach hinten links zum Wein. Gavi di Gavi? Beschissener Frauenwein. Lieber den Weißwein aus Umbrien, 13 %, das ist doch mal was! Vier Flaschen davon in den Einkaufswagen. Dann ein Sonderangebot, Südafrika, 3,99. Auch vier. Und was Hochprozentiges, Wodka. Zwei Flaschen, nein, eine muss reichen. Sie zählt nach: vier, acht, neun Flaschen – zuviel. Die kann sie nie und nimmer hoch schleppen. Sechs Flaschen vielleicht. Also drei zurück, oder doch nur zwei? Und welche? Weiß, definitiv. Rot knallt mehr. Einen Weißen in einer Hand, einen Roten in der anderen, will sie die Flaschen zurückstellen, lehnt sich über den Einkaufswagen, passt nicht auf, und alles knallt auf den Boden, zerbirst in tausend Stücke, ein rotweißer See mit Inseln aus Glas. Während sie mit hochgezogenen Schultern dasteht, hechtet der Filialleiter, der immer nach kaltem Zigarillo stinkt, in den Gang und guckt, als wäre sie eine Attentäterin. Wenigstens pro forma schiebt sie den Einkaufswagen zur Seite, geht zwei Schritt vor, will

sich bücken, rutscht aus, knallt hin. Bloß nicht liegen bleiben in dem stinkigen Nass, durchatmen, aufstehen, einfach langsam aufstehen. Würde bewahren. Geht doch, geht
doch irgendwie.

»Scheiße!«, blökt der Filialleiter. »Guckt euch die ver-
schissene Scheiße an! Die Alte blutet wie Sau! Ruft mal
einer 'nen Rettungswagen? Schnell!«

•

»Da musste dann wieder ein Arzt kommen, diesmal vor
der ganzen Straße!« Astrid versagte die Stimme. Simon
fürchtete, sie werde, wie so oft in letzter Zeit, in Tränen
ausbrechen. Sie litt unter der gleichen Hilflosigkeit, die
auch ihm zugesetzt hatte. Schniefend nestelte sie an dem
Stofftaschentuch, das sie in der Hand knüllte. »Ziemlich
viele Schnittwunden, besonders an Händen und Beinen.
Sie musste genäht werden.«

»Es tut mir so leid!«

»Na, immerhin hat es was gebracht.«

»Wieso das denn?« Er schaute dabei Erich an. Der
schüttelte nur bedächtig den Kopf, was einem Satz gleich-
kam.

»Natürlich wollte sie nicht im Krankenhaus bleiben,
kannste dir ja denken«, fuhr Astrid fort. »Die haben sie
verarztet, und sie ist sofort wieder in ihre verdreckte Wohnung. Aber dann haben sich die Wunden entzündet …«

»… und sie konnte keinen Nachschub mehr besorgen?«

»Genau. Stell dir vor, jetzt hat sie sich freiwillig ein-
gewiesen!« Simon war so überrumpelt, dass er nur guttu-
rale Laute von sich gab. »Hast du nicht gehört, Junge? Ich
habe einen Anruf von der Entzugsklinik gekriegt, wo sie
heute vorstellig geworden ist. Für den Fall, dass was ist,
hat sie unsere Nummer angegeben.«

»Endlich. Hoffentlich steht sie das durch!«

»Klar«, sagte Erich.

»Wahrscheinlich drei Monate soll sie in der Klinik bleiben. Man weiß noch nicht, wie lange die Kasse zahlt«, erklärte Astrid.

»Ist sie in der Klinik am Wannsee?«

»Nein, in Charlottenburg. Warum?«

Simons Eitelkeit war verletzt. »Nicht so wichtig. Hauptsache, sie unternimmt was, sonst überlebt sie es nicht!« Er biss sich auf die Zunge, jetzt brach Astrid doch in Tränen aus. »Bitte nicht weinen! Dass sie überhaupt diesen Schritt tut, ist die halbe Miete.«

»Wenn sie dran bleibt.«

»Ihr müsst Geduld haben. Manche Patienten brauchen mehrere Anläufe. Aber dass sich jetzt Profis kümmern, ist doch ein riesiger Fortschritt, nicht!?«

»Dein Wort in Gottes Gehörgang!« Astrid schnäuzte sich. »Na ja, ich dachte, es wäre bestimmt gut, wenn du sie besuchst.«

»Kein Besuch in den ersten Wochen. Hat man euch das nicht gesagt?«

»Ach ja? Vielleicht. Ich war zu aufgeregt. Wenn wieder alles in Ordnung kommt«, sagte sie übergangslos, »kannst du doch wieder einziehen, was?«

Simon schaute auf den Espresso, den er nicht angerührt hatte. »Sicher«, sagte er.

Tagelang drückte ihn das schlechte Gewissen. Irgendwann würde er Vivians Eltern reinen Wein einschenken müssen. Fragte sich nur, ob er mit sich selbst im Reinen war. Wo ihre Beziehung stand, ob sie überhaupt noch existierte, wollte er entscheiden, wenn sie clean war. Ihre Trennung war durch die Sucht begründet gewesen, sollte sie also trocken werden – was sprach dagegen, wieder zusammenzuziehen?

Plötzlich hatte er das Gefühl, die Haut sei ihm zu eng

geworden. Wollte er nicht schon lange das Bad säubern? Hektisch kramte er Haushaltsreiniger, Schwamm, Tuch und Eimer unter der Spüle hervor und flüchtete ins Bad. Gab es eine sinnfälligere Tätigkeit? Etwas war schmutzig, man wischte herum, und schon konnte man einen Kleintriumph der Effektivität begutachten.

Während er den Wandspiegel mit Glasreiniger säuberte, wurde ihm klar, dass ein Kreis sich geschlossen hatte. Ruhm stieg zu Kopf wie ein Kater, und er hatte nur noch das Bedürfnis, nüchtern zu werden. Doch er war viel zu lädiert, um sich zur überfeinerten Sinnsuche in die Wüste zu begeben, der klassischen Landschaft für Einsiedler, Propheten und Verbannte. Und um sich spielerisch heranzupirschen, dazu fühlte er sich zu sorgenschwer. Die Frage lautete, ob es möglich sei, ohne Esoterik und Psychodrama das Alleinsein radikal bis an ein Ende zu treiben. Vielleicht würde ihn der Versuch in die Hölle der Einsamkeit treiben, vielleicht aber ließ sich so aus dem Dasein ein Kunstwerk machen.

Den Plan, sich zu ent-öffentlichen, würde er nur im urbanen Kunstlicht bestehen können, im härenen Hemd der Sinnsucher sähe er lächerlich aus. Und wo versteckt man einen Brillanten am besten? Für alle sichtbar in einem Kristalllüster! In der Pampa, im Dorf am Ende der Welt, an einer einsamen Felsküste war ein einzelner Mensch auffällig und kinderleicht aufzuspüren. Der Rückzug eines öffentlichen Mannes konnte nur gelingen, wo ihn niemand vermutete: in der Öffentlichkeit.

Einen Moment lang kamen ihm Zweifel, ob ein solches Unterfangen nicht gefährlich für seine geistige Gesundheit sei? Doch dann kam ihm ein Zitat in den Sinn. Wer hatte das nur gesagt: »Alles Unglück der Welt rührt daher, dass die Menschen nicht in ihren Wohnungen bleiben.«

8 Glücklicherweise passierte es im ruhigen Westen. »Das ist doch ... das glaub' ich jetzt nicht ... Simon Minkoff! ... oder?!? Krieg ich ein Autogramm?« Weil ihm nichts anderes übrigblieb, setzte Simon sein Fotogesicht auf. Der Typ war blass und dick, einer der Fernsehzombies, die ihm gefährlich werden konnten. Doch er war schon in voller Fahrt: »Nee, so was, Simon Minkoff, ich fass' es nicht! Hab' noch nie eine Sendung verpasst!«, plärrte er und schaute sich beifallheischend um.

»Wie heißen Sie, damit ich Ihnen eine Widmung schreiben kann?«, versuchte Simon ihn zu beschwichtigen.

Nachdem er »für den lieben Rico, herzlichst« auf dessen Computerzeitschrift gekritzelt hatte, zwei weitere aufmerksam gewordene Passanten versorgt und deren Fragen wie üblich mit »kreativer Pause« abgebügelt hatte, machte er sich aus dem Staub. Ob das noch die Nachwehen der *Focus*-Geschichte waren? Man hatte ihn in den letzten Wochen mehrfach wieder angesprochen, was ihn zwang, beim Freigang vorsichtshalber sein eigenes Viertel zu meiden. Wenigstens seine Adresse sollte geheim bleiben. Nachdem er sich zu seinem Experiment entschlossen hatte, wurde ihm klar, dass er ein Drehbuch brauchte. Naives Hineinschliddern wie in die *Focus*-Haft war nicht sonderlich intelligent. Sein Leben benötigte eine Grammatik, den Stundenplan eines Menschen ohne Verpflichtungen. Früher hatte er auf Einschränkungen aller Art sehr ungehalten reagiert, darin ein typisches Kind der Zeit. Nun begriff er, wie sehr ein Gefüge aus Gewohnheiten persönliche Freiräume erst herstellte.

Eins war von Beginn an klar: An einer Umgebung ohne Reize würde er irre werden. Vielleicht war sein Plan verstiegen, doch ein neurotischer Eremit war er nicht. Also legte er sich die Bereiche Kino, Parks, Kunst, freie Natur, Museum, Schwimmen und Fußgängerzonen zurecht, für den Anfang sogar mit festen Wochentagen.

Museen gingen immer außer montags, für Filme konnte er den preisgünstigen Kinotag nutzen, und bei der in jeder Hinsicht schrittweisen Erkundung sämtlicher Berliner Fußgängerzonen ging nur der Samstag. Je voller die Einkaufsstraße, desto durchsichtiger Simon. Gefährlich waren lediglich Begegnungen mit Spaziergängern in übersichtlicher Natur, im Tegeler Forst etwa oder auf den Rieselfeldern. Die Konsumisten dagegen hatten nur Augen für ihre Schnäppchen.

Um schwimmen zu können, nutzte er eine alte Verbindung: Vor Jahren hatte er den Chef des Berliner Pharmaunternehmens *Santasco* in der Sendung gehabt und war hinterher eingeladen worden, jederzeit das betriebseigene Schwimmbad aufzusuchen. Auf dieses Angebot kam er jetzt zurück. Wenn er mittags gegen eins kam, hatte er das Bad fast immer für sich, die Belegschaft saß in der Kantine. Luxushäftling, sagte er sich dann und setzte vergnügt eine Arschbombe ins Wasser.

Anfangs hatte er den Entschluss, sich zu entöffentlichen, als spirituelle Wette mit sich selbst betrachtet. Nun sah er, wie nachhaltig sie sein Leben veränderte. Um sich nicht zu langweilen, legte er es darauf an, sich zu überraschen. Fragen grundsätzlicher, sogar philosophischer Natur beschäftigten ihn, aber er kokettierte nicht einmal vor sich selbst damit, irgendein metaphysisches Raunen zu vernehmen. Die häufigsten Zwiegespräche mit sich selbst bezogen sich etwa auf das Schweinefilet in seinen Händen, das er laut Rezept in »etwas zerkleinertem Rosmarin« wälzen sollte. Wieviel war »etwas«? Und mit welchem Werkzeug zerkleinerte man Rosmarinnadeln? Während er in Ermangelung anderer Gerätschaften die Zweige mit einem Brotmesser attackierte, erzählte er sich die noch sehr junge Geschichte seiner Kochkünste.

Wenn er ehrlich war, fehlte Vivian ihm vor allem des-

wegen. Gegen eine Frau, die selbst im Tran Fünfgänge-
menus improvisieren konnte, hatte er nie ankochen können.
Deshalb besaß er, abgesehen von studentisch-nostalgischen
Spaghetti Bolognese oder leicht herzustellender Quiche,
kaum Übung. Was sich nun rächte. Anfangs hielt er sich
mit Pizzadienst und Fertiggerichten über Wasser, bis er die
aromatisierten und überwürzten Speisen im wahrsten
Sinn des Wortes nicht mehr riechen konnte. Schon beim
Gedanken an Tiefkühllasagne schauderte ihn. Also kaufte
er sich ein Kochbuch und entwickelte ein Repertoire. Was
mit faden Soßen, matschigem Rosenkohl und hämophilen
Steaks begann, hatte sich im Lauf der Zeit immerhin zu so
etwas wie Schweinefilet mit Äpfeln gemausert, im aktuel-
len Fall sogar mit Calvados flambiert. Während das Fleisch
briet, breitete er eine Marimekko-Decke aus und deckte
den Tisch mit Teller, Besteck, Weinglas, Wasserglas und
zwei Kerzenhaltern.

Er schaltete die Hitze zurück, ließ das Fleisch im Bräter
köcheln, während er Zwiebeln und Äpfel vorbereitete.
Filet mit Apfel in Calvadosrahm, welche Beilage sollte …
Mist! Er hatte den Calvados vergessen! Schneller Blick auf
die Küchenuhr, nur noch eine Viertelstunde, bis der Supermarkt schloss. Also wickelte er das Filet in Alufolie,
schob es in den vorgeheizten Ofen, wie das Rezept es vorsah, und zog eilig eine Jacke über.

Mehr aus ästhetischen als aus politischen Gründen
hatte er Discounter bisher gemieden, aber der Laden in
seiner Nähe war perfekt für seine Bedürfnisse. Ein riesiges
Sortiment, und die Kundschaft von plärrenden Kleinkin-
dern, Geldsorgen und einem überwältigenden Alkoholika-
Angebot wunderbar abgelenkt. Nur mit Mühe fand er eine
Miniflasche Calvados. Hungrig verließ er den Supermarkt,
als er von hinten angesprochen wurde: »Herr Minkoff, Sie
sind es in der Tat!« Unwillig drehte er sich um und erblickte die Thessow, eine Medienjournalistin, deren Arti-

kel er immer geschätzt hatte. Und dann geschah etwas Befremdliches: Ohne zu überlegen, rannte er weg. Den Calvados in die linke Hand gekrampft, preschte er mit blinden Augen den Bürgersteig entlang wie ein Fünfjähriger, der von bösen Geistern gejagt wird. Sein Tempo war so rasant, dass er erst ein Haus nach dem seinen zum Stehen kam. Keuchend stützte er die Arme auf den Oberschenkeln ab und versuchte, wieder zu sich zu kommen. Nicht nur die Anstrengung, auch heiße Scham hatte sein Gesicht dunkelrot gesprenkelt.

Am nächsten Tag begann wieder eine der Perioden, die er so fürchtete. Einsamkeit und Ausweglosigkeit packten ihn. Er zweifelte, haderte mit sich, der Welt und dem Leben. In solcher Stimmung gelang es ihm nicht, das Haus zu verlassen. Er konnte sich mit keinem Film, keiner Ausstellung, keinem Buch retten. Stumpf hockte er auf dem Fußboden. Selbstverwirklichung? Die Suche nach Freiheit? Experiment? Das Einzige, was er erreicht hatte, war, ein Minuszeichen aus sich zu machen, ein unproduktives, unkommunikatives, überflüssiges Minuszeichen, ein Loch in der Welt. Er war versiegt.

Solche Tage hatten weder Anfang noch Ende. Dämmerung wie Morgengrauen wirkten wie mechanischer Bühnenzauber. In diesen Phasen lernte er, dass sogar Mutlosigkeit langweilig werden konnte. Um irgendetwas zu tun, griff er dann nach Kriminalromanen. Sie besänftigten seine Verzweiflung nicht, halfen aber, die Zeit in Bewegung zu bringen. Nur spannend und gut geschrieben durften sie nicht sein, das ertrug er nicht.

Wenn er nicht mehr sitzen konnte, tigerte er auf und ab. Im Schlafzimmer wollte er am liebsten durch die Wand, in die nächste Wohnung, ins nächste Haus. Weil das nicht möglich war, trat er gegen die Mauer, wieder und wieder, bis seine Zehen schmerzten. Die Schmutzflecken neben dem Nachttisch waren Zeugen solch verzweifelter Tage.

Um sich zu retten, war es unabdingbar, seine vier Wände zu verlassen. Einfach gesagt, sehr schwer getan. Auf perverse Weise schien er seine Pulverisierung durch Langeweile zu lieben, so schwer fiel es ihm, aus dem Haus zu gehen. Hatte er sich endlich dazu durchringen können – tastend, ängstlich –, fiel die Verzweiflung schnell von ihm ab. Dieses Mal half ein anderes probates Mittel: die Schwimmhalle. Eigentlich war der Mittwoch sein Stammtag, doch er war so ausgehungert nach Bewegung, dass er an einem Samstag um 17 Uhr noch aufbrach, obwohl das Bad anderthalb Stunden später schloss.

Der Bademeister grüßte wie gewöhnlich mit hochgezogener Augenbraue: »Ach, Sie wieder. Wir schließen!«

»Ihnen auch einen schönen Tag«, rief Simon und ließ den Rucksack mit den Badesachen von seiner Schulter gleiten. Er freute sich auf das Ebenmaß der Bewegungen und die Losgelöstheit im Wasser und hatte nicht vor, sich von der üblichen Berliner Höflichkeit die Stimmung verderben zu lassen. »Ich kenne die Öffnungszeiten, und bis Sie schließen, habe ich mein Programm längst abgespult, Sie … Bademeister!«

Schon als er seine Kleidung in den Spind stopfte, konnte er freier atmen. Übermütig machte er ein paar Kraulbewegungen. Luftschwimmen, das sportliche Gegenstück zur Luftgitarre. In der Dusche seifte er sich nur oberflächlich ein, genoss aber die Rutschbahnen aus Schaum, die seine Hände kreisend herstellten.

Wie erwartet und erhofft, war die Halle leer. Am liebsten wäre er johlend ins Becken gesprungen, riss sich aber am Riemen, weil er dem Bademeister, der ihn offensichtlich aus der Glotze kannte und nicht mochte, keinen Grund zur Beschwerde liefern wollte. Also hechtete er brav vom Block, tauchte lange und begann mit seiner Routine. Bei jeder Bahn, die er zog, abwechselnd Kraul, Brust,

Rücken, fiel etwas Dunkelheit von ihm ab. Nach 1500 Metern stieg er ausgepowert, aber beflügelt aus dem Becken. Im Gang zu den Duschen machte er ein paar Dehnübungen und genoss die Geschmeidigkeit der Muskulatur. Seine Brust fühlte sich wie auseinandergefaltet an. Er atmete tief, ließ die Luft ins Becken fallen, wie er es bei seinen wenigen Stunden Sprecherziehung gelernt hatte. »Mit dem Poloch atmen!«, hatte die weißhaarige Lehrerin immer gerufen. »Mit dem Poloch, meine Lieben!« Sein ganzer Körper kribbelte, besonders die Hände, deren Fingerspitzen vor Lebendigkeit fast taub waren.

Als er nach den abschließenden Rumpfbeugen zu den Duschen ging, wäre er fast mit einer Frau zusammengestoßen. Sie trug einen Bikini, war etwas älter als er, schlank, alabasterhäutig, mit nass nach hinten geklatschten Haaren. Er versuchte ihr auszuweichen, sie ihm, beide entschieden sich aber verdruckst lächelnd immer wieder für dieselbe Seite, wie zwei Spielzeughündchen mit Magneten im Maul. Die Frau breitete verlegen die Arme aus. Er starrte auf ihre Brüste. Mehr war nicht nötig. Wie ein Kind würde er sie bei der Hand nehmen, in eine Kabine der Herrenumkleide führen, umstandslos beide Türen verrammeln, indem er die Bank herunterklappte. Mit einer Dringlichkeit, als müsse er sie retten, würde er ihr die Zunge in den Mund stoßen, harsch die Bikinihose runterreißen, die Träger des Oberteils von ihren Schultern streifen, den nassen Stoff nach unten rollen und den verdrehten Fetzen achtlos zwischen Brust und Bauch hängen lassen. Dann würde er sich vorbeugen, ihre blassen Nippel kauen, bis sie sich mit einem heiseren Stöhnen in seine Haare krallte und seinen Kopf von sich riss. Eine Hundertstelsekunde blickten sie sich in die Augen, Menschentiere. Sie fetzte seine Shorts herunter, krallte ihre Hand um Schwanz und Eier. »Fick mich«, hechelte sie. »Fick mich.« Er presste sie gegen die Tür, verging in durchpulstem Frauenfleisch. Sie schlang die Arme um seinen Hals und sprang hoch, während er ihre Beine um seine Hüften zwang. Als er in sie eindrang, scherte er sich nicht um seinen Schwanz, ließ ihm jeden Willen. Er küsste sie, saugte Atemluft aus ihrem Hals, bis sie ihn wegstieß und in seine Schulter biss, um ihr hohes Wimmern zu dämpfen. *Fotze* würde er denken, *du Fotze, mach dich eng.* Die Wucht der Bewegung trieb ihre nassen Körper klatschend gegen die Wand. Sie ritt ihn, er stieß von unten, hyperventilierend, bis sein Orgasmus ihn wie eine Ohnmacht fällte.

»Ah, 'tschuldigung«, lächelte die Frau scheu. »Sie bleiben jetzt besser stehen.«

»Mir tut es …«, krächzte er und stand stocksteif, während sie schnell an ihm vorbeihuschte. Im Weggehen registrierte er, dass sie nicht schlank war, sondern hager, sah ihre ungesund grobporige Haut, die rot unterlaufenen Augen, ihre dünnen Handgelenke.

9 Allmählich lichteten sich die Wolken. Er fühlte sich weder besser noch weiser: keine Beseeltheit des Sinnsuchers, nicht die Selbstgewissheit des Esoterikers oder das Gottvertrauen des Sünders. Es war vorbei, er war heilfroh, spürte aber trotz allem, dass er mit sich in Kontakt getreten war, eine dunkle und verwirrende Angelegenheit. In dieser Stimmung schien es ihm undenkbar, jemals ins normale Berufsleben zurückzukehren. Irgendwann würde er es müssen, wenn nicht aus Gründen geistiger Hygiene, dann aus Geldmangel, aber die Zeit war noch nicht gekommen. Auf tastenden Pfoten nahm er wieder Kontakt zum Leben auf, wusch und pflegte sich, fand sämtliche Sinne erfrischt. Eine Knoblauchfahne in der U-Bahn entzückte ihn ebenso wie der Duft von Hyazinthen, die Vierte von Brahms hörte er wie neu, er genoss sogar die Brunftlaute eines Straßenmusikers, der sich ein Didgeridoo aus Fallrohren gebastelt hatte, und entdeckte – jedes Mal aufs Neue – den wunderbaren Geschmack gebratener Leber. Zu sagen, seine Haut sei dicker geworden, wäre gelogen, aber Haut, das ist bekannt, erneuert sich nur in der Nacht.

Dann beginnt alles von vorn.

Der Ablauf ist immer derselbe: Er wacht auf, und ein großes schuppiges Tier hockt auf seinem Bauch. Sinnlos zwar, aber er versucht zu handeln. Ich hatte erst letzten Monat zwei schwarze Wochen, wäre nur fair, eine Weile verschont zu bleiben, nicht wahr?! Aber kein Anschluss unter dieser Nummer. Langsam kriecht die Frage in ihm hoch, wie lange das Tier ihm diesmal die Luft abpressen wird. Immerhin phantasiert er nicht eine Sekunde, sich durch Strick, Schnitt oder Sprung zu drücken; die Sorge um Vivians Leben hat ihm jede Todessehnsucht als Rüsche kenntlich gemacht.

Im Bett faltet er sich so unauffindbar wie möglich zusammen, Decke überm Kopf, manchmal das Kissen aufs Gesicht gedrückt, bis die Atemluft dünn wird. Die Schultern schmerzen, die Hüften, die Knie. Er wird mit Druckstellen übersät sein, mit einer dreidimensionalen Karte seiner Bett- und Seelenlandschaft.

»Vom Rad gefallen, der Volltrottel!« Mitten im Hochschulseminar, beim Moderationsschreiben oder während eines harmlosen Spaziergangs – sein ganzes Leben lang hallte diese Bemerkung über den Tod seines Vaters in seinem Inneren nach. Sie hatten die für ihre Beerdigungsgesellschaft viel zu große Totenkapelle verlassen, waren verstört dem Sarg gefolgt, als die Schnürsenkel des kleinen Simi sich lösten. Da war er sieben. Er hatte sich von Mutters Hand freigemacht, sich hingekniet und die Sonntagsschuhe mit einem doppelten Knoten gesichert. Da hörte er den Satz: »Vom Rad gefallen, der Volltrottel!« Er hatte es nicht fertiggebracht, hochzuschauen, wer von seinem toten Vater sprach, als müsse er spucken. Ein Ring glühender Scham hatte sich um seine Brust gelegt, und selbst als erwachsener Mann spürte er ihn jedes Mal aufs Neue, wenn die Erinnerung sich meldete. Er hätte den Schwätzer zur Rede stellen müssen, hatte aber den Kopf eingezogen, weil er ihm insgeheim recht gab. Die ewigen Fahrradklammern an Vaters Hosenbeinen, das unsichere Lächeln – so sah kein Vater aus, auf den man stolz sein konnte. Und dann so lächerlich zu Tode zu kommen: die falsche Richtung auf dem Fahrradweg, das für ihn so typische Zaudern, der Sturz und der Brei, der von ihm übrigblieb. Von einem Laster zermanscht wie eine Mücke! Grotesk. »Mein Vater ist bei einer Massenkarambolage gestorben«, hatte er jahrelang behauptet, später nur noch gebrummt: »Unfall. Kann mich kaum erinnern.«

Die Bettdecke über die Augen gezogen, will er die peinliche Erinnerung wegdrücken, sich andere Bilder schaffen, aber heute ist Dienstag, der Tag der Müllabfuhr. Der Lärm schlägt ihm auf die Blase. Er hat keine Wahl, wirft die Decke von sich, quält sich hoch und schließt das Fenster. Er schlurft ins Bad und setzt sich, das Gesicht in den Händen, auf die Toilette, obwohl ihn kein Frauenneid dazu zwingt. Nachdem er gepinkelt hat, bleibt er regungslos hocken. Der frühe Tod des Vaters hatte ihn nicht aus der Bahn geworfen, da folgte er keinem Lehrbuch. Doch obwohl jeder in der Familie wusste, auf welche Art er gestorben war, wurde der Unfall zum Geheimnis, zu etwas, von dem man so lange nicht sprach, bis es wie ungeschehen war. Simon kam mit seiner Mutter nicht besser oder schlechter aus als die Mitschüler, aber wenn er an seine Kindheit dachte, spürte er das Gewicht eines kalten Schweigens.

Eine Großfamilie mit Verwandtenbesuchen, Festen und gemeinsamen Urlauben waren sie nie gewesen. Eher die übliche Großstadtzelle VaterMutterKind, vollauf damit beschäftigt, über die Runden zu kommen. Den Onkel, die Cousine, die Schwägerin traf man einmal pro Saison, bot Kuchen an oder Grillgut und war froh, wenn daraus keine Verpflichtungen erwuchsen. Die Bande wurden durch Vaters Tod noch loser. Simon wuchs zwischen Kinderzimmer und Wohnküche in einer Welt energischer Stille auf. Praktisch hatte alles zu sein: Kleidung, Nahrung, die Wahl der Schule, sogar ein Vergnügen wie der Jahrmarkt, der aufgesucht wurde, wenn man frische Luft benötigte.

Erst Jahre später begriff er, wie sehr sie als Alleinerziehende auf diese Sachlichkeit angewiesen war. Zuneigung hatte ihm nie gefehlt, aber Phantasie, Schwärmerei, Übermut. Die prächtige Unvernunft von Spiel und Kunst blieb ihm lange verschlossen. Erst bei den trotzigen Abrechnungen der Pubertät warf er ihr das vor, doch es dauerte noch einmal Jahre, bis ihm klar wurde, wie die häusliche Nüchternheit seinen Drang nach Leidenschaften erst geweckt hatte. Als der erste Flaum spross, entdeckte er die Literatur für sich, die Fotografie, das Kino. Dort fand er, was dem mütterlichen Schwarzweiß, der Logik der Zu-erledigen-Listen und der Pragmatik des Herzens Paroli bot. Um mit diesen beängstigend lebendigen, in alle nur denkbaren Richtungen sich katapultierenden Eindrücken klarzukommen, musste er sich mitteilen. Während sie nur von Dingen redete, die man greifen konnte, versuchte der picklige Simon sich an einer anderen Sprache. Er akzeptierte nicht länger das Schweigen über offene Geheimnisse, wurde wütend, forderte, schmachtete, träumte, argumentierte. Mutter war irritiert, ließ ihn aber gewähren. Erst als er begann, unentwegt zu widersprechen, wurde sie sauer: »Du redest wie ein Advokat«, schimpfte sie. »Das ist hier keine Gerichtsserie, wo du ständig *Einspruch!* blöken kannst!« Letztlich hatte sie ihm auch dadurch geholfen. Um auf eine musische Schule zu wechseln, sechs Wochen Schüleraustausch bei einer schottischen Gastfamilie zu verbringen oder mit seiner ersten Freundin nach Florenz fahren zu dürfen, musste er einen Dialog in Gang setzen und erfolgreich zum Abschluss bringen. Das Schweigen der Familie hatte ihm zur Sprache verholfen.

Er hockt auf der Toilette, steht auf, ohne abzuziehen. Auch duschen ist ihm zuviel. Immer dasselbe, Tag für Tag für Tag. Wieviel Zeit bei dieser Routine draufgeht, rasieren, duschen, Haare waschen, abtrocknen, eincremen, deodorieren, Zähne putzen, frisieren! Wer erfindet die Pille, die das Haarwachstum stoppt, solange man keinen Bart will? Warum gibt es keine Röhre, wo mit Bürsten und weichem Leder die Hygiene erledigt wird wie in einer Autowaschanlage?

Ohne in den Spiegel zu schauen, tupft er sich Wasser ins Gesicht, unter die Arme, in den Schritt. Keine großen Umstände, keine Seife. Warum auch? Ihn kann sowieso niemand riechen. Barfuß und im Slip in die Küche zur nächsten Aufgabe: Worauf hat er denn Lust heute Morgen, der brave Simon? Schinkenbrot oder ein feines Müsli? Wir hätten auch Joghurt und Strauchtomaten und einen Ziegengouda im Angebot, bitte bedienen Sie sich! Er greift nach der Milch, sie ist zu kalt, die Küche auch. Er müsste jetzt die Heizung einschalten, rührt sich aber nicht. Eine halbe Stunde lang, eine Stunde.

Wenn er mit jemandem leben würde, einer neuen Freundin – würde das helfen? Würde er seine Stirn an die ihre lehnen und sagen: »Die Einsamkeit hat mich wieder.« Und sie? Tröstete ihn und kümmerte sich? »Als Vertrauten würde ich sowieso einen Freund vorziehen«, erklärte er der Milchtüte. »Frauen wollen einen immer schwach sehen, menschlich nennen sie das. Aber zeigst du dich dann mal schwach, verachten sie dich dafür, merk dir das!«

Mit der Strohblume war das auch so gewesen. Wenn er an den Vorfall dachte, pochte sein Herz wie wild hinter den Rippen. Immer noch. Vierzehn oder fünfzehn muss er gewesen sein und purzelbaumschlagend verliebt in seine Physiklehrerin, ausgerechnet Physik, sein schlechtestes Fach. Damals steckte er mitten in einer kurzen, aber heftigen bürgerlichen Phase. Er schämte sich nicht für die Verhältnisse, aus denen er stammte, litt aber zum ersten Mal unter der *Woolworth*-Ästhetik seiner Kleidung. Unbeleckt in Stilfragen, begann er abwechselnd, die Jacketts seiner beiden Anzüge zur Schule zu tragen. Unten Jeans, oben Jackett. Hinter ihrem Mietshaus, wo sich zwei Bänke und ein stets vollgekackter Sandkasten befanden, hatte eine tapfere Seele etwas Grün gepflanzt, von Forsythie bis Strohblume. Irgendwann hatte er im Vorübergehen eine Strohblume abgezupft und sich ans Revers gesteckt. Erst die zahlreichen Bemerkungen seiner Mitschüler ließen ihn glauben, er habe so etwas wie seinen Stil gefunden. Von nun an steckte er sich täglich eine Blume ins Knopfloch. Erwachsen fand er das und auf eine prickelnde Art exzentrisch.

Diese Fehleinschätzung hatte ihn auch dazu gebracht, eines Morgens zwei Strohblumen zu pflücken, eine für sich, eine für Frau Kranz, die Physiklehrerin. Ganz diskreter Gentleman, legte er sie auf ihr Pult und schrieb ein Zettelchen dazu, etwas wie »Der Schmuck einer schönen Frau«, genau konnte er sich später nicht erinnern. Voller Vorfreude saß er in der letzten Reihe des stufenförmig ansteigenden Physiksaals und fieberte ihrer Reaktion entgegen. Zwei Mal schon hatte sie ihn spaßeshalber »Sir Simon« genannt. Aber sie kam nicht allein. In ihrem Schlepptau war die Direktorin, eine linke Spießerin mit Hennazotteln, die wie üblich irgendwelche Unmaßgeblichkeiten zu verkünden hatte. Bevor sie dazu kam, entdeckte sie die Blüte. Sie nahm den Zettel zur Hand und verzog das Gesicht, als wäre ihr Finger beim Arschabwischen durch zu dünnes Papier gefahren. Nie würde er diese Miene vergessen. »Wer war das?« Alle Köpfe zu Simon, der gar nichts sagen musste. »Was sollen die Faxen? Vielleicht widmest du dich lieber deinen Studien, als solchen Stuss zu fabrizieren!«

Unter Simon tat sich die Erde auf, ein riesiges Loch, aus dem er für den Rest der Woche nicht herausfand. Mutter hatte Mühe, ihn wieder in den Unterricht zu schicken. Zum ersten Mal hatte er erfahren, was es bedeutet, sein Gesicht zu verlieren.

Ihm ist flau. Kein Appetit, aber er braucht was in den Magen. Also gut, eine Scheibe Toast, wenigstens die. Butter drauf und Salz. Kauen, schlucken, kauen, schlucken, kauen, schlucken. An guten Tagen zieht er Befriedigung daraus, dass nichts Unvorhergesehenes geschieht, aber jetzt würde er einen großen Zeh für eine Überraschung hergeben. Doch niemand wird anrufen oder klingeln, außer Rechnungen und Menükarten von Pizzadiensten wird nichts in der Post sein.

Bis zum Abend klafft ein monströses Loch, er stellt es sich groß vor wie Portugal. Er geht ins Wohnzimmer, und obwohl ihm kalt ist, reißt er beide Fenster auf. Normalerweise würde er jetzt seine Turnübungen machen. Verzagt hebt er die Arme bis zur Waagerechten, wie Blei sacken sie herunter. Da habe ich ein Dach überm Kopf, denkt er, zu essen, zu trinken und mehr Geld als nötig, aber habe ich ein Leben?

Das Kinn auf die Arme gestützt, legt er sich ins Fenster. Ein Kind mit blöder Andenmütze kickt Kiesel. Der braune Wagen eines Paketdienstes parkt in zweiter Reihe. Drei Pippimädchen eiern kichernd aus einem eingerüsteten Haus, gehen drei Schritte, kreischen hysterisch und rennen zurück. Kein Pkw. Ein Blick in den Himmel: nicht mal ein Flieger. Die Flugzeuge sind so deprimiert, dass sie in ihrem Hafen bleiben, denkt er. Der Dicke im Blaumann, der immer so glotzt, verlässt das Haus gegenüber, dicken Schal um den Hals, und rotzt an die Bordsteinkante.

Er schließt die Fenster, dreht die Heizung auf und setzt sich auf die Couch. Die Haut durchlässig wie Löschpapier, jedes Rufen der Passanten ein Affront, jedes Lachen ein Stich wie mit einer vielfach gehärteten Klinge. Also sitzen. Auf der schwarzen Couch sitzen. Er könnte Musik auflegen, wenigstens etwas *hören*. Aber was? Pop ist zu vergnügt, Klassik zu elegisch, Chanson zu selbstmitleidig, Metal zu anstrengend, Alternatives zu prätentiös, Jazz zu absehbar, Country zu … Country.

Und sitzt. Legt sich die Kuscheldecke um, die er für solche Situationen erworben hat, fetzt sie auf den Boden. Wirft Blicke auf die Wanduhr, stellt fest, dass wieder nur zehn Minuten vergangen sind, beginnt zu rechnen, wie oft zehn Minuten vergehen müssen, bis er sich gestatten kann, schlafen zu gehen. »Ein Gott langweilt sich nie, denn auch sein Nichtstun ist Arbeit«, hat er mal bei Jelinek gelesen. Nicht, dass er sich je für einen Gott gehalten hätte, aber von der will er sich nun auch wieder nichts sagen lassen. Dabei stimmt er ihr zu: Er ist kein Gott.

Nachdem er das rechte Bein über das linke geschlagen hat, das linke über das rechte, runtergerutscht ist im Sofa und wieder hoch, sich ausgestreckt hat und gekrümmt, schmerzt seine Wirbelsäule. Er geht zur Wand und lehnt sich mit geschlossenen Augen an, presst die Fersen gegen das kühle Mauerwerk, die Waden, die Oberschenkel, den Hintern, den Rücken, den Hinterkopf. Dräuend wie ein überhängendes Felsmassiv kommt die Wand ihm vor, lebensgefährlich. Er reißt die Augen auf, löst sich und beginnt die Stäbe im Parkett zu zählen. O ja, er hat das schon oft getan, das Ergebnis aber immer wieder vergessen, vielleicht vergessen wollen, damit er an Tagen wie diesem von neuem zählen kann. Wie ein zwanghaftes Gör, das nicht auf die Kanten von Gehwegplatten treten darf, trippelt er auf Zehenspitzen über das Holz, zwei, sieben, neun, zwölf, fünfzehn, achtzehn Stäbe, von Zimmertür zu Fenster neunzig insgesamt. Neunzig, das kann nicht sein, eine runde Zahl hätte er sich gemerkt. Also kehrt marsch, diesmal vom Fenster zur Tür. Und kommt auf zweiundneunzig. Beim dritten Mal rutscht er auf allen vieren, tippt mit dem Zeigefinger auf jeden Stab, zählt laut mit. Plötzlich Kapitulation. Er lässt den Oberkörper nach vorn gleiten, liegt auf dem Bauch, Arme zur Seite ausgestreckt wie ein Priesterkandidat bei der Weihe. (Wollmäuse unter der Couch.) Lange bleibt er so.

Aus dem dunkelblauen Anzug war er längst rausgewachsen. Die Hosenbeine zu kurz, konnten auch nicht mehr ausgelassen werden, aber Mutter wusste sich mit dunkelblauen Strümpfen zu helfen: »Dann fällt's nicht so auf!« Für einen neuen Anzug hatten sie weder Zeit noch Geld. Außerdem sollte das Publikum ihm ins Gesicht schauen, nicht auf die Knöchel. Der Pfarrer ihrer Kirchengemeinde wurde in den Ruhestand versetzt, und obwohl sie nicht regelmäßig hingingen, war Simon ausgewählt worden, bei der Verabschiedung ein Gedicht aufzusagen. Elf, zwölf war er da. Er hat alles wieder vor Augen: seine Hochwasserhosen, die rotgold gestreifte Fliege mit Gummizug, den Seitenscheitel, dem seine widerborstigen Haare sich selbst unter Mutters stinkendem Haarspray nicht fügen wollten. Es war sein erster Auftritt gewesen, eine veritable Bühne mit Prospekten und Seitengassen. Vor dem geschlossenen Vorhang standen zwei Blumengestecke in Gelb und Weiß. Simon hatte das sehr vornehm gefunden. Als er sich auf die Zehenspitzen stellte, um durch das Guckloch im dunkelroten Samt in den Zuschauerraum zu linsen, nahm er den Geruch von Puder und Schweiß wahr, dem er später noch so oft begegnen sollte. Nur alte Leute im Saal. Jemand gab ihm Zeichen, in einer der Seitengassen hinter schwarzem Bühnenmolton zu warten.

An den genauen Ablauf konnte er sich nicht erinnern. Musik gab es, lange Reden, aber sein Herz pochte so laut, dass er nichts davon mitbekam. Kurz vor seinem Auftritt war alles aus. Text vergessen. Nichts als Leere mit sehr viel Echo im Kopf. Auf sein Stichwort hin trat er nur an die Rampe, weil ihm nichts Besseres einfiel. Er blickte ins Nichts, öffnete den Mund, und eine lange Ballade … war da. Besser vermochte er es später nicht zu sagen.

Als er fertig war, wurde ihm bewusst, dass er einen Biedermeierstrauß in der Hand hielt. Er machte einen Diener, stieg von der Bühne und überreichte ihn dem Herrn Pfarrer. Der strich ihm übers Haar: »Das war sehr schön! Ganz toll auswendig gelernt!« Dann erst nahm er den Applaus wahr. Wie lange die Leute klatschten! Während er nach Mutter Ausschau hielt, lächelten die Frauen ihn an, und die Männer nickten. Als er sie endlich entdeckt hatte, hob sie die Hände über den Kopf und klatschte mit verschmitzter Miene ganz schnell. Er verbeugte sich noch einmal und blieb sehr lange so stehen.

Ein Blick zur Küchenuhr: Eine Stunde hat er auf dem Fußboden gelegen, wieder eine Stunde geschafft. Er gießt sich Orangensaft ein, trinkt in großen Schlucken und lehnt sich an die Kühlschranktür. Ob Alkohol helfen würde? Nein. Vivian kommt ihm in den Sinn. Denkt sie gerade an Rotwein? Wie geht es ihr? Ob all ihre Sehnsucht immer noch dem Alkohol gilt? Eigenartig, da hat er mit einer Säuferin gelebt, sie aber nie betrunken gesehen. Kein Lallen, kein Torkeln, kein Palaver. Weder die tränenseligen Geständnisse der Beschwipsten, noch die Zanklust der Besoffenen. Wie hatte sie das nur gemacht? Lange steht er am Kühlschrank, spürt dieser Frau nach.

Wie ruhig es ist. Er kippt das Küchenfenster. In einem

unverhofften Anflug von Humor schaut er nach, ob vielleicht auch die Welt vor Langeweile dahingeschieden ist. Sie steht noch, aber still. Er marschiert durch Küche, Flur, Wohnzimmer, Schlafzimmer, Flur und wieder Küche. Immer Küche, Flur, Wohnzimmer, Schlafzimmer, Flur, Küche. Im Schlafzimmer schmeißt er sich aufs Bett, presst beide Daumen auf die Augäpfel, bis er rotgoldene Explosionen sieht. Eine Fruchtfliege webt in irrem Zickzack ihre Geschichte ins Zimmer.

Irgendwann – er hat es aufgegeben, auf die Uhr zu blicken – lässt sein Körper nicht mehr mit sich handeln: Hunger. Also in den Kühlschrank geschaut und hineingegriffen, nicht Mahlzeit, sondern Futter. Er säbelt eine dicke Scheibe Salami ab, stopft sie sich in den Mund und muss würgen. Mit dem Finger holt er einen Batzen Mayonnaise aus dem Glas, um sie rutschiger zu machen. Dann schiebt er eine Scheibe Schinken nach, reißt den Verschluss einer Dose Thunfisch auf, löffelt bis der ölige Geschmack ihn die Kühlschranktür zupfeffern lässt. Am Rand der Übelkeit schleicht er zurück ins Schlafzimmer, wo sich ein paar Sonnenstrahlen um die Ecke mogeln, auch das noch. Vergrätzt reißt er die Vorhänge zu.

Er legt sich vorsichtig aufs Bett. Das V-Wort steigt hoch, und sein Herz beginnt zu rasen: Verrat. Könnte er die Scham gegen Schmerzen tauschen, er würde keine Sekunde zögern zu wählen. Dann wird ihm übel. Er schafft es ins Bad, aber nur bis zum Waschbecken. Als er sein gräulich Erbrochenes sieht, würgt er gleich einen Schwall Gelbes hinterher. Ohne sich um die Beseitigung zu kümmern, springt er in Unterhose und Pullover unter die Dusche, Gesicht zur Wand wie ein ungehorsamer Klippschüler. Als seine Hände schrumpelig sind, stellt er die Dusche ab, pellt sich aus den nassen Klamotten, klatscht sie auf den Boden und reinigt mit halbgeschlossenen Lidern das Waschbecken. Sorgfältig wäscht er sich die Hände und schaut dabei zum ersten Mal an diesem Tag in den Spiegel. Ein nackter Mann mit rundem Rücken und verquollenem Gesicht.

Er schlüpft in seinen Bademantel und geht ins Wohnzimmer, wo er auf der Holzbank Platz nimmt. Blindlings fischt er einen Krimi aus dem Stapel neben der Bank heraus. »I'm dead. I'm telling the story. The dead don't lie.«, beginnt das Buch. Drei Stunden später muss er gähnen und stellt fest, dass die Dämmerung eingesetzt hat. Er legt das Buch beiseite, massiert seine Schläfen. Drei Stunden sind nicht schlecht. Er schließt die Vorhänge, öffnet seinen Bademantel und fummelt so desinteressiert an sich herum, dass er nach wenigen Handgriffen aufgibt.

Unverhofft steigt ihm ein Duft tief aus dem Unterbewusstsein in die Nase. Nein, nicht Duft, Geruch, gepaart mit Sex und Frauenangelegenheiten. Es wird ihm immer ein Buch mit sieben Siegeln bleiben, was Frauen so nüchtern mit »untenrum« bezeichnen: das Pflegen und Polieren, Eincremen und Trockenlegen, das Wachsen, Zupfen, Rasieren, Parfümieren. Von den Zysten, Verkühlungen, Entzündungen und Bakterien zu schweigen. Immerhin tragen sie schöne Namen: Clamydien – hört sich nach prachtvollen Blüten an. Jetzt hat er ihn wieder in der Nase, den Geruch. Spanien, ein heißer Nachmittag an der langweiligen Küste von Denia, ein langweiliger Urlaub, gewürzt nur mit viel Sex. Gestochen scharf die Rückblende. Wie sie nach einem Mittagessen – fangfrische Gambas und leichter Weißwein – miteinander geschlafen haben, und er erschöpft auf dem Bett liegt, die spanische Nackenrolle unbequem im Kreuz. Nach Sex hatte das Schlafzimmer gerochen, aber das ist nicht der Geruch, den er sucht. Vivian fehlt in dem Bild. Wo ist sie? In der Küche, nicht wahr? Sie kommt aus der Küche, ein buntes Tuch locker um die Hüften und lässt sich mit einem Seufzer neben ihn fallen. Dort hat er ihn zum ersten Mal wahrgenommen, den Geruch: abgestanden, pelzig, schal. Damals hat er ihre Alkoholfahne genauso beiseite geschoben wie ihre sporadische Teilnahmslosigkeit oder die forcierte Laune beim Bestellen einer weiteren Flasche Wein. All das hatte er gewittert, aber keinen Namen dafür gefunden.

Irgendwann erhebt er sich und geht ins Schlafzimmer. Das Licht braucht er nicht zu löschen, er hat keins gemacht. Er öffnet einen Fensterflügel und schaut in die Nacht. Der Mond hängt am Himmel wie ein halb gelutschtes Bonbon.

10 Eines Morgens wachte er auf und war glücklich. Während eine Regierung und die Schuhmode gewechselt hatten, Vietnamesen die Thais als beliebteste Köche ablösten, die ersten Kinder im Viertel Harfenunterricht erhielten und die letzten Großmütter Kittelschürzen trugen, war es Simon gelungen, durchsichtig zu werden. Lange hatte er daran gearbeitet, länger als vermutet. Ehemalige Kollegen, die die Frist mit etwa einem Jahr angesetzt hatten, waren von der Wirklichkeit widerlegt worden. Mindestens zwei Jahre mussten vergehen, bis er nicht mehr täglich angesprochen wurde. Vor einem halben Jahr hatte er dann registriert, dass die Öffentlichkeit dabei war, ihn, so wie er es sich erträumt hatte, zu begraben.

Nur in Shorts, den nackten Oberkörper der schon erstaunlich wärmenden Maisonne entgegengestreckt, stand er am offenen Fenster und begrüßte die Welt. An seinem täglichen Körpertraining hielt er eisern fest. *Die Welt begrüßen* war eine Übung zum Aufwärmen. Er stand mit leicht gespreizten Beinen und bewegte die Arme wie ein Dirigent, der sein Orchester auffordert, sich zu erheben. Etwas Majestätisches und Spöttisches zugleich lag darin. Die Welt begrüßte ihn nicht mehr, deshalb konnte nun er es tun. Die paradoxen Lebensumstände einer öffentlichen Person, dachte er. Erst wenn man sich von der Welt zurückgezogen hat, kann man sich wieder in ihr aufhalten. Vielleicht sollte er überteuerte Wochenendseminare im Unsichtbarwerden geben? In einer Gesellschaft, wo jeder berühmt werden wollte, wo Familienfehden im Nachmittagsprogramm ausgetragen wurden, Männer Schlamm fraßen, um ihren Promistatus nicht zu verlieren, und Frauen sich dabei filmen ließen, wie ihre Rosette gebleicht wurde, war das vielleicht ein erfolgversprechendes Businessmodell.

Ganz unsichtbar war er allerdings nicht geworden, eher opak. Vielleicht ein, zwei Mal noch in der Woche traf ihn ein wohlvertrauter Blick. Es hatte etwas von Stummfilmkomödie, weil er die Gedanken der Passanten deutlich lesen konnte, inklusive Gedankenstrich, Frage- und manchmal sogar Ausrufezeichen. Simon auf dem Trottoir, Passant nimmt ihn peripher wahr, schaut woanders hin und – lässt den Kopf ruckartig zurückschnellen. Schauspieler nennen das einen double take, komisch im Leben, schwierig in der Kunst. Im Lauf der Zeit genoss er diese Posse fast. Ein paar Mal hatte er sich hinreißen lassen, in ein Fragezeichengesicht unvermittelt »Simon Minkoff« zu rufen, was ihm das erwartet-erlöste »Jaaa!« einbrachte. Einmal allerdings musste er den Blick falsch eingeschätzt haben, denn die ältere Dame reagierte auf seine Bemerkung mit einem halblauten »Heute fliegen die Bekloppten aber wieder besonders tief!«

Simon profitierte davon, dass er sich unmerklich entspannt hatte und nicht mehr so sehr auf der Hut war. Früher hatte er die Fanblicke, im Versuch, sie zu negieren, häufig erst angezogen. Eine gewisse Verkrampftheit war von ihm ausgegangen, die Ausstrahlung eines Menschen, der sich zu auffällig im Griff hat. Jetzt vergaß er immer häufiger, dass jemand ihn beobachten könnte. Dennoch blieb von seiner Fernsehkarriere ein chronischer Defekt: Er konnte nicht mehr unbefangen gucken. Als Reaktion auf die öffentliche Aufmerksamkeit hatte er sich einen Blick in die Halbdistanz zugelegt, der ständig zwei Drittel seines Gesichtsfeldes ausblendete. Obwohl er sich bemühte, kam er davon nicht wieder los. In den Stand der Unschuld würde er nie mehr zurückfinden.

Mit seitlich ausgestreckten Armen begann er die nächste Übung. Handflächen gegenläufig nach oben und unten gewendet, dazu den Kopf wie eine Eule gedreht, leicht in die Knie gegangen, Becken vor, Bauchmuskeln angespannt. Eine Windböe fuhr durchs Fenster und strich über seine Brust. Er genoss die Spannung seines Körpers. Wenn er wankelmütig wurde und sich fragte, ob sein Solopfad nicht eher einem psychischen Defekt geschuldet war als dem freien Willen, suchte er Zuspruch in seinem Körper. Dort fand er Halt, wenn er in Gefahr war, sich aus den Augen zu verlieren. An Natur oder ein »wahres Ich«, das man nur befreien müsse, hatte er nie geglaubt, ihm war alles Kultur. Dennoch schien es etwas so Mysteriöses wie eine Körperwahrheit zu geben, die schwer zu täuschen und noch schwerer zu widerlegen war. Übermütig schüttelte er die Arme aus und machte ein paar gute, alte Liegestütze. Bei neunzehn musste er passen, er war schon mal besser gewesen. Dann sprang er auf, griff nach dem Handtuch und trocknete das feuchte Brusthaar. Ob er sich da mal rasieren sollte? Im Februar hatte er sich in einem Anfall aus Wintermüdigkeit und Todesverachtung in eine Sauna getraut und verblüfft festgestellt, dass in der Zwischenzeit eine neue, haarlose Rasse die Welt bevölkerte. Früher wäre ein Saunabesuch für ihn undenkbar gewesen. Die Heroine einer Daily Soap hatte ihm einmal erzählt, wie sie gegen jede Vernunft auf Amrum in einer winzigen Strandsauna geschwitzt und es herrlich gefunden hatte, nach dem ersten Saunagang in die kühle Nordsee zu hüpfen. Wenige

Tage später durfte sie sich dank freundlicher Strandspaziergänger mit Fotohandy splitterfasernackt in der *BILD am Sonntag* bewundern, inklusive scheinheiliger Ratschläge zum Thema Cellulite. Für Simon war die Sauna eine Mutprobe gewesen, ein erster Versuch, sich schutzlos in die Öffentlichkeit zu wagen. Nackter als nackt hatte er sich gefühlt, doch außer einem arschwackelnden älteren Mann schenkte ihm niemand groß Beachtung. Dabei war er durchaus auffällig gewesen, als einziger Mann ohne Tattoos und einer der wenigen mit Körperbehaarung. Dass Frauen neuerdings südlich des Bauchnabels wie Fünfjährige aussahen, hatte er schon gehört, aber auch die anwesenden Männer waren fast ausnahmslos intimrasiert. Soweit war es also gekommen: Er hatte die neuen Körper komplett verschlafen.

Jetzt begann er mit Laufen auf der Stelle. Hatten die eigentlich keine Kastrationsängste, wenn sie sich da unten rasierten? Lästig war es außerdem: Wenn man es nicht regelmäßig machte, piekste es furchtbar. Simon wusste Bescheid. Wie alle Jungs hatte er es in der Pubertät einmal ausprobiert.

Eigenartig: animalisch geil, supergeil, megageil wollten alle sein, aber dann wurde rasiert und gewachst, epiliert, gelasert, parfümiert, deodoriert, gesalbt, gezupft, geschnippelt und aufgespritzt, bis den Körpern jede Körperlichkeit ausgetrieben war. Sie wurden in die Zucht genommen und in etwas weniger Beunruhigendes überführt: in eine Sache. Konsequent nur, dass die größten Narzissten ihren Sport Bodybuilding nannten, Körper bauen. Und wenn er schon ein Ding war, konnte man mit ihm auch Handel treiben. Der Turbokörper als Währung auf dem Basar von Liebe und Sex.

Simon hatte an Tempo zugelegt und zog bei jeder Bewegung die Knie so hoch wie möglich zur Brust. Nicht lange, und er bekam Seitenstechen. Um wieder zu Luft zu kommen, beugte er sich vor, beide Hände auf die Oberschenkel gestützt.

Als er wieder bei Atem war, absolvierte er die restlichen Übungen, darunter den schmerzhaften Watschelgang und das schwungvolle *Mondstrahlen einfangen*, ausnahmsweise nicht kräftezehrend, sondern von exquisiter Grazie. Hier beschlich ihn oft das Gefühl – leider nur frustrierend kurz –, eine verborgene Tür in seinem Innersten zu öffnen, für die er ansonsten keinen Schlüssel fand. Manchmal wünschte er sich für sein Rückzugsexperiment eine Blaupause, doch er kannte niemanden, der sich wie er methodisch in die Anonymität schuftete. Zum Abschluss kam die Figur, die er am meisten schätzte: »Wie ein Krieger stehen.« Je nach Verfassung stand er entweder leicht breitbeinig, Arme und Handflächen offen, ein Bild lockerer Selbstbeherrschung, oder wie der Anführer einer Horde Eingeborener, tief in der Hocke, weit ausgestreckte Arme mit geballten Fäusten und unbändiger Lust im Blick, zu töten. Heute hielt er einfach sein Gesicht in den Wind, Augen geschlossen, gefasst und bedürfnislos. Danach straffte er sich, ging in die Küche, trank gierig aus dem Wasserhahn. Mit einem Glas Eistee und einem Müsli kam er zurück ins Wohnzimmer und ließ sich auf die Couch fallen. Wie er da so lag, alle viere von sich gestreckt, durchpulst von Wärme, die Sinne auf Empfang, blieb nicht der Hauch eines Zweifels: Er war zufrieden. Scheiße, dachte er, das kann nicht wahr sein. Mutterseelenallein, keine Frau, kein Job, die Drähte zur Welt gekappt, und er war – zufrieden? Wie konnte er Zufriedenheit spüren, wenn sein Alltag ein Spiegel war, in dem er niemanden erblickte als sich selbst? Oder war er vielleicht – eine furchtbare Vorstellung – nichts als ein ichsüchtiges Arschloch, das unter einer Sonderform sozialer Demenz litt?

●

Ärgerlicherweise hatte ich pissen müssen und lag schon um acht Uhr morgens wach. Beim Lüften entdeckte ich den Turner bei seiner namensgebenden Lieblingsbeschäftigung. Stand wieder im neckischen Höschen da und wedelte durch die Gegend, als wolle er die ganze Welt knutschen. Sah irrsinnig anstrengend aus, Liegestütze und so eine Art Galopp, bei dem man mächtig aus der Puste kam. In Form war er jedenfalls. Ich – bierweich um die Hüften und mit kleinem Bäuchlein – hätte das nicht hingekriegt. Wie der Wonneproppen Vosskamp wollte ich mit vierzig allerdings auch nicht aussehen. Vielleicht sollte ich es auch mal mit Sport versuchen. Oder so.

Die Vosskamp war mir nicht zufällig in den Kopf gekommen. Ziemlich verrückt, wie dringend die mal den Turner begutachten wollte. Hatte was von Kinderfilm: Zwei beste Freunde spähen den unheimlichen Verbrecher aus! Aber irgendwie auch süß. Doch zuerst musste ich den Turner etwas genauer unter die Lupe nehmen. Ob das schwer war? Im Krimi kommt im spannendsten Moment der Verfolgungsjagd immer eine Straßenbahn daher oder ein Möbelwagen stellt sich quer. Achtet eigentlich eine Zielperson auf ihre Umgebung, dreht sie sich um? Ist es eine Kunst, jemandem auf den Fersen zu bleiben? Warum nicht den Tag nutzen und es rausfinden? Viel zu tun hatte ich sowieso nicht. Eine Besprechung zur Ausstellung »Das kriegerische Parkett – Diplomatie unter Kaiser Wilhelm« im *Märkischen Museum*. Ansonsten tote Hose, leider in jeder Hinsicht.

Natürlich musste ich vor allem mitbekommen, wann er das Haus verließ. Also rückte ich meinen Schreibtisch vors Fenster und stellte den Stuhl so, dass ich leicht versetzt saß, aber trotzdem einen guten Blick hatte. In meinen Notizblock schrieb ich:

12. Mai, 8 Uhr 32: Turnübungen. Ungewiss, wann begonnen. 8 Uhr 46: Steht mucksmäuschenstill mit geschlos-

senen Augen, verlässt dann Wohnzimmer (Duschen?)
9 Uhr 17: Betritt Wohnzimmer in Jeans und T-Shirt, stellt
Tablett mit Schale und Glas (Wasser? Saft?) auf Couch-
tisch, fläzt sich hin, liegt.

●

Simon schlang sein Müsli mit Gusto herunter. Nach den
Übungen wusste er nie, wohin mit seiner Kraft, wollte
Wälder roden, etwas unternehmen, etwas schaffen. Immer
noch fiel er in sein altes, kleines Karo zurück, den Wert
eines Menschen danach zu bemessen, was er leistete, und
nicht danach, wer er war. Im Grunde hatte er längst begriffen, dass jedes Schachern um Erfolg mit Verzweiflung,
Herzinfarkt und *Alfa Romeos* bestraft wurde. Dennoch
galt sein erster Impuls immer noch dem Tun, nicht dem
Sein. Willst du unbedingt deine Talente unter Beweis stellen, dann mach dir einen professionellen Orangensaft,
ermahnte er sich. Also stiefelte er in die Küche, betätigte
seine chromglänzende italienische Saftpresse, säbelte in
einem Anfall von Dekorationswut einen Orangenschnitz
zurecht und setzte ihn auf den Glasrand, als kellnere er in
einem Grand-Restaurant.

Als er fertig gefrühstückt hatte, tat er etwas, womit er
einen zunehmenden Teil seiner Zeit verbrachte: Er legte
sich flach auf den Boden und schaute an die Decke. Es waren keine Luftlöcher, weil er nichts mit sich anfangen
konnte, im Gegenteil. Mit wachen Sinnen streckte er die
Extremitäten von sich und studierte, wie Zimmerecke und
Zimmerdecke über seiner Holzbank ein vollkommenes Y
bildeten, eine harmonische Schattenzeichnung, deren zu-
rückgenommene Eleganz durch das Weiß der Wände noch
verstärkt wurde. Dazu gesellte sich ein Sonnenfleck in
Form eines schrägen spitzwinkligen Dreiecks, Reflex des
Küchenfensters auf der anderen Seite des Flurs. Ein visuel-

les Haiku. Jeden Tag wurde der Fleck einen Hauch schmaler. War das Dreieck nur noch ein Lichtstrich, dauerte es nicht mehr lange, bis die Sommersonne es schon vor zwölf Uhr mittags schaffte, erste Strahlen in sein Wohnzimmer zu schicken. Momentan sah das Dreieck wie Pop Art aus, hatte keine Tiefe, war von gelblichstem Gelb, ohne jede Beimischung von Rot. Simon inhalierte die perfekte Farbe und war ganz im Lot. Hätte man ihn nach seiner Verfassung gefragt, er hätte sie mit »entfaltet« angegeben.

Kaum etwas hatte ihn mehr verblüfft als die Erkenntnis, dass Erfüllung sich nicht aus der Abwesenheit von Problemen ergab. Es war die Abwesenheit von Freude, nicht die von Ärger, die ihn glücklich machte. Jubeln, jauchzen und frohlocken kostete Kraft. Entzücken und Beglückung setzten voraus, dass man sie an etwas festmachte. Gute Laune und Späße wollten erarbeitet werden. Erst die Abwesenheit von Plus wie Minus ließ eine vollkommene Null erblühen, ein erfüllendes Rund ohne Richtung und Verpflichtung. Seinen Gemütszustand stellte er sich als das schönste Telegramm vor, das er jemals aufgegeben hatte: *Ich + stopp + bin + stopp + da.*

•

Was machte der nur? Schon ein paar Mal hatte ich ihn dabei erwischt, wie er ausgestreckt auf dem Boden lag und Löcher in die Decke starrte. War das eine autistische Störung oder nur eine Entspannungstechnik, Chigong im Liegen? Keine Ahnung, ich wusste nur, dass er ewig so liegen konnte. Fast hätte ich seinen Abgang verpasst, weil ich im Netz aus Langeweile noch mal ein paar Seiten gecheckt hatte, die sich mit ihm beschäftigten. Auf der Homepage seines Senders gab es ihn nicht mehr, kein Wunder nach all der Zeit. Auch die *My Space*-Seite, auf die sich viele Kommentare in den Fanforen bezogen, war futsch. Die hatte er wohl gelöscht, falls er sie je selbst bestückt hat, was bei Profis selten ist. Entweder besorgt der Sender das, oder man hält sich jemanden, der die Seiten und Profile mit Content füttert. Bei ihm, das konnte man noch aus Kommentaren schließen, hatte es wohl eine umfangreiche Galerie gegeben, und es waren jede Menge Musik- und sonstige Videos verlinkt, die ihm angeblich am Herzen lagen.

Interessanter waren schon die Archive der Zeitungen und Programmzeitschriften. Gott segne das Internet, das nicht vergisst und vergibt. Der *Spiegel* fragte sich, ob »der Moderator, der seinen Gästen und Themen ein ungewöhnlich hohes Maß an Sensibilität entgegenbrachte, genau daran gescheitert ist?«. In der *BUNTEN* las sich das ganz anders: »Die schöne Vivian hat ihm das Herz gebrochen! Jetzt verriet ein Freund des Paares intime Details: Sie haben sich in den letzten Monaten immer wieder gestritten. Streitpunkt war das Thema Hochzeit. Sie fühlte sich unter Druck gesetzt zu heiraten. Simon leidet sehr unter der Trennung.« Über die Frage, weshalb man seine Karriere schmeißt, nur weil mit der Beziehung Schluss ist, ging man elegant hinweg. Die *GALA* wusste wie immer alles besser: »Im Sommer hatte für Simon noch die Sonne geschienen. Trotz Tumordiagnose schien das Geschwür gutartig. Nun hat der beliebte Moderator erfahren, dass Krebs in seinen rechten Lungenflügel vorgedrungen ist. Sein Kampf gegen den Krebs ist für ihn kräftezehrend und oft niederschmetternd.«

Vertieft in Klatsch und Tratsch, bekam ich erst in letzter Sekunde mit, dass das verlassene, kranke Sensibelchen ausgehen wollte. Er hatte sich eine dunkle Leinenjacke angezogen und schloss das Wohnzimmerfenster. Ich schnell in die Schuhe, Jeansjacke geschnappt, runter gerannt. Als ausgefuchster Detektiv bin ich sicherheitshalber im Flur geblieben und habe durch das kaputte Glasornament gelinst, um ihm etwas Vorsprung zu geben. Er ging nach links, nächste Kreuzung noch einmal. Mauerpark also.

Jetzt war ich sieben, trug kurze Hosen und hätte mich vor Aufregung fast eingepullert. Das war das beste Räuber-und-Gendarm-Spiel meines Lebens. Etwa dreißig Meter Abstand wollte ich halten. Er durfte mich nicht entdecken, ich ihn aber auch nicht aus den Augen verlieren. Vielleicht wäre es klug, nicht direkt hinter ihm zu laufen, sondern auf die andere Straßenseite zu wechseln. Eine Weile ging das gut, doch als er den Mauerpark betrat, musste ich ihm in Ermanglung von Straßenseiten stracks hinterher.

Sein Gang fiel mir auf. Von Krankheit konnte nicht die Rede sein. Nicht, dass er gerannt wäre – eigentlich schritt er sogar bedächtig –, aber man hatte das Gefühl, er sei bis obenhin voll mit Energie.

●

Simon ließ die Mauergedenkstätte rechts liegen und bog in die Oderberger ein, die vielleicht neuberlinischste aller neuberliner Straßen. Hier lebten und verkehrten moderne, internationale Jungmenschen, denen die Gründerzeitstraße als Traumziel im modernen, internationalen Berlin galt. Die Passanten sahen gut aus, waren auf eine schnippische Art gut angezogen und gutgelaunt. Die Accessoires der jeunesse digitale wirkten wie angewachsene Körperteile: Kinder an der Hand junger Mütter, Laptops unter den Fingern junger Männer. Und umgekehrt. So innig die Bewohner und Besucher diese Gegend liebten, so sehr wurden sie in seltenem Schulterschluss von Bockwurst-Berlinern und Autonomen verabscheut. Simon konnte allerdings zunehmend schwerer die Frage beantworten, warum er sich über hübsche, gut erzogene, gut angezogene Mitmenschen aufregen sollte? Was war die Alternative – Satellitenschalenjunkies und Weinbrandalkoholiker, deren Sozialkompetenz aus dem Big-Brother-Container stammte? Er warf einen Blick in die Auslagen von *Kauf dich glücklich*, überquerte Schönhauser und Prenzlauer Allee, bog in die unhübsche Greifswalder Straße ein und näherte sich seinem Ziel, dem Volkspark Friedrichshain.

●

Nachdem ich eine halbe Stunde Minkoffs Rücken bewundert hatte, dämmerte mir, dass ein Detektivleben nicht nur aus Thrillermomenten besteht. Erst recht nicht aus Erotik. Kein Sportwagen und keine Blondine weit und breit. Ich war jetzt schon gelangweilt, was würde erst passieren, wenn ich ihn systematisch observierte? Da lief dieser Mann vor mir her – wie es aussah in den Volkspark –, und das war's dann auch schon mit dunklem Geheimnis. Wenn ich etwas Berichtenswertes über ihn herausfinden wollte, musste ich verdammt viel Geduld haben und jedem Hinweis nachgehen, warum er wie ein Mönch ohne Kloster lebte.

●

Am Eingang des Parks mit seinem Märchenbrunnen verlangsamte er den Schritt. Wie immer freute er sich über die zahlreichen Sandsteinskulpturen, von Schneewittchen und Dornröschen über Brüderchen und Schwesterchen bis zu den sieben Raben. Neben den wasserspuckenden Fröschen liebte er besonders die schlappohrigen Hunde, die aus suppenterrinenähnlichen Vasen lugten. Ein vielleicht neunjähriges Mädchen fiel ihm ins Auge, das zusammen mit Mama für Papas Fotoapparat posierte. Der Brunnen diente häufig als Kulisse, aber Simon fiel das geradezu abgefeimte Profilächeln der Kleinen auf: einen Arm dekorativ um Mutters Hals gelegt, schaute sie so schockierend effektsicher in die Kamera, dass er unwillkürlich innehielt.

●

War ich einer sensationellen Story auf der Spur? War das sein Geheimnis, war Simon Minkoff ein böser Onkel? Ich konnte mich gerade noch hinter einer Säule des kitschigen Brunnens verstecken, als er urplötzlich stehenblieb. Vorsichtig linste ich ums Eck und folgte seinem Blick. Er hatte ein Mädchen mit kurzem rosa Röckchen im Visier, das gerade von seinem Vater fotografiert wurde. Minkoff guckte nicht, er gierte. Ganz eigenartiger Gesichtsausdruck, weggetreten irgendwie. Ein Grabscher, den die Lust, kleine Mädchen zu belästigen, so umtreibt, dass er sich quasi selbst aus dem Verkehr zieht – das wär's doch! Eine Enthüllung mit Riesentrara, ein *stern*-Cover, eine *Spiegel*-Titelstory wie aus dem Bilderbuch. Schon klar: Die Chance, dass ich fündig geworden war, ging gegen null. Aber vielleicht hatte ich ja doch eine Spürnase und lag nicht ganz falsch. Ich griff in die Jackentasche, um mir wenigstens Notizen zu machen. Shit, Papier und Stift vergessen. Als Schnüffler hatte ich noch viel zu lernen.

●

Das waren die Momente, wo ihm das Fernsehen fehlte, die öffentliche Rede: Es handelte sich nur um eine marginale Begebenheit, aber in ihr sammelte sich der Bodensatz des Zeitgeistes. Die Neunjährige war nicht nur tadellos in ihrer Mimikry, sie besaß auch technische Kompetenz. In der Sekunde, wo das Bild geschossen war, fiel jeder Liebreiz von ihr ab. Sie rannte zum Vater, überprüfte konzentriert das Display und ordnete eine weitere Aufnahme an. Mehrmals ging das so, bis das Püppchen aus höchster Künstlichkeit ein Abbild kindlicher Unschuld hergestellt hatte und zufrieden war. Simon fühlte sich aus der Zeit gestürzt. Allein die Tatsache, dass ihm ihr Verhalten auffiel, machte ihn zum moralinsauren alten Sack. Er verließ den asphaltierten Weg und lief quer über die große Wiese, die zu dieser Tageszeit noch nicht mit Kinderwagen und Hundekacke gesprenkelt war. Das Minimodel hatte ihn auf eine Idee gebracht: Er würde seine alte Fotokamera hervorkramen, die er bestimmt seit fünfzehn Jahren nicht benutzt hatte.

•

Während Minkoff über die Wiese dapperte, hielt ich mich brav an den asphaltierten Weg. Er war der einzige Wiesenläufer, und ich wäre als Verfolger schnell aufgefallen. Interessantes Phänomen, dass die Leute keine Notiz von ihm nahmen. Manchmal schauten ihm junge Mütter hinterher, aber das hatte mit seiner TV-Bekanntheit wohl nichts zu tun. Er steuerte das szenige und ziemlich teure *Café Schönbrunn* an. Das passte. Als ich schon überlegte, mir vor dem billigeren Kiosk gleich daneben einen Platz zu suchen, passierte er die verwaisten Tischtennisplatten und stieg die steile Treppe in den höher gelegenen Teil des Parks hoch. Dabei drehte er sich unvermittelt um. Ich kriegte fast eine Herzattacke. Ich musste etwas tun, irgendwas, aber bevor ich mich rühren konnte, hatte er sich schon auf eine Bank gesetzt. Verdammt knapp. Ruhig Blut, ich durfte nicht so panisch reagieren. Selbst wenn er mich sah, musste er mich für einen harmlosen Spaziergänger halten. Ich verzog mich hinter einen Busch und checkte das Terrain. Der Biergarten würde einen guten Beobachtungsposten abgeben, außerdem hatte ich Durst. Es konnte nämlich dauern. Minkoff hatte seine Sonnenbrille abgesetzt, ein Buch aus der Jacke geholt und saß jetzt breitbeinig zurückgelehnt da, den Kopf in einem Buch, dessen Titel ich nicht erkennen konnte.

•

Simon ließ noch einen Blick über den Park schweifen, bevor er sich in seine Lektüre versenkte. Die Aussicht, unverhofft von Büchern über sich selbst hinausgeschleudert zu werden, hatte ihn immer schon gereizt. Leider hatte er, außer im Urlaub, selten Zeit gehabt, so ziellos seiner literarischen Nase zu folgen, wie er sich das wünschte.

Über Heinrich Manns »Henri Quatre« war er zu seinem neuen besten Freund gekommen: Michel de Montaigne. Aus seiner Schulzeit hallten drei Zuschreibungen nach: Franzose, Vertreter des Skeptizismus, berühmt für seine »Essais«. Sein angeblich »skeptischer« Ausruf »Que sais-je?« – so etwas wie »Was weiß denn ich?« – hatte ihm in seiner schlichten Größe imponiert. Dabei war es geblieben, bis ihm auf einem seiner Streifzüge durch die Fußgängerzonen in einer Ramschkiste die »Essais« in die Hände gefallen waren. Seitdem hatten sie einen Ehrenplatz auf seiner Holzbank. Es war frappierend: Dieser Kerl hatte zwei Jahre vor seinem vierzigsten Geburtstag sämtliche Ämter niedergelegt, um sich von der Welt zurückzuziehen und eine Sammlung von Gedankenspaziergängen zu verfassen. In glasklarer Sprache ließ er sich über Philosophie und den Tod aus, über Kutschen, Zorn und Frauen, sogar über rasches Sprechen und Kannibalismus. So knapp waren die »Essais« gehalten, dass Simon sie wie Tarot-Karten nutzte und fast jeden Morgen darin nach einer Maxime für den Tag stöberte.

Dieser Mann aus dem 16. Jahrhundert wusste nicht nur alles über Einsamkeit und Stille, er sprach auch zu ihm, wo er es niemals vermutet hätte. Ging es ihm, was immer häufiger der Fall war, gut, kratzte das schlechte Gewissen an seiner Zufriedenheit. Für Normalsterbliche musste seine

Existenz dekadent wirken, auch wenn er niemandem schadete. Obwohl er seine Schuhe nicht bei *Hermès* kaufte und die Gläser nicht bei *Iittala*, war ihm seine privilegierte Lage peinlich. Absolution – und nicht die billigste – kam von Montaigne persönlich: »Die richtig verstandene Tugend kann auch mit dem Reichtum, mit der Macht, mit der Gelehrsamkeit etwas anfangen; sie bleibt dieselbe, auch wenn das Bett weich ist und lieblich duftet; sie freut sich am Leben, an allem Schönen, auch am Glanz und auch an der Gesundheit.«

Zur Jagd nach Ruhm und Ehre hatte er ebenfalls eine dezidierte Meinung: Wir mögen Geld oder sogar unser Leben verschenken, seinen Ruhm aber verschenkt niemand. Keiner sei von Ambitionen frei, besonders nicht diejenigen, die gegen die Ruhmsucht anschreiben. »Sie wollen den Ruhm genießen, dass sie den Ruhm verachten.« Und dann kam ein typischer Montaigne: »Die Krone der Fürsten«, stellte er lakonisch fest, »schützt sie nicht vor Sonnenbrand und Regen«.

Neben solchen Aphorismen schrieb der Mann Sätze, die Simon verstörten und dennoch zu gefährlichen Freunden wurden: »Es ist, als wenn alles, was die Menschen berühren, infiziert würde.« Für den ansonsten sehr freundlichen Monsieur Montaigne war das ein selten schwarzer Satz. Da saß er nun in einem Park, der sich kräftig bemühte, das Thema Frühling anzustimmen, und beschäftigte sich mit den Sterblichen! Aber würde er für den Wind mit seiner Verheißung von Süden, für die schöne Tagedieberei dieses Mittags und die kleinen champagnerfarbenen Blüten, deren Nachnamen er nicht kannte, ohne Katastrophen so empfänglich sein? Er klappte das Buch zu und streckte sich wie eine Katze. Wieder mal zu lange gesessen. Bewegung würde guttun.

●

Laaangweilig! Hätte ich nur eine Zeitung mitgehabt, meinetwegen die Aufbauanleitung für eine Schrankwand,
egal, Hauptsache was zu lesen! Nach zwei Latte macchiato
und einem halben Liter Apfelschorle waren mir Krimis für
alle Zeit verleidet. Immer wenn es um Observationen
ging, würde ich mich an diese Langeweile erinnern und den
verdrehten Hals. Von der überschwappenden Blase, weil
ich mich aus Angst, Minkoffs Abmarsch zu verpassen, nicht
aufs Klo traute, zu schweigen. Wie machen das die Profis,
pissen die in eine Art Urinflasche?

Nach gefühlten sieben Stunden hatte die turnende Lese-
ratte endlich genug. Er dehnte sich, als hätte er Waldlauf
gemacht, doch als ich dachte, jetzt geht's endlich los, nahm
er noch mal gründlich Platz und paffte sich eine, *Players*,
wie es aussah. Das kam auf meinen mentalen Merkzettel,
solche Details geben Artikeln Farbe. Nach der Zigarette
ging es endlich weiter. Er stieg eine Steintreppe hoch und
nahm den Weg zum hinteren Areal des Parks, der auch
Liegewiesen hat, vor allem aber Freizeitsportgedöns aller
Art. Es gibt eine Bahn für Inlineskater und einen Mulch-
weg für Jogger, Sand für Beachvolleyball, eine Kletterwand
und komische Hügel und Täler, wo kleine Jungs mit ihren
Bikes rumpesen können. Den Riechgarten für die Blinden
zähle ich jetzt mal nicht unter Sport. Eigentlich kann man
in diesem Teil des Parks alles machen – außer gehen. Das
ist deshalb so schwierig, weil man immer einem Läufer,
einem Fahrrad oder einem Ball im Weg ist. Auffällig: Für
all diese Freizeitsportarten braucht man eine kostspielige
Ausrüstung (Skates, Bälle, Bikes, Laufschuhe und natürlich die passende Klamotte, manchmal sogar die Frisur),
aber das Einzige, was nichts kostet – schlichtes Gehen –,
wird an den Rand gedrängt. Wer nicht konsumiert, muss
sehen, wo er bleibt.

Der Rücken des Turners war in der Zwischenzeit auch
nicht schöner geworden. Also linste ich auf der Wiese

nach den Frauen, fast alles Mütter mit ihrer Brut. Aber was für Mütter! Nirgends auf der Welt gibt es so heiße Mamas wie hier, knackobello und fast alle in Badeanzug oder Bikini. Die haben so gar nichts von Muddi, und zum Glück leiden nur wenige am schlimmen Kindsmuttersyndrom, dem pausenlos Vor-sich-her-Brabbeln.

Ich hatte mich so in meine kapitalismuskritischen Betrachtungen vertieft, dass ich den Turner fast aus den Augen verloren hätte. Hinten bei einem der Trimm-dich-Geräte steckte er. Was heißt stecken, kniete er. Jetzt hieß es klug sein und Abstand halten. Ich machte einen geschickten Bogen, gab den harmlosen Spaziergänger. Was war nur los mit dem Typ? Er kniete neben einer Art Schwebebalken und glotzte ins Wasweißich. So lange hockte er da, bis ich schon nicht mehr wusste, wohin ich noch laufen sollte. Ich musste mich ein Stück entfernen, weil ich mir sonst auch »Achtung Beschattung« auf die Stirn hätte pinseln können. Irgendeinen Schaden hatte der Mann. Kniete da und wirkte wie weggetreten. Normal war das jedenfalls nicht.

•

Das passierte ihm neuerdings häufiger: Absichtslos ging er seines Wegs, bis irgendein Detail seine Aufmerksamkeit verlangte. In diesem Fall ein unscheinbares Büschel Feldblumen, das sich seinen Platz ausgerechnet in der festgetrampelten Erde neben einem rostigen Sportgerät gesucht hatte. Nun ja, dachte er, weiße Blumen halt. Er hielt an, und weil er schon mal anhielt, konnte er auch hinschauen. Also ging er in die Knie, um die Blumen genauer zu betrachten. Sie waren weder hoch noch besonders kräftig, hatten grazile Stängel mit filigranen, länglichen Blättern. Spinnenzarte Blüten, eher Gedicht als Materie. Ein berauschendes Weiß, als hätte es Modell für das Ursprungsweiß gestanden, das Weiß der Jungfrauen und der Kinder. Simon wollte diesen Moment essen. Blumen, ausgerechnet Blumen, denen er früher kaum etwas abgewinnen konnte. Dieses Büschel war das Gewöhnlichste und Trivialste, das man sich vorstellen konnte, und in Augenblicken wie diesem das Wichtigste.

●

In den folgenden Wochen habe ich Detektiv gelernt, ein Beruf so öde wie Tütensuppe. Jedenfalls wenn der zu Beobachtende kein Mörder, Mafioso oder Pornostar ist. Minkoffs Timetable hatte ich schnell raus: Morgens am offenen Fenster turnen (selbstredend), dann verschwand er (wahrscheinlich in die Küche, um zu frühstücken), tauchte angezogen wieder auf, ließ sich auf der schwarzen Ledercouch nieder und las eine Runde. Gegen Mittag verließ er das Haus. Offensichtlich mochte er Parks (auch in so abgelegenen Vierteln wie Reinickendorf und Britz). Manchmal ging es auch in die freie Natur. Spätestens da musste ich an einem Waldrand oder dem Beginn der Rieselfelder passen, wäre zu gefährlich gewesen. Regelmäßig besuchte er Museen und Galerien, aber auch Kinos (ohne erkennbare Vorliebe). Nach einer Weile kapierte ich, dass er feste Tage für seine Unternehmungen hatte, nicht immer, aber meistens. Ziemlich unspektakulär das Ganze. Seine Klamotten suchte er offensichtlich danach aus, nicht aufzufallen, eher uni und dunkel.

Bei Begegnungen mit Menschen hielt er sich zurück. Manchmal schäkerte er zwar mit irgendeiner Tusse im Museumsshop ausgiebig, normalerweise aber sprach er nur das Nötigste – danke, bitte, Kino drei. Er war nicht unhöflich, gab aber niemandem Anlass, sich näher mit ihm zu befassen. »Der Mann ohne Eigenschaften« kam mir in den Sinn, obwohl – das genau war er nicht. So unendlich einsam durch die Welt zu stiefeln hatte etwas extrem Exzentrisches.

Nie kam Besuch. Ein einziges Mal nur habe ich jemanden bemerkt, eine Frau, sehr attraktiv. Ich musste wegen einer Recherche weg, aber als ich zurück war und in seine Wohnung spähte, bekam ich leider nur noch ihren Abgang mit. Vor der Haustür konnte ich die Frau noch einmal kurz sehen. Wuschelkopf, gute Figur, klein, aber wie sie in ihren Stiefeln lostrabte: ein ziemlicher Feger. Seine Ex? Eine ehemalige Kollegin? Eine Nutte?

Wie hält ein Mensch das aus, immer allein? Der guckte noch nicht mal fern! Er las viel, hörte Musik, saß oft aber einfach nur da und starrte in die Luft. Nein, stimmt nicht, abwesend war er nicht, sondern in bewusster Trance, falls es so etwas gibt. Manchmal sah ich ihn auch singen oder mit sich selbst reden.

Nach drei Wochen mehr oder weniger flächendeckender Beobachtung versuchte ich ein Resümee. Was hatte ich herausgefunden? Die Antwort war so klar wie erschütternd: nichts. Warum lebte er alleine, hatte keine Freunde, keine Frau, keinen Sex? Wovon lebte er? War er körperlich krank, psychisch oder »nur« gestört? Lebte er freiwillig wie ein Aussätziger oder zwang ihn etwas dazu? Hatte er ein Geheimnis, oder trug sein Verhalten schlicht Züge von Autismus? Drei Wochen lang hatte ich den Mann verfolgt, versucht, in seinem Gesicht zu lesen, seiner Körpersprache, aber alles war vollkommen normal, nur in der Zusammenschau hatte der Kerl eine fette Macke.

Mein innerer Detektiv kombinierte: Wollte ich wirklich herausbekommen, warum er aus der Öffentlichkeit geflohen war, musste ich Kontakt zu ihm aufnehmen. Anders ging es nicht. Aber wie redet man mit jemandem, der mit niemandem redet?

11 Die junge Frau war früh ins Büro gekommen. Sie hatte noch gute anderthalb Stunden Zeit, bis sie um kurz nach neun ihre Mitarbeiterinnen zur Redaktionskonferenz zusammentrommeln musste. Sie ließ sich auf den Chefsessel vor ihrem eierschalenfarbenen Schreibtisch, vintage art deco, fallen und versuchte, sich über das verschwenderische Rosenbouquet neben dem Computer zu freuen, kugelrund, nur Blüten, keine Blätter, Ton in Ton. Ihr Blick schweifte durch das großzügige Büro, dem sie das Unpersönliche nicht hatte nehmen können. Selbst der offene Kamin machte den Raum nicht wärmer. Seinen Einbau hatte sie vom Verlagsleiter ohnehin nur verlangt, um die Ernsthaftigkeit seiner Absichten zu testen. Nun war sie die einzige Chefredakteurin Deutschlands mit offenem Kamin im Office. Vier zufriedene Jahre hatte sie als Moderedakteurin gearbeitet, mit kurzen Abstechern ins Society-Ressort. Als dann vor zwei Monaten auf flog, wieviel Bestechungsgelder die alte Chefin genommen hatte, musste Tatkraft demonstriert werden. So war sie aus ihrem heiteren Himmel in kühlere Sphären hochkatapultiert worden. Man zeigt dem Glück nicht die kalte Schulter, hatte sie sich gesagt. Das hatte sie nun davon. Sie war mutlos, überfordert, vor allem aber allein. Wie ging Chefredakteurin? Sie konnte schließlich nicht andere Chefredakteure fragen! Einen Moment lang schlang sie die Arme um ihren Körper, wiegte sich vor und zurück. Selbst ihr Freund Yannick würde ihr nicht zur Seite stehen, falls er noch ihr Freund war. Ein so dummes Klischee, aber seit er sie als »Chefredakteurin« vorstellen musste, war er nur noch verdrossen und suchte Grund zum Streit. Und jetzt erwartete man von ihr eine programmatische Rede. »Ihr müsst endlich begreifen«, würde sie sagen, »dass Fernsehen für uns viel wichtiger ist als Hollywood. Natürlich bringen wir weiter auch das Neueste über Brangelina, Tom Cruise und Jennifer Aniston, aber die Berben oder die Ferres sind unseren Lesern viel näher. Denen kann man mit Glück im Flieger begegnen. Vor allem ist es so: Brad Pitt ist vielleicht ein, zwei Mal im Jahr mit einem neuen Streifen im Kino, eine wie Christiane Neubauer hat dagegen hundert Filme pro Jahr im Fernsehen, Wiederholungen inbegriffen. Das ist kein Scherz, ich habe es nachrecherchieren lassen! Also: Fernsehen, Fernsehen, Fernsehen! Wenn B- oder C-Promis dabei sind, kein Problem. Macht den Brustkrebs, die Charity für Kinder in Somalia, den Ehebruch, ihr müsst es nur satt aufbereiten. Vor allem leben wir von Beziehungsdramen! Ein bisschen Voyeurismus läuft nun mal am besten.« So oder ähnlich würde sie es formulieren. Am liebsten hätte sie sich in ein Mauseloch verkrochen. Stattdessen stand sie auf und drehte die Heizung zwei Grad höher.

•

Der ältere Mann lief in Unterhose und Unterhemd, Wollsocken an den Füßen, in die Küche, um Teewasser aufzustellen. Vor zwanzig Minuten war er von der Nachtschicht in der Autobahnmeisterei heimgekehrt und hatte sich, wie an jedem Arbeitstag, noch im Flur die Kleider vom Leib gerissen. Warum er das tat, wusste er nicht, aber irgendwie streifte er mit den Karohemden und den Jeans mit Gummizug auch die Gespräche und Gerüche seiner Kollegen ab.

Als das Wasser sprudelte, goss er eine Kanne Hagebuttentee auf; er würde noch zwei Stunden brauchen, bis er genügend Bettschwere hatte. Wie das wohl war, Tee für zwei zu machen? Er stellte die Kanne und eine Tasse ohne Untertasse auf ein Plastiktablett, ging damit ins Berliner Zimmer und setzte es auf seinem Schreibtisch ab. Seit dreizehn Jahren wohnte er hier, seit dreizehn Jahren hatte ihn niemand besucht. Nur eine Frührentnerin kam jedes Frühjahr, um den Zählerstand von Heizung und Wasser-

uhr abzulesen. Dabei war er nie ein verschrobener Junggeselle gewesen, nur kein Draufgänger vielleicht. Irgendwann hatte er den letzten Zug verpasst, und jetzt mit fast
dreiundsechzig würde sich daran nichts ändern. Er saß auf
dem Abstellgleis. Käme Besuch, müsste dieses Zimmer auf
Vordermann gebracht werden. Vom Umzug standen noch
drei unausgepackte Kartons herum, deren Inhalt er nie vermisst hatte. Seine Möbel, obwohl nicht neu, wirkten wie
ein Bühnenbild. Das, weil er spätestens alle vier Wochen
umräumte. Eine Leidenschaft. Er wusste nicht, für wen,
aber das Schieben und Rücken machte ihm Spaß. Er setzte
sich an den Schreibtisch, an dem er nie schrieb, goss Tee
ein und fasste die Tasse mit beiden Händen. Rechts und
links türmten sich Zeitungsausschnitte über Meteorologie.
Vielleicht würde er vor dem Zubettgehen noch die Artikel
des letzten Monats sichten und bestimmen, in welchem
der Themenordner sie abgelegt werden sollten. Ohne zu
trinken starrte er auf die Brandmauer des Nachbarhauses.

•

Simon hatte im Halbschlaf einen schönen Tag gerochen
und beschlossen, früh aufzustehen. Es gab etwas zu tun:
Er musste sich Frühstück und Gedanken machen. Frühstück wegen Kohldampf, Gedanken wegen Mania, die er
am Abend bekochen wollte. Sie mochten sich nach wie vor,
sahen sich aber nur noch alle sechs, sieben Wochen.

Für jeweils ein paar Stunden waren ihre Besuche sein
altes Leben im neuen. Leider hatte sich eine subtile Ge-
zwungenheit eingeschlichen, es brauchte stets eine Weile,
bis sie in ihren unbefangenen Ton fanden. Er sehnte sich
nach Reden, Lachen, Streiten, wollte sich mitteilen, sich
austauschen. Und obwohl er sich mühte, nicht abwechselnd den Anblick eines bedürftigen Kleinkindes und eines
sabbernden Lustgreises abzugeben, betete er, der Abend

solle sich zur Nacht ausdehnen. Er war nicht dumm, wusste, dass sie wusste, was er wollte, versuchte also, diesen Eindruck zu verwischen, und benötigte dann Zeit, sich von dieser Verkrampfung freizumachen.

Inkonsequent waren ihre Treffen schon, das war ihm bewusst. Aber lebte er nicht so angsteinflößend geradlinig, dass die Mania-Schwäche nicht nur entschuldbar, sondern notwendig war, um noch als Mensch aus Fleisch und Blut durchzugehen?

Bei Kaffee und Kiwis blätterte er durch diverse Kochbücher, freie Improvisation traute er sich nicht zu. Als er nicht gleich das Passende fand, zog er ein Restaurant in Betracht, auch, weil er es konnte. Seine Erfahrungen in Cafés und Kneipen waren einigermaßen ermutigend gewesen. Vier, fünf Mal war er angesprochen, ansonsten aber in Ruhe gelassen worden, obwohl er nur noch einen gestutzten Bart trug. Als ihn der eingebildete Kellner eines italienischen Restaurants an einen wackeligen Tisch neben der Toilette geführt hatte, wollte er eingeschnappt protestieren – er saß doch nicht neben dem Urinal! Dann dämmerte es ihm: kein Star-Treatment mehr. Er wurde wie jeder andere Gast behandelt, also schlecht. Das war gut.

Essen gehen war also wieder eine Option, aber es war doch netter, für Mania zu kochen. Sie mochte das, und er konnte, wenn alles gutging, ein wenig angeben. Die Eitelkeit, auch das eine neuere Erkenntnis, war ein zäher Feind.

»Mensch, Süßer, dass aus dir mal eine Superhausfrau wird, hättest du auch nicht gedacht, was?!«, feixte Mania, als sie sich auf einen der vier Küchenstühle, die er inzwischen besaß, fallen ließ.

»Ich bin meine eigene Frau!«, behauptete er übermütig.

»Das wüsste ich aber!« Zu Flipflops trug sie ein gelbgrün schimmerndes Flatterkleid ohne Träger, eine Konstruktion, bei der eine ganze Brigade von begabten Ingenieuren beteiligt gewesen sein musste.

»Wie kommt es eigentlich, dass dein Kleid nicht rutscht? Für mich ist das ein Wunder der Technik.«

»Gefällt es dir nicht?«

»Doch, der Hammer! Du bist die Kate Moss der Devisenbanken. Apropos: Was macht die Karriere?«

»Erinnerst du dich an den Job bei der Weltbank, den mir so ein freilaufender Hormonträger weggeschnappt hat?«

»Mann, warst du sauer, du hast sogar geheult.«

»Hab ich nicht! Egal, der Arsch hat's versemmelt, und ich kriege vielleicht eine zweite Chance.« Simon legte einen Arm um sie und drückte ihr einen Kuss neben den Mund. »Gibt's auch was zu trinken?«, lenkte sie ab.

Er öffnete eine Flasche Cremant und stellte, nachdem sie angestoßen hatten, einen Sommersalat auf den Tisch, der aus dem Kühlschrank kam: rote Zwiebeln, Oliven, Fetakäse, frische Minze und Wassermelone.

»Schmeckt genial! Du bist fast so gut geworden wie …« Den Rest verschluckte sie.

»Wie Vivian? Erstens: Stimmt nicht. Und zweitens: Ich muss nicht geschont werden!« Eilig sprang er hoch und schnitt Bauernbrot auf.

»Wie geht es ihr? Seht ihr euch?«

»Zwei Rückfälle hat sie gehabt, ist aber inzwischen trocken, wie es aussieht. Ich telefoniere manchmal mit ihrer Mutter, sie selbst will nicht mit mir reden. Sie nimmt es mir übel, dass ich sie im Stich gelassen habe.«

Ärgerlich schnipste Mania ein Stück Brot über den Tisch: »Hörst du bitte damit auf? Du hast sie nicht im Stich gelassen. Du hast getan, was nötig war!«

»Ich weiß, ich weiß. Aber manchmal gibt es mehr als nur eine Wahrheit: Auf eine fiese Weise passte es mir ganz gut in den Kram. Unsere Beziehung war zum Streichelzoo geworden, und ihr Alkoholismus hat mir den Ausgang gezeigt, veredelt mit einem Schuss Tragik.«

»Du nutzt also deine viele Zeit zur Selbstkasteiung?«

»Auch. Aber das ist wirklich keine weltbewegende Erkenntnis. Wie kommst du denn aus Beziehungen wieder raus?«

»Indem ich keine habe!« Verblüfft hob Simon eine Augenbraue, so schonungslos ging sie sonst nicht mit sich um. »Es gibt ja wirklich viele Männer auf der Welt, auch nette, aber irgendwie finde ich sie alle nach einer Weile … störend.«

»Du würdest eine Beziehung dienstags, donnerstags und sonntags von achtzehn bis dreiundzwanzig Uhr vorziehen?«

Mania hielt einen Moment inne: »Kommt der Sache ziemlich nahe. Leider. Ich bin wirklich gerne unter Menschen, brauche sie auch, aber ich möchte nicht rausfinden müssen, wie weit ich mich im Notfall auf sie verlassen kann.«

»Und das von der Frau, die mich röstet, weil ich wie ein Grottenolm vegetiere, um selbige zu zitieren!«

»Ich mag ja kein Vertrauen in andere haben, aber du hast keins in dich! In Wirklichkeit bist du unglaublich kokett: Du maßt dir an, dein eigenes Gericht zu sein und legst dabei sogar die Strafe fest: Einzelhaft.«

»Noch Salat?« Mania ignorierte ihn. »Ich lebe nicht wegen Vivian so, wie ich lebe.«

»Sondern?«

Er ließ sich mit der Antwort Zeit, holte die Meeresfrüchte aus dem Kühlschrank, schüttete Mehl auf einen Teller, wälzte die Jakobsmuscheln darin. »Es musste sein«, begann er zögernd. »Schwer zu erklären. Ich hatte nicht mehr das Gefühl zu leben, sondern mein Leben zu moderieren.«

»Und das heißt auf Hochdeutsch?«

»Es war so unendlich wichtig, was andere über mich sprachen und dachten und schrieben. Aber jetzt interessiert mich, wie ich mit mir selbst fertig werde.«

»Deswegen muss man sich nicht gleich verbannen.«

»Es reichte nicht, dem Mediengedöns einfach den Rücken zu kehren, ich musste mich von dem Gemeinen *in mir* freimachen.«

Mania schlug mit dem Messer gegen ihr Glas: »Einspruch, Euer Gnaden!«

»Montaigne, ich geb's ja zu!«, grinste er und ließ einen Stich Butter in der Pfanne zergehen. »Hört sich vielleicht etwas altväterlich an, trifft aber genau meine Gefühlslage.«

»Mich stört dabei das Eitle, die Ichbezogenheit. Deine Worte lassen kein Du zu. Mir kommt es vor, als belauertest du dich wie einen Feind.«

»Andere suchen auch ihre Rückzüge«, lenkte er ab. »Leben in virtuellen Welten, suchen ewig den letzten avantgardistischen Schrei oder gieren nach Sex. Alles Rückzug. Viele Erlebnisse, wenig Erfahrung!« Schwungvoll beförderte er die Jakobsmuscheln in die Pfanne.

Mania stand auf und schaute ihm über die Schulter: »Kann ich helfen?«

»Du könntest die Champignons putzen und in Streifen schneiden.«

Sie hielt zwei große braune Champignons kurz unter Wasser und griff nach dem Gemüsemesser. »Kennst du die Geschichte von Sir Francis Drake?«, nahm sie den Faden wieder auf. »Der stellt einen Meuterer vor die Wahl: Kopf ab oder auf einer einsamen Insel ausgesetzt werden. Und der Mann zieht den Tod der Einsamkeit vor.«

»Klassische Fehlentscheidung aufgrund von Unkenntnis! Sind die Champignons soweit?« Mania stöhnte auf und nickte. Er nahm die Muscheln aus der Butter, warf die Pilze hinein und fügte eine Handvoll Krabben zu. »Einsamkeit kann auch Fülle bedeuten.«

»Wenn die Einsamkeit lange genug dauert, ist sie keine Fülle mehr, sondern Leere.«

»Portwein.«

»Zum Cremant? Igitt!«

»Quatsch! Das war ein Imperativ!«

»Sorry, ich hab die Satzzeichen überhört.« Sie kramte zwischen Ölen und Essigen den Port hervor: »Ein Schuss?«

»Eher zwei.«

Sie goss den Alkohol an, und er verrührte den Sud mit einem Holzlöffel. »Das ist im Leben nicht anders als beim Kochen«, sinnierte sie. »Wir werden Menschen dadurch, dass wir durch andere da sind. Und für sie.«

»Du moralisierst und generalisierst.« Von der Seite goss er einen halben Liter Crème fraîche dazu. »So, wir können uns setzen, das muss jetzt einkochen. Ich sehe das so: Eine Haupterrungenschaft unserer Zivilisation ist die Erfindung der Privatheit. Jeder darf seinem privatem Wohl nachgehen, wie es ihm passt und wie es ihm liegt.«

»Wie es ihm schadet, nicht zu vergessen! Du lebst, als wärst du in Kunstharz gegossen.«

Er bot ihr eine Zigarette an, aber sie schüttelte den Kopf. Nachdem er sich eine angezündet hatte, stieß er übertrieben schnaufend den Rauch aus: »Du findest, ich habe mich nicht entwickelt?«

»Hallo? Du versteckst dich, du redest mit niemandem, du arbeitest nicht, du lässt dein Talent verkommen. Wie würdest du das denn nennen – allseits entwickelte Persönlichkeit?« Sie schnappte nach seiner Zigarette und nahm jetzt doch einen Zug.

»Du bist nicht gerade geizig mit Urteilen.«

»Du mich auch! Wusstest du übrigens, dass Männer neun bis zehn Mal häufiger von Autismus betroffen sind als Frauen?«

Er streckte die Hand aus und forderte seine Zigarette zurück. »Das hast du aber nicht extra recherchiert, oder?«

Sie lief dunkelrot an, und ihm wurde das Herz weich wie Schmelzkäse: »Ach, Mania, du bist wirklich, wirklich süß!« Er nahm ihre Hand und setzte einen dicken Schmatzer drauf.

Um von ihrer Verlegenheit abzulenken, ging sie in die Offensive: »Du führst das Internet an, das Hobby, meinetwegen auch den Sex, aber das sind keine Rückzüge, sondern Nischen, ohne die wir unseren Alltag gar nicht meistern könnten. Wir brauchen das. Aber was du treibst nenne ich gepflegten Weltekel. Diese Edel-Askese ist Flucht, Feigheit.«

»Gut gegeben! Nur: Jeder hat ein Recht auf Rückzug – meinetwegen auch auf Flucht –, solange die Welt so unglaublich abstoßend ist.«

»Nu mach mal halblang, dein Weltbild kann ja nicht nur ästhetischer Natur sein.«

»Ich habe das mit der Hässlichkeit der Welt ganz ernst gemeint. Es ist, als ob alles, was Menschen berühren, infiziert würde.«

»Simon!«

»Auch Montaigne, zugegeben. Aber gut, oder?!«

»Hab jetzt gerade kein Zitatlexikon dabei, doch es geht auch so: Wer sich wie du treiben lässt, der ist zum Gefangenen der Welt geworden. Und nebenbei, du solltest vielleicht mal nach dem Essen sehen.«

»Scheiße!« Simon sprang auf. Es war höchste Zeit, bevor die Soße anbrannte. Er goss ein halbes Glas Wein zu, rührte um, gab die Jakobsmuscheln wieder in den Sud. Dann stellte er zwei Weingläser und eine Flasche Tiroler Sauvignon blanc auf den Tisch: »Gießt du ein?« Er verteilte den Pfanneninhalt auf zwei Teller und streute etwas frischen Kerbel darüber. »Et voilà, meiner liebsten Kritikerin!«

»Zuviel der Ehre!«

Mania probierte eine halbe Jakobsmuschel und verdrehte die Augen: »Das schmeckt phan-tas-tisch!«

»Danke dir«, freute er sich. »Aber denk bloß nicht, davon lasse ich mich ablenken. Rückwärtsgang: Ich *bin* kein Gefangener. Im Gegenteil setzt Freiheit ein Großmaß an Muße und Besinnung voraus, deshalb leben wir auch in so kopflosen Zeiten.«

»Ja, schön«, sagte sie mit vollem Mund, »aber konkret klingst du nach Verzicht und Enttäuschung.«

»Vielleicht, wahrscheinlich sogar. Aber wusstest du, dass an den Höfen absolutistischer Fürsten keine Traurigkeit herrschen durfte? Melancholie hat nämlich etwas Subversives.«

»Und man kann sich prima in ihr suhlen. Vielleicht kommt mir dein Experiment, wie du es nennst, auch nur deswegen so eitel vor, weil kein Endpunkt in Sicht ist.«

»Das Ende ist nicht definiert, stimmt. Aber ich lasse mich auf keinen Fall aus meinem neuen Leben werfen. Noch nicht, jedenfalls.«

»Gut, dann eine schlichte Frage.« Sie legte Messer und Gabel an den Rand ihres Tellers und beugte sich vor: »Geht es dir gut?«

Simon überlegte nicht lange: »Ja.« Als er sah, dass Mania sich damit nicht zufrieden gab, suchte er stockend nach Worten. »Ich laufe bestimmt nicht von morgens bis abends jubilierend durch meinen Alltag. Mir geht es in dem Sinn gut, dass alles, was passiert ist, nötig war. Hört sich unspektakulär an, ich weiß. Vielleicht«, schob er mit einem Grinsen nach, »werde ich ja noch ein Posterboy für so etwas wie die Schönheit der Vernunft.«

»Du hast auch für jeden Topf ein Deckelchen«, staunte sie.

»Fertig?« Er deutete auf ihren Teller. Als sie nickte, stand er auf und deckte ab. »Gleich Nachtisch oder lieber warten?«

»Warten. Und den Kaffee gern vor dem Nachtisch.«

Er schraubte die Espressokanne auseinander, füllte sie

mit Wasser und Kaffeepulver und stellte sie auf den Herd. »Was ich meinerseits gerne wissen würde«, fragte er mit dem Rücken zu ihr. »Was genau nervt dich so an mir?«

Mania griff nach seinem Feuerzeug und spielte eine Weile damit. Er kehrte ihr weiter den Rücken zu. »Vielleicht hat es damit zu tun«, begann sie zögerlich, »dass ich ziemlich konventionell gebaut bin. Mich verunsichert es, wenn jemand, den ich schätze, so ganz andere Wege nimmt. Und …«

»Und?«

Abwesend ließ sie das Feuer mehrmals aufflammen. Dann klopfte sie eine Zigarette aus der Packung und zündete sie sich an. »Wenn du so willst, möchte ich unsere Gesellschaft gegen Leute wie dich verteidigen«, erklärte sie ernst. »Ich bin ja beruflich viel in Osteuropa unterwegs, das sind in der Mehrzahl zerfallende, zerfallene Gesellschaften. Ich sehe, wie sich dort jeder Konsens in Luft auflöst, jede Moral, jede Ethik. Zum ersten Mal weiß ich unsere Zivilität wirklich zu schätzen, sie ist eine Errungenschaft. Und dann kommt so ein privilegiertes Kind wie du und spuckt auf all das, als wäre es nichts wert.«

Als Ausrufezeichen gab die Espressokanne gurgelnde Geräusche von sich. Simon schob sie von der Flamme. »Privilegiert sicher, spucken keinesfalls!« Er nahm zwei Tassen aus dem Küchenschrank, goss ein und setzte sich zu Mania. »Mir gefällt es zwar, dich ein bisschen zu verunsichern, aber es geht mir nicht darum, Theorien aufzustellen. Als Guru bin ich fehlbesetzt.«

»Ich sehe auf meinen Evaluationsreisen so viele Menschen, die sich liebend gern einmischen würden, wo die Gesellschaft das aber unter keinen Umständen zulässt.« Sie nahm einen Schluck Kaffee und schüttelte sich: »Boah, willst du, dass ich drei Wochen lang die Augen nicht mehr zukriege?«

»Zu stark? Mir würde es ja schon reichen, wenn du

heute Nacht kein Auge zukriegst!« Er streckte sein rechtes Bein vor und drückte ihre Füße auseinander.

Mania zog die Beine zurück, als hätte sie einen Stromschlag abbekommen. »Meinetwegen kannst du dich in *splendid isolation* neu erfinden, aber dann sei auch konsequent und benutze mich nicht als Sexpüppi, das stinkt mir nämlich gewaltig!« Sie hatte viel härter geklungen als beabsichtigt.

»Oh, das heisst nicht, dass ich keinen Sex habe, den besten habe ich immer noch mit mir selbst!«, konterte er bockig. Sie saßen in saurer Stille, aus der sie nicht mehr herausfanden. Er fühlte sich ertappt und gedemütigt.

Mania wusste nicht, wie sie mit der plötzlichen Beklemmung umgehen sollte. »Ich finde es ja gut, dass dir wenigstens der Sex fehlt«, versuchte sie die Situation zu retten, »aber du musst auch verstehen, dass ich kein Pausenfüller bin.«

Simon schüttelte nur den Kopf. Angeschlagen stand er auf. »Wollen wir vielleicht irgendwo anders ein Dessert nehmen?«

»Gehst du denn wieder aus?«, fragte sie und hatte das Gefühl, ihre Zunge tanze Spitze.

»Ja.«

»Lassen die Leute dich in Ruhe?«

»Meistens.« Und als er merkte, wie schroff er klang: »Ich rede durchaus mit Leuten, wenn mir danach ist, besonders, wenn ich seit Tagen mit niemandem mehr gesprochen habe. Manchmal kapiert man bei so einem Thekenplausch was ganz Ungeheuerliches: Wirklich einsam ist man nur zu zweit.«

12 Beruflich lief es ausnahmsweise geschmeidig, weil ich einen dicken Auftrag an Land gezogen hatte: die druckreife Herstellung von drei Emissionsprospekten für Schiffsbeteiligungen. Eine Arbeit so trocken, dass ich nach dem Duschen die doppelte Portion Körperlotion brauchte. Scheiß drauf, fünf Monatsmieten waren dadurch sicher. Natürlich sollte man Wirklichkeitsberührung vermeiden, wo immer es ging, doch Spionage in den Kulissen von Millionendeals war nicht zu verachten. Für Sätze wie *Die Emission ermöglicht dem Anleger, sich über die Beteiligungsgesellschaft eines Beteiligungsmodells an diversen Schifffahrtsgesellschaften zu beteiligen.* landete man allerdings in der Hölle für Sprachmörder, aber das Emissionshaus wollte genau diesen Sound und keinen anderen. Meinem Konto war das recht.

Ganz nebenbei fiel die Idee ab, irgendwann mal ein Buch über diese Parallelwelt namens Business zu machen. Alles Männer, alle jung, alle erfolgs-, leistungs- und aufstiegsorientiert. Faszinierend, wie diese Typen in ihren mittelpreisigen *BOSS*-Anzügen mit Hunderten von Millionen dribbelten, als wäre es ein Gesellschaftsspiel. Rasiermesserscharfe Ellenbogen zwar, gleichermaßen amüsant wie realitätsfern, als agierten sie in einem Sat1-Movie. Saß man mit ihnen in der Kantine, entpuppten sie sich als verblüffend unerfahren. Diese Jungs arbeiteten an den ökonomischen Stellschrauben der Welt, hatten aber jenseits von Tabellen, Prognosen und Rollkoffern keine Kenntnis von ihr.

Die Erfolgsmenschen müssen auf mich abgestrahlt haben, denn als Bonus gab es zwei gute Nachrichten obendrauf: Der Vosskamp-Artikel wurde endlich gedruckt, und der Turner konnte sprechen! Das Porträt hatte mir keine Ruhe gelassen, und es war schließlich gelungen, es abzusetzen. Zwar nur an ein Berliner Stadtmagazin, das sein soziales Profil schärfen wollte, aber egal, Hauptsache, die

Geschichte kam. Und das mit Macht. Zahlreiche Leserbriefe trudelten ein, und ich wurde kräftig gelobt, sogar vom Herausgeber persönlich.

Wonneproppen Sylvia hatte mir Glück gebracht! Also ließ ich es mir nicht nehmen, mit einer Pulle »Prosettschio« (wie sie sich ausdrückte), bei ihr vorbeizuschneien. Süß, wie stolz sie auf den Artikel war. »Doll, sogar mit Foto!« Wildfremde hatten sie auf der Straße angesprochen, und ein kleiner Laden mit Produkten aus der Provence war auf sie aufmerksam geworden: Die Besitzerin musste jeden Mittwochnachmittag mit ihrem Mann zur Blutwäsche und hatte angefragt, ob sie sich in dieser Zeit um den Laden kümmern könnte. Kein weltbewegender Job, aber ein Anfang und Zubrot.

Auch bei Minkoff tat sich endlich was. Wann immer es ging, beobachtete ich ihn, dackelte ihm hinterher, war aber kurz davor, die Observation aufzugeben. Er turnte, er las, er hörte Musik. Er saß, er lag. Er ging spazieren. Als höchstes der Gefühle trank er irgendwo Kaffee, abends sogar mal einen flotten Gin Tonic in einer Bar. Und bis auf ein paar Worte mit dem Kellner oder einer Käseverkäuferin schwieg er. Doch dann sah ich in seiner Wohnung wieder die hübsche Braut. Es war der letzte Tag meines Jobs im Emissionshaus, und wir hatten zur Feier des Tages ein paar Bier gezischt. Gutgelaunt war ich gegen neun nach Hause gekommen und wollte den Turner Turner sein lassen, doch als ich das Fenster zum Lüften öffnete, fiel es mir sofort ins Auge: zwei Menschen im Wohnzimmer! Weltsensation! Sie legte sich eine Art Schal um die Schultern, er schaltete die Musikanlage aus und löschte das Licht. Offensichtlich waren sie gerade dabei, die Segel zu streichen. Ich stürmte nach unten.

Erster! Ich öffnete die Haustür einen Spalt und wartete, bis die beiden auf die Straße traten. Heute war die Verfolgung kinderleicht. Das Thermometer zeigte noch über zweiundzwanzig Grad, und der Bürgersteig war so belebt, dass ich beruhigt hinter ihnen her schlendern konnte. Von nahem entsprach er nicht dem Klischee des Fernsehstars, den man ohne Licht, Schminke und Kostüm glatt übersieht. Er war sportlich, eine fitte Erscheinung, aber um den Kopf zugewachsen wie ein Hippie.

Der Abend war schwül. Frauen lachten laut und satt. Leider war auch mein thüringischer Hauswartskomiker auf der Walz, falls man einen Blaumann mit grüner Polyesterjacke drüber auf der Walz trägt. »Na, auch Hummeln im Arsch, Böhm?«, rief er schon von weitem.

»Ja, ja. Hallo! Ich muss weiter, ich hab nämlich ein Date«, log ich, »äh, ein … Rendezvous.«

»Und da machen Sie ein Jesicht wie 'ne in der Erde verjessene Kartoffel?«

»Kann immer noch Püree draus werden!«, lachte ich im Weggehen.

Es war nicht schwer, das Paar wiederzufinden. Obwohl viele sommerlich bunt gekleidet waren, stach das knallige Tuch der Frau wie ein Wegweiser heraus. Ich dackelte hinter ihnen her und konnte den Blick entspannt schweifen lassen. In unserem Viertel haben es sogar Katzen gut: Vor einem der unrenovierten Häuser hatte ein Mieter vom Bürgersteig bis hoch zu seinem Balkon eine auffallend schmale Holzleiter angelehnt. Warum sie so schmal war, konnte ich gerade beobachten: Ein dicker graugetigerter Kater stieg seelenruhig die Sprossen hoch in den ersten Stock zu Herrchen, das erfolglos auf erziehungsberechtigt machte: »Wurde aber auch Zeit, Erwin! Oder brauchste was hinter die Löffel?«

Ich nahm wieder meine Zielpersonen ins Visier. Wer wohl die Braut war? Die Hübsche hatte eine eigenartige Ausstrahlung. Zierlich gebaut, aber es ging was entschieden Stabiles von ihr aus. Mit dem Tuch um die Schultern sah sie weiblich aus, aber nicht weibchenhaft. Man hätte sie für seine Freundin oder Geliebte halten können (Nutte kam nicht in Frage, dafür hatte sie zu viel Klasse). Aber etwas saß schief im Bild. Im Vorbeigehen sah ich mit Grausen, dass mehrere Häuser unserer Straße gleichzeitig eingerüstet waren und schon wieder ein Weinladen aufgemacht hatte. Ganz schlechtes Zeichen! Weine, Kinderkleidung und Salumerias kündigen unweigerlich den Endsieg der Hipeoisie an.

Unser abendlicher Dreier war von kurzer Dauer. Vorbei an einem neonhellen Telecafé und dem vietnamesischen Gemüsehändler, genannt Fidschi, der sich um Öffnungszeiten nicht scherte, ging es nun in die Parallelstraße. Die beiden kehrten in ein modern-spartanisches Café ein, Schwulenladen, glaube ich, schwer zu sagen heutzutage. Sie nahmen auf der Terrasse Platz, und ich hatte Glück, am äußersten Rand noch einen Zweiertisch zu finden. So konnte ich sie zwar nicht hören, aber immerhin im Auge behalten. Er bekam seinen üblichen Gin Tonic, sie Espresso und Mineralwasser. Das sah mir nicht nach großer Liebesgeschichte aus. Als Top-Ermittler hätte ich ebenfalls Wasser ordern sollen, aber der Abend war zu verheißungsvoll, ein Bierchen konnte nicht schaden. So machte Beschatten Spaß: Sommer, Alk und Schoki fürs Auge. Eine endlose Passantenpolonaise zog vorbei, Flipflop-Mädels und Internet-Nerds hauptsächlich, aber auch Gassigänger, Touris und ein paar übrig gebliebene Restpunks, die sich aus dem Viertel nicht hatten vertreiben lassen. Auch die Sitzkundschaft war vergnügungswillig, besonders ein Pärchen am Nachbartisch. Das mit dem Homoschuppen musste stimmen. Die beiden kahlgeschorenen Männer schoben sich nicht nur gegenseitig die Zungen in den Schlund, sondern fummelten auch unterm Tisch mit religiöser Inbrunst an ihren Schwänzen rum.

Am Tisch vom Turner dagegen ging es gesittet zu (abgesehen davon, dass die Frau ihr Tuch über die Stuhllehne

warf und mit etwas atemberaubend Trägerlosem dasaß).
Sie sprachen bedächtig, intensiv, ernste Mienen. Ich änderte meine Meinung: Sie war doch seine Freundin, und
es lag eine Beziehungskrise an. Wie ich diesen Gesichtsausdruck kannte und hasste: die Frauendomäne namens
Problemewälzen. Wie Nierensteine sieht das aus, schmerzhaft, krampfig, als ob das Leid nie enden würde.

Inzwischen hatte Minkoff noch einen Gin Tonic bestellt, sie war zu Wein übergegangen. Der Alkohol machte
sie lockerer, sie lächelten jetzt sogar.

»Mensch, Gregor, alte Moosrose!«, riss mich eine lun-
genstarke Stimme aus den Gedanken.

Vosskamps Sylvia, die hatte noch gefehlt! Aufgeschreckt
machte ich erst das internationale Zeichen für *Psst!*, dann
für *Setz dich hin und halt die Klappe!*

»Was denn?«, plärrte sie. »Warum benimmst du dich
so komisch?« Ich in Panik. Völlig grundlos eigentlich, da
saß ja nur ein Mann vor seinem Bier, und eine Bekannte
schneite vorbei. Sie hatte nicht gerufen: *Hier sitzt Gregor
Böhm, der den verschollenen Fernsehstar Simon Minkoff
beobachtet, um hinter sein Geheimnis zu kommen und
selbiges mit Glück und Spucke zu Gold zu machen!* Das
sagte sie nicht. Sie sagte: »Noch ’n Bier?«

»Äh … ja, klar. Du auch?« Sehr einladend hatte das
nicht geklungen. »Geht auf mich!«, schob ich schnell hinterher.

»Nur weil du es bist.«

Natürlich hätte ich es wissen müssen. Die Vosskamp
war nicht von der langsamen Truppe: Sie folgte meinen
schlecht kaschierten Blicken und man konnte es unter
ihren Fetthaaren förmlich rattern sehen. Während ich dem
glatzköpfigen, dafür an Ohren, Nase, Mund und Nippeln
gepiercten Kellner das internationale Zeichen für zwei Bier
gab, saß sie besorgniserregend still da. Kein Gehampel,
kein Spruch. Als ich ihr ein höfliches »Is was?« über den

Tisch raunzte, schüttelte sie abweisend den Kopf. Erst Minuten später beim Anstoßen flüsterte sie in Spionagelautstärke: »So, jetzt mal Klartext: Der dunkle Zigeuner da drüben, den du so auf dem Kieker hast, das ist doch der Typ, den du beobachtest, oder?!« Ich widersprach nicht. »Und das daneben ist seine Alte?«

»Weiß ich noch nicht.«

»Dann mach mal hinne, Columbo! Was hast du denn sonst so rausgekriegt?«

»Next to nothing, wie der Italiener sagt. Ich beobachte ihn seit drei Wochen, natürlich nur, wenn ich Zeit habe, aber nichts, nada, niente. Er turnt regelmäßig, das ist alles. Ansonsten kann ich nur sagen, was er *nicht* macht: Er hat zwar einen Fernseher, macht ihn aber nicht an. Du siehst keinen Computer, keine Zeitung. Ich glaube, der hat noch nicht mal ein Telefon, jedenfalls sehe ich ihn nie telefonieren. Und er ist immer, immer allein.«

»Komische Tierart.« Gedankenverloren knibbelte sie an ihren schwarzen Leggins. »Und du denkst, dass der so alleine haust, hat was zu tun mit …?«

»… mit irgendwas, was ich rausfinden muss.«

»Moment mal.« Sie saß kerzengerade. »Wenn er wie ein Eskimo lebt, warum sitzt er dann mit der Ische da?«

»Das versuchte ich gerade zu eruieren, bevor ich gestört wurde.«

Sie ignorierte mich und zündete sich eine *Cabinet* an. Jetzt glotzten wir beide wie die Säcke aus der Muppet-Show.

»Also für mich sieht das nach Ehekrise aus«, tippte sie. »Guck dir mal die Trauermienen an!«

»Ehe eher nicht, die Süße ist total selten da.«

»Hm, dann müssen wir eben gucken, was die zwei so vorhaben.«

Ich tat so, als hätte ich das »wir« nicht gehört. Eine Weile saßen wir stumm da, dann zuckte sie so heftig zusammen, dass sie fast ihr Glas umgeschmissen hätte: »Nein«, rief sie. »Nein!« Ich schoss ihr einen Blick zu. Sie sah mich an, dann den Turner und wieder zu mir: »Du alter Gauner! Da fliegt mir doch die Pappe aus 'm Schlüpper! Den kenn ich! Der Name fällt mir momentan nicht ein, aber das ist der vom Fernsehen mit der Talkshow. Ziemlich scharf, die Schnitte. Das ist der doch, oder!?«

»Simon Minkoff.«

»Genau! War da nicht was mit Krebs oder so?«

»Das will ich ja gerade rausfinden.«

»Wie geil ist das denn!«, japste sie und kniff mir mit Schmackes in den Arm. »Scheiße, die zwei bezahlen. Wir müssen los!«

Und wirklich legte der Turner einen Geldschein hin, ohne auf den Kellner zu warten. Hektisch schaute ich nach der gepiercten Kellnerglatze. »Sylvia, Schatz«, flehte ich, »Tu mir den Gefallen und bezahl, falls der Kellner jemals wieder auftauchen sollte.« Ich gab ihr einen Zehneuroschein und zur Sicherheit noch ein paar Münzen. Sie wollte protestieren, aber ich ließ sie nicht zu Wort kommen. »Wenigstens verlieren wir ihn so nicht aus den Augen. Macht keinen Sinn, wenn wir ihn beide verpassen.« Sie schmollte, blieb aber sitzen, während ich mich durch die immer noch proppenvoll besetzten Tische auf die Straße schlängelte.

Ich hatte sie sofort im Sucher, weil die mysteriöse Lady sich netterweise wieder das bunte Tuch umgelegt hatte. Leider war die Freude kurz. Eine Ecke weiter, an der Schönhauser, verabschiedeten sie sich schon. Ich kam nicht nah genug ran, um zu verstehen, was sie sagten. Also wieder Pantomimentheater. Da stehen die beiden, reden noch ein paar Takte, umarmen sich, aber schon hier kann ich nicht einschätzen, ob es die Umarmung eines Pärchens ist oder nicht. Sie gucken ernst, er sagt was, beugt sich vor und gibt ihr einen Kuss, aber sie macht einen Strichmund.

Dann winkt sie ein Taxi heran, steigt ein. Kurzes Winken. Er schaut dem Auto lange hinterher. Unvermutet dreht er sich um und kommt geradewegs auf mich zu. Ich in Windeseile den Kopf abgewandt und so angestrengt in das Schaufenster einer Buchhandlung geglotzt, als gäbe es nichts Faszinierenderes als einen Ratgeber zum Thema Beckenmuskulatur.

Dann kommt großes Bauerntheater. Wir beide als unsichtbare Prozession wieder an dem Homopuff vorbei. Und schau an: Die Vosskamp, vor sich ein frisch gezapftes Bier, sitzt immer noch da und grinst britzebreit in den Abendhimmel. Ich mit Pokerface vorbei, kann es mir aber nicht verkneifen, ihr hinter dem Rücken den Stinkefinger zu zeigen.

Tja, das war's auch schon: Ermittlungstechnisch war der Abend gelaufen. Der Turner ging nach Hause. Na gut, auf jeden Fall war Bewegung in die Sache gekommen. Aber eins war klar: Ich musste ihn endlich zum Reden bringen, alles andere war Kinderpipi.

13 Und dann ist es passiert.

Ich komme von einer Arbeitsbesprechung zurück, Erstellung eines Pressehefts für einen Dokumentarfilm über die Lausitz. Wie immer bei Low-Budget-Produktionen war der Verleih großzügig. Die Besprechung fand im Restaurant statt, und ich wurde eingeladen. Nach Rahmgulasch mit Käsespätzle *muss* man Obstler trinken. Also: Ich ziemlich beschwingt, als ich nach Hause komme. Und unvorsichtig. Mache Festbeleuchtung, gehe an den Kühlschrank, knacke noch ein Bier, latsche zurück ins Wohn-Arbeitszimmer, gehe, wie immer in den letzten Wochen, automatisch ans Fenster, um in die Wohnung gegenüber zu glotzen – da steht auch er am Fenster und sieht mich im hell erleuchteten Fenster! Guckt mich an, mir direkt in die Augen! Ich wie betäubt. Will wegrennen, kann mich aber keinen Millimeter bewegen. Ich sehe, dass er sieht, dass ich ihn sehe. Und erst jetzt wache ich aus meiner Trance auf, bemerke die Zigarette in seinem Mund, sehe, wie er vergeblich versucht, sie mit einem Feuerzeug anzuzünden. Das Ding funktioniert nicht. Er wirft es auf den Couchtisch, schaut wieder zu mir, breitet grinsend die Arme aus und macht das Zeichen für Feuerzeug. Mindestens neun Zehntel meines Körpers sind noch in Duldungsstarre, aber irgendwie bringe ich es fertig, bedauernd die Hände zu heben. Und da kommt mir die Idee: Ich gehe zum Schreibtisch, wühle in der Schublade nach einem Päckchen Zündhölzer und halte es ihm hin wie ein Kindsverführer die Schokolade. Er wackelt bedenklich mit dem Kopf und sagt mit Gesten: *Kannst du mir die Streichhölzer rüberwerfen?* Ich in gleicher Sprache: *Nie und nimmer. Die Straße ist zu breit, außerdem ist es heute Abend sehr windig!* Möglicherweise habe ich mich etwas kürzer gefasst. Nun der Supercoup des Gregor Böhm: Ich zeige auf die Zündhölzer, deute auf mich, dann auf ihn und mache mit Zeige- und Mittelfinger das Zeichen fürs Treppensteigen. Er nickt. Erst als ich sehe, wie er tatsächlich sein Wohnzimmer verlässt, beginnt mein Herz wieder zu schlagen. Und wie.

Als ich aus der Haustür trat, kam er schon über die Straße gelaufen: »Das ist wirklich sehr nett«, rief er und hielt seine Zigarette hoch. »Mein Feuerzeug hat den Geist aufgegeben, und ich habe keine Streichhölzer da.«

Mein Herz pumpte auf Hochtouren. Es war etwas anderes, jemanden mit Abstand zu observieren, oder ihm Aug' in Aug' gegenüberzustehen. Ich fürchtete, rot zu werden, zu stottern, mich verdächtig zu machen. Er war stattlich und auf eine maskuline Art gutaussehend. Seine legeren Jeans und das schwarze T-Shirt mit langem Arm sahen nach nichts Besonderem aus, waren aber bestimmt edle

Teile aus Mailand, ich kenne mich da nicht so aus. Auch aus der Nähe war sein Ausdruck kaum zu entziffern.

»Kein Problem«, sagte ich und gab ihm Feuer. »Ich rauche nur selten und dann ungern, aber wenn ich mal Schmacht habe und kein Feuer da ist, dreh ich durch!«

Er griente freundlich und nahm zwei süchtige Züge, bevor er antwortete: »Früher gab es den Trick, die Platte des Elektroherds zum Glühen zu bringen, um sich die Fluppe anzuzünden. Aber jetzt habe ich einen Induktionsherd!« Gute Stimme, selbstbewusst, wahrscheinlich geschult. Freundlich auch, aber mit spürbar angezogener Handbremse. Kräftiges dunkles Haar, der Bart ohne Anzeichen von Grau.

»Hier«, sagte ich und hielt ihm die Schachtel Zündhölzer hin. »Ich habe noch genug davon.«

»Wirklich? Also noch mal vielen Dank fürs Runterlaufen. Das nenne ich Nachbarschaftshilfe!«

Und weg war er. Ich schaute ihm hinterher und konnte nicht entscheiden, ob ich mich trottelig oder gewieft angestellt hatte: Nicht eine Bemerkung war mir eingefallen, ihn länger in ein Gespräch zu verwickeln. Andererseits sagte mir eine innere Stimme, dass das gar nicht dumm war.

Lange passiert nichts, dann kommt alles auf einmal. Der Goldsatz für Freiberufler schien nicht nur auf meine Auftragslage zuzutreffen. Obwohl: Beim Turner handelte es sich ja auch um Berufliches, schließlich wollte ich über ihn schreiben. Allerdings ging mein Interesse inzwischen weit darüber hinaus. Er beschäftigte mich wie ein Loch im Zahn, bei dem man nicht aufhören kann, mit der Zunge daran zu spielen. Bisher hatte ich ihn nur durch die Brille des Alleinseins gesehen, aber wie er da so mit seiner Zigarette vor mir stand, hätte er der Inbegriff von Normalität sein können. Komplett unauffällig, sogar sein Bart war seit kurzem in Kreuzberg, Mitte und Prenzlauer Berg Uniform. Weder scheu noch überkandidelt oder neurotisch, sondern schockierend sympathisch. Aber warum lebt ein so normaler Typ ein so unnormales Leben? Das war die Frage aller Fragen, der ich schneller als vermutet näher kommen sollte.

Es war ein sonniger Dienstag, einer von den Tagen, wo man Freiberufler ausnahmsweise nicht mit Existenzangst übersetzt, sondern mit Freiheit, in diesem Fall mit der selbst erteilten Erlaubnis, einen Tag im Freibad zu verdödeln. Tapfer gegen meine Röllchen ankämpfend, war ich bis zum Olympiastadion geradelt und kam am frühen Abend bester Laune durch den Mauerpark zurück, als eine vertraute Stimme »Ach, der gute Samariter!« rief. Ich legte eine nicht sehr elegante Schlingerbremsung hin. Der Turner! Mit der linken Hand nahm er seine Sonnenbrille ab, die rechte hielt er mir hin.

»Kommt man dafür jetzt schon in den Himmel?«, fragte ich. »Wenn das so ist, hätte ich da noch ein paar Päckchen Streichhölzer zu Hause!«

»Ob es für den Himmel reicht, weiß ich nicht. Vielleicht gibt es auch nur einen Freidrink im Fegefeuer.«

»In Ordnung, solange der Teufel beim Wort Drink nicht an eine Tasse Kamillentee denkt.«

»Was darf's für Sie denn sein?«, lachte er.

»Ach, an einem Tag wie heute ein Gin Tonic mit viel Eis«, hörte ich mich mit ausgesuchter Perfidie sagen. Und noch einen draufsetzen: »Hatten wir uns auf der Straße nicht geduzt? Ich bin Gregor!«

»Smn.«

Lange Pause. Mist, hatte ich mich zu sehr rangeschmissen? Ich musste irgendwas finden, um den Faden nicht abreißen zu lassen: »Wie gesagt, ich bin nur Gelegenheitsraucher, aber hätten ... äh ... hättest du vielleicht eine für mich? Das reicht dann als Belohnung!«

»Sicher.« Wie es aussah, hatte er nichts gerochen. Er griff in die Hintertasche seiner Jeans und zog eine Packung heraus. »*Players*, geht das in Ordnung?«

»Absolut, ich bin da nicht wählerisch.«

Er hielt mir die Packung hin, nahm dann auch eine. »Ich erinnere mich: *Ich rauche selten, aber ungern*. Guter Spruch! Habe ich mir gemerkt.«

»Offengestanden ist der geklaut, ich weiß nur nicht mehr, von wem. Aber neuerdings ist ja sowieso alles nur noch Copy and Paste.«

»Internet-Nerd?«

»Notgedrungen für die Recherche. Freier Journalist.« Viel zu gewagt, aber jetzt war es raus.

»Ungeschützte Berufsbezeichnung«, stellte er trocken fest.

»Ungeschützter Beruf, jedenfalls als Freier.« Kalter Schweiß rann mir den Arm hinunter und sammelte sich unangenehm am Uhrenarmband. Der Mauerpark war sommerabendvoll. Überall suchten Paare oder Cliquen von Jugendlichen nach einem Plätzchen zum Abhängen.

»Issn hier los, Alda?«, krächzte ein kurzbeiniger Araberbengel gutgelaunt. »Freiet Dope, oder wat?«

Von »frei« konnte nicht die Rede sein, aber überall roch es nach Gras. Nach Gras, nicht nach Gras.

»Woran schreibst du momentan?«, unterbrach der Turner meine ethnologischen Studien.

»Kleine Artikelserie für den *Tagesspiegel*: Filmstadt Berlin, historische Drehorte und die Geschichten dazu.«

»Hört sich spannend an.«

»Auf jeden Fall spannender als Presseerklärungen oder Scheißdreck für Verbandszeitungen, so was wie: Die Schraube im Wandel der Jahrhunderte.«

»Nach dem Motto: *Von Flensburg bis Schraubing?*«

»Sehr lustig! Jedenfalls bin ich heilfroh, mal etwas zu schreiben, was mich interessiert.« Wie einfach es sich mit ihm plauderte! Trotz meiner Geheimabsichten fühlte ich mich in seiner Gesellschaft fast unbelastet. Er machte es einem leicht und war kein bisschen der verpeilte Eremit.

»Film mag ich sehr«, spann er den Faden weiter. »Kino, um genau zu sein. Wenn nach dem Eisverkäufer das Licht ausgeht, das ist Magie pur.«

Mir kam schon wieder eine Idee: »Wenn du auf Dunkelheit und Film stehst, hätte ich was für dich. Kennst du den Wasserturm beim Kollwitzplatz?«

»Weiß nicht genau.«

»Darunter befinden sich zwei Wasserspeicher, ein kleiner und ein sehr großer. Im kleinen gibt es jeden Sommer Filmvorführungen und Performances. Manchmal Kunst, manchmal weniger.«

»Artsy fartsy?«

»Falls das auf gut Deutsch ›Kunstkacke‹ heißt: ja, die auch, aber nicht nur. Das Tollste ist sowieso die Atmosphäre.«

»Interessant.«

»Wenn du willst, nehme ich dich mit. Die zeigen gerade einen Film namens *Pull my Daisy* aus den Fünfzigern, und ich soll sechshundert Zeichen drüber schreiben.«

»Der von Robert Frank?«

Jetzt war ich verblüfft: »Du kennst den?«

»Ja, aber eher als Fotograf, da ist er ein Gott, hat die legendäre Serie *The Americans* geschossen. Hat eine ganze Latte von Kultfilmen gedreht, aber ich habe noch nie einen davon zu Gesicht gekriegt.«

»Ich kann dir ja einen Zettel mit Datum und Anfangszeit ins Fenster halten«, feixte ich.

»Kannst auch Rauchzeichen geben, falls dir Telefon zu profan ist.«

Einen Moment lang überlegte ich, ihn auf ein Kaltgetränk einzuladen. Vorn am Parkeingang gab es eine improvisierte mobile Bar, die neben Bier auch Cocktails und sogar Zimtschnecken anbot. Aber ich hatte meine Lektion gelernt: Nicht drängeln, kommen lassen. Vorsichtig navigierte ich mein Rad über den Pflasterweg, auf dem es wuselte und wimmelte: Lange Haare und abrasierte, Palästinensertücher, die schwarzen Kutten der Autonomen, dazu ein paar *TUI*-Kunden und Mitte-Mädels, die sich sorgfältig downgedresst hatten. Chic war man hier nicht. Chic kriegte Probleme. Vor einem holzigen Busch lieferten sich ein grauhaariger Altrocker und ein blutjunges Mädel ein peitschendes Gitarrenduell – *Hey Joe*. Rauchend hörten wir eine Weile zu, gingen dann anerkennend nickend weiter.

»Vielleicht gibt's ja im Amphitheater wieder Karaoke«, hoffte Minkoff.

»Karaoke ist nur sonntags.«

»Ach, stimmt. Deshalb ist es auch immer so klaustrophobisch wie am Frankfurter Flughafen.«

»Die Karaoke-Freaks brauchen halt Kulisse!«

»Schon klar, aber mir ist das zu eng, sonst würde ich häufiger hingehen.«

Kein Wunder, dachte ich, dass dir das zu voll und viel zu gefährlich ist. Und nun der endgültige Beweis, wie gewieft ich sein kann: »So, ich muss jetzt da rüber.« Ich wies in Richtung der Brücke namens Gleimtunnel. »Ich habe noch eine Verabredung.« Eine Lüge natürlich, um ihn in Sicherheit zu wiegen. Weil ich ihn auf jeden Fall wiedersehen würde, brauchte ich die Situation nicht noch zu melken.

»Dann schönen Abend«, sagte er. »Und melde dich wegen des Films. Diesen Wasserspeicher würde ich mir gern angucken.«

»Bestimmt!« Ich hatte mich schon aufs Fahrrad geschwungen, als mir das Wichtigste einfiel: »Deine Telefonnummer?«

»Hast du was zu schreiben?«

Ich fingerte zwischen einem halben Bagel, einer leeren Flasche Mineralwasser, dem MP3-Player und dem feuchten Badezeug mein Handy heraus, ließ mir seine Nummer geben und speicherte sie: »Dann bis dann!«

Jetzt musste ich natürlich so tun, als führe ich durch den Gleimtunnel zu meiner Verabredung. Ungern! Sofort hinter der Brücke beginnt nämlich der Wedding, das Mekka der Parabolantennen. Viertel wie dieses machen mir schlechte Laune. Sie erinnern mich daran, dass auf meiner persönlichen sozialen Leiter jederzeit eine Sprosse brechen kann und ich nach unten ins tiefste Neukölln oder eben in den Wedding nach Parabolien abrutsche.

14 Ich hielt es wie mit einer Frau nach einem One-Night-Stand, die ich noch mal treffen wollte: Am ersten Tag anrufen ist tödlich, weil es bedürftig wirkt. Der zweite Tag hat etwas zu Taktisches. Der dritte ist perfekt. Am dritten Tag ist der Sex noch (hoffentlich) in guter Erinnerung, und die Frau wird (hoffentlich) nervös, ob man sich noch einmal meldet.

Nach drei Tagen rief ich Minkoff also an. Gutes Timing, denn die Veranstalter des Wasserspeichers hatten die Pressevorführung für den nächsten Tag angesetzt. Als ich zur Mittagszeit durchbimmelte, war er nicht da. Ich ging zum Fenster, um zu kontrollieren, ob er sich verleugnete, konnte ihn aber nicht entdecken. Am frühen Nachmittag versuchte ich es noch einmal.

»Ja, hallo?«

»Hi, hier ist Gregor, der freundliche Nachbar!«

»Hört sich an wie im Horrorfilm: Der nette Nachbar, der einen nach und nach bis aufs Hemd ruiniert.«

Mein Herz schlug wie wild, aber ich blieb cool: »Wie in *Misery*. Nur wäre in dem Fall ich der Schreiber.«

»Na toll, dann bin ich also Kathy Bates, ja?! Wird es was mit dem Film?«

»Deswegen rufe ich an: Morgen um zwei ist Pressevorführung. Hast du Zeit?«

»Kein Problem. Gehst du von hier los?«

»Ja. Dann treffen wir uns also zwischen den Häusern?«

»Wie immer«, sagte er.

Als ich wie verabredet um halb zwei auf die Straße trat, stand er schon rauchend vor dem Haus. Er trug ein kurzärmeliges Hemd, und an einem Finger über der Schulter baumelte ein dunkelblauer Blouson. Die Sonnenbrille thronte wieder auf der Nase.

»Auch schon da?«, grinste er.

»Bin halt nicht so sportlich wie du«, parierte ich und hätte mir die Zunge abbeißen mögen. Er wusste schließlich nicht, dass ich ihn bei seinen Übungen beobachtete.

Aber er zuckte nicht mit der Wimper: »Gehen wir zu Fuß?«

»Wir könnten zur Straßenbahn und dann bis Husemannstraße fahren«, schlug ich vor und legte gleich im Detektivmodus nach: »Oder hast du ein Auto?«

»Kein Auto, keinen Führerschein.«

»Warum nicht?«

»Ach, das ist eine traurige Geschichte. Und du?«

»Ein Führerschein, kein Auto.«

»Warum nicht?«

»Kein Geld.«

»Das ist ein Grund.«

»Die Zeitungen sterben, langsam, aber sie sterben. Und Zeitschriften müssen sich immer mehr auf special interest konzentrieren, für mich nicht so spannend, weil thematisch eng. Übrig bleiben Literatur und das Internet.«

»Und?«

»Beides brotlos, jedenfalls solange, bis das Netz intelligentere Zahlungsmodelle für journalistische Inhalte entwickelt hat.«

»Und was machst du bis dahin?«

»Du interviewst einen ja richtig«, warf ich eine Leim-
rute aus.

Man konnte fast sehen, wie Minkoff einen Satz von der
Zunge wieder in den Rachen gleiten ließ. Dann sagte er
mit kleinem Lachen: »Ich interessiere mich eben für die
Dinge der Welt.«

Das wüsste ich aber, dachte ich. Im selben Moment
wurde mir klar, dass jetzt ich dran war. Ich *musste* ihn
nach seinem Beruf fragen, alles andere wäre auffällig gewesen. Trotz gefährlichen Blutdrucks stellte ich tapfer die
unvermeidliche Frage, konnte ihm aber dabei nicht in die
Augen sehen: »Und was machst du beruflich so?«

»Ach«, antwortete er. »Ich bin gerade im Transit sozusagen. Ich habe Vergleichende Kulturwissenschaft studiert,
da ist man für alles und nichts prädestiniert. Schau, da
kommt schon unsere Bahn!«

Während wir einstiegen, zog ich innerlich meinen
Hut. Nichts verraten und noch nicht mal gelogen! Die
Sache mit der Kulturwissenschaft stimmte, das hatte ich
recherchiert. Wir fuhren bis zur Haltestelle Husemannstraße.

»Schöne Häuser!«, staunte er.

»Warst du noch nie hier?«

»Ist mir zu touristisch, aber jetzt verstehe ich, was die
Leute dran finden.«

»Feinster Historismus, alles so um 1870. Aber man darf
nicht zu genau hingucken. Viel von dem Stuck ist neu und
schon wieder verdammt alt.«

»Was will uns der Dichter damit sagen?«

»Dass hier zu DDR-Zeiten eine Vorzeigeecke war, die
sogenannte historische Straße. Zur 750-Jahr-Feier sollte
Erich hier durchkommen, und deshalb wurde extra für ihn
alles aufgehübscht.«

»Ist doch gut.«

»Hm. Es fehlte überall Material, und wenn du genau hinschaust, ist der Stuck teilweise nur angeklebt!«

»Und *die* haben dem Westen Kulissenhaftigkeit vorgeworfen?«

Simon blieb stehen, um sich eine Zigarette anzuzünden, was etwas Artistik erforderte: »Mann, gar nicht so einfach bei dem Wüstensturm heute!«

»Ich find's gar nicht so wüstenhaft, es ist ganz schön frisch.«

Auffordernd hielt er mir seine Jacke vor die Nase. »Willst du die hier?«

»Nee, geht noch.«

Wir spazierten an einem Spielplatz vorbei, auf dem vor lauter Kindern kein Platz zum Spielen blieb. »Scheint wirklich zu stimmen, was man sich erzählt«, staunte er. »Es heißt, das Viertel hätte die höchste Geburtenrate weit und breit.«

»Ja und nein. Bis zur *New York Times* hat es überall denselben Artikel gegeben: *Das Kinderwunder vom Prenzlauer Berg*. Dabei ist er von der Bevölkerungsstruktur her einfach nur der jüngste Bezirk und damit logisch der kinderreichste. Der Rest ist Journalistenpoesie.«

»Oh, die kenne ich zur Genüge!«, lachte Minkoff und schob ganz schnell hinterher: »Und wo ist nun der Wasserturm?«

»Einmal links um die Ecke.«

Mehr stämmig als hübsch, aber würdevoll stand er da, geschmückt von einer grünen Halskrause aus Baumwipfeln.

»Sieht aus, als wären da Wohnungen drin«, tippte er. »Wahrscheinlich unbezahlbar.«

»Eben nicht. Die gab es schon zu DDR-Zeiten. Die Zonis waren ja nicht blöd!«

»Woher weißt du das alles?«

»Hab drüber geschrieben.«

»Ach so!« Ein unverschämter Blick. »So was wie *Das Kinderwunder vom Prenzlauer Berg?*«

»Der Mensch muss leben«, lachte ich.

Zwischen einem weiteren Kindergarten und einem Bolzplatz, führte ich ihn zu den beiden Wasserspeichern. Von außen nahm man nur einen rosenbewachsenen Hügel wahr, der wie ein Trümmerberg aussah. Nur der schlanke, aus gelbem Backstein errichtete kleine Steigrohrturm, der von ferne an ein Minarett erinnerte, wies ihn als etwas anderes aus. »Da hinten im großen Wasserspeicher gibt es den Sommer über eine ziemlich nervige Klanginstallation, aber unser Film läuft hier im kleinen.«

Am Eingang zeigte ich kurz meinen Presseausweis vor, und eine blasse junge Frau öffnete uns das schwere zweiflügelige Eisenstor einen Spalt weit. Sofort befand man sich in einer anderen Welt. Ein hohes, trockenes Gewölbe, abweisend kühl, in dessen Luft ein Hauch Moder schwebte, die Luft eines Ortes, an den sich die Sonne nie verirrte. Im Zentrum des runden, vielleicht neun Meter hohen Raumes jagten Fackeln skurrile Schatten über die Backsteinarchitektur.

»Scharfe Location«, murmelte er.

Das hier war keine billige Industriearchitektur. Den Mittelpunkt bildete der runde Wasserspeicher, der nach seiner Stilllegung durch fünf fast bis zur Decke reichende Öffnungen zugänglich gemacht worden war. Fehlte nur ein Altar, und man hätte sich in der Kultstätte einer Geheimsekte befinden können. Um diesen Kern zog sich ein großzügiger Ring von Säulen und Rundbögen aus Backstein. Dort hatte man etwa zwanzig Stühle für die Pressevorführung aufgestellt, abends würden es hoffentlich mehr werden.

»Verrückt: alles im Dunkeln, für fast niemanden zugänglich, und trotzdem so prächtig«, sagte Minkoff zu sich.

Jetzt war ich mit Staunen dran: »Du stehst auf Unterwelten?«

»Ja, wieso?«

»Ich habe mal eine Reportage über die hiesige Kanalisation gemacht, besonders die versteckte Ornamentik im Untergrund. Das hat mich umgehauen. Eine komplett andere Welt.«

»Wieso?«

»Glasierte Kacheln, Spitzbögen, Verzierungen überall und sogar ein Denkmal. Stockduster, aber ein Denkmal, das außer ein paar Kanalratten niemand sieht – da steht ein komplett anderes Denken dahinter. Das ist so klasse unvernünftig!«

Die blasse Frau vom Eingang trat vor die Leinwand: »Wir warten noch fünf Minuten, dann fangen wir an!« Ihre dünne Stimme wurde von den hohen Mauern aufgefressen. Eine Handvoll Kollegen war noch eingetrudelt, aber niemand setzte sich hin. Den Kopf in den Nacken gelegt, schlenderten alle durch das großartige Gewölbe.

»Wie viele Schreiberlinge sind denn angemeldet?«, fragte er.

»Keine Ahnung, aber ich hätte mehr erwartet. Auch wenn man nicht drüber schreiben will, sind ungewöhnliche Orte wie dieser sehr begehrt. Man weiß nie, wann man sie noch mal brauchen kann.«

»Und nur Männer da.«

Ich schaute mich um, er hatte recht. »Zufall, aber es stimmt schon: Filmjournalismus ist männlich. Gibt auch Frauen, aber die Freaks, die jedes Semikolon bei *Easy Rider* mitbeten können, laufen auf Testosteron.«

»Komisch, ich gehe oft ins Kino, aber da sehe ich mehr Frauen als Männer.«

»Vielleicht sind Frauen Filmliebhaber und Männer Cineasten?«

»Du meinst, so nach dem Motto: Frauen kochen, aber

Männer sind die großen Köche? Ganz schön reaktionär!«

»Kann sein«, lachte ich. »War nur ein Versuch. Davon abgesehen, ist das gar kein schlechtes Thema: Warum sind filmverrückte Typen wie Tarantino immer Männer? Danke sehr!«

»Dafür nicht.«

Die blasse Frau tauchte nacheinander mit unsicherer Hand die Fackeln in einen Eimer Wasser, bis nur noch eine Schreibtischlampe neben dem Projektor ein schauriges Licht auf die hohen Rundbögen warf. Wir nahmen Platz. Die Kälte des Raumes ließ mich schaudern. Ich rieb mir unwillkürlich die Arme.

»Nicht gerade Andalusien«, stellte der Turner fest. »Hier, nimm meine Jacke!«

»Geht schon.«

»Quatsch! Du siehst aus wie eine Gefrierkombination auf zwei Beinen.« Ohne Antwort abzuwarten, legte er seinen Blouson um meine Schultern. Im Nu war ich in einen privaten Kokon aus Körperlichkeit und Geruch gehüllt. Seine Körperwärme stand geradezu in der Jacke. Jedes Mal, wenn ich mich bewegte, stieg sein Aroma auf, eine dunkle, erdige Mischung, nicht unangenehm, aber sehr intim.

Ein Saxofon nölte, und der Vorspann erschien. In den folgenden sechsundzwanzig Minuten sprachen wir kein Wort. Auch von den Kollegen hörte man keinen Mucks. Es wurde nicht geflüstert, kein Handy klingelte, niemand machte sich Notizen, niemand aß. Als die blasse Frau die Funzel neben dem Projektor wieder einschaltete, wirkte sie grell wie Flutlicht. Verlegen scharrten die Kollegen mit den Füßen, um irgendein Geräusch zu machen.

Draußen hielt der Turner mir wortlos eine Zigarette hin, und ich akzeptierte mit einem Nicken. Er bediente sich auch, gab uns Feuer. Erst nachdem wir ein paar Züge gepafft hatten, fanden wir unsere Sprache wieder. Der Streifen von 1959 hatte uns tief in die Welt der New Yorker Boheme gesogen. Beatniks – was für ein Wort, was für ein Klang! Poetische Schwarzweißbilder, Tisch von oben, weiße Tischdecke, Obstschale, Zeitung, ein Harmonium, Licht von der Seite: »Früher Morgen im Universum«. Zu Hause bei den Beatniks, bei Kerouac, Burroughs, Ginsberg und Konsorten, eine Badewanne, ein Herd, ein Kühlschrank, die Küche. Jazzmusik, lasziv, aufmüpfig, darüber Kerouacs Stimme wie wildes Wasser. Sein Text: früher Rap. Improvisationen über Kakerlaken, Ofenkakerlaken, Käsekakerlaken, Stadtkakerlaken, Erdnussbutterkakerlaken. Ginsberg tanzt wie ein Stammesältester oder ein Kakerlak. Dann Blasphemisches: »Was ist heilig? Ist die Welt heilig? Ist Basketball heilig? Ist das männliche Organ heilig? Ist Gott heilig?« Der Streifen so cool, dass selbst das Verrutschte oder Kindische nicht anders kann, als genial zu wirken.

»Noch mal danke für die Einladung!«, sagte Minkoff. »Ich war schon immer ein Fan von Robert Franks Fotos, wusste auch, dass er sich zunehmend mit Kunstfilmen befasst hat, aber man bekommt sie nirgendwo zu sehen. Wohl zu wenig Mainstream.«

»Mir war nicht klar, dass der Mann als Fotograf weltberühmt ist. Wenn man das weiß, entdeckt man in dem Durcheinander sofort die Ordnung.«

»Na, ein bisschen neben der Tasse waren die schon, so verdrogt, wie die wirken!«

»Ich hätte die Jungs gerne kennengelernt«, seufzte ich.

»Sieht so aus, als hätten die kein Preisschild umhängen.«

»Was steht denn auf deinem«, fragte er aus heiterem Himmel.

Ich kramte nach Worten, entschied mich aus Zeitknappheit für die Wahrheit: »Miete. Und bei dir?«

»Liebe. Vielleicht.«

Ganz schnell war das gegangen, klippklapp, so schnell, dass wir uns überrascht anschauten. Dann traten wir unsere Kippen aus und machten uns auf den Heimweg.

»Man muss schon wissen«, nahm er den Faden auf, »dass die Jungs vor allem wegen Alkohol und Drogen nicht käuflich waren. Einen Junkie presst du nicht so leicht in einen Arbeitsalltag mit Karriereverpflichtung.«

»Die Subversion gefällt mir trotzdem!«

»Du glaubst noch an Subversion?«, lächelte er ironisch.

»Zwangsweise, denn von Harald Schmidt und Moby bin ich abgefallen.«

»Ein romantischer Revoluzzer! Dir ist schon klar, dass unsere Gesellschaftsmaschine alles Widerspenstige in Affirmation verwandelt, oder?«

»Danke für den Hinweis! Und den Trick, sich quasi nur noch affirmativ zu äußern, also affirmativ subversiv, hebelt sie auch mit links aus. Man nennt es Postmoderne. Und weißt du was? Ich scheiß drauf! Scheiß auf den Defätismus!«

Ich hatte mich in Rage geredet, und er schaute mich lauernd von der Seite an: »Also nicht nur Zeilengeld für die Miete?«

»Ich habe nur keine Lust auf ein Leben in Sackgassen. Vielleicht bin ich ja ein verblödeter Romantiker, aber was bleibt denn sonst?«

»Schweigen.«

»Toller Rat an einen Journalisten.« Ich kicherte, aber sein Ton hatte nicht nach Witz geklungen. Und er schwieg ja tatsächlich. Keine Interviews, keine Bekenntnisse, keine Memoiren. Doch niemand verstummt aus Spaß, es muss Gründe geben. Privat allerdings war er nicht mundfaul. Ich hatte sogar den Eindruck, er redete gar nicht so ungern. Als mir klar wurde, dass wir schon fast wieder bei der Tramhalte waren, zog ich seine Jacke aus. »Danke! Jetzt kann die Sonne das Wärmen wieder übernehmen!«

»Was wirst du über den Film schreiben?«, wollte er wissen.

»Ich muss noch mal die Pressemappe studieren. Es gibt ein ganzes Rahmenprogramm mit Jazz und Lyrik und vielen anderen Filmen.«

»Jazz und Lyrik?«, kicherte er. »Das war mal das Miefigste, was man sich vorstellen konnte. Kam gleich nach Frühschoppen mit Dixielandmusik!«

»Die werden das wahnsinnig hip aufziehen, wirst sehen. Dosenbier und Designerbrillen!«

»Bionade nicht zu vergessen!«

»Absolut. Aber bevor ich im Feuilleton verhungere, muss ich noch was für die Haushaltskasse tun.«

»Bankraub?«

»Schlimmer. Ein Zeitungskollege hat ein Buch rausgebracht, einen lustigen Ratgeber für den Umgang mit Personalchefs, und ich soll die Kundenrezensionen auf *amazon*, *buecher.de* und so weiter verfassen. Dann kommen noch die Posts bei den Communities, *MySpace*, *Facebook* und Konsorten.« Weil er laut schwieg, hatte ich das Gefühl, mich rechtfertigen zu müssen: »Das Buch ist wirklich hübsch, und da alle so etwas machen, stelle ich nur die gleiche Ausgangslage her. Kaufen müssen die Leute es schon selber.«

»Ein Mann muss leben«, nickte er ernst. »Ich hatte … äh, ich weiß natürlich, dass es Ghostwriter gibt, aber mir war nicht klar, dass schon die Kundenrezensionen ein Fake sind.«

»In der sogenannten Qualitätspresse wimmelt es nur so vor Gefälligkeitsrezensionen. Die hat es auch vor dem Internet gegeben, nur merken die Leute das nicht. Bei den Kundenbewertungen weiß man es aber, genauso wie bei den Einträgen in *Wikipedia*.«

»Ich glaube, ich lebe ein bisschen hinterm Mond.«

»Davon abgesehen, würde ich mir liebend gern die Sorte

Schweigen leisten können, von der du gesprochen hast. Obwohl – vielleicht auch nicht. Lieber mitmischen, lieber bei dem, was man tut, mal im Unrecht sein, als sich zu verpissen und die Waffen zu stecken. Wenn es sein muss, bin ich a gun for hire, ein Spieler, ein Opportunist auch manchmal. Aber feige bin ich nicht.«

Von einer Sekunde auf die andere sah er wie ein krankes Tier aus. »Mir ist gerade eingefallen, dass ich noch etwas besorgen muss. Also dann!«

Auf dem Absatz umgedreht, mit schnellen Schritten in die entgegengesetzte Richtung gerannt. Was war denn nun passiert?

●

Fünfzig Meter weiter wurde Simon von einer roten Fußgängerampel ausgebremst. Aus irgendeinem Grund schien die Farbe Grün ausverkauft zu sein. Ungeduldig trat er so lange gegen die Bordsteinkante, bis sein Hacken schmerzte. Eine junge Mutter mit Baby im Tragetuch und schon wieder schwanger, musterte ihn missbilligend. Was glotzte die so, trächtige Ökokuh! Als es doch noch grün wurde, ging er ab wie eine Rakete. Ärgerlich, wie er sehr sich ärgerte. Was war schon passiert? Sie hatten davon gesprochen, worüber Freiberufler ohne Unterlass lamentieren: Widerstand oder Anpassung. Erfrischend, dass auch Böhm den Knoten nicht durchschlagen konnte. Wie auch? Er lief wie alle anderen Slalom: Prinzipientreue hier, Gnade dort, das Aufeinanderprallen von Fressen und Moral, dessen Abrieb einen so erschöpft zurücklässt.

Ein asiatischer Bodybuilder kam ihm entgegen, breiter als hoch, der jedoch, als er auf seiner Höhe war, umkehrte, verzagt, aber penetrant neben ihm her lief und ihn taxierte. Waren Asiaten nicht berühmt für Diskretion?

»Nein«, blaffte Simon. »Ich bin es nicht! Sie kennen mich nicht!«

Der Mann erstarrte. Simon kratzte die Kurve, wütend auf den Gaffer und beschämt, weil er sich so gehen ließ. Warum hatte dieses kleine Journalistenarschloch auch so auf seiner Seele rumgetrampelt? Was wusste der schon von den Versuchungen des Erfolgs, des Geldes, des Lobes, der Beliebtheit? Mit noch nicht mal dreißig, wie der aussah, ließ sich prima eine dicke Lippe riskieren. Auch wenn seine derzeitige Lebensweise wie Schockfrost aussah, beruhte sie auf dem ernsthaftesten Entschluss seines Lebens. Er hatte aufgehört zu lamentieren und etwas getan. Und da kommt so ein moppeliger Kugelschreiber daher und hält Vorlesungen über Feigheit, Flucht und Scheintod.

Von der lauten Straße ein wenig zurückgesetzt, erhob sich das Ernst-Thälmann-Denkmal in der Größe eines Zweifamilienhauses. Thälmanns Kopf war so groß wie ein Badezimmer. Vor wehenden Fahnen, vor Hammer und Sichel ballte er die Faust, an beiden Seiten in Riesenlettern »ROT FRONT«. Was davon in jeder Hinsicht übrig geblieben war, konnte man rund ums Denkmal besichtigen: Knöcheltief Scherben von Bier- und Schnapsflaschen, vorzugsweise Discount-Wodka. Als wäre nicht der Kapitalismus, sondern Alkohol der Hauptfeind gewesen.

Schon hellerer Laune trat er der Möglichkeit näher, Böhm könnte ganz so unrecht nicht gehabt haben. Auf jeden Fall schien die Zeit reif, zu entscheiden, wie es weitergehen sollte. Finanziell stand er noch nicht unter Druck. Der Grund dafür hieß Ernst-Hermann und war sein Klassenkamerad in der Grundschule gewesen. Kamerad war vielleicht etwas dick. Ernst-Hermann hatte als schwächlicher Junge mit Glubschaugen und bläulicher Haut den Spitznamen »Froschfotze« abbekommen und die passende Behandlung dazu. Anfangs hatte Simon bei den Hänseleien mitgemacht. Dann wurde es ihm zuwider, wie siebzehn kräftige Bengel einen Schwachen quälten. Als man Ernst-Hermann zwingen wollte, die versifften Sohlen seiner Turnschuhe abzulecken, war ihm der Kragen geplatzt: »Schluss, ihr schwulen Säue! Schluss jetzt!«, brüllte er, verblüfft darüber, wie gut sich das anfühlte. Simon der Retter und Rächer! Viel später erst begriff er, dass er das erste Mal die heikle Grenze zwischen heilig und scheinheilig überquert hatte. Ernst-Hermann hatte zuerst eine Finte gerochen, sich dann aber auf ewig dankbar gezeigt. Jetzt Analyst einer Schweizer Großbank, Spezialgebiet Öl, hatte er ihn schon häufig auf interessante Entwicklungen aufmerksam gemacht, zuletzt bei einem unverhofften Anstieg des Ölpreises um fast vierzig Prozent. Simon hatte investiert und ein gewisses Maß an »finanziellem Frieden gefunden«, wie er sich ausdrückte.

Die Kontoauszüge zwangen ihn also nicht zur Beendigung seines Exils, doch in letzter Zeit hatte er gewisse tektonische Verschiebungen bemerkt. Das Bild zur Empfindung hatte sich ihm vor ein paar Tagen geboten. Im Badezimmer probierte er seinen ersten Nasenhaarschneider aus. Er war damit so beschäftigt, dass er sein Konterfei leidenschaftslos im Spiegel musterte. Einen unbewachten Moment lang hatte er in seine Zukunft geschaut: Der Schmelz der Jugend war dahin. Deutlich sichtbar die Falten um Augen und Mund, die großporige Nase, die verquollenen Augen, die nachgiebige Haut des Halses. In noch nicht einmal fünf Jahren würde er aussehen wie jemand, der einmal gut ausgesehen hatte. Es war nicht der ästhetische Verlust, der ihn schockierte, sondern die Erkenntnis, seine Zukunft halte ab sofort immer mehr Vergangenheit bereit.

Einen Plan hatte er schon lange. Er musste ihn nur endlich in die Tat umsetzen.

15 Nadia war wieder da. Wochenlang hatte ich wegen meines persönlichen Edukationsprojekts, im Sexuellen erwachsener zu werden, den Kontakt mit ihr gemieden. Zwei Mal hatte sie mich auf *Facebook* angechattet, aber ich machte auf verschollen. Jetzt versuchte sie es mit einer Message: *hallöchen, tut mir leid, wenn ich was falsch gemacht hab. wüsste nur gern was! büschen traurig, deine nadia.*

– *quatsch,* antwortete ich knapp, *hast nichts falsch gemacht, war nur busy.*

Dann klopfte sie im Chat an:

– *hey gregor, alles fit im schritt?*

– *alles in butter frau lutter!*

– *supi. hab mich total aufgeribbelt, was ich angestellt habe.*

– *ribbel dich nicht auf, sonst ist dein pullover hin, hihi*

– *bei dem hammerwetter? bist in alaska?*

– *nee, zuhause. lieg aufm bett. sollte arbeiten. was machst?*

– *doktorspiele mit meinem plüschdino*

– *böses mädchen*

– *jaaaaaauuuuaaaa! auch aufm bett mit schlehenlikör. süß aber knallt!*

– *zombiehaft!*

– *jepp. von mama. macht schöne gefühle!*

– *gib mal schluck*

– *hätts wohl gern?*

Und dann in prächtigster Inkonsequenz:

– *lust, vorbeizukommen?*

Von ihr zwei unscheinbare Buchstaben – *ja!* –, und mein Körper stand in Flammen. Sie wohnte nicht weit von mir, Moabit Grenze Wedding, was mich zwang, Prioritäten zu setzen. Rasieren oder lieber herb-männlich? Rasieren! Manche Frauen sind extrem heikel (oder eitel), wenn es kratzt. Dann ab unter die Dusche. Noch mal: Rasieren?

Nein, keine Zeit für untenrum. Wenn ich mich in der Hektik kastrierte, hatte keiner von uns was davon. Einen Schwung Bodylotion, leichter Duft, bloß nicht zuviel. Blick in den Spiegel. Die Haare waren echt scheiße. Nicht kurz und nicht lang genug. Body? Na ja. Mit Rücken gerade und Brust raus ging's. Bin halt der *Volvo* unter den Liebhabern. Während ich mich in die dunkelblaue Stoff(!)hose schmiss (in der sogar *mein* Arsch knackig aussah), erste Zweifel. Hirn an Gregor: Nadia ist eine In-ter-net-be-kannt-schaft! Sie kann irgendwer sein, Nosferatus Amme beispielsweise!

Aber dafür war es zu spät.

Ich entschied mich für einen dünnen Pullover mit Tuch, so ein edel geknittertes. Trug man doch jetzt. Ab ins Wohnzimmer zur Oberflächenkosmetik: Räum, schieb, wegschmeiss, versteck. Als ich eine Pause machte (frischer Schweiß kommt nur gut *beim* Sex), bollerte es an der Tür. Wer sonst als der Thüringer Hauswartskomiker mit seinem perfekten Timing? Aber nein.

»Siehst aus, als hättest du gerade Buttermilch geklaut!«

Ich war schockiert. Nadia hatte gelogen. Sie war nicht zwanzig. Sie war achtzehn, höchstens. Eher siebzehn.

»Äh«, sagte ich

»Mach ich dir Stress?«

»Nee. Komm rein.« Im Mund suchte ich nach Buchstaben. »Was zu trinken? Hab aber nur Bier.«

Sie nickte und drehte sich einmal im Kreis: »Wilde Hütte!«

Ich war froh, in der Küche verschwinden zu können. Nicht nur blutjung, auch wirklich hübsch. Braungebrannt, zweifarbige Haare, oben blond, unten dunkel, oder umgekehrt. Jeansmini, helle Stiefelchen, ärmelloses Top, kein BH. Definitiv kein BH.

Ich schnappte mir zwei *Flens*, ging rüber und hielt ihr eine Flasche hin: »Brauchst du ein Glas?«

»Ist der Papst evangelisch?« Sie hatte ein heiseres Kieksen in der Stimme, als amüsiere sie sich ständig über irgendwas. Wir stießen an, ich nahm einen großen Schluck, dann einen größeren. Sie nippte. Ein Blick auf meinen chaotischen Schreibtisch. »Hast du noch was weggeschafft?«

»Nee, ist einfach zu geiles Wetter. Und du? Schulfrei oder so was?«

»Schule ist Geschichte.« Wieder das Kieksen. »Ich arbeite bei der *AOK*. Allgemeines Oberdoofen Kommando.«

»Sieht aber nicht so aus gerade.«

»Ach so!« Damit ließ sie sich auf meine Matratze plumpsen. »Hab heute frei. Meine Halbschwester heiratet, aber ich hab keinen Bock auf die Bitch und den ganzen Feierscheiß.«

Unschlüssig klebte ich zwischen Schreibtisch und Bett. Sie hatte sich nach hinten fallen lassen, Knie zusammen. Immer wenn sie einen Schluck aus der Flasche nahm, rutschte ihre linke Brust nach oben.

»Willst du 'ne E«, fragte sie übergangslos und klopfte auf die Decke neben sich.

»Nicht wirklich.« Langsam fand ich meine Sprache wieder. »Davon werde ich nur übertrieben geil.« Ich stellte mein Bier auf den Siebzigerjahre-Blumenhocker, der als Nachttisch diente, und setzte mich im Schneidersitz dazu.

»Wer nicht will, hat schon.« Damit griff sie in meine Haare und zog mich langsam zu sich runter. Als ihre Lippen meinen Mund berührten, zuckte ich wie ein toter Frosch, dem man einen Stromstoß verpasst hat. Sie war zu jung, viel zu jung.

»Du küsst gut«, sagte sie.

Sie musste Entfesselungskünstlerin sein: Mein Halstuch verschwand unter ihren Händen, mein Pullover. Plötzlich lag sie ohne Shirt da, ohne Rock. Ihr Höschen blieb an. Sie bewegte sich wie im Vorbeigehen, der Körper ein

Spiel dahingeworfener Linien von der Hand eines Künstlers. Ich griff an ihre Brust, aber sie schob mich beiseite, beugte sich vor, saugte an meinen Brustwarzen, öffnete meine Hose.

»Was für ein hübsches … Croissant!« Wieder das kleine, heisere Glucksen.

Ihre Zunge umspielte mein … Croissant, das im Slip keine Heimat mehr fand. Vernichtend geschlagen hob ich den Kopf. Im Gegenlicht schimmerten die Härchen auf ihren Armen. Auch auf den Wangen hatte sie einen Anflug von hellem Feenflaum, was mich erschütterte. Bei diesem Anblick brachen alle Dämme. Mein Kopf fiel zurück auf die Matratze. Der Unterleib, mein ganzer Körper schien sich auszuweiten und rückhaltlos zu öffnen.

Kein Zucken, sondern eine Dünung, kein Schrei, kein Hecheln, nur ein Lachen im Hals, das ich unmöglich nach oben steigen lassen durfte. Es dauerte, bis ich in der Lage war, die Augen wieder zu öffnen.

»Willkommen zurück!« Mit einer Hand hielt sie meinen Schwanz, mit der anderen tupfte sie Muster auf meinen nassen Bauch.

»Tut mir echt leid, ich …«

»Dafür nicht.« Sie glitt neben mich und blies einen Kuss über mein Gesicht.

»Ich brauche nur eine kleine Pause und dann …«

»Psst!« So kurz, als wäre er nur vorbeigeflogen, lag ihr Zeigefinger auf meinem Mund. »Ihr Männer! Alles immer ein Deal. War doch schön!« Damit sprang sie auf und begann sich anzuziehen. »Vielleicht sollte ich doch kurz bei meiner Schwester vorbei, was?!«

Ich versuchte zu protestieren, wurde aber abgelenkt. Wie sie nur in Stiefeletten und Rock dastand, wollte ich sie in Harz gießen. Dann zog sie ihr Top über den Kopf, strubbelte sich kurz die Haare und machte einen ironischen Knicks: »Haste mal was Geld?« Keine Bitte und keine Drohung. Ganz selbstverständlich wie die Frage nach der Uhrzeit.

Frost fuhr in meinen Körper.

Mit verklebtem Bauch, nacktem Arsch und Hose um die Waden hoppelte ich zum Schreibtisch. Ich nahm meine Börse aus der Schublade und riss fünfzig Euro heraus. Reichte das? Ich wollte nie wieder ein Wort von ihr hören, sie nie wiedersehen. Sie sollte sich das Geld schnappen, ihr Maul halten und für immer und ewig verschwinden. Sofort! Ich hielt ihr den Schein hin, ohne hinzuschauen. Ihre Schritte hörte ich nicht, nur das leise Schließen der Tür.

Wenigstens keine Hartgeldnutte, dachte ich. Wenigstens keine Hartgeldnutte.

»Ach Jungchen. Du bist aber auch eine Flitzpiepe!« Die Vosskamp stand über ihr Sofa gebeugt, Fuß auf einer Lehne, und lackierte sich die Zehennägel grün.

»Ich habe mich noch nie so schmutzig gefühlt. Bin drei Mal unter die Dusche, hab mich sogar mit Parfüm eingesprüht, damit ich diese … diese Person nicht mehr an mir hab!«

»Deswegen riechst du wie ein französischer Frittenpuff!« Sie hatte das in neckendem Ton gesagt, aber ihre feuchten Mutteraugen ließen keinen Zweifel, auf welcher Seite sie stand.

»Entschuldige, dass ich so reingeschneit bin, aber noch nicht mal die Kündigung seinerzeit hat mich so fertig gemacht!«

»Komm mal her.« Die Vosskamp drückte mich vorsichtig an ihren dicken Busen, in der linken Hand das Nagellackfläschchen, in der rechten den Pinsel. »Das Mädel hat dich rumgeführt wie einen Bären am Nasenring. Du kommst dir benutzt vor, und das Ding ist: Sie *hat* dich benutzt!«

»Da muss man erst mal drauf kommen! Die hatte so gar nichts von billiger Nutte.«

»Nee, schon klar: *Du küsst so gut!*«, äffte sie Nadia nach.

»Scheint ein Naturtalent zu sein.«

»Absolutes Ausnahmetalent, würde ich sagen.«

»Na.« Resolut verschloss sie das Fläschchen. Mit halblackierten Fußnägeln und Watte zwischen den Zehen watschelte sie in ihre Schlafkammer. Eine Weile hörte man sie kruschen, dann kam sie mit einer abgegrabbelten Pralinenschachtel zurück, in der sie alte Fotos aufbewahre. Mit beträchtlicher Verdrängungsmasse ließ sie sich neben mich auf das durchgesessene Sofa fallen: »So, jetzt zeig ich dir mal was.« Ich wollte in die Schachtel greifen, aber sie haute mir auf die Finger. »Ruhig, Brauner! Weißt sowieso nicht, was für eine Ehre das ist.« Sie wühlte im Karton und schien nach einer bestimmten Aufnahme zu suchen. Mit einem »Da bist du ja, du Biest!« zog sie eine postkartengroße Farbfotografie hervor. »*Das* ist ein Ausnahmetalent«, erklärte sie sachlich.

Das Foto zeigte eine dunkelhaarige Schönheit, die unter einem blühenden Kastanienbaum auf einer Schaukel saß. Das schlichte schwarze Kleid war nach oben gerutscht und zeigte ihre eleganten Beine. Sie war barfuß, ungeschminkt und verströmte eine Lässigkeit, für die das Wörterbuch keine Vokabel hat.

»Die einzig wahre Königin Sylvia«, staunte ich. »Mir bleibt die Spucke weg!«

»Tja, was zwanzig Jahre und dreißig Kilo weniger ausmachen.«

Ich musterte sie verstohlen und versuchte, unter der mausigen Kurzhaarfrisur und dem hellblauen Frotteehausanzug die junge Vosskamp wiederzufinden. Nicht einfach. Ihre schönen Züge waren im Fleisch des Gesichts versunken, und irgendwo unter der massigen Körperhülle wartete ein biegsamer Mädchenkörper auf Schatzsucher.

»Was ist passiert?«, fragte ich feinfühlig wie immer.

»Männer sind passiert. Die Pleite, der Offenbarungs-
eid, die Drogen – da kommst du drüber weg. Aber die
Wunden, die dir die Kerle schlagen, die bleiben. Gehören
natürlich immer zwei dazu, ist ja klar.«

»Ich dachte, es war dein freier Wille, anschaffen zu gehen?«

»Schon, kam ja schleichend. Erst als Animiermädchen
hier am Stutti. Ziemlich harmlos, siebzig Mark Garantie
damals, der Rest lag bei mir. Dreißig Prozent vom Umsatz
der Typen ging in meine Tasche. Du fängst im Séparee mit
Tittenfummeln und Handarbeit an, vielleicht auch französisch, und endest beim Fick im Hinterzimmer mit allem
Drum und Dran von Natursekt bis Klinikspiele.« Sie zog
ein zweites Foto hervor, auf dem sie schon eher nach Kön-
iginmutter aussah. Die Nase wie geschrumpft im sich langsam ausbreitenden Gesicht, das Haar verzweifelt rot wie
der Mund, die Brüste hochgezurrt. »Du hurst für die Drogen oder brauchst die Drogen, um die Hurerei auszuhal-
ten, Jacke wie Hose. Glaubst gar nicht, wie viele Typen mit
stinkendem Pimmel auftauchen. Müffeln wie Sau nach
Kuppenkäse, erzählen dir, was für tolle Hechte sie sind,
aber tief drinnen gaaanz einsam. Und du denkst nur: Wärst
weniger einsam, wenn du dir mal den Schwanz waschen
würdest!«

»Iiiih! Das ist ja so eklig! Und da heißt es immer, Prostitution ist eine Dienstleistung wie andere auch.«

Die Vosskamp straffte sich. »Ich will dir mal was sagen:
Dass Hurerei behandelt wird wie jeder andere Beruf, dafür
bin ich, logo. Aber lass dir von keinem weismachen, auf
den Strich zu gehen wäre nichts anderes, als an der Kasse
von *Aldi* zu sitzen!«

»Sondern?«

»Welche Kassiererin hat jeden Tag ein paar Schwänze
im Hals und sonst wo?!« Kopfschüttelnd zündete sie sich

eine Zigarette an, stützte sich mit den Armen auf den Oberschenkeln ab und starrte ins Nichts. »Das schnippst du nicht einfach weg«, fuhr sie leise fort. »Die geilen Griffel, die dich in jeder Ritze betatschen, die dir gemein die Nippel kneifen.« Sie stieß den Rauch durch die Nase aus. »Es gibt eigentlich nur zwei Sorten Kerle: die Würmchen, die im Leben null zu melden haben – mit denen wirst du fertig, indem du sie verachtest. Und dann die Typen, die *dich* verachten. Kommen zu dir wegen Sex und rümpfen hinterher die Nase, nennen dich Drecksnutte. Für die ist ficken nur Hass. Die wollen dich unten sehen, damit sie oben sind.«

Ich hatte das Gefühl, mich für mein Geschlecht entschuldigen zu müssen, hielt aber lieber den Mund.

»Die Kerle sind in dir drin, die kriegst du nie wieder raus.« Böses Lachen. »Dabei haben wir noch nicht mal über Hässlichkeit gesprochen, über fiese Wampen, verpilzte Fingernägel, dreckige Ärsche!«

»Boah!« Ich hielt mir die Ohren zu, sprang auf und ging ein paar Schritte zwischen den eng gestellten Möbeln.

Die Vosskamp schlug sich auf den Mund: »Tut mir leid! Irgendwo hast du bei mir einen Knopf gedrückt, bei dem es noch mächtig laut klingelt.«

Ich musste schon wieder lachen und setzte mich neben sie.

»War jetzt nicht sehr hilfreich, was?« Großer Rehblick.

»Ein wenig kontraproduktiv, wie das neuerdings heißt. Irgendwie habe ich ein Gefühl, als wäre ich die Nutte gewesen. Benutzt, aber leider nicht bezahlt.«

»Gibt schon 'n paar Girls, die so eine Zwischentour fahren: Wir ficken, du gibst mir was, aber ich bin keine Nutte, es ist nur ein Geschenk.«

»Ein Geschenk – my ass! Ehrlich wäre mir lieber gewesen.«

»Du weißt nie, was mit so einer Tante los ist. Vielleicht

brauchte sie Geld für Stoff. Haste Einstiche gesehen oder so was?«

»Die Sterne am Firmament hab ich gesehen!«

Sie zog an ihrer Zigarette und verschluckte sich fast vor Lachen: »Och, jetzt sitzt auch noch Schiller neben mir! War doch wohl ein Genie, das Mädel. Aber man weiß nie: Vielleicht wurde sie gezwungen, vielleicht ist was mit der Familie. Oder sie ist nur 'ne geborene Hure, die gibt's nämlich auch.«

»Tröstlich.«

»Aber dich trifft keine Schuld. Sieh es einfach so: Du hast für fünfzig Flocken eins a Französischunterricht gekriegt!«

»Merci vielmals!«

Sie griff nach den Zigaretten, um sich eine neue anzuzünden, aber die Schachtel war leer. »Sag mal, Jungchen«, seufzte sie, »wie kommst du denn sonst mit Frauen aus?«

»Bezahlen tu ich jedenfalls nicht, falls du das meinst.«

»Nein, ich meine so sensationelle Sachen wie zuhören und mit ihnen reden.«

»Ich bin doch kein Fisch!«

»*Sprechen* meine ich, nicht Sprüche kloppen. Etwas vom Herz auf die Zunge legen und rauslassen!«

Ich überlegte lange. Sie drängte mich nicht, schaute nur mit Lassoblick.

»Ich weiß nicht«, setzte ich an. »Ich glaube, das, was du jetzt meinst, mache ich eher im Schreiben.«

»Hab ich mir gedacht.«

»Worauf willst du hinaus?«

»Du hast doch was in der Birne, Junge! Und wie Quasimodo siehste auch nicht aus. Dann sag mir mal, warum ich dich nie mit 'ner netten Frau in deinem Alter sehe?«

Schlagartig war ich schlecht gelaunt: »Das ist mir jetzt echt zuviel! Erst die Nuttennummer und jetzt noch eine Psychoanalyse als Zugabe. Was denkst du, bin ich von Beruf – Sandsack?« Frustriert griff ich nach ihrer Packung Zigaretten, aber die war ja leer. »Hast du noch eine Fluppe?«

»Sorry.« Als könne sie es nicht erwarten, griff sie sich wieder den Nagellack und pinselte wie blöde los.

Etwas an ihrem Ton ließ mich aufhorchen. »Gar keine?«

»Bin pleite«, gab sie kleinlaut zu.

Ich grabschte nach ihrem Lackfläschchen und hielt es hinter meinen Rücken: »Wie pleite?«

»Hab die letzten Tage nur von Brot mit Mostrich gelebt. Supi zum Abnehmen!«

»Au Scheiße, und ich jammere dir die Ohren voll.«

»Rhabarber, Rhabarber«, sagte sie, stand auf und holte sich aus der Küche ein Glas Leitungswasser. Deswegen also gab es heute kein Bier. »Meine eigene Schuld. Ich war auf dem Konzert von *Depeche Mode*, und bei den Preisen hast du plötzlich nur noch Hartz III. In der Kasse ist jedenfalls Ebbe bis Ultimo.«

»Und dein Job im Laden?«

»Alles über hundert Euro wird zu achtzig Prozent angerechnet!«

»War das Konzert wenigstens gut?«

»Gut? Obergeil! Die sind dermaßen arschcool, die Jungs. *Master and Servant, Enjoy the silence*, alles haben sie gebracht. Bin schon ewig Fan und hab mir gedacht: Egal wie teuer, da gehst du hin!«

»Los aufstehen!«, rief ich und versuchte sie hochzuziehen, was nicht gelang. »Komm, ich lade dich zum Essen ein. Du kannst doch nicht noch eine Woche lang Senf futtern!«

»Würdest dich wundern, was ich alles kann!«

»Beleidige mich nicht. Ich will dich nur zu was einladen, Schnitzel, Pizza, was du willst.«

»Nein!« Sie haute mir so hart auf die Finger, dass es weh tat. »Ich komme allein klar. Steck dir deine Almosen sonst wohin!«

»Wie kommst du darauf, dass … ach, zwecklos!«

Ich sprang auf. Armut und Stolz, das kannte ich von mir selbst, waren Gesellen, denen man mit Vernunft nicht beikam. »Danke für alles. Und wenn du Schmacht auf eine Zigarette oder ein Marmeladenbrot hast: Weißt ja, wo ich wohne.«

»Verpiss dich!«, grinste sie zärtlich.

16 Keine sechs Wochen, und im Gegensatz zur Vosskamp musste ich mich mit aller Macht zwingen, das Wort Stolz sehr klein zu schreiben.

»Gregor Böhm hier, guten Tag! Ich hatte Ihnen schon auf den AB gesprochen und auch gemailt. Es geht um das Interview mit Moritz Bleibtreu.«

»Was ist damit?«

»Ich hatte es Ihnen angeboten. Er hat schon sehr lange keine Interviews mehr gegeben.«

»Ach der, ja.«

»Er soll demnächst in einer amerikanischen Großproduktion spielen.«

»Hm.«

»Sie hätten ihn quasi vorab exklusiv!«

»Weiß nicht, das würde uns ja etwa zweihundert kosten. Wir sind gehalten zu sparen.«

»Ich bin mir sicher, dass er bereit wäre, auch ein wenig aus dem Nähkästchen zu plaudern.«

»Ja, nun. Ist der Bleibtreu nicht eigentlich durch?«

»Ich würde es auch für hundert machen.«

»Wer sind Sie noch mal genau?«

»Böhm. Wie Karlheinz. Ohne Äthiopien.«

»*Kennen* wir uns?«

»Wir haben mehrfach miteinander telefoniert.«

»Ach so. Und *worum* geht es?«

»Immer noch um diesen Sterbeartikel.«

»*Was* für ein Artikel?«

»Sterbeartikel. Ich hatte Ihnen für die Magazinbeilage im November ein Porträt über Xaver Bergstein angeboten, dem daran gelegen ist, sein Sterben journalistisch begleiten zu lassen. Er hat Bauchspeicheldrüsenkrebs im letzten Stadium, und es ist ihm wichtig, die Diskussion über Sterbehilfe von der ethischen ...«

»Ja, danke. Da müsste ich erstmal was *lesen*.«

»Das haben Sie längst. Ich habe vor Wochen ein Exposé und einige Passagen gemailt.«

»Kann mich jetzt gerade nicht ... aber ich guck mal nach.«

»Wann darf ich Sie wieder anrufen?«

»Äh. Nächste ... nein, da bin ich *nicht* da, übernächste Woche vielleicht.«

»Erreiche ich Sie dann auch?«

»Selbstverständlich!«

»Ich frage nur, weil das hier bestimmt mein zwanzigster Versuch ist. Laut Redaktionsassistentin sind Sie ständig in Konferenzen.«

»Ja, ja. Nein, nein, melden Sie sich einfach, Herr ...?«

»Wenn es nach mir gegangen wäre, hätten wir Ihren Artikel mit Kusshand genommen, Herr Böhm! Aber Sie wissen ja: die unerfindlichen Ratschlüsse der Chefredaktion!«

»Zuerst hieß es, der Text sei hervorragend.«

»Ganz bestimmt, Herr Böhm, ganz bestimmt. Nur: Mir sind die Hände gebunden, was soll ich machen?«

»Schon gut. Dann sollten Sie mir wenigstens das Ausfallhonorar überweisen.«

»Das ist längst raus.«

»Nein, Sie haben es mir mehrfach beteuert, aber da ist nichts angekommen.«

»Das kann nicht sein!«

»Es ist ja eigentlich recht einfach: Wenn es bei Ihnen raus wäre, wäre es bei mir drin, gewissermaßen. Ist es aber nicht. Gar nicht. Und ich brauche diese Überweisung!«

»Ach, an den paar Euro kann es doch nun auch nicht hängen, was!? Damit kommen Sie doch nicht weit, lieber Herr Böhm!«

Wenn der Wurm mal drin ist, ist er groß, dick, gefräßig und sehr hässlich. An neuen Aufträgen lag nichts an, die Altlasten waren entweder ungedruckt oder unbezahlt. Ich sollte versuchen, bei irgendeiner Verbandszeitung unterzukriechen oder einer Stiftung. »Deutscher Verkehrsbund«, »Verband der Spielwarenindustrie«, scheißegal.

Ich öffnete den Kühlschrank, und das einzig Frische war ein halber Liter Milch. Langsam pendelte ich mich auf Vosskamp-Niveau ein. Wie schaffte sie es nur, keine Angst zu haben? Manchmal kam sie mir einsam vor, auch etwas ratlos, aber ängstlich hatte ich sie nie erlebt. Zeigte sie es nur nicht? Nein, sie gehörte zu den Verrückten, die sich einem heraufziehenden Tornado breitbeinig in den Weg stellen. Konnte gut sein, dass sie im Leben zuviel Scheiße gefressen hatte, um noch groß Angst zu haben. Ein Fall von Immunisierung.

Bei mir ist das anders. Wenn die Auftragslage bedrohlich wird, fühle ich mich wie ein Squashball, der vom Brüderpaar Angst und Zynismus durch die Gegend gepeitscht wird. Okay, sage ich mir dann, wenn man mit rudimentärem Anstand nicht über die Runden kommt, schmeiße ich den letzten Rest Stolz über Bord und mache auf Reise- oder Autojournalist. Weiß schließlich jeder, wie da geschmiert wird. Dazu »Recherchereisen«, »Informationswochenenden« in Luxushotels, »Damenbegleitung«. Niemand kümmert sich so gut um seine »Fachjournalisten« wie die Autoindustrie. Oder ich gehe gleich zum Fernsehen. Wenn schon zynisch, dann richtig. Die Zuschauer gegen gutes Geld nach Strich und Faden verarschen, ihnen jede Menge Schund ins Wohnzimmer kübeln. Heimlich fürchtete ich allerdings, nicht mal das hinzukriegen. Sich mit dreißig nicht alleine durchzubringen, das ist meine größte Angst. Keine Ahnung, wo die herkommt. Vielleicht liegt es daran, dass man Wörter nicht anfassen kann. Mein Job hat etwas Durchsichtiges – da sitzt einer und denkt sich Sätze aus. Keine Karriere für einen erwachsenen Mann.

Wie auch immer, ich musste versuchen, mir den Ball nicht wegnehmen zu lassen. Zwei Chancen gab es noch: ein Porträt über die Kuratorin der Ehrenbären bei der Berlinale. Bei gutem Ausgangsmaterial war eine ganze Seite drin, mit Glück die Zweitverwertung fürs Radio. Dann köchelte noch das Programmheft für *HipHopHändel*, ein edukatives Tanz- und Musikspektakel, im *Hamburger Bahnhof*. Großmäulige Kleindealer sollten durch vertanzte Barockmusik zu edleren Wilden werden. Die bekamen ordentlich Senatsknete, und ich musste sehen, wie ich für mich möglichst viel rausschlagen konnte, im Zweifelsfall waren die Jungs nämlich deutlich vermögender als ich.

Übersichtliche Auftragslage also. Aber irgendwas hatte sich bisher immer ergeben, gehungert hatte ich nie. Sowieso zwecklos, in Panik zu geraten, das änderte nichts. Etwas Süßes wäre gut, Kuchen oder Schokolade, aber ein Café war zu teuer. Allerdings könnte ich die Vosskamp besuchen, die in diesem Laden aushalf. Wenn nicht viel zu tun war, fiel vielleicht etwas von den leckeren französischen Törtchen ab, die dort angeboten wurden.

»La Provence« war genau, was man sich unter dem Namen vorstellte: südfranzösisierendes Geschmacksgetue für deutsche Mittelstandsgattinnen – eine Welt in Lavendel. Draußen begrüßten mich Sträuße von getrocknetem Lavendel, Lavendelkissen, Lavendelseife, Lavendelmarmelade, Lavendellikör.

»Mensch, Gregor, endlich mal ein Kerl in der Bude!«

Wäre nicht ihre Hochwasserhose in Vosskamp-Türkis gewesen, die unter einem lavendelfarbenen Kittel hervorlugte, ich hätte sie kaum erkannt. Sie war dezent geschminkt, hatte sich die Haare zurechtgefummelt, eine schmale Goldkette angelegt und wirkte hinter ihrem Verkaufstresen ebenso sonnig wie professionell.

»Hey, Mademoiselle Provence!«, rief ich. »Wieso? Stehen Männer etwa nicht auf Lavendelsäckchen?«

»Nee, leider nur die Weiber! Und wenn du mich fragst …«, ein flinker Blick nach rechts und links, aber der Laden war leer, »… total frustriert! Die müssten alle mal ordentlich gebürstet werden!«

»Du bist ja ein frauenverachtender Macker.«

»Erzähl mir was Neues!«

»Und? Nerven die frustrierten Ladys?«

»Das ist wirklich eine Überraschung.« Sie zupfte einen Fussel von ihrem Kittel. »Man würde ja meinen, die Madams wären total anstrengend, ist aber nicht so. Sind die nettesten und höflichsten Leute, die ich je kennengelernt habe, in echt.« Sie wies auf die feine Patisserieauswahl mit Apfeltarte und quietschgelben Zitronentörtchen. »Kuchen oder Kaffee?«

»Ein andermal. Hab mein Geld zu Hause vergessen.«

Bevor sie antworten konnte, betraten zwei sportive Däninnen das Geschäft. Es dauerte nicht lange, und man konnte zwischen lavendelfarbenen Kissenbezügen und lavendelfarbenen Servietten spitze Schreie vernehmen. Ich schaute ihnen eine Weile zu – die markerschütternde weibliche Begeisterung für Rüschen, Bordüren und Duftkerzen würde ich nie verstehen –, nutzte dann die Zeit, mir den Laden genauer anzusehen. Im zweiten Raum wurde das Angebot schon robuster: Suppen, Pasteten, Marmelade, dazu Oliven, Confit de Canard und eine ganze Wand mit Alkoholika von Rosé bis Pastis. Als die Skandinavierinnen bezahlten, ging ich wieder nach vorn. Mit einem Lächeln kassierte die Vosskamp und rang sich ein gar nicht so schlechtes »Au revoir!« ab.

»Du machst das fabelhaft«, lobte ich und war beschämt, als sie vor Stolz errötete. »Netter Laden, aber verdammt teuer«, sagte ich schnell. »Der billigste Pastis für siebenundzwanzig fuffzich …«

»Hab auch immer über so Apothekenpreise gemeckert«, nickte sie. »Aber wenn ich mitkriege, was es braucht, nur die viertausend Ocken für die Miete reinzukriegen, sieht das schon anders aus.«

»Könntest du dir vorstellen, hier fulltime zu arbeiten?«

»Vielleicht nicht hier, bisschen zu fluffig, aber sonst: jederzeit. Wo wir gerade bei Jobs sind: Was macht denn unser Fernsehstar? Verfolgst du den noch? Hab lange nichts gehört.«

»Wir waren zusammen in einem Film, das habe ich dir erzählt, sind uns dann mal auf der Straße über den Weg gelaufen, aber nur kurz. Mehr war nicht.«

»Bleibst du dran?«

»Demnächst wollten wir mal ein Bier wegziehen. Aber momentan ist es schwierig. Mein Schreibwarenladen läuft gerade nicht, und die Miete ist auch fällig.«

Die Vosskamp blinzelte mich an: »Verstehe! Hab mein Geld zu Hause vergessen, ja?! Pass mal auf: Die Chefin zählt die Törtchen ab, aber Kaffee lässt sich nicht kontrollieren, der ist immer drin. Lust?«

»Total gern.«

Mit geübtem Griff bediente sie die fauchende Espressomaschine, machte einen Milchkaffee für mich, Espresso für sich. Ich wies auf die beiden Caféhaustischchen vor dem Schaufenster. »Können wir nach draußen?«

»Keine gute Idee. Kennst doch die alte Handwerkerregel: Immer ein Werkzeug in der Hand halten!«

»Der Stehtisch hier geht auch.«

»Sag mal, wie schlimm ist es denn mit deiner Geldnot?«

»Gefährlichste Ebbe seit Jahren.«

»Und Land in Sicht?«

»Ich bin mit meinem Latein am Ende. Alles was ich anbieten kann, sämtliche Ideen für Artikel und jede Menge Exposés, ist raus, Erfolg gleich null.«

»Und nun?«

»Ich würde sogar Boulevardscheiß machen, aber es sind so viele Freelancer auf dem Markt, dass sie sich gegenseitig wegbeißen.« Erst als ich es aussprach, wurde mir der Ernst der Lage bewusst. Jetzt bloß nicht weinerlich werden. Ich hatte wirklich alles versucht, und mehr, als mich überall anzubieten, war nicht.

Die Vosskamp rührte in ihrer leeren Espressotasse, als wolle sie aus dem Kaffeesatz lesen. »Und Minkoff?«, frage sie gedehnt.

»Hab ich dir doch erzählt.«

»Nein, ich meine: Du hast doch, was du brauchst. Du weißt, wo und wie er lebt, wie er aussieht, redet, was er macht. Du hast ihn beobachtet – warum schreibst du es dann nicht?«

»Ja.«

»Ja, was?«

»Eigentlich ist der ganz in Ordnung. Mir kommt das irgendwie gemein vor.«

»Aber du lügst doch nicht, oder? Du erfindest nichts?«

»Nein.«

»Na also. Dann schreib!«

Sie hatte ja recht, aber musste man, wenn etwas auf der Hand lag, auch immer zugreifen? »Ich weiß noch nicht, aus welchem Grund er so lebt, wie er lebt«, wich ich aus.

»Jetzt mal Butter bei die Fische! Du hast eine Geschichte, du musst noch nicht mal lügen, fragt sich nur: Kriegst du sie verkauft?«

»Das denke ich schon.«

»Dann schreib, verdammt noch mal! Oder, noch besser, mach es wie jeder vernünftige Mensch und rede mit ihm! Leg die Karten auf den Tisch, dann muss er sich doch irgendwie äußern!«

Meine Knie wurden weich.

17 Lange Zeit hatte er das große Lob des Nichtstuns gesungen, nun konnte er es kaum erwarten, aus dem Haus zu kommen. Wenn er die Augen aufschlug, begann der Tag mit einem Plan. Manchmal kam es ihm vor, als sei verbrauchtes Blut abgezapft und durch frischeres ersetzt worden. Er suchte Erlebnisse. Nichts mit hoher Siedetemperatur, keine Experimente, keine Grenzerfahrungen, die hatte er zur Genüge gemacht. Er wollte nichts beweisen, auch nichts beweisen müssen.

Manchmal zog es ihn in die Natur. Dann fuhr er in einen Wald, drehte sich mit geschlossenen Augen mehrmals um die eigene Achse, stand still und spazierte stur geradeaus in diese Richtung. Fremdsein interessierte ihn, deshalb suchte er bei solcher Gelegenheit keine Orte auf, die er kannte, steckte auch keine Karte ein. Erstaunlich, erschreckend fast, wie geläufig ihm die Erfahrung des Ausgesetztseins war und wie wenig Angst er verspürte. Vielleicht hatte er das Glück der Idioten, aber nur einmal war es brenzlig geworden. Die Sonne stand schon tief, als er weit im Süden vor der Stadt immer noch durch einen Forst stapfte. Obwohl er im Sommer weder erfrieren noch verhungern würde, hatte er einen Schritt zugelegt und war zu guter Letzt flott marschiert, bis er endlich auf bestellte Felder stieß. Wo geerntet wurde, war auch ein Bauer. Er klopfte an die Tür des ersten Wohnhauses am Waldrand und bat um Hilfe, eine Komödie, weil die beiden Damen des Hauses schon im Nachthemd waren. Nach ein paar misstrauischen Blicken tauten sie auf und gerieten schließlich ganz außer Rand und Band, weil der »charmante junge Mann« auf zwei Likörchen blieb, bis ein Taxi ihn aus der Einöde befreite.

Manchmal war es das Gefühl des Ausgeliefertseins, das er suchte, ein anderes Mal nahm er sich vor, einen ganzen Tag lang nur zu schmecken. Dann fuhr er ins *KaDeWe*, um fürs Frühstück bei *Lenôtre* Petit Pains zu kaufen und dazu feinsten italienischen oder österreichischen Kaffee. Zur Mittagszeit schauderte es ihn herrlich bei einer Kefirschorle, und nachmittags besuchte er ein verzicktes Caféhaus, das leider das beste Clubsandwich der Stadt zu bieten hatte. Abends wurde gekocht: Nur das beste Biofleisch, mariniert mit Arganöl und exotischen Gewürzen, dazu ein Topinamburgratin und ein sehr alter Port.

Das Pendel konnte auch in die andere Richtung ausschlagen. Dann fastete er oder probierte aus, wie lange man ohne Flüssigkeitsaufnahme ausharren konnte. Nicht sonderlich lange, wie er herausfand. Körperliche Probleme hatte er nicht, wurde aber von der Empfindung überwältigt, die Welt sei ihm auf die Füße gefallen.

Seine Feldforschungen betrieb er gelassen und aufmerksam. Etwas war in Bewegung gekommen. Er hätte tausend Kilometer am Stück marschieren können, wusste nur noch nicht, in welche Richtung und wohin.

Heute war es windstill, perfekt für seine liebste Beschäftigung, das Fotografieren von Fundstücken. Irgendwann hatte es ihn gejuckt, nachzuschauen, ob die alte *Pentax* noch funktionierte. Während er Probefotos schoss, überlegte er, warum er sich seinerzeit nicht mit dem geerbten Geld von Onkel Gerhard seinen *Leica*-Traum erfüllt hatte. War wohl nicht die Zeit für Spielereien gewesen, Vivians Alkoholismus hatte alles überschattet. Ein kleiner Teil der

Erbschaft war für den Umzug und die neue Wohnung draufgegangen, der Rest blieb unangetastet. Jetzt lebte er so anspruchslos wie nie zuvor. Da waren Miete und Essen, ansonsten gab er wenig aus. An den letzten Kleidungskauf konnte er sich kaum erinnern. Schick musste er nicht mehr sein, und repräsentative Garderobe für Fotos und Galas war auch nicht nötig. Wann also eine *Leica*, wenn nicht jetzt?

Überraschend entschied er sich in letzter Sekunde gegen die digitale Version. Sein Computer war nicht mehr am Netz, und er wusste noch nicht, ob und wann er das rückgängig machen würde. Nach langem Hin und Her hatte er sich für eine gebrauchte M6 entschieden, die trotzdem noch 2500 Euro kostete. Doch die Ausgabe hatte sich gelohnt. Die Mechanik schnurrte wie ein Kätzchen, und die Fama vom besonderen »Schmelz« der Objektive stimmte auch. Anfangs hatte er sich mit der nicht unkomplizierten Technik schwer getan, aber bald berührte er den Apparat wie eine Frau.

Er war in den Süden der Stadt gefahren, wo die U-Bahn oberirdisch verlief und die Gleise gut zugänglich waren. Anfangs hatte er alles fotografiert, was ihm vor die Linse kam. Außer Menschen. Dann hatte sich fast ohne sein Zutun ein Thema entwickelt: Zusammengeknüllte, weggeworfene oder verwehte Papierschnipsel mit Textbotschaften – Einkaufszettel, Zeitungen, Werbematerial. Entsorgt am Straßenrand waren sie Botschaften ohne Empfänger. Doch für Simon kündeten sie bis zum letzten Hauch Druckerschwärze von den vielleicht wichtigen Kategorien des Lebens: Vergänglichkeit und Beharrungsvermögen.

Mit klopfendem Herzen stieg er die Böschung hinab. Er musste sich sputen. Obwohl er es nicht überprüfen wollte, mutmaßte er, die U-Bahnfahrer würden den Sicherheitsdienst auf ihn hetzen, sobald sie ihn in Gleisnähe erspähten. Höchstwahrscheinlich hielten sie ihn für einen Irren oder Selbstmörder. Dass er sich überhaupt in Gefahr begab, rührte von der Erfahrung, in der Nähe von Bahngleisen besonders viele Objekte seiner Begierde zu finden.

Eine U-Bahn Richtung Norden hatte er passieren lassen, war dann flink den Abhang hinuntergerutscht. Fünf Minuten blieben ihm bis zum nächsten Zug. Er fand keine sonderlich interessanten Objekte vor, hielt aber trotzdem drauf. Was genau meinte die Bezeichnung »Moppelkeks«, die sich in Druckbuchstaben auf dem Rest eines Einkaufszettels fand? Und was war das für ein Mensch, der so schmerzhaft gestochen schrieb wie eine Maschine? Was versteckte sich auf einem Fitzel Zeitungspapier hinter den gerade noch lesbaren Buchstaben »...kelh...«? War von »Dunkelheit« die Rede, von »Dünkelhaftigkeit«? Fand jemand alles nur »ekelhaft«? Lustig, aber unwahrscheinlich: Auch von einem »Ferkelhalter« könnte die Rede sein.

Er liebte diese Rätsel der Beschränkung, mochte aber auch Wörter, die zwar intakt, aber aus dem Zusammenhang gerissen waren. An ein solches Objekt zoomte er sich heran, bemüht, auch etwas von der Atmosphäre des Fundorts mitzuteilen. Vor ihm lag der Ausriss einer himmelblauen Wurfsendung, deren beworbenes Produkt sich nicht leicht erschloss. »Frühling verdreifacht« war das einzige, was von dem Slogan übrig geblieben war. Hübsch, dachte Simon. »Frühling verdreifacht« könnte Beginn oder Ende einer noch zu schreibenden Geschichte sein.

Glücklicherweise kreischten die Gleise kurz nach der Ausfahrt des Bahnhofs so nervtötend, dass er vor dem herannahenden Zug gewarnt wurde. Behände sprang er die Böschung hoch, als sein Handy klingelte. Auch das eine neuere Entwicklung; bisher hatte es irgendwo beim Werkzeug überwintert. Neuerdings steckte er es manchmal ein, ohne genau sagen zu können, warum.

Mania war am Apparat: »Ich wollte mal hören, was das Leben so macht.«

»Im Moment verdreifacht es den Frühling.«

»Muss ich das jetzt verstehen?«

»Ach Süße, du warst auch schon mal phantasievoller. Ich bin gerade auf Fototour.«

»Ach so, wieder bei den ausgesetzten Buchstaben? Ich finde übrigens immer noch, du solltest die Fotos ausstellen.«

Simon hatte ihr einige Abzüge gezeigt und sich gefreut, wie sich darüber die alte Nähe wieder einstellte. Als wirkten seine Arbeiten wie ein Neutralisator, hatten sie lange über Träume und Wünsche gesprochen, sonst nicht das bevorzugte Terrain der eher praktisch veranlagten Mania. Ein bisschen wie diese Textfetzen fühle sie sich auch, hatte sie sogar zugegeben: aus dem Zusammenhang gerissen und auf der Suche nach einem Satz, der sie komplettiere.

»Die Bilder sind doch Kinderkram«, brüllte er in den Hörer, weil gerade der Zug in Gegenrichtung vorbeifuhr.

»Wie du willst! Sag mal, wie wär's mit treffen? Was essen, was trinken?«

»Sehr gern! Und wo?«

»Bei dir!«

»Das sind ja ganz neue Sitten!«

»Du kannst auch zu mir kommen. Ist mir gleich.«

»Was denn nun?«

»Simi, jetzt bist du aber der ohne Phantasie!«

Perplex stapfte er die Böschung entlang, um eine weitere Stelle zum Fotografieren zu finden. Nicht Gott war das letzte Rätsel der Welt, nicht die fehlende Wiederverschließbarkeit von Quarkverpackungen, sondern Frauen. Sie wollte sich von ihm nicht benutzt fühlen, aber mit ihm schlafen. Oder wie? Natürlich freute er sich. Gutgelaunt zog er das Handy noch einmal heraus und wählte Gregor Böhms Nummer. Sie hatten verabredet, dieser Tage einen trinken zu gehen.

Wow, dachte er. In einer Woche zwei gesellschaftliche Verpflichtungen. Da weiß man ja gar nicht mehr, wo einem der Kopf steht.

●

Als er sich dem *Seifenhaus* näherte, sah er Böhm schon von weitem. Der hatte einen der umkämpften Tische draußen ergattert und winkte wie ein Fünfjähriger. Preußischblauer Sommerabend, obwohl sich am Himmel ein paar dunkle Wolken stapelten. Simon setzte sich zu ihm, sprang aber gleich wieder auf. »Stimmt ja, hier ist Selbstbedienung.« Und mit einem Blick auf Gregors halbleere Bierflasche: »Soll ich dir noch was mitbringen?«

»Was trinkst du denn?«

»Gin Tonic, denke ich. Ist ein perfekter Tag dafür.«

»Äh ... bring mir einen Wodka mit, einen polnischen, wenn sie haben.«

Drinnen war Friedhof. Nur eine Tresenkraft spielte an der Espressomaschine, leider nicht die nordische Schönheit, sondern ein rotgesichtiger Bartträger. Simon gönnte sich einen doppelten Gin und orderte auch für Gregor einen großen russischen Wodka, polnischer war aus.

Draußen waren nicht nur alle Tische besetzt, man stand auch in Gruppen herum, Bierflasche in der Hand, wie es neuerdings Mode war. Trotz des lauen Abends lag der Coolness-Faktor im oberen Bereich, stark in die Höhe getrieben durch gleich drei junge Frauen mit Glatze.

Zurück am Tisch, prostete Simon Gregor mit einem »Nastarowje!« zu. »Komisch, dass neuerdings die abendlichen Menschenansammlungen immer größer werden. Bilde ich mir das ein, oder hat das mit dem Internet zu tun?«

»Eher mit Handy und SMS«, vermutete Gregor. »Das geht doch zack zack: Ey, da sind 'ne Menge Leute unter der Brücke an der Eberswalder, kommt doch auch vorbei!«

»Unvermutete Wiederkehr des Kollektivs?«

Gregor war skeptisch: »Sind doch alles Einzelkämpfer. Das läuft eher nach dem Motto: Wenn die Welt schon kalt ist, muss man sich halt im Privaten wärmen.«

»Also doch Kollektiv.«

»Nee, eher Plüsch für die Seele. Daher auch die alt-modischen Filzpantoffeln, die man jetzt überall sieht, die Fleecejacken, die Wollschals. Und es ist bestimmt kein Zufall, dass neuerdings auf jeder zweiten Couch eine Kuscheldecke liegt.«

»Scheiße«, lachte Simon. »Ich habe mir auch eine ge-kauft! Da solltest du was draus machen, ist eine interessante Beobachtung.«

»Als ob das was nützen würde. Ich hol noch was zu trinken. Du?«

Simon trank hastig aus. »Aber nur einen einfachen.« Als Gregor im Gastraum verschwunden war, musterte er die junge bis gerade noch junge Klientel. Obwohl man es ihnen nicht ansah, konnte man davon ausgehen, dass die Mehrzahl Akademiker war. Sympathisch sahen sie aus, linksliberal, fähig. Das Gespräch am Nachbartisch unter-stützte seine Vermutung. Ein Pärchen um die dreißig schmiedete Pläne. Sie, offenbar Philosophin, schrieb ihre Dissertation über Menschenrechtsfragen zur Zeit der Konquistadoren Südamerikas, er arbeitete für *Lettre*. Das Ge-spräch landete schnell bei Handfesterem: Es ging um ihre Datsche in einer Kleingartenkolonie, momentan der letzte Schrei, noch angesagter, als zum Katholizismus überzutre-ten.

»Möglicherweise ergibt das mit dem Beobachten, eine Theorie-draus-Machen und dann Aufschreiben gar keinen Sinn«, überlegte Gregor, als wäre er nicht fort gewesen. »Nichts als unbedeutendes Tralala.« Unbeholfen balan-cierte er den Gin und das Tonic, sein Bier und den Wodka, der kurz davor war, ihm gefährlich aus den Fingern zu rutschen.

Simon befreite ihn vorsichtig vom Wodka, nahm ihm dann den Rest ab. »Habe ich das richtig verstanden: Der Herr Journalist hat eine Sinnkrise?«

»Na ja, eher eine Finanzkrise. Aber an Sinn mangelt es auch. Was will man noch schreiben im Zeitalter der zynischen Vernunft? Es ist doch so: Gerade *weil* alle alles wissen, bleibt nichts mehr zu tun.«

»Letztens hast du noch ganz anders geklungen, von wegen ›keine Lust auf ein Leben in Sackgassen‹. Das habe ich mir gemerkt!«

»Jemand hat mal gesagt: Ich bin mit mir nicht immer einer Meinung«, grinste Gregor, hob sein Glas und stieß mit Simon an.

Der trank und schüttelte sich: »Hatten wir nicht gesagt, keine Doppelten?«

»Hatten wir, aber die gehen aufs Haus. Sind von Süßsauer-Andy.«

»Wer ist Süßsauer-Andy?«

»Der Typ hinterm Tresen. Auch so ein Fall: Sinologe, genialer Übersetzer chinesischer Lyrik. Und was macht er?«

»Gibt Schnäpse aus?«

»Bingo.«

Simon fischte die halbe Zitronenscheibe aus seinem Glas, presste sie aus und rührte mit den Fingern um. »Jetzt mal Klartext: Worüber genau bist du mit dir uneins?«

»Wahrscheinlich mit so ziemlich allem! Seitdem man nicht mal mehr an Gott und die Stiftung Warentest glauben kann, ist die Welt unübersichtlich geworden. Sogar die Feindbilder sind uns ausgegangen.«

»Viel schlimmer: Der Feind sitzt *in* uns. Wenn wir mit den modernen Anforderungen nicht zurechtkommen, keinen Erfolg haben, wenn wir uns überfordert fühlen, geben wir uns selbst die Schuld. Deshalb die Körperstörungen, der Narzissmus, die Magersucht, die Depression.«

»Beschissene Verhältnisse, wo man ständig Angst haben muss, am nächsten Tag ersetzt zu werden.«

»Eigentlich wäre das mein Text, aber dann halte ich mal dagegen«, improvisierte Simon. »Guck dir die Leute hier an: Keine der Biografien wird geradlinig verlaufen. Biegsamkeit ist gefragt, Phantasie, Katastrophenmanagement. Ich gebe zu, es ist anstrengend, aber es hat auch was gegenüber der Fron und Gleichförmigkeit eines Acht-Stunden-Arbeitstags. Vom Feststecken in Hierarchien ganz zu schweigen. Nennen wir es ruhig ein gewisses Maß an Freiheit. Aber wenn du das nicht willst, musst du die Verwaltungslaufbahn einschlagen.«

»Was für eine Horrorvorstellung!«, lachte Gregor. »Ich liebe ja auch meine Freiheit – meistens. Aber dann ist wieder mal Ebbe auf dem Konto, und sofort steht alles zum Verkauf: mein Verständnis von Qualität, das, was ich interessant finde, meine Überzeugungen. Falls noch vorhanden.«

»Nichts auf der Welt ist eindeutig«, lockte Simon.

»Und manchmal geht mir das mächtig auf die Eier! Dann nervt die abgewichste Ironie nur noch, mit der ich mich gegen die Zumutungen der Welt wappnen soll.«

»Welche Zumutungen?«

»Dass alles jederzeit verfügbar ist: mein Wohnort, meine Jobs, der soziale Status, sogar Beziehungen.«

»Du sehnst dich nach Sicherheit!«, rief Simon überrascht.

»Nicht immer, nur ab und an. Aber ich will etwas wachsen sehen.«

»Schön gesagt! Darauf trinken wir!«

Rundherum wurde es unruhig. Schwere Wolken waren aufgezogen, und die Feiglinge vom Nachbartisch hatten sich schon nach innen verdrückt. In Windeseile wurde ihr

Tisch von westdeutschen Touristen geentert, unfehlbar an Augenbrauenpiercings und gebleichten Haaren zu erkennen. Aufgeregt hielten sie nach der Bedienung Ausschau.

»Hier ist manchmal Selbstbedienung«, lehnte Gregor sich zu ihnen rüber.

»Und manchmal ist immer«, komplettierte Simon den Satz.

Sie grinsten sich breit an, und in dieser Sekunde öffnete der Himmel seine Schleusen. Ein satter Landregen ging auf die erhitzte City nieder. Fluchtartig sprangen alle auf, wurden aber trotzdem klatschnass, weil die Eingangstür für den Ansturm zu schmal war.

Innerhalb kurzer Zeit war der eben noch kühle Gastraum menschenwarm und feucht. Die Sommerabendlässigkeit wurde von aufgekratztem Geschnatter mit Füßen getreten. Man zupfte an nassen Klamotten, kringelte sich vor Lachen, zeigte sich den gerade noch geretteten Wein, das in Sicherheit gebrachte Geschnetzelte wie eine Trophäe, und nur ein paar Frauen griffen entsetzt in ruinierte Frisuren.

Geistesgegenwärtig hatte Simon seinen Gin Tonic mit nach innen genommen, knallte aber im Gedränge mit einem arabisch aussehenden Jungmann zusammen und goss ihm das halbe Glas übers T-Shirt.

»Nebzaq ′a la hatchoun yemmak«, schimpfte der lautstark. Aufgerissene Augen, Hände gen Himmel.

»Oh, das tut mir furchtbar leid!«, versuchte Simon ihn zu beruhigen. »Was hast du gesagt?«

Der Araber wiegte die dunklen Locken. Dann zog ein peinlich berührtes Grienen über sein Gesicht: »Das war Arabisch mit einem Schuss Berber. Heißt auf Deutsch: Ich spucke auf die Fotze deiner Tante!«

Simon und Gregor schauten sich an und brachen in wieherndes Gelächter aus.

»Deiner Tante?«

»Deiner Tante!«

Es dauerte, bis sie sich beruhigt hatten. Einer musste nur »Tante!« sagen, und sie brüllten wieder vor Lachen. Am Ende hielten sie sich die Seiten, weil ihnen alles weh tat.

»Ich hole noch eine Runde«, keuchte Simon. »Aber diesmal nur einfache, okay? Hab eh schon einen im Tee!«

Als er sich zur Bar vorkämpfte, sah er, dass die Fenster vor Feuchtigkeit blind waren. Der Barkeeper rotierte, denn der Guss hatte die Feierlaune mächtig angeheizt. Er hatte die Indiemucke lauter gestellt, damit die Warteschlange sich die Zeit mit einem Stehtänzchen vertreiben konnte. Wieder zurück, hob Simon sein Glas, rief »Tante!«, und schon prusteten sie los wie Erstklässler.

»Guten Abend, Herr Minkoff!«

Es war nicht auszumachen, wer von ihnen bestürzter war, Gregor oder Simon. Sie standen wie angeklebt da und starrten eine klatschnasse dicke Frau in hellen Jeans und rosa Sweatshirt an.

»Vosskamp?!«, stammelte Gregor. Er sah aus, als habe er eine Nierenkolik.

»Ich freue mich auch, dich zu sehen!«

»Was willst du hier?«

»Krieg dich mal ein! Das ist ein öffentliches Lokal, wo man hinkommt und was trinkt. Hast du damit ein Problem?«

Simon blickte alarmiert vom hochrot angelaufenen Gregor zu der stoisch blickenden Dicken: »Kann mir jemand erklären, was hier gespielt wird?«

Gregor setzte an, aber die Vosskamp kam ihm zuvor: »Gespielt wird hier gar nix. Ich komme auf ein Stehbier vorbei, und mein Spezi hier hat mir mal erzählt, dass der gewesene Fernsehstar Minkoff genau bei ihm gegenüber wohnt. Ist schließlich nicht verboten, oder?«

»Das ist ja interessant.« Simon schien nicht mehr zu Späßen aufgelegt. »Wenn ich mich recht erinnere, Böhm, hast du vor kurzem noch ganz ahnungslos nach meinem Beruf gefragt.«

Auch jetzt kam Gregor nicht zu Wort. »Herr Minkoff, jetzt pass mal auf.« Mit ihren weichen Patschehänden tippte sie jedem an die Brust: »Vosskamp, Böhm, Minkoff, nur Namen, nichts weiter. Alles drei Menschen. Ende der Durchsage!«

»Okay«, sagte Simon gedehnt. Dann aus heiterem Himmel: »Sie haben völlig recht.« Er schlug ironisch die Hacken zusammen, verbeugte sich knapp, »Gestatten: Minkoff!«, und hielt ihr seine Hand hin.

»Vosskamp, angenehm.«

»Und woher kennen Sie unseren gemeinsamen Bekannten?«

»Unser Verhältnis ist nicht … biologisch!«, stotterte eine errötende Vosskamp.

Ungläubig schüttelte Gregor den Kopf, er hatte sich immer noch nicht gefangen. »Ich hab mal ein Porträt über Sylvia gemacht, und wie du siehst, ist die Frau eine … äh … Bombe!«

»Na, na.« Sie haute ihm einen Ellenbogen in die Seite. »Wer kommt denn schon mal gern zu mir, um sich auszuheulen?«

»Pssst!« Gregor brachte den Schatten eines Lächelns zustande.

»Siehste! So, auf den Schreck brauch ich jetzt erst mal was Flüssiges. Ihr auch, Jungs?«

»Kommt nicht in Frage! Hältst du mal mein Bier, Simon?«

Energisch schob Gregor sich Richtung Tresen. Die Vosskamp schaute ihm hinterher. Ein Moment der Peinlichkeit entstand, wo beide nicht wussten, was sie sagen sollten.

»Was hat er denn?«, fragte Simon schließlich.

Die Vosskamp legte ihm eine Hand auf den nassen Unterarm. »Auch wenn man es nicht gleich merkt: Er hat ein weiches Herz. Ich bin auf Stütze, und er will nicht, dass ich mein Bier selbst bezahle.«

»Verdient ja auch mehr als Sie.«

»Nicht immer. Momentan jedenfalls nicht!« Und als Nachklapp: »Du! Sylvia!«

»Simon.« Er überlegte einen Moment, ob er die dicke Frau jetzt küssen müsse, aber zum Glück war sie noch ohne Getränk. »Anstoßen können wir ja später!«

»Glaub bloß nicht, dass du um ein Küsschen rumkommst«, neckte sie ihn. »Kommt nicht alle Tage vor, dass man einen so stattlichen Kerl aus dem Fernsehen beim Wickel hat!«

Simon wurde schlagartig wieder ernst: »Ich wäre Ihnen … äh … ich wäre froh, wenn du die Fernsehsache lassen könntest.«

Gregor hatte sich an einem Grüppchen aufgekratzter Franzosen vorbeigequetscht und reichte der Vosskamp ihr Bier.

»Tante!« Gregor hob sein Glas.

Simon lachte verdruckst, die Vosskamp guckte irritiert. Sie standen dicht aneinander gepresst. Nasse Kleidung und Körperwärme beschwerten die Luft. Gelächter und Palaver brandeten durch den Raum. Raumtemperatur und Stimmung waren so aufgeheizt, dass ein junger Mann sich bis auf die Unterhose ausgezogen hatte.

»Hübsches Hinterhaus!«, stellte die Vosskamp fest und leckte sich die Lippen. Dann, mit einem Blick auf Simon: »Da machen wir doch gleich mal weiter und trinken endlich Brüderschaft!«

»Du kannst doch nicht …«, setzte Gregor an, aber jetzt fuhr Simon ihm in die Parade: »Längst passiert! Wir sind per du und müssen nur noch anstoßen!«

Sie verschränkten die Arme, nahmen einen Schluck und schmatzten sich ab, Sylvia etwas saftiger als ihr neuer

Duzfreund. »Wobei habe ich euch eigentlich unterbrochen«, fragte sie. »Worüber habt ihr geredet?«

»Übers Überleben.«

»Über den Überlebenskampf«, präzisierte Gregor, froh, sich wieder auf einigermaßen sicherem Terrain zu bewegen. »Darüber, dass der Feind kein übermächtiger Bösewicht ist, sondern in uns selbst steckt, wie Herr Minkoff meint.«

»Oh, es gibt durchaus einen Bösewicht.« Simon verzog den Mund. »Bei uns beiden heißt der Publikum, ein Publikum, das man nur noch mit Brei füttern kann, weil es alles andere ausspuckt.«

»Wahrscheinlich korrekt«, nickte Gregor resigniert. »Aber wenn man den Leuten immer nur Brei verabreicht, fallen ihnen irgendwann die Zähne aus, und sie können nichts Festes mehr beißen!«

»Dann muss das Feste eben schmecken«, tat die Vosskamp kund.

Gregor war platt: »Unsere Sylvia favorisiert die Strategie der Verführung!«

»Das hat nur den Nachteil«, wandte Simon ein, »dass Leute wie du und ich bei dieser Strategie zum Zuhälter werden.«

Die Vosskamp machte ihr Kaninchengesicht: »Versteh ich nicht.«

»Findest du nicht, dass es was total Nuttiges hat, die Welt komplett in Geschenkpapier zu verpacken, Schleifchen und Glittersternchen drauf und das Ganze dann mit giftig guter Laune überreicht? Ich habe im Frühjahr ein Werbeplakat für die Matthäus-Passion gesehen, Überschrift: *Das Highlight zum Frühlingsbeginn.* Das muss man sich mal vorstellen: Wir reden über Folter und Tod Christi, und der gutgelaunte Claim lautet: *Das Highlight zum Frühlingsbeginn!*«

»Total nuttig«, strahlte die Vosskamp.

»Quatsch!« Gregor, der wieder zu sich gekommen war, verschüttete vor Eifer fast sein Bier: »Man muss die Pferde reiten, die da sind. Andere gibt es nicht.«

»Nein, man kann auch gehen!«, kam es prompt von Simon. Die Vosskamp haute ihm zustimmend auf die Schulter, aber er war noch nicht fertig. »Davon abgesehen, musst du dich wirklich mal entscheiden, Gregor, was du sein willst: FDP oder der gute Mensch von Sezuan.«

»Bin halt …«, stotterte Gregor, »bin halt nur … ein Mensch!«

Simon lachte schallend. »Wirklich gute Ausrede! Die beste von allen! Also, Freunde der Nacht, darauf einen Allerletzten?« Und als beide nickten: »Kommt, wir kämpfen uns an die Bar vor. Mit Sylvia als Rammbock haben wir, glaube ich, gute Karten!«

»Schweinehund!«, kicherte die.

Gutmütig ging sie voran und lotste sie sicher an die Bar. Süßsauer-Andy hatte alle Hände voll zu tun. Sie mussten lange auf ihre Getränke warten. Jeder hing seinen Gedanken nach, bis die Vosskamp Simon ins Visier nahm und aus dem Nichts fragte: »Warum machst du eigentlich kein Fernsehen mehr?«

Gregor sog scharf die Luft ein, aber Simon verzog keine Miene.

»Hört sich bestimmt bekloppt an, aber da war eine Grenze in mir, die ich zu oft passiert habe.«

»Bekloppt nicht«, lauerte Gregor, »aber unverständlich.«

»Die meisten Medienmenschen verwechseln Status mit Bedeutung. Um das nicht wahrzunehmen, musst du ununterbrochen wirbeln, etwas vorhaben, Pläne, Projekte. Du suchst inneren Frieden in der Bewegung, und das kann nicht gutgehen. Verständlicher?«

Gregor und die Vosskamp schüttelten unisono den Kopf.

»Dann andersrum. Also Gregor: Was war der schlimmste Sündenfall in deinem Leben? Was nimmst du dir ernsthaft übel?«

Gregor guckte perplex, bekam aber unvermutet Bedenkzeit durch die Ankunft der Getränke.

»Also?«, drängelte Simon.

»Vielleicht die Sache mit dem Buch.« Wäre sein Gesicht nicht ohnehin vom Alkohol befeuert gewesen, man hätte gesehen, wie er rot anlief.

Die Vosskamp konnte es nicht erwarten: »Na was, raus damit.«

»Ist ja gut! Unser Direx hatte alle Abiturienten aufgefordert, für die Schulbibliothek ein Exemplar ihres Lieblingsbuchs zu stiften. Hab ich auch gemacht, ›Per Anhalter durch die Galaxis‹.«

»Nichts gegen zu sagen, immerhin kein ›Steppenwolf‹«, lobte Simon.

»Schon, aber ich habe leider auch eine Widmung reingeschrieben, was mit Wichser, Scheiße, Arschlecken und so, blöder Schülerkram eben. Und dann, das war ganz komisch, ist mir jahrelang diese doofe Widmung nicht aus dem Kopf gegangen. Ich habe mir vorgestellt, wie ein Sextaner das Buch in die Hand nimmt, es aufklappt und diesen Mist liest.«

»Gibt Schlimmeres!«, zuckte die Vosskamp die Schultern.

»Sicher, aber es hat mich verfolgt, es stand da so schwarz auf weiß. Na ja, irgendwann bin ich unter dem Vorwand, einen Artikel zur Schulreform zu schreiben, in mein altes Gymnasium, hab mich in die Bibliothek geschlichen und die bewusste Seite heimlich rausgerissen.«

»Das verstehe ich gut«, nickte Simon.

Die Vosskamp grinste und wollte eine Bemerkung machen, aber Gregor kam ihr zuvor: »Und du, Simon?«, fragte er mit besoffenem Ernst. »Was war das Übelste, das du je gemacht hast?«

Simon gab die Sphinx. Er wiegte den Kopf und lächelte vieldeutig.

»Nee, so haben wir nicht gewettet! Erst andere aushorchen und dann selber kneifen.«

Simon piekte mit seinem Strohhalm ausgiebig in die halbe Zitronenscheibe, rührte dann pedantisch um. Er schaute hoch, fixierte erst die Vosskamp, dann Gregor. »Verrat«, sagte er schließlich. »Sagt euch der Name Sebastian Leber was?«

»Logo, der ist auf so einem Homeshoppingkanal«, wusste die Vosskamp.

»Ich habe ihn an die Presse verraten, beziehungsweise seinen Kokainkonsum. Und das nur, damit man mich und meine Frau ungeschoren lässt.«

Schlagartig war die laue Sommernacht vorüber. Simon verharrte wie schattenlos ausgeleuchtet. Gregor und die Vosskamp starrten ihn an, sie verwirrt, er peinlich berührt.

»Sind wohl alle keine Engel«, brachte sie schließlich heraus.

Da Simon keine Anstalten machte, sich weiter zu erklären, und Gregor schwieg, standen die Männer sich gegenüber wie Schauspieler, die ihren Text vergessen hatten.

Gregor brach als erster den Blickkontakt ab und schaute zu Boden: »Du hast gefragt, warum ich so getan habe, als wüsste ich nichts von deiner Fernsehkarriere. Das war lange wirklich so. Unser Hauswart hat mich auf deine Fährte gebracht.«

»Ach, der Dicke im Blaumann?«

»Genau. Dann habe ich ein bisschen recherchiert: *Der geheimnisvolle Abgang des Simon Minkoff* und so. Kennst du ja sicher, die Artikel. Na ja, ein Sündenfall ist es nicht gerade, aber wenn wir schon beim Beichten sind …«

Simons Miene blieb undurchsichtig. Peinliche Stille breitete sich zwischen ihnen aus, gewann an Gewicht, bis die Vosskamp sie mit einem energischen »Andersrum wird ein Schuh draus!« durchbrach: »Was heißt denn hier Sündenfall? Gregor ist Journalist und du eine öffentliche Person, warst es jedenfalls.«

»Kack die Wand an«, rief Simon. »Jetzt bin ich aber gespannt, wo das endet!«

Sie knallte ihre Bierflasche auf den Tresen und verschränkte trotzig die Arme: »Das endet damit, dass er schreiben kann, was er will. Auch über dich!«

»Sylvia!«, fauchte Gregor.

»Nix Sylvia! Du hältst die Klappe.«

»Also gut.« Simon wandte sich ihr gefährlich ruhig zu. »Er kann schreiben, was er will. Aber unter Umständen kann er es auch lassen, verstehe ich das richtig?«

»Von der schnellen Truppe, was?! Der Junge hier muss seine Miete blechen, und da ist es egal, ob das Geld von einem Zeitungsartikel kommt oder von deinem Konto.«

»Sylvia!« Gregors Kopf war so tief auf seine Brust gesunken, dass man eine kleine kahle Stelle auf seinem Hinterkopf sah.

»Werde ich hier gerade erpresst?« Simon sah plötzlich stocknüchtern aus.

»Was heißt erpresst? Ein kleiner Handel, damit kennst du dich ja aus, wie du selber erzählt hast.«

»Scheiß was drauf!«, rief Gregor mit der bitteren Inbrunst des Betrunkenen. »Scheiß auf alles! Bitte schön: Dann ist es eben Erpressung. Du bezahlst Summe X oder die Welt erfährt die wahre Wahrheit über deinen Verrat!«

In seinen Augen standen Tränen, und eine Rotzspur lief ihm von der Nase in den Mund.

18 Am nächsten Morgen hatte ich den schlimmsten Kater meines Lebens, körperlich wie moralisch. Selbst die drei Lichtstrahlen, die sich durch die Gardinen kämpften, taten mir weh. Benebelt verzog ich mich samt Bettzeug in die kühle, dunkle Badewanne. Immerhin hatte ich es nicht weit, um zu kotzen und diverse *Alka Seltzer* einzuwerfen.

Jedes Mal, wenn mir die Nummer im *Seifenhaus* hochkam, wurde mir schlecht. Am schlimmsten war die Scham. Ich weiß nicht, wie oft ich mich an diesem Tag gekrümmt habe, als würde ich in der Mitte durchgerissen. Was für eine erbärmliche Figur ich abgegeben hatte! Eine Memme, nicht in der Lage, zu einer Erpressung zu stehen und auch nicht, ihr zu widerstehen. Abwarten, das Maul halten und auf einen fahrenden Zug springen, der längst abgefahren ist – tolle Leistung! Ich war ein solcher Vollversager, dass sogar eine Ex-Nutte meinte, meine Geschäfte führen zu müssen.

Obwohl ich nichts mehr zu essen da hatte, schaffte ich es nicht, das Haus zu verlassen. Viel zu groß war die Angst, dem Turner über den Weg zu laufen. Schon den Anblick des gegenüberliegenden Hauses konnte ich so wenig ertragen, dass meine Vorhänge penibel geschlossen blieben.

Was immer ich auch tat: Ich hatte mir einen netten Kerl zum Feind gemacht und eine drollige Freundin verloren. Auf der Habenseite nichts, außer einem potentiell gutbezahlten Enthüllungsartikel. Aber diese Entscheidung musste warten, bis ich medizinisch wieder unter den Lebenden war. Die Vosskamp ging mir nicht aus dem Sinn. Diese Chuzpe, diese Unverschämtheit! Will mir helfen und merkt nicht, wie klein sie mich damit macht. Und trotzdem: Wenigstens sie hatte die Traute gehabt, alles auf eine Karte zu setzen.

Am nächsten Tag habe ich vorsichtig durch die Gardinen gelinst, bevor ich sie öffnete. In der Wohnung gegenüber niemand da. Den ganzen Tag über niemand zu sehen, so dass ich mich in der Abenddämmerung rausgeschlichen habe und zum Spätkauf bin.

Am dritten Tag dann klopfte es, Minkoff in der Tür: »Tach.«

»Entschuldigung.« Mit hängenden Armen stand ich regungslos.

»Darf ich reinkommen?«

Bildete ich mir das ein, oder spielte ein belustigtes Lächeln um seine Lippen?

»Äh ... klar.«

Irgendwas war anders, ich konnte nur den Finger nicht drauf legen. Er trat ein, und zum ersten Mal seit Urzeiten betrachtete ich meine Bude durch die Augen eines »Kollegen«. Machte nicht viel her. Der Schreibtisch war zwar aufgeräumt, aber das nur mangels Aufträgen. Ansonsten herrschte Chaos. Das Bett zerwühlt, schmutzige Klamotten überall, in den Ecken stapelten sich Zeitungen, Bierdosen, Bücher. Und es roch nach Schuld.

Während ich auf die Sitzecke wies, öffnete ich rasch das Fenster. »Kann ich dir was zu trinken geben?«

»Nein.«

Zerknirscht setzte ich mich zu ihm.

»Was hast du dir eigentlich dabei gedacht?«, begann er erwartungsgemäß. »Oder soll ich lieber sagen: ihr?«

»Um Gottes willen! Sylvia hat nichts damit zu tun! Sie wollte nur helfen ... na ja ... falsches Wort bestimmt, aber hier gibt es wohl nur falsche Wörter.« Ich schaute ihm in die Augen und hoffte, dass er mir wenigstens die Gewissensbisse abnehmen würde. Jetzt erst wurde mir bewusst, was anders war: Er hatte sich den Bart abrasiert. »Der Bart ist ab!«, rief ich verblüfft, doch er nickte nur knapp.

»Gut, also die Dicke wollte nur helfen. Und du? Wolltest auch nur helfen? Dir selbst, nehme ich an.«

»Es gab doch keinen Plan! Es war wirklich mein Hauswartskomiker, der mich ganz unschuldig auf dich aufmerksam gemacht hat. Ich gucke selten fern, und deshalb hab ich dich nicht erkannt. Mit Brille, Bart und langen Haaren sowieso nicht, ich meine, mit dem ehemaligen Bart.«

»Und dann?«

»Dann habe ich dich und deine ganze Verschollenen-Geschichte im Netz entdeckt und natürlich mit der Idee gespielt, eine grandiose Enthüllungsgeschichte zu schreiben.«

»Sonst wärst du ja kein Journalist.«

»Sonst wäre ich ja kein Journalist.« Die Tatsache, dass ich ihn beobachtet und verfolgt hatte, behielt ich erst mal für mich. Musste ja nicht alles auf einmal raus. »Mir ist schon klar, wie blöd das klingt, aber im Grunde war es nur so eine Art Mindfuck. Hat halt gekribbelt, sich vorzustellen, wie es wäre, die Entöffentlichung des Simon Minkoff öffentlich zu machen.«

»Oder gegen ein paar Scheinchen den Mund zu halten!« Seine Miene war wie betoniert.

»Gereizt hat es mich schon«, gab ich zu. Der große investigative Reporter. Oder der dunkle, böse Erpresser. Tja, und dann war die Miete fällig.«

»Was bedeutet?«

»Dass ich pleite war und eine verdammt gute Idee brauchte, um nicht zum Hartzer zu werden.«

»Sehe ich das recht, dass du weder die Enthüllung enthüllt noch wirklich den Erpresser gegeben hast?«

»Nicht mal das hab ich drauf!« Ich sprang auf und schaute aus dem Fenster. Vielleicht eigenartig, rot anzulaufen, weil man nicht mal zum Verräter taugt, aber selbst das war mir peinlich. Schließlich hatte auch er bewiesen, die Rolle des Verräters zu beherrschen. »Damit du nicht missverstehst«, ich drehte mich wieder um. »Die Vosskamp wollte mir nur helfen. Auf deren Mist ist das nicht gewachsen!«

»Ist ja gut.« Ungehalten hatte das geklungen, kalt. Minkoff stand auf und kam langsam auf mich zu. Einen Moment hatte ich Angst, er würde mir die Faust ins Gesicht schieben. Aber er breitete nur ergeben die Arme aus. »Also gut«, sagte er, »dann erpress mich!«

»Ich verstehe nicht?«

»Sag einfach, was dir lieber ist: Schweigegeld oder deinen Artikel schreiben?«

»Gar nichts, verdammt! Ich hab meine Lektion gelernt und wäre schon froh, wenn du mich nicht aus dem Fenster stößt.«

»Ich hätte große Lust darauf«, sagte er und schwang sich auf den Sims. »Aber ich sage dir lieber, was du jetzt machen wirst: Du wirst meine Geschichte an den Meistbietenden verhökern. Und ich helfe dir dabei!«

»Was?« Der Typ wollte mich quälen, das war jetzt klar. Er würde es mir bitter heimzahlen.

»Ich werde dir meine ganze Geschichte erzählen – freiwillig. Du schreibst sie auf, aber nicht als Artikel, sondern als Buch!«

Ich muss so dumm geglotzt haben, dass er vor Vergnügen in die Hände klatschte.

»Allein dein Gesichtsausdruck ist es wert! Wir machen eine Reihe von Interviews, du schreibst alles auf, und wir teilen das Honorar auf. Ein Drittel für mich, zwei für dich, weil du dem Ganzen schließlich die Form geben musst.«

»Aber wieso?« Da stimmte was nicht, der wollte mich reinlegen.

»Vielleicht, weil es für mich an der Zeit ist, ins Leben zurückzukehren.«

Er fummelte eine Packung Zigaretten aus der Hosentasche und hielt sie mir hin. Ich griff mir eine und konnte es kaum abwarten, bis auch er sich bedient hatte.

»Ich weiß nicht, ob man es Dialektik nennt oder nur paradox«, fuhr er fort, »aber Abwesenheit ist gewissermaßen eine hohe Form der Anwesenheit. Ich bin wieder bereit für die Normalität, muss aber zuerst Klarschiff machen. Und weil die Leute gefallene Helden lieben, bringe ich es mit deiner Hilfe hinter mich, um dann zu neuen Ufern aufzubrechen.«

»Dazu brauchst du mich doch nicht! Ich meine, wie kannst du mir vertrauen? Und außerdem: Ich weiß gar nicht, ob ich ein Buch schreiben kann.«

Er rutschte zur Seite und klopfte auf den Platz neben sich. Ich hopste auf die Fensterbank, unsicher, was hier gespielt wurde. Aus irgendeinem Grund waren die Gewichte verschoben, fragte sich nur, warum und wohin?

»Du kannst ein Buch schreiben, dafür sorge ich schon«, sagte er schließlich. »Anders geht es nämlich nicht: Ich habe nur Talent zum Reden, nicht zum Schreiben.«

Ich saß so nah neben ihm, dass sein erdiger Körpergeruch mir wieder in die Nase stieg. »Aber es ist deine Geschichte, und du bist derjenige, der sie am besten erzählen kann.«

»Der Versuch, etwas zu enthüllen, endet meist im Verbergen. Nichts ist so verlogen wie eine ehrliche Autobiografie.«

•

Montags, mittwochs, freitags. Das waren ab nun unsere Arbeitszeiten. Die meiste Zeit konnte ich es immer noch nicht fassen. In welcher Komödie war ich da gelandet? Der Mann, auf dessen Kosten ich mich finanziell und vielleicht auch professionell sanieren wollte, spielte mich an die Wand, indem er genau das tat, was ich mit ihm vorgehabt hatte. Diese Lektion gehörte zu den härteren: Offensichtlich konnte man eine Schlacht gewinnen, indem man sie verlor.

Nicht, dass es zu meinem Nachteil gewesen wäre. Es

lag auf der Hand, dass die Minkoff-Enthüllungen ein Erfolg werden würden. Sie würden für Furore sorgen, ganz gleich, ob die Geschichte gut geschrieben war oder nicht. Wenn ich nach unseren Interviews die Bänder abhörte, packte mich trotzdem der Ehrgeiz. Wie alle Journalisten träumte ich von einem gebundenen Buch mit meinem Namen möglichst groß über dem Titel.

Es gab nur ein Problem: Minkoff log. Er sagte nicht bewusst die Unwahrheit, wollte mich nicht reinlegen oder bestrafen, es handelte sich vielmehr um Bemäntelungen, Verdrehungen, Interpretationen. Ich konnte den Finger nicht präzise drauflegen, aber ich spürte, wie er bestimmte Momente seines Lebens umschlich, sie in günstigeres Licht setzte oder – schlimmer – einfach verschwieg. Da war beispielsweise seine Familiengeschichte. »Ach, das ist doch langweilig, viel zu konventionell«, sagte er, während er ausgiebig Zucker in einen seiner unzähligen Kaffees rührte. »Kapitel über Großeltern und Eltern überschlägt jeder. Ein paar Absätze reichen völlig, um den familiären Hintergrund zu beleuchten!« Vielleicht hatte er nicht mal unrecht, aber als er so auffällig nebenher vom Autounfall seines Vaters sprach, schrillten bei mir die Alarmglocken.

Wie es schien, warf er Nebelkerzen nicht aus Feigheit oder Dünkel, sondern um andere zu schützen. Ich hatte kein Problem damit, bestimmten Personen ein Pseudonym zu verpassen oder sie anders aussehen zu lassen, schließlich ging es um die Wahrheit, nicht um die Haarfarbe. Aber zunehmend beschlich mich das Gefühl, von ihm mit salzloser Kost abgespeist zu werden. Wie er Vivian auf deren Wunsch in die Entzugsklinik fuhr und der daraufhin einmalige Seitensprung mit seiner Studienfreundin Mania – ich hatte zu viele Interviews geführt, um nicht den Märchenerzähler rauszuhören.

Nach zwei Wochen zog ich die Notbremse: »So geht das nicht, wir müssen reden!« Normalerweise saß er am

Tisch vor meinem Aufnahmegerät, während ich umher tigerte und mir Fragen überlegte. Bei Interviews hatte ich die Erfahrung gemacht, dass es hilft, dem Gegenüber Raum zu geben, ihn nicht zu bedrängen. Jetzt aber schaute ich ihm in die Augen: »Ich habe das Gefühl, von dir zu gekämmte Geschichten vorgesetzt zu bekommen.« Er riss empört die Augen auf, aber ich redete weiter. »Nein, nein, ich glaube nicht, dass du mich bewusst anschmierst, aber langsam begreife ich, was das ist, ein Moderator. Der bastelt sich aus Sprache Wirklichkeit. Und weil du soviel Muße hattest, sind deine Erzählungen so poliert, dass sie eins nicht mehr sind: glaubhaft.«

»Ich erzähle doch keine Märchen!«, protestierte er.

»Sag ich auch nicht. Aber du lieferst ein etwas zu makelloses Dossier über Simon Minkoff.«

»Und was willst du nun von mir?«

»Was dir wirklich durch den Kopf geht. Bildlich gesprochen will ich die Sackgassen und Klippen genauso wie die Bremsstreifen in der Unterhose.«

»Muss ich mir überlegen«, sagte er, stand auf und verschwand.

Zwei Tage später stand er wieder in der Tür: »Okay!« Das war alles.

Von da an lief es runder. Stellte ich eine Frage, dachte er wirklich nach, ohne sofort mit einer Anekdote zu kommen. Das Buch begann zu atmen.

Gleich zu Beginn unseres zweiten Anlaufs setzte er sich seufzend an den Tisch und schaltete höchstpersönlich das Aufnahmegerät ein: »Heute reden wir über meinen Vater.« Und dann kam die traurige Ballade vom trotteligen Radfahrervater. Solche Bekenntnisse fielen ihm nicht leicht. Hinterher aber blies er Rauchringe in die Luft und erschien ein paar Pfund leichter.

Schwieriger wurde es bei den Frauen, besonders bei

Vivian. Er hatte Skrupel, über ihre Sucht zu sprechen, legte die Stirn in Falten, stöhnte gequält, setzte an, brach ab. »Ist viel zu intim«, flehte er dann und zündete sich eine Zigarette an der nächsten an.

»Damit steht und fällt alles«, hielt ich dagegen und hoffte heimlich, richtig zu liegen. »Entweder die Wahrheit oder gar keine Memoiren. Wolkiges Aquarell bringt jedenfalls nichts!«

»Aber die peinlichen Details, die Tränen, die Kotze, die Zusammenbrüche – das betrifft nur sie!«

»Ganz falsch«, sagte ich. »Sie betreffen dich genauso, haben dein Leben bestimmt. Außerdem, wenn ich das richtig verstehe, wärst du ohne ihre Alkoholprobleme nie in die innere Emigration gegangen, oder!?«

»Da ist was dran. Aber ich bestehe darauf, dass du ihr einen anderen Namen verpasst und einen anderen Beruf. Was hältst du von Köchin?«

Nach und nach kam etwas zum Vorschein, was ich mich Wahrheit zu nennen nicht trauen würde, aber es war Minkoffs persönliche Wahrheit, von meinen Einwürfen abgeklopft. Seine Zungenfertigkeit verließ ihn nur dort, wo es um die Liebe ging. Da kam er ins Stocken, wurde ungeduldig, verschlossen, bockig, und ich hatte Mühe, außer dürren Fakten etwas aus ihm herauszukitzeln. Die eigenartige Sprachlosigkeit zwischen ihm und Vivian, die Rituale der Vermeidung, bis die Luft vor Schweigen dröhnte, konnte er nur schwer erklären. Vieles an seiner Frau war ihm ein Rätsel geblieben. Dann kam er mir vor wie jemand, der sich verlaufen hatte. Seine berühmte Fähigkeit, Menschen zum Reden zu bringen, hatte in seiner Beziehung offenbar versagt.

Wahrscheinlich ist es ein Merkmal aller Männer, aber von seinem Beruf hatte er wesentlich mehr zu berichten. Nach den üblichen Plattitüden, wie man nach dem Medium Fernsehen süchtig werden kann, weil es so wunderbar die Welt ersetzt und einen gleichzeitig gegen sie abschirmt, kamen wir bald zum Kern: dem begeisternden Adrenalin einer Livesendung, der Sucht nach Bestätigung, der beständig gefütterten Eitelkeit. »Ich war ein guter Moderator, es war eine gute Sendung«, sagte er nicht gerade selten. Es stimmte (ich hatte mir in der Zwischenzeit viele Folgen angeschaut), und ich nahm ihm sogar ab, dass er selbst daran glaubte. Trotzdem wurde ich das Gefühl nicht los, er halte sich im Geheimfach seines Herzens für einen puren Moderatorendarsteller.

Ohne es abgesprochen zu haben, trafen wir uns anfangs nur bei mir. Wahrscheinlich fiel es ihm in fremder Umgebung leichter, sich zu öffnen. Ausnahmsweise – bei ihm wurden Wasserverbrauch und Heizung abgelesen – trafen wir uns eines Freitagnachmittags in seiner Wohnung. Mir war das recht, so konnte ich seine Lebensumstände besser bewerten als von meinem Fenster aus. Als gerate ein zweidimensionales Bild in die dritte Dimension: Von außen hatte seine Ästhetik arg spartanisch gewirkt, nun relativierte sich das. Die Küche zierte bauhausartig je eine blaue, gelbe und rote Wand. Die Stühle waren zwar gleichfarbig gestrichen, aber äußerst unterschiedlicher Herkunft. Sein Schlafzimmer, soweit ich es durch die angelehnte Tür sehen konnte, hatte er spärlich möbliert (Bett, Nachttisch, Kommode, großer Ohrensessel), es wurde aber von einem die ganze Wand verhüllenden Vorhang mit sehr großen, sehr bunten Quadraten dominiert. Nur das große Wohnzimmer wirkte in seinem Schwarzweiß reichlich karg. Dazu trug besonders der reduzierte Wandschmuck bei, ausnahmslos Schwarzweißfotografien.

Der schwierigste Abschnitt unserer Gespräche begann, als wir bei seiner Weltflucht anlangten. Schon den Ausdruck wollte er nicht akzeptieren. »Es war eher eine

Hinwendung zu mir«, sagte er. Warum er sich zu diesem Entschluss durchgerungen hatte, konnte oder wollte er nicht auf einen Begriff bringen. »Plan war das nicht, eher ein Experiment unter kontrollierten Bedingungen. Stell dir einen Steppke vor, der seinen Chemiebaukasten ausprobiert und sich mit aufgerissenen Augen fragt, ob und wann und wie etwas explodieren wird. Oder eben nicht.«

»Aber so eine extreme Lebensveränderung ist doch kein Spiel.«

»Meinst du?«, fragte er gedehnt. Und dann, plötzlich sehr entschlossen: »Doch, genau das ist es! Ein Spiel, bei dem man erst nach einer Weile begreift, welche Konsequenzen es hat und wie wichtig es für einen ist.«

Ein Freund der Esoterik bin ich noch nie gewesen, es fiel mir nicht leicht, ihm zu folgen.

»Es ist ein Prozess«, versuchte er zu erklären. »Schwer zu sagen, warum, aber du weißt genau, dass du das Richtige tust, selbst wenn es schmerzt. Wenn es nicht so affig klänge, würde ich es Reinigung nennen, Katharsis. Einmal das System kräftig durchgespült, und du besitzt eine frische Empfindungsfähigkeit.«

Ich bestand auf Konkretion, fragte nach Beispielen, um seinen Knochen etwas Fleisch beizugeben.

»Guck dir das Foto an.« Lebhaft sprang er auf und zog mich vor eine dunkel gerahmte Fotografie im Passepartout. »Darf ich vorstellen: Elliot Erwitt, Gott der Straßenfotografie!« Das grobkörnige Foto zeigte in einer Draufsicht viel grauen Asphalt, darauf ein Hosenbein in Nadelstreifen. Dem Anzugmann war ein Pappbecher Kaffee aus der Hand gefallen, neben seinem eleganten Lackschuh gelandet und hatte dort eine dunkel schimmernde Lache hinterlassen. »Ich bin mächtig stolz auf den Originalabzug«, sagte er ohne Angeberei. »Vergleichsweise preiswert auf einer Auktion erworben, immer noch ziemlich teuer, aber darum geht es nicht.«

»Worum geht es dann?«

»Mich haben die New-York-Fotos aus den Fifties immer schon fasziniert, aber früher hätte ich dir etwas über Technik erzählt, über gestischen Stil und interessante Kontraste. Jetzt sehe ich das natürlich auch, aber es steht nicht im Vordergrund.« Versonnen nippte er an seinem Glas Wein.

»Muss ich jetzt fragen: wieso?«

»Ja, musst du! Für mich ist dieses Foto so was wie ein großes stummes Bild. Es erzählt keine Silbe zuviel, behält sein Geheimnis.«

»Das Geheimnis liegt auf der Hand, beziehungsweise auf dem Asphalt.«

»Klar fragt man sich zuerst: Was ist passiert? Warum fällt einem so eleganten Mann, einem *master of the universe*, vor Schreck der Kaffee aus der Hand? Krise an der Wall Street? Oder war der Kaffee einfach zu bitter?«

»Steht neben ihm seine Geliebte, und die Ehefrau kommt gerade um die Ecke?«

»Wer steht überhaupt daneben? Sind da Menschen oder keine? Wenn ja: welche?«

»Und dann eine Sache, die ich noch nie verstanden habe: Warum wird offenbar in jedem New Yorker Deli der coffee to go in blauweiße Pappbecher mit griechischem Mäanderband gefüllt?«

»Außer bei *Starbucks*.«

»Aber *Starbucks* zählt nicht.«

»Sehe ich auch so, *Starbucks* zählt nicht!«

Ausnahmsweise trafen wir uns erst am späten Nachmittag, und er hatte eine Flasche Wein spendiert. Ich hievte mich im offenen Fenster auf den Sims.

»Das mit den Mäanderbändern kann ich dir nicht erklären. Das mit meiner veränderten Sichtweise übrigens auch nicht wirklich. Ich weiß nur, dass zur Form auch Inhalt gekommen ist – wurde ja auch Zeit.«

»Jetzt sind aber die Zentnerthemen dran!«

»Sorry«, Minkoff wackelte gutmütig mit dem Kopf, nahm mein Weinglas vom hölzernen Couchtisch und brachte es mir. »Ich würde mich gern präziser ausdrücken, aber wie du das alles in Kapitel fasst, ist ja glücklicherweise nicht mein Problem.«

»Prost Mahlzeit! Ich finde es übrigens interessant, dass jemand vom Medium Fernsehen sich in seiner Freizeit mit Bildern beschäftigt«, versuchte ich mich an einer Theorie.

»Falsch! Ich habe erst nach der Fernsehgeschichte die Fotografie wiederentdeckt.«

»Das heißt, du bist bei Bildern geblieben, aber sie sind zum Stillstand gekommen?«

»Gar nicht so schlecht! Ich zeig dir was.« Geschwind lief er in den Flur und kam in Windeseile mit einem Fotoapparat zurück. »Das ist meine *Leica*, mein Baby!«

Er hielt sie mir vorsichtig hin. Sie lag gut in der Hand, und er erlaubte mir, ein paar Probefotos zu schießen. Ich sprang von der Fensterbank, blieb aber dort stehen, weil ein angenehmes Lüftchen wehte. Absichtslos schoss ich ein paar Bilder von seinem Wohnzimmer, merkte aber schnell, wie unangenehm ihm das war.

»Gib mal her«, sagte er und nahm mir die *Leica* aus der Hand. »Jetzt bin ich dran!«

Bevor ich piep sagen konnte, sprang er um mich herum und drückte auf den Auslöser. Zuerst machte ich ein Fotogesicht, dann Faxen. Und ich zog den Bauch ein. Als er stumm weiter knipste, wurde mir die Sache peinlich. Ich kam mir linkisch vor und dumm, wusste nicht, wohin mit den Händen, erst recht nicht, welches Gesicht ziehen. Ich fand mich reichlich unattraktiv.

»Entspann dich«, meinte er. »Hier sind nur zwei Leute, du und ich. Guck nicht in die Kamera, guck mich an. Ich bin es, Simon!«

Leicht gesagt. Ich tat mein Bestes, kam aber über Posen nicht hinaus.

»Zwischen den Fotos sehe ich dich, da bist du du selbst«, stellte er fest und nahm die Kamera runter. »Aber kurz vor dem Klick machst du komplett zu.«

»Du hast gut reden! Wie hast du das gelernt?«

»Später.« Er überlegte kurz: »Zieh dein Hemd aus.«

»Was?« Ich trug ein ärmelloses rotes T-Shirt und dachte nicht daran, es auszuziehen.

»Zieh dein Hemd aus! Und stell dich nicht wie ein Pipi-mädchen an. Erpresser spielen und sich wegen ein paar Fotos in die Hose machen!«

»Pah!« Ich zog mein Shirt über den Kopf und schaute trotzig in die Linse.

»Besser!«

Die Kamera klickte nun in so kurzen Abständen, dass ich nicht anders konnte, als mich zu entspannen. Ich hatte Durst und nahm einen Schluck Wein.

»Wunderbar!«, rief er. »Kommt gut.«

Ich bezweifelte das. Meine Röllchen waren bestimmt nicht sexy, die fünf Haare auf der Brust auch nicht. Immerhin konnte ich eine schöne Sommerbräune vorweisen, und meine Babyhaut hatte den Frauen immer schon gefallen. »Mach dich nur lustig«, sagte ich und streckte ihm die Zunge raus.

Klick.

»Mach ich nicht, du siehst gut aus. Hat was ausgesprochen Samtiges, wie du da im Gegenlicht stehst. Stell mal das Glas ab und fass dich an.«

»Was???«

»Nun mach schon!«

Ich verschränkte die Arme, fuhr mir durchs Haar, legte eine Hand auf meinen Hals, meine Schulter. Minkoff war mir jetzt sehr nah. Ich kehrte ihm den Rücken, drehte dann den Kopf ins Profil.

440

»Genau so!«

Meine Beklemmung war verschwunden. Unser intimer Tanz machte mich übermütig. Ich wandte mich wieder um. Diesmal lieferte ich mich seiner Kamera aus, ohne Scham, aber mit erstaunlicher Selbstgewissheit, wo immer die herkam.

Er schoss noch ein paar Fotos, ließ dann die Kamera sinken: »Da sind definitiv ein paar gute Aufnahmen dabei. Noch Wein?«

»Was ist heute eigentlich los mit dir? Du bist so aufgekratzt.«

»Och, Mania kommt später vorbei.«

»Daher weht der Wind. Die Aussicht auf Sex macht gute Laune.«

Er zwinkerte mir zu: »Mal schaun.«

»Darüber müssen wir auch noch reden, über Mania und was ihr für ein komisches Verhältnis habt. Und hattet.«

»Ja, Herr Biograf. Aber nicht heute. Ich muss sie zuerst fragen, ob sie in dem Buch überhaupt auftauchen darf, verändert und mit anderem Namen, versteht sich.«

Das Kapitel, vor dem ich das größte Muffensausen hatte, erwies sich als so unproblematisch, dass es schon verdächtig war. Ich hatte es mir wie eine Operation am offenen Herzen vorgestellt, über seinen Verrat zu sprechen. Wer gibt schon gern Charakterschwäche zu und steht moralisch splitternackt da? Doch an dem Vormittag, da wir über den Vorfall sprachen, musste ich nichts tun, als zuzuhören. Ohne Drucksen und Zaudern ließ er Druck ab und war nicht mehr zu stoppen. Mit fast masochistischem Elan legte er eine bühnenreife Vorstellung hin, spielte den Ressortleiter der Boulevardzeitung und sich selbst so plastisch, dass ich nur den Dialog abzutippen brauchte. Ein paar Nachfragen meinerseits zum Raum, zur Aussicht –

schon war die Szene komplett. Selbst die Marmeladensorte hatte er sich gemerkt. Die Detailgenauigkeit, mit der er von der vielleicht schlimmsten Situation seines Lebens berichtete, verriet, wie chirurgisch er sich damit auseinandergesetzt hatte, und die fast satirische Zuspitzung seiner Erzählung, wie sehr sie ihn schmerzte.

Spätestens bei der Frage, warum er den Kollegen Leber ans Messer geliefert hatte, würde er seine Silberzunge einsetzen, mit Entschuldigungen, Rechtfertigungen und Ausflüchten kommen, hatte ich vermutet. Das Gegenteil war der Fall. »Es war doch kein Verrat aus niederen Motiven, sondern eine echte moralische Zwickmühle«, argumentierte ich. »Hättest du es zugelassen, deine Frau Millionen von sensationsgeilen Lesern zum Fraß vorzuwerfen?« Doch er wollte nichts davon hören. Eine absurde Situation: Ich bot ihm Entlastung an, aber er bestand stur darauf, sich zu verurteilen, als mache es ihm Freude.

Leider kann man Menschen nicht aufklappen, um Herz und Hirn darauf zu prüfen, doch ich hatte den Eindruck, er bemühte sich um Wahrhaftigkeit. Meine Angst, er trage mir den halbherzigen Erpressungsversuch nach, war überflüssig. Ich bildete mir sogar ein, wir kämen uns von Treffen zu Treffen näher. Spätestens als wir über so delikate Angelegenheiten wie Liebe und Sexualität sprachen, dämmerte mir, noch nie so intime Gespräche geführt zu haben. Notgedrungen musste auch ich etwas von mir preisgeben, denn jede Frage ist auch eine Antwort.

Einen Zusammenstoß gab es allerdings, einen heftigen. Irgendwann haute er mich locker von der Seite an: »Wann sind denn die ersten Kapitel soweit?«

»Schon längst.«

»Und wann kann ich sie sehen?«

»Gar nicht. Erst wenn alles fertig ist.«

Augenblicklich verwandelte sich der Schmusekater in eine Hyäne: »Wie bitte!? So haben wir nicht gewettet, lieber Freund! Das ist meine Geschichte, und ich habe ein Recht darauf, zu sehen, was du damit anstellst!«

Diesmal ließ ich mich nicht bluffen. Wenn man als Freiberufler etwas lernt, dann, sich Einflussnahme und Zensur zu widersetzen. »Absolut richtig«, stimmte ich so gefasst wie möglich zu. »Es ist deine Geschichte, aber wenn du sie in deinen Worten und deiner Interpretation lesen willst, musst du sie auch selber schreiben.«

Er japste nach Luft. »Tickst du nicht mehr sauber? Wenn du schon so eine Supergeschichte geschenkt bekommst, solltest du wenigstens kooperieren.«

Ich kreuzte die Arme vor der Brust. »Man kann es auf einen ganz einfachen Satz bringen: *Deine* Geschichte, *mein* Buch.« »Selbstverständlich«, schob ich versöhnlich nach, »bekommst du es als Erster zu lesen. Alle sachlichen Fehler werden korrigiert, alle berechtigten Einwände berücksichtigt. Wir werden uns ganz bestimmt einig. Aber ich kann so ein Buch nicht schreiben, wenn ich nur deine verlängerte Zunge bin.«

»Nee!«, hörte ich nur noch. Dann knallte auch schon die Tür.

Am nächsten Tag erschien er zur üblichen Zeit und tat, als sei nichts passiert.

Meine Ruhe in der Auseinandersetzung war nicht gespielt, sondern geprobt gewesen. Ich wusste, dass er wie alle Medienmänner früher oder später versuchen würde, mich zu beeinflussen. Also lernte ich vom besten aller Lehrer – von ihm. Mehrfach hatte ich beobachtet – zuletzt bei dem unseligen Vosskamp-Auftritt im *Seifenhaus* –, wie sein Gesicht schlagartig versteinern konnte. Man sah regelrecht, wie ein Vorhang sich über seine Züge senkte. Die Botschaft war klar: Was immer du versuchst, du hast keine Chance! Solche Kälte ging dann von ihm aus, dass man viel zu rasch bereit war einzulenken. Offensichtlich hatte ich diesen Trick ganz gut hingekriegt. Doch was sollte er auch machen, die Zusammenarbeit beenden? Dann konnte ich meine Story immer noch als unautorisierte Biografie veröffentlichen. Material hatte ich inzwischen genug und mit der Vosskamp sogar eine Zeugin.

Dass ich mir eine weitere kleine Freiheit herausnahm, ohne ihn zu informieren, hatte nichts mit dieser komfortablen Lage zu tun. Ich selbst würde in dem Buch eine gewisse Rolle spielen. Die übliche Promibiografie – Herkunft, Ausbildung, erste Erfolge, ein herber Rückschlag, Drama, dann der große Durchbruch, all das munter anekdotisch geschrieben und mit Hochglanzfotos aufgepeppt – schien mir unangemessen. Da hatte sich jemand schuldig gemacht, war tief gefallen und verblüffend konsequent in die Wüste gegangen, um sich … ja was? Zu bestrafen? Zu retten? Ich fand, dass die Umstände der Beichte, die das Buch in der Hauptsache darstellte, hineingehörten. Wie Minkoff darauf reagieren würde – abwarten. Momentan jedenfalls brauchte er nichts davon zu wissen, und wenn das Manuskript fertig war, würde er es schon schlucken.

19 »Die einmalige Gelegenheit, eine literarische Figur zu werden, lasse ich mir doch nicht entgehen«, rief Mania. »Hat man schließlich nicht alle Tage. Aber ich bestehe darauf, dass dein Herr Journalist mir einen anderen Arbeitgeber verpasst, sonst kann ich karrieremäßig gleich einpacken!«

»Versteht sich von selbst«, versprach Simon.

Sie knatterten in Manias Cinquecento zum Olympiabad, um ein paar Bahnen zu ziehen und zu picknicken. Simon hatte so häufig für sie gekocht, dass sie fand, es sei höchste Zeit, mal wieder ihre hausfraulichen Qualitäten zu beweisen. Mit Speckpflaumen, Flammkuchen, Flusskrebssalat und einem Mango-Kokos-Parfait hatte sie sich mächtig ins Zeug gelegt.

»Dass du es jetzt doch noch in die USA schaffst!« Simon nahm seine Sonnenbrille ab und begann schon einmal damit, sich ihr Profil einzuprägen. »Es war so oft die Rede davon, dass ich nicht mehr daran geglaubt habe.«

»Meinst du ich? Am Ende hab ich mich nur noch aus Trotz beworben!«

»Freust du dich?«

»Nach all der Zeit habe ich eher das Gefühl, ich habe es verdient.«

»Berlin ohne dich, das wird nicht schön.«

»Komm doch mit«, sagte sie luftig. »Hast noch ein halbes Jahr Zeit, deine Dinge zu regeln.«

»Gut, ich überlege es mir.« Auch das so leicht wie Baiser. »Warum geht es nicht sofort los?«

»Muss erst Portugiesisch lernen.«

»Für Washington?«

»Jein. Ich werde mich hauptsächlich um Lateinamerika kümmern, und da ist Portugiesisch Pflicht. Spanisch hab ich ja drauf.«

Simon zündete eine Zigarette an und hielt sie ihr hin. Sie nickte dankend, inhalierte einmal und gab sie ihm zurück. »Wenn das Buch erst mal raus ist, wirst du keine ruhige Minute mehr haben.«

»Ich versuche nicht daran zu denken, komme mir allerdings hochschwanger vor.«

»Was kommt danach?«

»Keine Ahnung, aber ich werde mich auf jeden Fall mit etwas weniger Grandiosem zufriedengeben als mit dem Eremitendasein.«

Manias Augenbrauen wanderten nach oben.

Sie waren mit Bedacht erst gegen achtzehn Uhr zum Freibad gefahren. Als Simon die Herrenumkleide betrat, machten die meisten sich schon für den Heimweg fertig. Er zog sich um und erntete ein paar neugierige Blicke. Seitdem er den Bart abgenommen hatte und das Haar wieder kurz trug, erkannten ihn deutlich mehr Menschen. Trotzdem wurde er selten angesprochen. Da war eine Entschiedenheit in seiner Haltung, vor der die Neugierde zurückschreckte.

In knielangen Surfershorts verließ er die Umkleide, ein rotes Badetuch um den Hals. Mania, wie immer von der schnellen Truppe, wartete schon am Beckenrand, einen quietschbunten Picknickkorb im Arm. Ihr weißer Badeanzug war so schlicht, dass er äußerst glamourös wirkte.

»Gleich futtern oder erst schwimmen?«

»Voller Bauch schwimmt nicht gern!«, tat er kund, ließ sein Badetuch auf den Boden gleiten und hechtete ins Wasser. Bevor er auch nur das Wort »Weltbank« sagen konnte, war Mania an seiner Seite. Sie schaufelten sich gegenseitig Wasser ins Gesicht, kreischten, schwammen um die Wette – Schwimmbadfolklore.

»Wer als Erster am Picknickkorb ist!«, rief Simon und kraulte los. Als er sich aus dem Wasser stemmte, stand Mania schon breit grinsend da. Sie war seitlich aus dem Becken gehüpft und hatte den Landweg genommen: »Hast nicht gesagt, wie!«

»Weiber!«, seufzte er. »Die lateinamerikanischen Finanzminister werden an dir ihre Freude haben!«

Simon bestand darauf, das Picknick gesittet auf der Tribüne einzunehmen. Die Flusskrebse waren phänomenal. Dazu gab es Cidre, den Mania vorsichtshalber in eine Apfelsaftflasche gefüllt hatte.

»Geht's uns gut«, stöhnte er und streckte sich auf der Sitzbank aus.

Mania legte sich eine Stufe höher auf den Bauch. Versonnen zupfte sie an seinen Brusthaaren: »Ich kann es immer noch nicht fassen, dass du diesem komischen Böhm deine Geschichte geschenkt hast!«

»Nicht nur das, ich helfe ihm sogar, sie zu verhökern. Ich habe ihm eine Agentin besorgt und einen Verlag. Wir hätten das Buch auktionieren können, wird jetzt viel gemacht, aber dazu bin ich vielleicht etwas zu lange aus dem Job. Bei den Verlagen hatten wir trotzdem freie Auswahl.«

Mania blinzelte in die tiefstehende Sonne. »Die Promi-Nummer zieht also immer noch.«

»Prominenz, Sucht, Verrat, Leidenschaft – was denkst du denn? Allerdings hat der Verlag darauf bestanden, dass ich die PR persönlich anschiebe. Da trauen sie dem Böhm nicht soviel zu.«

»Und?«

»Kennst mich doch. Wenn schon, denn schon. Mein Plan geht so: Kurz vor Erscheinen ein press junket für die Radioleute, drei Runden à fünfundvierzig Minuten, nicht mehr als sechs Reporter pro Runde. In der Erscheinungswoche nur ein Interview im Print, aber exklusiv und groß platziert, *Spiegel* oder *stern*. Kommt drauf an, wer mehr für den Vorabdruck zahlt, der Abdruck ist Bedingung. Im Fernsehen die gleiche Strategie: *Beckmann* oder *Maischberger*, das weiß ich noch nicht. Wenn *Spiegel*, dann *Maischberger*, wenn *stern*, dann *Beckmann*, damit es von den Wochentagen her effektiver entzerrt ist.«

Sie setzte sich auf und schüttelte die nassen Haare wie ein Hund. »Die Medienhure lebt also immer noch.«

»Unverschämt!«, tat er empört.

»Warum tust du dir das an?« Sie klang schon wieder ernst. »Erst setzt du Himmel und Hölle in Bewegung, unsichtbar zu werden, dann läutest du alle Glocken auf einmal.«

»Hab ich eine Wahl? Wahrscheinlich hast du recht, und die Welt ist dazu da, sie zu bewegen. Langsam bin ich bereit, wieder damit zu beginnen. Aber vorher muss ich reinen Tisch machen.« Er setzte sich auf und schaute sie von unten an. »Ich habe dir ja meinen Sündenfall gebeich-

447

tet. Die Zeit danach war vielleicht nur eine Suche, wie mit der Schuld fertig werden.«

»Bisschen dick, bisschen laut, findest du nicht? Warum nicht einfach zu Leber gehen und sich entschuldigen?«

»Das schaffe ich nicht! Tausend Mal hab ich es im Kopf durchgespielt, aber wie soll er mir Absolution erteilen? Ich meine, der Mann muss auf dem Homeshoppingkanal Fitnessgeräte verkaufen – wegen mir!« Er legte sich wieder hin, diesmal auf den Bauch, das Gesicht in die Ellenbeuge gebettet. Mania griff nach dem Cidre, goss jedem nach und tippte mit einem Becher gegen seine rechte Hand. »Danke.«

»Denkst du nicht, eine Nummer kleiner würde es auch tun?«

»Irgendwann wurde mir klar, dass eine öffentliche Person einen solchen Knoten auch nur öffentlich durchschlagen kann.«

»Dann gibst du eben ein Interview, und die Sache ist gegessen.«

»In den üblichen Einsdreißig lässt sich das nicht vermitteln. Deshalb habe ich ja mehrfach versucht, die Geschichte aufzuschreiben. Weiß gar nicht, wie viele Seiten ich vollgekritzelt habe, aber ich war nie zufrieden. Es fehlte der Abstand, der Blick von außen.«

»Und den hat ausgerechnet ein Erpresser?«

Simon richtete sich auf und setzte sich neben sie. Lange schaute er auf den Sprungturm, wo ein kleiner Junge sich nicht traute, vom Dreimeterbrett zu springen. »Dir fehlen da ein paar Informationen«, sagte er. »War alles eher Komödie als Tragödie.«

»Simi, ich verstehe noch nicht mal Bahnhof.«

»Ja, Schatz«, grinste er. »Der gute Böhm denkt, er habe mich aufgespürt, observiert, ausgehorcht und könne nun die große Enthüllungsgeschichte schreiben. Die Wahrheit sieht etwas anders aus.«

Während sie im Abendlicht am Cidre nippten, erzählte Simon seine Fassung der Geschichte.

•

Es war einer meiner besseren Tage, als der dicke Mann von gegenüber, der immer so glotzte, mich ansprach: Ob ich denn wirklich der berühmte Minkoff sei? Na, so ein Ding auch! Hab ich doch gleich gesagt! Namen vergess' ich, Gesichter nie! Irgendwas mit Fernsehen, nur die genaue Sendung, die war weg. Der Gregor Böhm bei uns im Haus – Journalist, das muss man sich mal vorstellen – hatte so gar keine Peilung! Immerhin, das muss man ihm lassen, hat er den Beweis gefunden. Im Internetz! Na ja, bin ich selber nicht drin, kauf ich mir aber noch. So, Minkoff also! Und wie wär's mit einem Autogramm? Und eins für die Muddi in Erfurt, das glaubt die sonst nie!

Ich war angepisst. Eine Zeitlang sondierte ich die Lage, aber außer dass der Dicke immer verschwörerisch nickte, wenn wir uns auf der Straße begegneten, passierte nichts. Ich beruhigte mich. Als ich an einem langen, einsamen Tag vor dem damals noch vorhandenen Computer hockte, kam mir der Name des Journalisten wieder hoch – Gregor Böhm. Namen eingegeben, und schon hatte ich ihn: junger Mann mit weichen Gesichtszügen, irgendwo zwischen naiv und arrogant, je nachdem welche Aufnahme man auf *google Bilder* anklickte. Jung zwar, aber offensichtlich feuererprobt. Erstaunlich früh – und festangestellt, wie es aussah – bei einer Hamburger Zeitschrift. Seit deren Einstellung auf dem freien Markt. Worüber der sich nicht alles ausließ! Von der Enthüllung über kaum verhohlene Produktwerbung in deutschen Klassenzimmern bis zur Reportage über einen Club von Tankstellenzapfsäulensammlern. Bestimmt nicht einfach, sich für Zeilengeld die Finger blutig zu schreiben. Jede Menge Kleinkram auch, Buchrezensionen, Konzertkritiken, die nicht viel einbringen konnten, aber er hatte es wohl nötig. Immer mal wieder schrieb er auch ernsthafte Stücke zur Zeit, Porträts meist, deren Blick mir gut gefiel. Das Stück über eine ziemlich beeindruckende Hartz-IV-Empfängerin beispielsweise. Sollte nicht lange dauern, und eine dicke Frau würde mir irgendwie bekannt vorkommen ...

Längst hatte ich den Kerl vergessen, als mich Wochen später bei einem Spaziergang durch den Mauerpark etwas regelrecht in den Rücken piekste. Das Gefühl kenne ich im Schlaf! Pro forma band ich mir die Schnürsenkel und blickte mich vorsichtig um. Den Typen, der da so schlendrig über die Wiese trödelte, kannte ich: Gregor Böhm! Nicht ungewöhnlich, dass jemand aus der Nachbarschaft durch den Mauerpark spaziert, aber als der Kerl nach einer halben Stunde immer noch da war, begann ich mir Sorgen zu machen. Erst recht, als er am nächsten Tag wieder auftauchte und am darauf folgenden auch. Ich wurde beschattet von einem Journalisten! Fragte sich nur, was er im Schilde führte.

Statt in Panik zu verfallen, beschloss ich abzuwarten. Ich quälte ihn ein bisschen damit, stundenlang im Park zu lesen oder mit einem Kellner bewusst ein so leises Gespräch zu führen, dass er nichts verstehen konnte. Was auch immer vor sich ging, ich achtete penibel darauf, ihm keinerlei Anhaltspunkte zu liefern. Nachdem der erste Ärger verflogen war, amüsierte mich die Sache sogar. Endlich war mal was los in meinem so großzügig getakteten Leben. Lief er mal nicht hinter mir her, vermisste ich ihn fast.

Aus heiterem Himmel dann die Idee: Wenn ich nicht in der Lage war, meine Geschichte zu Papier zu bringen – Böhm könnte es! Der Typ würde ein Fernsehdasein mit seinen Widersprüchen begreifen. Ich musste nur einen Weg finden, meinen Ghostwriter an der Kandare zu halten. Ein schlechtes Gewissen kommt da immer gut. Ich konnte ihn mit der Beschattung konfrontieren – nur: Dazu mussten wir ins Gespräch kommen.

Die Sache mit dem fehlenden Feuer für die Zigarette kam ganz spontan. Inzwischen hatte ich herausgefunden, wo genau im gegenüberliegenden Haus er wohnte. Der immer einen Spaltbreit offene Vorhang fiel mir auf, ein Schatten hier, ein schnell zurückgezogener Kopf da. Sein Beobachtungsposten lag günstig. Weil er eine Etage höher wohnte, konnte er große Teile meines Wohn- und Schlafzimmers einsehen. Bisher hatte ich mir über neugierige Nachbarn nie Gedanken gemacht, vielleicht weil die Bewohner Kreuzköllns sich für wenig anderes interessierten als für Bier und Unterhaltungselektronik. Hielt ich mich nun im Wohnzimmer auf, war mir bewusst, beobachtet zu werden. Abends achtete ich darauf, die Vorhänge im Schlafzimmer blickdicht zu schließen. Hatte was von einer Boulevardkomödie. Meine morgendlichen Übungen am offenen Fenster, plötzlich eigenartig exhibitionistisch, behielt ich bei, er sollte keinen Verdacht schöpfen.

Der Rest war simpel, ich musste ihn nur kommen lassen. Manchmal ist es ja so, dass man auf einen Autor abfährt, aber wenn man ihn kennenlernt, enttäuscht ist, weil er mit seinen Texten nicht mithalten kann. Bei Gregor war das anders, er war mir auf Anhieb sympathisch. Ein Luder natürlich, aber wer mit einem Funken Überlebenswillen ist das heutzutage nicht?

Voskamps Bauerntheater um die Erpressung war ein Geschenk des Himmels, so was kann man nicht planen. Während ich auf empört machte, hätte ich mir vor Lachen fast in die Hose gepullert. Diese zwei Möchtegerngangster, Dick und Doof auf Erpressungstour – richtig putzig waren die! Tja, und jetzt schreibt er für mich also mein Buch.

»Wenn ich dich nicht so lange kennen würde, hätte ich Angst vor dir«, sagte Mania.

»Warum? Sind doch alle glücklich: Ich bekomme die Beichte, die ich allein nicht ablegen kann, Böhm statt eines Enthüllungsartikels ein ganzes Buch. So etwas nennt man eine Win-win-Situation.«

Mania schüttelte den Kopf. »Das nennst du gewinnen, vor der ganzen Nation als mieser Verräter dazustehen?«

»Ich kann es kaum erwarten! Die ganze Zeit schon spiele ich im Kopf durch, wie es sich anfühlen wird, wenn es endlich raus ist. Was ich getan habe, kann nicht ungeschehen gemacht werden, aber ich will wenigstens dafür einstehen. Vorher gibt es keinen Neuanfang.«

»Man wird dich schlachten und vor aller Augen ausweiden.«

»Was für ein subtiles Bild! Ja, vielleicht, aber vielleicht hilft das Buch, ein wenig zu verstehen, warum ich getan habe, was ich getan habe.«

»Wirst du ihm reinen Wein einschenken?«

»Wenn das Buch raus ist. Dann kann er meinetwegen in einer späteren Auflage die ganze Wahrheit schreiben. Wie immer die auch aussieht.«

»Minkoff«, staunte Mania und rempelte ihn mit der Schulter an. »Du bist mir ja ein Früchtchen!«

»Ja, ne?!«

Er sprang auf, packte sie fest bei der Hand und zog sie zum Becken. »Attacke!«, rief er, stieß sie ins Wasser und sprang mit einem Köpper hinterher. Als er auftauchte, bekam er einen Schreck: Wenige Zentimeter vor seinem Gesicht paddelte eine Matrone mit Blümchenbadekappe. Erst wollte sie sich über seine Ungezogenheit beschweren, dann runzelte sie die Stirn.

»Entschuldigung«, sagte sie. »Sie kommen mir so bekannt vor. Waren Sie nicht mal jemand?«

ABSPANN

Simons Strategie ging auf, das Buch verkaufte sich gut. Gleich nachdem er seine sorgsam geplanten Interviews gegeben hatte, lag es in großen Stapeln im Eingangsbereich der Buchhandlungen. Am Ende hatte er sich für *Spiegel* und *Maischberger* entschieden. Der *stern* wäre ihm lieber gewesen, aber dort bestand man auf voller Exklusivität: Simons einziger Fernsehauftritt dürfe nur bei *stern tv* stattfinden. Darauf wollte er sich nicht einlassen, von Erpressung hatte er genug.

Das Buch, punktgenau zur Frankfurter Buchmesse veröffentlicht, wurde viel beachtet. Das Feuilleton grübelte über Schuld und Sühne, der Boulevard wusch Wäsche. Am Morgen nach der Talkshow packte Simon seinen Koffer und flog für drei Monate nach Jardim do Mar auf Madeira. Er wanderte viel, fotografierte, lernte Portugiesisch. Und er dachte nach. Glück, so entschied er, bedeutet, nicht gezwungen zu sein, gegen seine Überzeugungen zu handeln.

Zurück in Berlin löste er seine Wohnung auf und zog nach Washington D.C. Die USA waren schon immer das Sehnsuchtsland derer, die von unbeschriebenen Blättern träumten. Mania hatte ihm angeboten, eine Wohnung zu teilen, allerdings nur als gute Freunde.

Ihre Prinzipientreue wurde selten auf die Probe gestellt. Die meiste Zeit unternahm er mit seiner Kamera ausgedehnte Erkundungsreisen durch das Land und fand auf diese Weise seinen neuen Beruf: Er wurde Fotograf. Sein Markenzeichen waren von Flechten, Moosen und Kleinstvegetation überzogene Industrieruinen, bizarre Technikleichen, nach und nach von der Natur zurückerobert. In riesigen quadratischen Formaten nicht unter drei mal drei Metern gelten sie in der Kunstwelt als ur-deutscher Kommentar zur Umweltkrise. Minkoff lebt heute in einer Künstlerkolonie bei Phoenix, Arizona.

Nachdem eine Option auf die Filmrechte vergeben war, reagierte auch das Fernsehen. Ein Privatsender startete die Reality-Show »Das Promi-Kloster«. Ein gutes Dutzend Semiprominenter wurde in ein abgelegenes Kloster in den Schweizer Alpen verfrachtet, in Mönchszellen gesteckt und eisern voneinander und von der Außenwelt abgeschirmt. Versteckte Kameras sorgten dafür, jede ihrer Regungen, besonders die Qualen des Öffentlichkeitsentzugs, Tag und Nacht zu dokumentieren. Die Quoten waren mäßig, bis der Sender sein Konzept durch sogenannte »Versuchun-gen« optimierte. Den Insassen schickte man beispielsweise ihren Lieblingsstar in die Zelle, der versuchen sollte, sie zum Regelbruch und Aufgeben zu bewegen.

Moderator der Sendung war Sebastian Leber, dessen Karriere einen Höhenflug erlebte. Wochenlang war er nach der Buchveröffentlichung der begehrteste Talkgast und Interviewpartner des Landes. Schon zwei Monate später erschien seine Version des Skandals in Buchform: »Schnee von gestern«. Für seine Leistung im »Promi-Kloster« erhielt er unter anderem den Bayerischen Fern-sehpreis. Als programmprägendes Gesicht seines Senders moderiert er heute ein erfolgreiches Talkshowformat und engagiert sich als Anti-Drogen-Botschafter.

Das provenzalische Spezialitätengeschäft, in dem Sylvia Vosskamp aushalf, musste wegen einer Mietverdoppelung schließen. Kurzzeitig arbeitete sie in der Filiale einer Dro-geriekette, legte sich aber wegen schlechter Arbeitsbedin-gungen mit der Filialleitung so heftig an, dass ihr fristlos gekündigt wurde. Den Prozess, den sie daraufhin anstrengte, verlor sie. Seither fand sie keine neue Arbeit. Sie hat sich einen größeren Fernseher zugelegt.

Im Wirbel um das Buch wurde sein Autor fast übersehen. Gregor Böhm verdiente zwar ausgezeichnet daran und erhielt eine Zeit lang interessante Aufträge für Reportagen und Kolumnen, doch das hielt nicht lange vor. Bei der Recherche zu einem Datenschutzskandal traf er in München zufällig auf den blutjungen Nicolas von Berghöft, der mit einem Internetportal das erste sich voll finanzierende Feuilleton im Netz geschaffen hatte. Mit der Idee, Anbieter und Konsumenten zu vernetzen, indem er Rabattcoupons für Kulturveranstaltungen anbot, hatte er ein Vermögen gemacht. Sie waren sich auf Anhieb sympathisch. Berghöft bot ihm die Chefredaktion seines Portals an. Böhm sagte zu. Die beiden leben als Paar am Starnberger See.

An einem Pfingstwochenende tauchte Vivian Gandolf unangemeldet bei ihren Eltern auf. Gegen ihre Gewohnheit blieb sie nicht nur über Nacht, sie war auch gesprächig und zum ersten Mal seit langer Zeit ausgesprochen herzlich. Am Pfingstmontag verabschiedete sie sich mit den Worten: »War schön, bis ganz bald wieder!« Seitdem ist sie verschwunden. Man hat nie wieder von ihr gehört.

MATTHIAS FRINGS
Der letzte Kommunist
Das traumhafte Leben
des Ronald M. Schernikau
496 Seiten. Mit 26 Abb.
ISBN 978-3-7466-7082-9

Nur wer träumt ist Realist

Herbst 1989: Tausende Ostdeutsche strömen gen Westen. Nur
einer geht den entgegengesetzten Weg. Der Schriftsteller Ronald M.
Schernikau ist der letzte Westdeutsche, der DDR-Bürger wird.
Anrührend und voller Humor erzählt Matthias Frings die Biographie
eines lebenshungrigen und todkranken jungen Mannes, der sich
gegen die Geschichte stellt.

»Die Ikone einer Zeit.« SÜDDEUTSCHE ZEITUNG

Mehr Informationen erhalten Sie unter www.aufbau-verlag.de
oder in Ihrer Buchhandlung

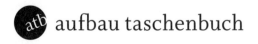

GERT SCHRAMM
Wer hat Angst vorm schwarzen Mann
Mein Leben in Deutschland
304 Seiten. Gebunden
Mit 10 Abbildungen
ISBN 978-3-351-02727-8

»Einfach einstecken – das lag mir nicht.«

Gert Schramm wird 1928 als Sohn einer Deutschen und eines schwarzes US-Amerikaners in einem kleinen thüringischen Dorf geboren. In die behütete Kindheit des Jungen, dem man seine »nicht arische« Herkunft schon weitem ansieht, bricht bald schon die Allgegenwart des Nationalsozialismus ein. Die Haft im KZ Buchenwald überlebt der Fünfzehnjährige nur aufgrund der Courage seiner Mithäftlinge. Nach Kriegsende muss er erleben, dass diejenigen, die für sein Schicksal Mitverantwortung tragen, noch immer in Amt und Würden sind. Er geht zunächst in den Westen Deutschlands, später nach Frankreich, kehrt jedoch schließlich in die DDR zurück. Dort widersetzt er sich bewusst der sozialistischen Doktrin und macht sich mit einem Transportunternehmen selbstständig. Seit er nach der Wende von Neonazis bedroht wurde, engagiert er sich in der Aufklärungsarbeit gegen Rechts. Seine Erinnerungen sind ein eindringliches Zeugnis, wie Rassismus und Ausgrenzung die Gesellschaftssysteme überdauern und was man dagegen tun kann.

Mehr Informationen erhalten Sie unter www.aufbau-verlag.de oder in Ihrer Buchhandlung

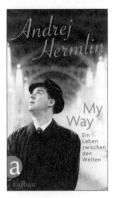

ANDREY HERMLIN
My Way
Autobiographie
288 Seiten. Gebunden
Mit 35 Abbildungen
ISBN 978-3-351-02726-1
Auch als ebook erhältlich

Von Pankow nach New York

Andrej Hermlin kann als Kind in Begleitung seines prominenten
Vaters reisen und sieht die Welt. In der Schule wird er deshalb oft
angefeindet. Ein Fluchtpunkt ist für ihn die Musik. Als Vierjähriger
hört Andrej Hermlin zum ersten Mal jene Melodien, die ihn fortan
nicht mehr loslassen – amerikanischen Swing aus den 30er Jahren.
Bereits 1987 gründet er seine erste Band, heute tourt er mit dem
berühmten Swing Dance Orchestra weltweit erfolgreich. Seine
Autobiographie ist ein Rückblick auf eine ungewöhnliche Kindheit
und Jugend in der DDR, eine Reise in die faszinierende Welt des
Swing und erzählt von Begegnungen mit Dichtern wie Pablo Neruda,
Max Frisch oder Heinrich Böll.

»Der deutsche Botschafter des amerikanischen Swing.« DIE WELT

»Hermlins neue CD beeindruckt sogar amerikanische Kritiker.« DIE ZEIT

Mehr Informationen erhalten Sie unter www.aufbau-verlag.de
oder in Ihrer Buchhandlung

 aufbau

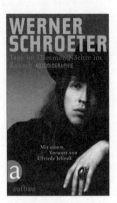

WERNER SCHROETER
Tage im Dämmer, Nächte im Rausch
Autobiographie
228 Seiten. Gebunden
Mit 50 Abbildungen
ISBN 978-3-351-02732-2

»Sein Leben selbst war ein Kunstwerk.« ISABELLE HUPPERT

Werner Schroeter war weit mehr als einer der wichtigsten Regisseure Deutschlands. Als Enfant terrible und genialischem Autodidakt gelang ihm die Verschmelzung von Pathos und Punk – in seinem Werk ebenso wie in seinem Leben. Seine Autobiographie schildert Begegnungen mit Maria Callas, Rosa von Praunheim, Isabelle Huppert, Rainer Werner Fassbinder und vielen anderen.
Mit zahlreichen Fotos sowie erstmals einer Filmo- und Szenographie.

»Ein Gott langweilt sich nie, denn auch sein Nichtstun ist Arbeit. Diese Schöpferkraft spürt man bei Werner Schroeter sofort.«
ELFRIEDE JELINEK

Mehr Informationen erhalten Sie unter www.aufbau-verlag.de
oder in Ihrer Buchhandlung

THOMAS KOCHAN
Blauer Würger
So trank die DDR
336 Seiten. Gebunden
ISBN 978-3-351-02730-8

Von Rotkäppchen bis Goldbrand

In den Witzen über die DDR spielt Alkohol häufig eine Rolle: Süffeln an der Werkbank, rauschhafte Brigadefeiern, das dünne Kneipennetz. Die SED sorgte ab 1960 für die Ausweitung der Produktion, mit Goldbrand, Timms Saurer und Sambalita ließ sich Kaufkraft abschöpfen und der Export steigern. Rotkäppchen-Sekt aber tauchte nur kurz vor Silvester in den Läden auf, und trübes Bier wurde mit Kennerblick schon in der Kaufhalle aussortiert. Verrenkungen waren nötig, um an einen Karton Rosenthaler Kadarka zu gelangen, und der 40-prozentige Kristall-Wodka wurde vom Volksmund liebevollschaurig »Blauer Würger« getauft. Die höchst amüsanten und aufschlussreichen Geschichten beleuchten das Alltagsleben in der DDR.

Mehr Informationen erhalten Sie unter www.aufbau-verlag.de
oder in Ihrer Buchhandlung

 aufbau taschenbuch